Gemäldegalerie Dresden Alte Meister

W9-DFU-560

Katalogbearbeitung

Angelo Walther
Italienische Gemälde, Pastelle und Bildteppiche

Annaliese Mayer-Meintschel
Niederländische Gemälde und Bildteppiche

Angelika Lasius
Niederländische Gemälde (Ergänzungen)

Harald Marx
Spanische, französische und deutsche Gemälde und Pastelle

Redaktion

Angelo Walther

GEMÄLDEGALERIE DRESDEN *ALTE MEISTER*

KATALOG DER AUSGESTELLTEN WERKE

WITHDRAWN
HARVARD LIBRARY

Visual Collections
Fine Arts Library
Harvard University

Staatliche Kunstsammlungen Dresden
E. A. Seemann Leipzig

Mit Farbaufnahmen von Jürgen Karpinski, Dresden,
die Pläne auf Seite 473 zeichnete Inge Brüx, Leipzig

ISBN 3-363-00568-7

© Staatliche Kunstsammlungen Dresden
und E.A. Seemann Kunstverlagsgesellschaft mbH, Leipzig 1992
Gestaltung: Horst Schuster und Bernhard Dietze
Printed in Germany
Satz und Reproduktion: Förster & Borries Satz-Repro-GmbH Zwickau
Druck: Jütte-Druck, Leipzig
Bindearbeiten: Leipziger Verlags- und Druckereigesellschaft mbH

INHALT

DIE GEMÄLDEGALERIE IM NEUEN ALTEN SEMPERBAU

Zur Wiedereröffnung 1992

Die Gemäldegalerie trug als die großartigste und anspruchsvollste Sammlung der sächsischen Kurfürsten und Könige den Ruhm Dresdens als Pflegestätte der Künste in alle Welt. Diese Tradition des Hauses Wettin reicht bis weit vor die Gründung der Dresdener Kunstkammer im Jahre 1560 zurück. In der meisterlichen Feinheit und der internationalen Orientierung der Goldenen Pforte zu Freiberg wurde um 1230 eine Haltung ausgeprägt, die sich in der sächsischen Kultur immer wieder bewähren sollte. Mit dem Naumburger Meister zog man den bedeutendsten Bildhauer der Zeit in die thüringisch-sächsischen Lande. Kurfürst Friedrich der Weise verdient wegen der Förderung des jungen Dürer und Lucas Cranachs einen Ehrenplatz in der Geschichte des Mäzenatentums. August der Starke und sein Sohn August III. schufen in der ersten Hälfte des 18. Jahrhunderts das umfassende System von künstlerischen und wissenschaftlichen Sammlungen, das die internationale Entwicklung des Museumswesens nachhaltig befruchtete.

Die Malerei war von Leonardo bis zu Picasso die bedeutendste Gattung der schönen Künste, und so wirkte die Eröffnung einer ihren Meisterwerken gewidmeten Stätte immer wieder über den fachlichen Bereich hinaus. Wechselseitige Verbindung mit dem politischen Leben des ganzen Landes läßt sich schon bei der ersten Präsentation im Redoutensaal des Dresdener Schlosses im Jahre 1707 erkennen, zu jener Zeit, als August der Starke den polnischen Thron verloren hatte, und gerade in dem Jahr, als er sich durch den Altranstädter Frieden neuen Handlungsspielraum verschaffte. Der großzügige Bau Knöffels mit einer in die Öffentlichkeit gerichteten Darbietung der wahrhaft königlichen Sammlung Augusts III. war im Jahre 1747 signifikant für die Blütezeit eines Landes, das seine Wirtschaftskraft völlig mit seiner kulturellen Entfaltung verknüpft hatte. In ähnlicher Weise markierte Sempers Museumsbau, der seit 1838 konzipiert und 1847 bis 1855 errichtet wurde, einen Höhepunkt der Dresdener Kunst im 19. Jahrhundert.

Die Eröffnung der Dresdener Galerie unter dem Namen «Zentralmuseum des Bundeslandes Sachsen» im Schloß Pillnitz am 6. Juli 1946 war Ausdruck des Aufbauwillens und der neuen Hoffnung nach Kriegsende. Obwohl von der sowjetischen Trophäenkommission nur geringe Reste der Sammlung zurückgelassen worden waren, hatten die Museumsleute ein eindrucksvolles Ensemble in den beiden Palaisbauten geformt, das vom Hausbuchmeister bis zu Kandinsky und Klee reichte. Den ehemaligen Glanz der Galerie evozierten im Hauptsaal des Wasserpalais die beiden Reiterporträts der königlichen Gründer von Silvestre, wie ehedem in Sempers Eingangssaal.

Die beiden Eröffnungen außerhalb Dresdens, mit denen die Galerie im Jahre 1955 nach 16 Jahren erstmals wieder ans Licht trat, hatten historische Dimensionen. Für die Kunstfreunde und -gelehrten der ganzen Sowjetunion, denen seit Jahrzehnten, eigentlich seit dem Ersten Weltkrieg, der Besuch einer der großen Galerien im Ausland verwehrt war, bedeuteten die Dresdener Bilder einen Blick auf Schönheit und Reichtum der weiten Welt. Darüber hinaus empfanden es wohl viele als befreiend, daß eines der strengen Staatsgeheimnisse gelüftet wurde, indem die Meisterwerke nach zehn Jahren des Verbergens wieder der Betrachtung zugänglich gemacht wurden.

Für die Deutschen in der DDR bedeutete die Rückgabe der Dresdener Gemälde einen Schritt zur Anerkennung ihrer Würde und Selbstachtung und stärkte ihre Zuversicht auf Wiederaufnahme in die Völkerfamilie. Kunstfreunde aus aller Welt strömten von November 1955 bis April 1956 in die Berliner Nationalgalerie. Für Sachsen verkörperte die wunderbare Sammlung zudem das Aufglänzen einer ruhmreichen und ehrenvollen Vergangenheit. Die Hoffnung auf baldige Rückgabe der Bestände aus den anderen Museen wurde geweckt.

Die Dresdener schafften Planung und Wiederaufbau von drei Vierteln des Semperbaus in der Rekordzeit von elf Monaten bis zur Eröffnung am 3. Juni 1956, um die Bilder zum 750jährigen Jubiläum ihrer Stadt heimzuholen. Die Vollendung des Gebäudes im Jahre 1960 war ein Höhepunkt der außerordentlichen Anstrengungen, die bis zum Jahre 1965 bei der Wiederherstellung der kulturhistorischen Bauten Dresdens vollbracht wurden, von der Rekonstruktion des Großen Hauses der Staatstheater 1948 bis zum Abschluß der Restaurierung des Zwingers 1964 und des Albertinums 1965. Nach der überstürzten Schließung des Semperbaus am 16. Februar 1988 wegen Brandgefahr offenbarte die Vorbereitung der Rekonstruktion in steigendem Maße die Krise der DDR. So ist die neunte Eröffnung einer Präsentation der Gemäldegalerie in dem völlig erneuerten Semperbau am 5. Dezember 1992 mit dem Sturz des SED-Regimes, der Einigung Deutschlands und mit dem Wiedererstehen Sachsens als Bundesland verbunden.

Gottfried Semper konnte in seinem Museumsbau 1847 weder die Bedürfnisse des Massenbesuchs noch die des modernen Museumsbetriebs berücksichtigen. So fehlten heute ausreichende Garderoben, Toiletten, Buchstand, Informationsmöglichkeiten, Café und Vortragsraum, gleichermaßen Depots, Werkstätten und Arbeitsräume für Restauratoren und Techniker, Museumspädagogen und Photographen, Sozialräume für die Aufsichten, vor allem aber künstliche Beleuchtung, Klima- und Sicherheitsanlagen. Die dafür vorgesehenen Einrichtungen des Jahres 1960 erwiesen sich bald als unzureichend. Obwohl die Direktorin der Gemäldegalerie Dr. Annaliese Mayer-Meintschel seit 1976 mehrfach auf die Notwendigkeit einer Generalüberholung des Semperbaus hingewiesen hatte, lagen bei der Schließung des Hauses im Februar 1988 keine Pläne für die Rekonstruktion vor. Unter der Leitung des stellvertretenden Generaldirektors Johannes Winkler beriet eine Expertengruppe, der außer den Verantwortlichen der Gemäldegalerie Alte Meister auch einige weitere Museumsdirektoren angehörten. Für die Hauptfunktionen des musealen und technischen Ablaufs bei Einbeziehung eines unterirdischen Außenbaus schälten sich allmählich überzeugende Lösungen heraus, wozu die Außenstelle Dresden des ehemaligen Instituts für Kulturbauten wesentlich beitrug. Die Planungen und der Baubeginn verzögerten sich. Im August 1989 verordnete die Arbeitsgruppe der Regierung der DDR, an der sechs Ministerien beteiligt waren, bei der Bestätigung des Finanzplans für die Rekonstruktion einschneidende Kürzungen, die schwere Beeinträchtigungen zur Folge hatten.

Nach der Ablösung der Generaldirektion der Staatlichen Kunstsammlungen Dresden durch die Belegschaft wurde im Januar 1990 die Überprüfung des bisherigen Projekts eingeleitet und eine internationale Beratergruppe herangezogen. Für engagierte Hilfe ist besonders Dr. Andreas Burmester und Dr. Bruno Heimberg vom Doerner Institut in München, Helmut Roider von den Bayerischen Staatsgemäldesammlungen

München sowie Günter Hilbert von den Staatlichen Museen Preußischer Kulturbesitz zu danken, ebenso vielen weiteren Museumskollegen, die wertvolle Erfahrungen übermittelten. Nachdem die Finanzhoheit der Rekonstruktion Ende 1990 in den Freistaat Sachsen übergegangen war, konnten alle Mängel des alten Projekts überwunden werden. Die Unterkellerung der Osthalle und des Durchgangs wurde ermöglicht, ebenso die Erweiterung des unterirdischen Depots und der Einbau einer Hubbühne zum direkten Antransport. Die Ausstellungsräume konnten mit Stoffbespannung statt der verordneten Gipswände versehen werden. Die technischen und Sicherheitsanlagen wurden nach bestmöglichem Standard ausgerüstet. Die Einrichtung eines Cafés in dem Anbau zum Zwingerwall wurde beschlossen und dadurch die Restaurierung des Marmorsaals eröffnet. Diese räumlichen Erweiterungen erlaubten es, die Architektur Sempers von Einbauten und entfremdender Nutzung zu befreien. Das Vestibül entfaltet sich jetzt zu großartiger Würde. Die dekorative Gestaltung der Räume im ersten Obergeschoß stellt den ursprünglichen Zustand wieder her. Die dunkle Tönung von Parkett, Paneel und Türrahmen bildet mit den verhaltenen Farben der Wände einen sonoren Fonds, aus dem die Farbigkeit der alten Bilder aufleuchtet. Die breiten Akanthus-Friese und Medaillons über den Hängeflächen bilden einen kraftvollen Abschluß, ohne die Farbigkeit der Gemälde zu beeinträchtigen.

Viele Partner mußten ihre Anstrengungen vereinen, um die außerordentlich komplizierten und umfangreichen Aufgaben in der knappen Frist vom August 1989 bis zum Oktober 1992 zu bewältigen. Allen an dem großen Werke Beteiligten – im Staatshochbauamt, im Sächsischen Landesamt für Denkmalpflege, im Planungsbüro AIT, in der Heilit und Woerner Bau GmbH Dresden sowie in vielen weiteren Betrieben – gebührt Dank und Anerkennung, vor allem den Mitarbeitern der Gemäldegalerie Alte Meister unter Leitung von Direktor Dr. sc. phil. Harald Marx, die sich mit allen Kräften einsetzten.

In dieses noble Gehäuse wurden die Bilder auf angemessene Weise eingefügt. Die Einbettung des einzelnen Bildes in ein dekoratives Ensemble, die der Malerei vom 16. bis zum 19. Jahrhundert entsprach, wird eher zitiert als befolgt, zuweilen in postmodernem Sinne gebrochen. Die Architektur Sempers dient dabei als Argument. In der zweireihigen Überhöhung spricht ein Bedürfnis nach Fülle der Gesichte, das aus der entleerenden Isolierung des Einzelwerkes in den vergangenen Jahrzehnten gewachsen ist. Eine große Gemäldegalerie hat auch die Aufgabe, Bilder zu speichern, aber wohl kaum, mehr als nötig im Depot zu verwahren. Man kann gewisse Werte mancher Bilder in Höhe von zwei Metern durchaus erfassen.

Wenn Harald Marx auch viele seit dem 19. Jahrhundert bewährte Gliederungen beibehielt, wird der langjährig mit der Galerie Vertraute doch viele Beziehungen finden, die manches Werk in andere Zusammenhänge versetzen, so auch die Sixtinische Madonna. Deren axiale Position durch drei Säle hindurch, für die sich Ludwig Justi 1955 in der Nationalgalerie – im Gegensatz zu der früheren romantischen Isolierung als Andachtsbild – entschieden hatte, wurde beibehalten. Ihre Umgebung ist jedoch geändert. Von 1956 bis 1988 ragte die großformatige Komposition Raffaels weit über die kleinteiligen Darstellungen der Quattrocentisten hinaus. Jetzt wurde Raffael mit Zeitgenossen und Nachfolgern vereint. Die Erhabenheit der Sixtinischen Madonna wächst über die Werke der vorhergehenden Generation hinaus und öffnet neue Wege. Correggios Frühwerk entstand nur sechs Jahre nach Raffaels Madonna. Die Bilder der Quattrocentisten folgen im letzten Eckraum des Mittelgeschosses sowie in der Südgalerie, so daß der Besucher von der Rotunde her die kunsthistorische Entwicklung schrittweise zurückverfolgen kann. Zugleich wird auf diese Weise der Kernbestand der Sammlung des 18. Jahrhunderts in den Mittelsälen herausgeschält. Die Quattrocentisten wurden zumeist im 19. Jahrhundert hinzugekauft. Übrigens hatte Henner Menz die Sixtinische Madonna 1960 zunächst ebenfalls in das frühere Cinquecento eingebettet, mußte jedoch nach wenigen Wochen auf Weisung von Generaldirektor Max Seydewitz umhängen, weil aus ideologischen Gründen das klassische Hauptwerk Raffaels nicht mit den «dekadenten» Manieristen vereint werden durfte, sondern als Höhepunkt der realistischen Entwicklung des Quattrocento herausragen sollte. Im Veronese-Saal ist den Venezianern das großformatige Hauptwerk Annibale Carraccis «Der Heilige Rochus, den Pestkranken Almosen spendend» zugesellt, was auch dadurch gerechtfertigt ist, daß der Bolognese von Tintoretto, Bassano und Tizian angeregt wurde. Das mächtige Bild kann in dem Oberlichtsaal ohne störende Spiegelung betrachtet werden und hängt jetzt in Nachbarschaft der beiden anderen großen Altarwerke Annibale Carraccis, die in der Rotunde Platz gefunden haben, und nahe den mittleren Formaten in den nördlichen Kabinetten, zu denen ein wieder geöffnetes Portal Zugang gewährt. Im ersten Oberlichtsaal der flämischen Malerei bietet sich deutlicher als früher der besondere Reichtum der Dresdener Galerie an großformatigen Kompositionen des Jacob Jordaens dar.

Die Bildteppiche nach Raffaels Kartons, die seit 1960 dem festlichen Saal im Erdgeschoß den Namen gaben, bedurften seit Jahren dringend der Restaurierung. Bisher waren dafür in Dresden weder die finanziellen noch die fachlichen Voraussetzungen vorhanden. Eine großherzige Spende der Firma August Oetker ermöglichte es, dafür im Kunstgewerbemuseum eine Werkstatt einzurichten und zwei Fachkräfte einzustellen. Als erstes Ergebnis kann der Bildteppich «Der wunderbare Fischzug» gezeigt werden. Dabei ist für die Beratung und Hilfe dem Germanischen Nationalmuseum Nürnberg, den Staatlichen Museen zu Berlin und dem Bayerischen Nationalmuseum München zu danken.

Von den sieben Dresdener Kunstsammlungen, die 1955 und 1958 aus der Sowjetunion zurückkehrten, erhielten bis heute nur zwei ihre endgültige Heimstätte, die Gemäldegalerie Alte Meister und die Porzellansammlung. Die anderen fünf sind seit 34 Jahren nur interimistisch untergebracht. Die Rekonstruktion des Semperbaus, in dessen Osthalle die Rüstkammer eine Auswahl ihrer Meisterwerke zeigen kann, stärkt die Hoffnung auf den Wiederaufbau des Schlosses, das als historisches Zentrum der Dresdener Kunstsammlungen mit dem Zwinger, dem Stallhof und dem Albertinum ein einzigartiges Ensemble bilden wird.

Werner Schmidt

ZUM VORLIEGENDEN KATALOG

Der kommentierte Katalog der ausgestellten Werke der Dresdener Gemäldegalerie Alte Meister ist in 1. Auflage 1979 erschienen. Im Aufbau und in den Erläuterungen zu den Gemälden wurde für die hier vorgelegte, überarbeitete und ergänzte 9. Auflage auf die Erfahrungen der vorangegangenen Auflagen zurückgegriffen. Neu wurden Gemälde aufgenommen, die entweder zusätzlich einen Platz in der Galerie gefunden haben oder deren Besprechung aus wissenschaftlichen Gründen von den Bearbeitern der einzelnen Abteilungen in Vorschlag gekommen ist. Alle Texte wurden überprüft und durch knappe Literaturhinweise ergänzt, die den Zugang zur wissenschaftlichen Auseinandersetzung mit den Bildern erschließen sollen. Nach dem altersbedingten Ausscheiden der langjährigen Direktorin der Galerie, Frau Dr. Annaliese Mayer-Meintschel, die jahrzehntelang alle altniederländischen, flämischen und holländischen Gemälde wissenschaftlich betreut hatte, ist in diese Arbeit von Februar bis Mai 1992 Frau Dr. Angelika Lasius einbezogen gewesen, die auch mit der Durchsicht und teilweisen Neufassung der Texte zu den Miniaturen betraut war. Für die 1. Auflage hatte Hans-Jörg Göpfert die Miniaturen bearbeitet. Die Redaktion lag wiederum, genauso wie bei den vorigen Auflagen, in den Händen von Dr. Angelo Walther.

Das Manuskript hat als Direktionssekretärin Frau Gunhild Krüger geschrieben; die Bereitstellung der Fotos, die zum größten Teil aus der Fotowerkstatt der Staatlichen Kunstsammlungen Dresden unter Leitung von Hans-Peter Klut, zu einem gewissen Teil auch aus der Deutschen Fotothek Dresden stammen, sicherte als Fotosachbearbeiterin Frau Barbara Rühl. Die Bereitstellung der Gemälde für Neuaufnahmen und Restaurierung war dem Depotverwalter der Galerie Alte Meister, Herrn Jürgen Hirschnitz, anvertraut. Die Farbaufnahmen fertigte Jürgen Karpinski sämtlich neu. Die gründliche Durchsicht aller Gemälde und die Restaurierung einzelner Werke lag in den Händen der Galerierestauratoren Marlies Giebe, Günter Ohlhoff, Gerthild Sacher, Christoph Schölzel, unter der Leitung des Chefrestaurators Gerhard Rüger.

Oft ergeben sich gerade aus der Zusammenarbeit zwischen Kunsthistorikern und Restauratoren neue Aspekte der Beurteilung von Bildern, und die Nennung im Zusammenhang mit dem Katalog ist darum gerechtfertigt. Angeschlossen sei die Erwähnung der Holzrestauratoren/Rahmentischler Gerhard Bernhardt und Michael Schweiger sowie der Vergolderinnen Ellen Pfauder und Angelika Schmidt und der technischen Hilfskraft in der Restaurierungswerkstatt, Chiquita Viertel. *H. M.*

ZUR GESCHICHTE DER DRESDENER GEMÄLDEGALERIE ALTE MEISTER

«Was für Schätze enthält nicht diese Bildersammlung, welche aus den Meisterstücken der vornehmsten Maler aller Schulen besteht? Sie steht zu allen Stunden den Liebhabern offen.» Diese Feststellung traf schon 1777 Benjamin Gottfried Weinart. Selbst wenn wir einschränken, daß nicht zu allen, sondern nur zu bestimmten Stunden der Zutritt möglich war, so sehen wir doch, daß die Dresdener Museumstradition neben dem Festhalten an höchster künstlerischer Qualität auch Öffentlichkeit der Sammlung schon früh zum Inhalt hatte.

Als Schöpfung königlicher Repräsentation und persönlichen Kunstsinns gleichermaßen war diese Gemäldegalerie in der ersten Hälfte des 18. Jahrhunderts entstanden. Geprägt durch den Geschmack König Augusts des Starken und mehr noch durch die Erwerbungen seines Sohnes, König Augusts III., gehört sie zu den wichtigsten kulturellen Leistungen der sogenannten «augusteischen» Epoche in Sachsen. Doch die nachweisliche Sammlungstradition reicht weit hinter die eigentliche Galeriegeschichte zurück. Als Gründungsdatum der kurfürstlichen Kunstkammer wird das Jahr 1560 angenommen. In dieser Universalsammlung, die gleichsam alles damals verfügbare Wissen aus Natur, Geschichte, Wissenschaft, Technik und Kunst vergegenständlicht enthalten sollte, spielten Gemälde eine untergeordnete Rolle. Noch im späteren 17. Jahrhundert hatte sich daran nichts geändert, wie aus der 1671 erschienenen Kunstkammerbeschreibung hervorgeht, die vom damaligen Inspektor der Sammlung, Tobias Beutel, verfaßt worden ist; es heißt dort zur «Ersten Kammer», die vor allem «Mathematische Werck-Zeuge» enthielt: «... Item noch ein anderer Schreibe-Tisch / mit Mathematischen Instrumentis, und ferner viel Kasten voll Mechanischer Werck-Zeuge. Eine lange Spiel-Taffel / und hierüber an den Wänden / Biblische Gemälde / Lucas Kranachs Hand/ und anderer künstlichen Mahler.» Besonders die «Dritte Kammer. Schatz-Kästlein und Kunst-Gemälde» enthielt viele Werke, die Künstlern von Rang zugeschrieben waren, und Tobias Beutel bemerkte: «Letztlich seynd auch in dieser Kammer, als wie in andern, unterschiedene alte und neue künstliche Gemälde mit untergesprengt, als von Albrecht Dürern, von Luca von Leyden, von Luca Cranachen, von Tintoretto, Titiano, Rubenßen, und anderen künstlichen Mahlern gemahlt.»

Trotz mancher wichtiger Gemälde-Erwerbungen während des 17. Jahrhunderts setzte jedoch erst unter August dem Starken eine allen bisherigen Rahmen sprengende Vermehrung der Bestände und die Abspaltung und Einrichtung von Spezialsammlungen ein, die schließlich auch zur Gründung der Gemäldegalerie führten. Die besten Gemälde wurden 1707 aus der Kunstkammer herausgelöst und anfangs im Redoutensaal, im Zwischenflügel des Residenzschlosses, in der Nähe der Prunksäle, untergebracht, dann, seit 1730, im «Riesensaal» des Schlosses und in angrenzenden Räumen.

Es war noch keine spezialisierte Bilder-Sammlung, wie wir sie in Dresden seit dem

Umbau des Stallgebäudes kennen, es waren noch Prunkräume, in denen die Gemälde ihren Platz hatten. So verstand auch Johann George Keyßler die Gemäldesammlung, von der er 1730 schrieb: «Der vornehmste dazu gewidmete Saal ist noch gar nicht ausgemahlet, übrigens aber schon mit vielen alten kostbaren Stücken gezieret. Zu beiden Seiten stehen etliche große Vasa von Serpenthin und viele andere von Porphyr, eine gute Anzahl marmorner und metallener großer Brustbilder ...» Keyßler beschrieb noch fünf weitere Zimmer neben dem Riesensaal, die besonderen Genres der Malerei oder Malerschulen vorbehalten waren.

Während sich August der Starke auch am Kunsthandwerk begeistert hatte, bedeutende Aufträge vergab und durch seine Porzellan-Leidenschaft bekannt wurde, war sein Sohn und Nachfolger, August III., ausschließlicher den bildenden Künsten, Malerei und Zeichnung vor allem, zugeneigt und auf diesen Gebieten als wahrer Kenner zu schätzen. Bis zum Ausbruch des Siebenjährigen Krieges 1756 dauerten die Erwerbungen, aus denen der Ankauf der hundert besten Bilder der Sammlung des Herzogs von Modena 1745 sowie der Kauf der «Sixtinischen Madonna» 1754 herausragten. Aus ganz Europa, so aus Italien, Paris, Amsterdam und Prag, gelangten damals Gemälde nach Dresden. Heinrich Graf Brühl, der Premierminister, und sein Sekretär Carl Heinrich von Heinecken lenkten diese Erwerbungen.

So kam in etwas mehr als 50 Jahren, unter August dem Starken und August III., in Dresden zusammen, was wir als Gemäldegalerie Alte Meister bewundern. Daraus resultiert aber auch der besondere Charakter dieser Galerie, in der wir den Geschmack, die Vorlieben und Abneigungen des 18. Jahrhunderts erkennen. Es waren die reif entwickelten Stilstufen der Malerei, denen man den Vorzug gab, Hochrenaissance und Barock sowie virtuoses 18. Jahrhundert, während Frühstufen, wie italienisches Quattrocento und altniederländische Malerei, wenig gesucht wurden. Neben den Werken der großen Meister Italiens, die vor allem aus Modena nach Dresden kamen, sind es die Holländer und Flamen (und hier neben den klangvollen Namen auch die Menge der sogenannten Kleinmeister), die den besonderen Reichtum der Galerie ausmachen. Dürer und seine deutschen Zeitgenossen waren zwar zahlenmäßig gut vertreten, doch meistens handelte es sich hier um Zuschreibungen, die später korrigiert werden mußten.

Alle diese Erwerbungen machten grundlegende Veränderungen im Hinblick auf die Unterbringung der Bilder nötig. Im Vorwort zum Galeriekatalog von 1826 lesen wir dazu folgendes: «Früher waren die Gemälde in den fürstlichen Zimmern und Palästen zerstreut; aber nach Ankunft der erwähnten modenesischen Gallerie wollte der König die Gemälde an einem Ort vereinigt sehen und befahl, das Gebäude, in welchem sie sich jetzt befinden, früher aber eine andere Bestimmung hatte, zu diesem Zwecke einzurichten. Der Bau wurde im Jahre 1747 vollendet, und dann die Gemälde hier aufgestellt.» Das Gebäude, «das früher eine andere Bestimmung hatte», war der kurfürstliche Stall. Die Bauleitung hatte Johann Christoph Knöffel, von dem auch der Entwurf des Umbaus stammte.

Erhalten blieben von dem ursprünglichen Gebäude aus der Zeit des Kurfürsten Christian I. das massive, gewölbte Untergeschoß mit zwei seitlichen Toreinfahrten sowie die zweiläufige Treppe von einem Umbau 1730. Abgetragen wurden die zwei Obergeschosse mit repräsentativen Gästequartieren, in denen sich seit etwa 1740 auch viele Gemälde befunden hatten, und an deren Stelle wurde das hohe Galeriegeschoß mit den Bogenfenstern errichtet.

Im «Avertissement» zu seinem Kupferstich-Werke, das als repräsentative Veröffentlichung zur Galerie in zwei Bänden 1753 und 1757 erschienen ist, hatte Carl Heinrich von Heinecken geschrieben: «Das ist ein großes, viereckiges Gebäude, von beträchtlichen Ausmaßen, mit einer fortlaufenden Galerie darinnen, die, sozusagen, verdoppelt ist und den Baukörper in zwei Hälften teilt, derart, daß eine innere und eine äußere Galerie entstehen, wie man das deutlich aus dem beigegebenen Plan ersieht» (Zitat aus dem Französischen übersetzt). Um den geschlossenen Hof zog sich die sogenannte «innere» Galerie, die den Bildern der italienischen Malerei vorbehalten war; Fenster nach außen hatte die umlaufende «äußere» Galerie, in der die sämtlichen nicht-italienischen Werke Platz fanden. Im Eingangsraum begrüßten den Besucher die Bildnisse der Galeriegründer, gemalt von Louis de Silvestre, an die sich weitere französische Gemälde anschlossen.

Das Schema des Galeriebaues, wie es Knöffel 1743 in Dresden bereits für den Grafen Brühl realisiert hatte und wie es die Bildergalerie Friedrichs II. in Sanssouci noch heute zeigt, als langgestrecktes Gebäude mit einer Bilder-Hängewand den Fenstern gegenüber, wurde vom Architekten wegen der vorgegebenen Grundrißlösung auf einen vierflügeligen Zentralbau übertragen.

Die originelle Bewältigung der übergroßen Raumtiefe durch eine Mittelwand, die eine innere Raumflucht nach dem Hof zu von einer äußeren Raumflucht trennte, brachte gleichzeitig den unschätzbaren konservatorischen Vorzug, daß keine Gemälde an Außenwänden hingen, sondern klimatisch günstig von beiden Seiten an einer Mittelwand. Den feierlichen Eindruck, den die Galerie auf Besucher machte, hatte schon Johann Wolfgang Goethe bei seinem ersten Besuch empfunden: «Meine Verwunderung überstieg jeden Begriff, den ich mir gemacht hatte. Dieser in sich selbst wiederkehrende Saal, in welchem Pracht und Reinlichkeit bei der größten Stille herrschten, die blendenden Rahmen, alle der Zeit noch näher, in der sie vergoldet wurden, der gebohnte Fußboden, die mehr von Schauenden als von Arbeitenden benutzten Räume gaben ein Gefühl von Feierlichkeit, einzig in seiner Art, das umso mehr der Empfindung ähnelte, womit man ein Gotteshaus betritt, als der Schmuck so manchen Tempels, der Gegenstand so mancher Anbetung hier abermals, nur zu heiligen Kunstzwecken aufgestellt schien.»

Die zweite Hälfte des 18. Jahrhunderts blieb für die Galeriegeschichte im Hinblick auf Erwerbungen still, doch wuchsen Ruhm und Ausstrahlung der Sammlung ständig, die als Bildungsfaktor im Leben vieler Künstler und Dichter der klassischen und romantischen Epoche eine große Rolle gespielt hat. Erst das 19. Jahrhundert brachte langsame Veränderungen wie auch einschneidende Zäsuren. Entscheidungen über die Galerie wurden mehr und mehr zu öffentlichen Angelegenheiten und damit dem Ermessen des Königs entzogen; die Stimme des Bürgertums gewann auch in der Residenzstadt Dresden an Gewicht. Das Bedürfnis nach einem neuen, allen Erfordernissen des 19. Jahrhunderts entsprechenden Galeriegebäude resultierte daraus (auch wenn der König mehr Interesse zeigte als die auf Sparsamkeit bedachten Vertreter der Stände). Sorge bereitete nicht nur die wenig «instructiv geordnete Aufstellung» der Bilder, sondern mehr und mehr auch deren Erhaltungszustand. Johann Gottlob von Quandt gab eine dramatische, die Situation beleuchtende Einschätzung: «... und vor dem Jahre 1837 erregte solche (die Gemäldegalerie) bei den Kunstfreunden eben so großes Aufsehen durch ihre Kunstschätze als durch den traurigen Zustand, in welchem sie sich befand.» Für die Erhaltung der in Dresden bewahrten «unermeßlichen und unersetzlichen Kunstschätze» konstatierte Quandt eine Verantwortung der Galeriebeamten nicht nur dem sächsischen Staat gegenüber, sondern er stellte fest, daß «der Staat selbst allen cultivierten Völkern Rechenschaft schuldig ist, weil auf Kunstwerke von so hohem geistigen Werthe die Menschheit gerechte Ansprüche hat.»

Dieser Verantwortung eingedenk wurde 1836 eine «Galerie-Commission» gegründet, «welche beauftragt wurde, den Stand der Sache zu untersuchen.» Eine Zeitlang gab es in Dresden noch Versuche, die Mittel für den Neubau einer Galerie zu sparen, und verschiedene Möglichkeiten sind dafür ins Auge gefaßt worden, vom Umzug ins Japanische Palais bis zum Umbau des Stallgebäudes. Praktische und ästhetische Gründe sprachen jedoch unabweisbar für einen Neubau, so beispielsweise die Unmöglichkeit, das alte Galeriegebäude zu heizen.

Aus einer beiläufigen Bemerkung von Wilhelm Schäfer geht hervor, daß schon lange vorher Möglichkeiten eines Galerie-Neubaues erörtert worden waren. Es ging um die Wahl eines geeigneten Bauplatzes und um die architektonische Form. Nach unterschiedlichen Vorschlägen und Erwägungen entschied man sich dafür, «den Platz zu wählen, den bereits im Jahre 1835 der Architekt Schinkel im Allgemeinen als den dafür geeignetsten erklärt hatte. Es war der Platz an der nördlichen Abgrenzung des Zwingers.» Karl Friedrich Schinkel müßte sich also gerade in dem Jahr zu einem Dresdener Galerieneubau geäußert haben, als die von Friedrich Matthäi durchgeführte Neuhängung abgeschlossen war. Das hieße, man wäre sich der Unmöglichkeit, moderne museale Forderungen in der von Johann Christoph Knöffel Mitte des 18. Jahrhunderts geschaffenen Raumlösung zu verwirklichen, von Anfang an bewußt gewesen.

Schäfer stellte auch fest: «Es ward gleich von vornherein zum Planarchitekten der höchst phantasiereiche Baukünstler, Professor Gottfried Semper, erwählt. Dieser hatte sieben verschiedene Baupläne und sogar Modelle dazu hergestellt, welche in der am 21. Dezember 1846 mit Hinzuziehung mehrerer sogar auswärtiger Architekten abgehaltenen Beschlußversammlung vorlagen ...»

Bei der Betrachtung von Sempers Galeriegebäude muß daran erinnert werden, daß, dem Plan des Architekten entsprechend, anfangs an der Verwirklichung einer Galerie gearbeitet wurde, die weit kleiner war, als wir sie heute kennen. Noch während des Bauens mußte man das Projekt ändern, denn «nur zu bald ergab es sich, daß die beschlossene Ausführung am Ende nicht ausreichend sein würde.» Hinzugefügt wurden die zwei sogenannten «Eckflügel». Der Außenbau war 1853 vollendet, während sich der Innenausbau bis 1855 hinzog.

Interessant ist im Hinblick auf den Zweck des Gebäudes, daß neben künstlerischen Fragen auch die konservatorischen Belange Beachtung fanden. Wiederum war es Wilhelm Schäfer, dem wir genaue Auskunft verdanken. Als Aufgabe für den Neubau war formuliert und von den Ständen als Bedingung der Finanzbewilligung beschlossen, daß «vor allem für die Erhaltung der Gemälde bei der Construktion des Baues Sorge zu tragen» sei. Dementsprechend verbot sich die Unterbringung von Gemälden in Räumen, die den größten Teil des Tages der Sonneneinstrahlung ausgesetzt waren, «was die Notwendigkeit hervorrief, durch eine architektonische Wendung die wirklichen Gallerieräume der Südseite mit einer Vorlage zu decken, und sie nur mittels Oberlicht zu erleuchten.»

Bei dem Museumsbau waren die städtebauliche Eingliederung und der Bezug zu vorhandenen Bauten wichtig. Dazu heißt es im «Illustrierten Gallerieführer» von 1861: «Das Museum ... erhebt sich in der Altstadt zwischen dem Theaterplatz und dem Zwinger, dessen zwei vorspringenden Flügeln der Museumsbau sich anschliesst ... durchgehend sind die wesentlichen Verhältnisse und Dispositionen der Zwinger-Architektur beibehalten worden und nur die Einzelformen sind dem heutigen Stylgefühl entsprechend modificirt ...».

In der Mitte öffnet sich die Galerie unter flacher Kuppel (in dieser Form nicht von Semper entworfen) in einem dreitorigen Durchgang, der antik-römische Triumphbögen nachahmt, zweigeschossig als Fassade aufgebaut, mit einer von außen nicht sichtbaren Kuppelhalle im Durchgang, von der aus man nach der einen Seite die Galerie, nach der anderen Seite das Historische Museum erreicht: Semper hat die antike Triumph-Idee hier zu einem Triumph der Künste verwendet. Der kraftvolle Stil der Architektur benutzt und verwandelt daneben vor allem Formen der Renaissance, bei einem Untergeschoß in Rustika, das an Palazzi in Florenz erinnert und einem Obergeschoß, bei dem auf der Zwingerhofseite ionische Säulen rundbogige Fenster rahmen, ein wenig vielleicht in Anlehnung an Jacopo Sansovinos Bibliothek von San Marco in Venedig.

Das Skulpturenprogramm, von den Bildhauern Ernst Rietschel und Ernst Julius Hähnel entworfen und ausgeführt, ist an der dem Zwinger zugewandten Südseite der nachantiken Kunst gewidmet, mit Standbildern von Raffael und Michelangelo in Nischen des ersten Stockwerkes, mit den Figuren von Dante (links seitlich), Giotto und Hans Holbein d. J., von Albrecht Dürer und Peter Cornelius sowie Goethe (rechts seitlich) als krönendem Abschluß. Die Attika der Südfassade (nach dem Zwinger) enthält in vergoldeten Buchstaben eine lateinische Inschrift, die der Bestimmung des Gebäudes entspricht. Links von dieser Inschrift ein Relief, Jakobs Traum von der Himmelsleiter, rechts Jakobs Kampf mit dem Engel, beides Szenen nach dem Alten Testament. Die Nordfassade, dem Theaterplatz zugewandt, ist der antiken Kunst gewidmet: Dichter, Götter und Heroen Griechenlands und Roms finden sich in Standbildern, Medaillons und Reliefs verherrlicht, so Perikles und Phidias, Lyssippos und Alexander der Große als bekrönende Freifiguren.

Durch alle Säle begleitete den Besucher dekorative Malerei. Die Zeitgenossen hoben den zurückhaltenden Charakter dieser Arbeiten hervor und stellten fest, «daß die Decoration und die Reliefbilder der Gewölbedecken und Friese der gesamten Räumlichkeit durchgängig so gehalten sind, daß sie nicht störend auf die Hauptsache der Galerie, die Gemälde, wirken.» Spätere Zeiten sahen das anders; wir haben uns bei der Rekonstruktion 1989–1992 zu diesem künstlerischen Programm der Ausstattung erneut bekannt.

Die eigentliche Hängung der Gemälde ging relativ schnell: «Die schwierige Aufgabe des Transports, der Disposition sowie der Aufstellung der 2200 Gemälde ward in der unbedingt sehr kurzen Zeit vom 31. Mai bis zum 25. September 1855 gelöst.» Manche Veränderungen ergaben sich gegenüber der ersten Idee, so in der Rotunde, „die ursprünglich zu einer Tribüne für die Perlen der Galerie eingerichtet werden sollte, deren fühlbarer Mangel an Licht jedoch die Ausführung dieses Planes nicht möglich machte». Dieser «fühlbare Mangel an Licht» bleibt eines der Probleme dieses zentralen Raumes der Galerie, der, seiner Lage und Würde entsprechend, durch Licht aufgewertet werden muß.

Die «Disposition» der Gemälde und die Nutzung des Baues insgesamt seien knapp beschrieben. Die Erdgeschoßhalle im Ostflügel war der Gipsabgußsammlung vorbehalten und von vornherein für die Ausstellung von Bildwerken konzipiert, nicht für das Hängen von Gemälden. Die Ausstellung der Gipsabgüsse setzte sich im Erdgeschoß bis in den anschließenden Zwingerpavillon fort. Von dieser Osthalle gab und gibt es keinen inneren Durchgang zur Gemäldegalerie, die westlich der Mitte ihren Eingang aus dem überkuppelten Tordurchgang hat. Der Besucher trat auf dieser Seite ins Vestibül, konnte, nachdem einige Stufen überwunden waren, nach rechts die Kabinette mit Malerei des 18. Jahrhunderts erreichen, nach links der Haupttreppe zum Obergeschoß folgen oder geradeaus in das Kupferstich-Kabinett gehen, das hier seinen Platz hatte.

Im Hauptgeschoß, dem ersten Obergeschoß, waren in der Rotunde die Bildteppiche untergebracht, östlich die neapolitanischen und spanischen, dann die flämischen und holländischen und schließlich die deutschen Gemälde, während der westliche Flügel den Italienern vorbehalten blieb. Die Hauptsäle wurden auf der Theaterplatzseite von Kabinetten begleitet, bei denen «dieselbe planmäßige Folge der Nationen und Schulen eingehalten» war, wobei der «Inhalt dieser Cabinette mit dem der Säle Wand an Wand» korrespondierte, wie Lindau 1860 bemerkte. «Im Zweiten Stockwerke, zu welchem rechts und links der Rotunde eine Treppe hinaufführt, und wo unter dem hier befindlichen Mittelgut noch manches beachtenswerte Bild sich befindet, ist dieselbe Eintheilung nach Nationen und Schulen befolgt.»

In der Mitte des 19. Jahrhunderts setzte die Ankaufstätigkeit langsam wieder ein. Zwar waren es vorrangig Bilder des 19. Jahrhunderts, die erworben wurden (es entstand die heutige Galerie Neue Meister), doch wurden auch für die alten Meister an manchen Stellen neue Akzente gesetzt. So kamen 1853 aus dem Nachlaß des 1848 gestürzten, in London im Exil gestorbenen Bürgerkönigs Louis-Philippe von Frankreich 15 spanische Gemälde des 17. Jahrhunderts nach Dresden, zu einer Zeit, als man in Deutschland von spanischer Kunst noch wenig wußte. Die Aufsicht über die Galerie hatte lange in den Händen von Malern gelegen: Inspektoren waren Johann Gottfried Riedel, dann von 1755–1816 sein Sohn Johann Anton Riedel, von 1816–1823 Carl Friedrich Demiani, von 1823–1845 Friedrich Matthäi, von 1845–1871 Julius Schnorr von Carolsfeld, von 1871–1882 Julius Hübner. Erst mit Karl Woermann setzte 1882 die Zeit der Kunsthistoriker auf diesem Posten ein, was für die wissenschaftliche Erschließung der Bestände und ihre Publikation in Katalogen wichtig war. Andererseits hatte die Leitung durch Künstler, von denen manche auch an der Dresdener Akademie lehrten oder ihr sogar vorstanden (wie Schnorr von Carolsfeld), ihr Gutes im Hinblick auf die Wirkung der in der Galerie gesammelten Meisterwerke auf die Kunstentwicklung in Dresden: Beispiele über Beispiele wären zu nennen von jungen Malern, die in Dresden ihre Ausbildung suchten und tiefe Eindrücke von Galeriebildern empfingen. Man muß nur die Besprechungen der Akademie-Ausstellungen lesen, um zu wissen, wie unauflöslich eng die Verbindung von Akademie und Galerie damals war.

Zu Anfang des 20. Jahrhunderts machten wachsende Ansprüche, aufgelockerte Hängung und eine sich stetig vergrößernde Sammlung neuer Meister einen Ergänzungsbau zur Galerie nötig, der die «moderne Abteilung» aufnehmen sollte. 1916 begann die Arbeit an dem von Oskar Kramer und Oskar Pusch entworfenen Bau, der sich, am Zwingerteich gelegen, noch im Ensemble des Theaterplatzes bemerkbar gemacht hätte. Die folgenden Jahre ließen jedoch an einen Weiterbau nicht denken, und so gibt es von diesem schönen Projekt, das nie über die Fundamente hinausgekommen war, heute im Stadtbild keine Spuren mehr. Die neueren Bilder kamen zuerst in das Gebäude Parkstraße 7, zu einem Teil in die Osthalle des Semperbaues, dann 1931 in das Gebäude der Sekundogenitur, nach dem Zweiten Weltkrieg ins Schloß Pillnitz und 1965 ins Albertinum.

In den Worten und Werken der Künstler und Dichter spüren wir deutlicher als irgendwo sonst, wie das Erlebnis der Bilder in verschiedenen Zeiten Wandlungen unterworfen ist, wir sehen, wie Begeisterung oder Zurückhaltung nicht nur individuell bedingt, sondern bezeichnend für bestimmte Epochen ist. So traten Anfang des 20. Jahrhunderts Maler auf, die im Studium der alten Meister und in akademischer Tradition nicht mehr die Lösung ihrer eigenen künstlerischen Probleme fanden, und mit den Expressionisten der «Brücke» setzte eine Bewegung ein, die aus der Verehrung der Kunst der Vergangenheit keine Notwendigkeit ableitete, in der Gegenwart traditionelle Formen zu gebrauchen.

Die historisch wertende Sicht, die das 19. Jahrhundert entwickelt hatte, die alle Größe aus der Distanz als bedingte Größe sah, wirkte auch auf die Schätzung der Galerie, die aus einer Vorbildersammlung zu einem von der Gegenwart und ihren Problemen getrennten Heiligtum wurde. Es fehlten in Dresden damals auch die Mittel, auf Tendenzen der Gegenwart durch das Sammeln von Werken bestimmter Meister und Schulen der Vergangenheit zu antworten, deren Entdeckung durch neue, von Künstlern und ihren Werken angeregte Sehgewohnheiten erst möglich geworden war. So blieb der Charakter der Sammlung bis heute im wesentlichen vom Geschmack der ersten Hälfte des 18. Jahrhunderts geprägt, was bewirkte, daß sie als Element der Kunstausbildung Schritt für Schritt zurücktrat. Bald nach seiner Amtsübernahme 1882 begann Karl Woermann, Teile der Galerie neu einzurichten. Die Osthalle wurde nach 1889 freigemacht und für Gemälde genutzt, und der dadurch gewonnene Raum ermöglichte Umhängungen in anderen Räumen. Das zweite Obergeschoß nahm von nun an für Jahrzehnte die Malerei des 19. Jahrhunderts auf. Im heute sogenannten «Deutschen Saal» des Zwingers, der bei Hübner zuletzt für «moderne Meister» reserviert gewesen war, wurden nun bereits altdeutsche und altniederländische Bilder gezeigt. Andeutungen von selten näher bestimmten Mängeln des Gebäudes gab es seit der Eröffnung der Galerie. Am Anfang des 20. Jahrhunderts jedoch wurden die Einwände gegen Semper deutlicher, und 1911 schrieb Hans Posse: «Bei aller gebührenden Hochachtung vor Semper ist es nicht zu verkennen, daß sein Bau den Anforderungen, die man ohne allzu anspruchsvoll zu sein, heute an eine Gemäldegalerie stellen darf, nicht entspricht.» Unter anderem kritisierte Posse die Raumhöhe und das Licht: «Als besonders schwerer Mangel ist immer die schlechte Beleuchtung der Haupträume empfunden worden. Dieser Lichtmangel liegt in dem Streben Sempers begründet, auch oblonge Räume in eine Art hoher prunkvoller Kuppelräume umzuschaffen.“ Hans Posse war Galeriedirektor von 1910 bis zu seinem Tode 1942.

Die am höchsten hängenden Bilder wären nur noch mit dem Fernglas zu erkennen, und die stärkste Helligkeit würde sich auf dem Gesims ausbreiten, «während die Wände nur noch mattes Licht empfangen». Hier wurde, 1910 im «Rembrandtsaal» und dann nach und nach in anderen Sälen (aber nicht durchgehend), Abhilfe geschaffen. Die Wölbung wurde zu der heute noch bestehenden Form verknappt und die gläserne Staubdecke um dreieinhalb Meter heruntergezogen. Durch «Verwendung von Prismenglas, dessen Vorteil auf der Möglichkeit einer extrem gleichmäßigen Zerstreuung des Lichtes auf die Wände beruht», wurde, nach Meinung von Hans Posse, die «möglichstbeste Beleuchtung» geschaffen.

Praktische Veränderungen, wie eine «gegenüber der früheren sehr vergrößerte Lüftungsanlage», sehen wir mit weniger Skepsis als die ästhetisch begründeten Umbauten, mit denen Posse «einer geschmackvollen, in ihrer Wirkung auf ein großes Publikum berechneten Aufstellung» der Gemälde gerecht werden wollte. Der «gute Geschmack» ist etwas höchst Wandelbares: Jeder, der ein Werk der Kunst antastet, um es den Vorstellungen seiner Zeit anzupassen, muß das bedenken.

Den Museumsleuten und Architekten des Barocks und des 19. Jahrhunderts ist dekorative Gesamtheit des Raumes wichtig gewesen; Hans Posse empfand den vorgefundenen Zustand als «öde magazinartige Pflasterung der Wände», als «Aufstapelung» der Kunstwerke. Man wird ihm nicht widersprechen wollen, wenn er sagt: «Kunstwerke brauchen Licht und Luft wie alle individuellen Wesen». Das schwierigste und nur durch Kompromisse zu bewältigende Problem liegt wohl tatsächlich darin, in jeder Epoche den Anforderungen der Gegenwart zu genügen, ohne die Leistungen der Vergangenheit gering zu achten und sie zu zerstören.

War die Dresdener Galerie auch während aller Epochen ihres Bestehens nicht unberührt von den politischen und wirtschaftlichen Entwicklungen des Landes geblieben, so schien doch erst in unserem Jahrhundert eine nationale Katastrophe ihren Untergang mit sich zu bringen: Die Zeit des Nationalsozialismus fügte 1937 der Abteilung moderner Meister schwere Verluste durch Aussonderung sogenannter entarteter Kunst zu, und schließlich erlebte die Dresdener Gemäldegalerie während des Zweiten Weltkrieges die größte Gefährdung in ihrer Geschichte. Schon 1938 und 1939, vor der Besetzung des Sudetenlandes und vor dem Überfall auf Polen, wurde die Galerie geschlossen. Als der Krieg mit seinen Schrecken auf Deutschland zurückfiel und als mit dem Jahre 1942 immer massivere Bombenangriffe einsetzten, kam es zur Auslagerung der Gemälde. Gegen Kriegsende, beim Näherrücken der russischen Truppen, sind die Auslagerungsorte östlich der Elbe zugunsten von Unterkünften westlich der Elbe aufgegeben worden. Neue Auslagerungsorte waren der Cottaer Tunnel der Rottwerndorfer Sandsteinwerke bei Pirna und die Grube der Kalksteinwerke Pockau-Lengefeld bei Marienberg.

Am 13. Februar 1945 wurde Dresden zerstört. Auch Sempergalerie und Zwinger wurden schwer beschädigt. Beim Einmarsch der russischen Truppen in Dresden bekamen Spezialisten einer «Trophäenkommission» genannten militärischen Abteilung den Auftrag, die Werke der Dresdener Sammlung zu sichten und zu entscheiden, was in Deutschland verbleiben durfte und was abtransportiert werden mußte. Zentraler Ort der Zusammenführung der Bilder war das unzerstört gebliebene Schloß Pillnitz. Hier wurden die Transporte zusammengestellt, mit denen die damals als wertvoll erachteten Bestände nach Moskau und Kiew kamen. Es sah so aus, als wären sie für Dresden auf immer verloren. Später sind diese Vorgänge durch staatlich gelenkte Legendenbildung so sehr verfälscht und als «Rettung» stilisiert worden, daß eine gründliche, die Quellen auswertende Untersuchung nunmehr dringend geboten ist. Selbst die Feststellung des Soldaten Chanutin, die sich, als Inschrift mit Kreide, an der Galerie fand: «Museum geprüft. Keine Minen.» wurde im Rahmen solcher Legenden denkwürdig, die Inschrift vielfach nachgezogen, während berechtigte Fragen tabu blieben und eine historische Aufarbeitung der Vorgänge unter den gegebenen Umständen ausgeschlossen war. Nicht für Dresden Gemälde zu retten, sondern als Sieger «Trophäen» wegzuführen, das war die Aufgabe, und man durfte in Deutschland darüber nicht erstaunt sein. Daß später edlere Motive für das Wegbringen der Kunstwerke gesucht wurden, ist verständlich.

Die Arbeit der Museen hat in Dresden in bescheidenem Rahmen gleich nach dem Kriege wieder begonnen. Schon am 6. Juli 1946 wurde im Schloß Pillnitz ein Zentralmuseum eröffnet, das die mehr oder weniger zufällig verbliebenen Bestände vereinigte und im Wasserpalais Werke der Gemäldegalerie Alte Meister zeigte. Seit 1950 arbeitete man daran, den Zwinger zu einem Museumszentrum zu machen. Auch das ehemalige Kunstgewerbemuseum in der Güntzstraße und das Albertinum wurden für die Museen teilweise ausgebaut. Außerhalb Dresdens, das infolge der Zerstörung über wenig geeignete Räume verfügte, sind seit 1947 das Barockschloß Moritzburg, später die Albrechtsburg in Meißen und das Schloß Weesenstein im Müglitztal für die Staatlichen Kunstsammlungen genutzt worden.

Am 25. August 1955 wurden in Moskau einer Regierungsdelegation der Deutschen Demokratischen Republik die Dresdener Gemälde übergeben. Die Teilung Deutschlands schien unabänderlich, und die DDR galt als sicherster Bestandteil des sowjetischen Einflußgebietes. Das waren politische Bedingungen, die eine großmütige Geste erlaubten: Aus geheimer Verwahrung kehrten die Gemälde an die Öffentlichkeit zurück – denn während der zehn Jahre zwischen 1945 und 1955 waren sie wie vom Erdboden verschwunden, hatten nicht einmal erwähnt werden dürfen. Erst jetzt wurde die Rettungslegende geboren; und sie tat Wirkung. Für die historische Klarstellung kommt den Beobachtungen und Feststellungen objektiver Beurteiler sowie der damals Beteiligten entscheidende Bedeutung zu. Hermann Voss, nach dem Tode von Hans Posse von 1942 bis 1945 Direktor der Dresdener Galerie, hat die unter den gegebenen Umständen äußerst sorgfältige Betreuung der ausgelagerten Bestände durch die Museumsmitarbeiter und den tatsächlichen Hergang des Abtransportes miterlebt und beschrieben: «Was mir durch die tagelange Zusammenarbeit mit der russischen Trophäenkommission zur traurigen Gewißheit wurde, der endgültige Verlust der Dresdener Gemäldegalerie, fanden auch meine Kollegen für die ihnen unterstehenden Sammlungen bestätigt ... Der Abtransport der Kunstwerke erfolgte oft in überstürzter Weise und mit z. T. gänzlich unzureichenden Transportmitteln ... Kein russischer Beauftragter hat damals durchblicken lassen, daß diese Maßnahmen zu konservatorischen Zwecken erfolgten.»

In großen Sonderausstellungen, zuerst in Moskau, dann in Berlin, waren die Gemälde 1955/56 nach 17 Jahren erstmals wieder dem Publikum zugänglich, während der Wiederaufbau des Galeriegebäudes bis zum 15. Mai 1956 im ersten Bauabschnitt (zentraler Teil und Ostflügel) vollendet wurde. Am 3. Juni 1956 konnte die Dresdener Gemäldegalerie eröffnet werden. Der zweite Bauabschnitt wurde am 4. Oktober 1960 fertiggestellt. Zeitlich fiel dieses Ereignis mit der 400-Jahr-Feier der Staatlichen Kunstsammlungen Dresden zusammen.

Obwohl der Hauptbestand der Galerie über den Krieg gerettet werden konnte, sind die eingetretenen Verluste schmerzlich. 1963 gaben die Staatlichen Kunstsammlungen einen Katalog «Kriegsverluste der Dresdener Gemäldegalerie» heraus, der die unwiederbringlich verlorenen Gemälde alter und neuer Meister erfaßt und der gleichzeitig die Grundlage jeder Fahndung nach vermißten Werken bildete. Der Katalog verzeichnet 206 zerstörte und 507 vermißte Gemälde, von denen bisher 44 wieder aufgefunden werden konnten.

Bewundernswert ist das Gebäude mit den beschränkten Mitteln der fünfziger Jahre wieder aufgebaut worden. Das Äußere entstand detailgetreu, im Inneren fanden historisierende Formen Verwendung, wurde zwar vieles vereinfacht und verändert, aber nicht der stilistische Bruch mit Sempers Architektur gesucht. Einschneidende Veränderungen gab es beim Wiederaufbau durch die Errichtung des Gobelinsaales. Im Erdgeschoß, gleich anschließend an das Vestibül, hatten sich noch bis zur Zerstörung 1945 die Räume des Kupferstich-Kabinetts befunden; diese Sammlung befand sich 1955/56 noch in Moskau. Die Rotunde ist der zweite Bereich gewesen, in den deutlich eingegriffen wurde: Zu den zwei Türen in Längsrichtung des Baues kamen zwei weitere in Querrichtung, mit Treppen, so daß vom Entrée-Saal zum zweiten Obergeschoß ein neuer Zugang geschaffen wurde. Damit ging der Charakter als Weiheraum, den Semper angestrebt hatte, völlig verloren: Die Rotunde ist zu einem allseitig geöffneten Durchgangsraum geworden. Mitte der fünfziger Jahre wurde auch das Oberlicht entscheidend verändert, ganz in dem Sinne, in dem Hans Posse nach 1910 begonnen hatte, die Vouten der Hauptsäle zu verknappen.

Die Hängung der Gemälde hatte wiederum das Ziel, den am besten vertretenen Schulen und Meistern die hervorragendsten Plätze zu geben. Henner Menz, Direktor der Sammlung von 1959 bis 1970, legte in einem grundlegenden Aufsatz die Gesichtspunkte dar, von denen man sich hatte leiten lassen: «Die Disposition sollte, außer einer strafferen kunsthistorischen Ordnung, auch das spezifische Profil der Sammlung sichtbar werden lassen ... Unter diesen Umständen war es naheliegend, den Hauptbestand, also die italienische Hochrenaissance, die italienische und niederländische Malerei des 17. Jahrhunderts sowie die französischen Bilder der gleichen Zeit im Hauptgeschoß unterzubringen – auf der einen Seite der Rotunde die Italiener, auf der anderen Seite die Niederländer. In dem der Rotunde in Richtung auf den Theaterplatz vorgelegten Raum ... fanden die französischen Werke des 17. Jahrhunderts ihren Platz und bilden so gleichsam eine Klammer zwischen den nördlichen und den südlich der Alpen gelegenen Kunstprovinzen.» Das zweite Obergeschoß nahm im mittleren Teil die spanischen Gemälde auf, nach Osten zu in den kleinen Oberlichträumen die italienischen und die französischen Gemälde des 18. Jahrhunderts sowie die Pastelle, nach Westen zu die Werke der deutschen, österreichischen, böhmischen und Schweizer Maler des 17. und 18. Jahrhunderts sowie die Pastelle von Anton Raphael Mengs und Daniel Caffé.

Vom Tage ihrer Wiedereröffnung an entwickelte die Gemäldegalerie eine Anziehungskraft, die Jahr für Jahr etwa 700000 Besucher ins Museum brachte. In krassem Mißverhältnis zum Wert der Sammlung und zu dieser Ausstrahlung der Galerie standen die Mittel, die für die Erhaltung des Bauwerkes bewilligt wurden. So verschlechterte sich der Bauzustand anfangs langsam, dann deutlich und immer schneller. Seit 1976 hatten sowohl die Galeriedirektion als auch die Baudirektion und die Generaldirektion der Staatlichen Kunstsammlungen Dresden wiederholt auf diese Situation hingewiesen und detaillierte Vorschläge unterbreitet; Vertröstungen waren die einzige Antwort.

Doch dann ist die Galerie am 16. Februar 1988 überstürzt geschlossen worden: Ein von der Baudirektion der Staatlichen Kunstsammlungen mit Vorbedacht in Auftrag gegebenes Gutachten hatte auf schwerwiegende Mängel hingewiesen, die eine Gefährdung der Gemälde beim Zusammentreffen ungünstiger Umstände hätten bewirken können. Die seit anderthalb Jahrzehnten angemahnte Rekonstruktion ist durch die Staatliche Bauaufsicht erzwungen worden!

Mit der notwendigen Bauinstandsetzung, vom Dach über die Fassaden und Fenster bis zu den Kellern, waren Fragen technischer Art zu lösen, von der Erneuerung der Elektroinstallation zu neuen Brandwarn- und Sicherheitsanlagen, von der Heizung und Klimatisierung bis zur Beleuchtung der Ausstellungsräume.

Neben den rein technischen Problemen, die zur Schließung geführt hatten und deren Lösung anfangs im Vordergrund stand, waren Voraussetzungen für eine bessere Besucherbetreuung zu schaffen, sollte die Depot-Situation verbessert werden und stellte sich vor allem die Frage nach dem zukünftigen «Gesicht» der Galerie. Einigkeit wurde zwischen Museumsleuten, Denkmalpflegern und Architekten dahingehend erzielt, daß Gottfried Sempers Museumsbau als eine der bedeutendsten Architekturleistungen des 19. Jahrhunderts auf diesem Gebiet soweit wie irgend möglich respektiert und wiederhergestellt werden sollte.

Andererseits ist das, was gebaut, restauriert und rekonstruiert worden ist, im Hinblick auf Technik und Gestaltung der Versuch, zwischen dem Anspruch des historischen Bauwerks und den Bedürfnissen des Museums der Gegenwart zu vermitteln. Nach langen, oft kontroversen Diskussionen wurden Lösungen gefunden, die einen Ausgleich zwischen diesen Zielen bedeuten. In Dresden konnte das nur heißen, einerseits denkmalpflegerisch zu erhalten oder zu rekonstruieren, was Semper entworfen hatte, andererseits aber auch anzuerkennen, daß sowohl in der ersten Hälfte unseres Jahrhunderts als auch später, aus unterschiedlichen Überlegungen heraus, bauliche Veränderungen vorgenommen worden sind, die nicht ohne Geschichtsverlust einfach rückgängig gemacht werden konnten.

So tritt der Besucher heute in ein durch und durch erneuertes, aber sichtbar vom Bemühen um Wiederherstellung eines historischen Zustandes geprägtes Gebäude. Die Eingangshalle ist freigemacht von Kassen und Garderoben, wird besser als früher in ihrer Weiträumigkeit erlebbar und hat all ihre reichen dekorativen Grisaillemalereien und die erzählenden Reliefs zurückerhalten, die Mitte der fünfziger Jahre unseres Jahrhunderts übermalt beziehungsweise entfernt worden waren.

Wir treffen den heutigen Zustand, wenn wir zitieren, was Wilhelm Schäfer in seiner 1860 veröffentlichten Beschreibung der Galerie gesagt hat: «Das Vestibül zur Treppenhalle ... hat ein durch korinthische Säulen getragenes Kreuzgewölbe und ist zu beiden Seiten durch Nebenhallen begrenzt ... Außerdem aber bildet namentlich eine Zier dieser Nebenhallen des Vestibüls ein als Gurt umlaufender Fries von Gipsreliefs, welche in lebensvollen Gruppierungen die Hauptperioden der Geschichte der neuen Malerei darstellen. Rechts vom Eingange beginnt die Gruppierung mit Reminiszenzen aus der Geschichte der italienischen Schulen, vom Bildhauer Knauer in Leipzig ausgeführt, während die linke Seite eine szenische Folge aus dem Leben der deutschen und niederländischen Maler, von Hähnel komponiert und plastisch behandelt, vorführt. Überdies allegorisieren noch auf beiden Seiten je fünf über diesem Gurte angebrachte Medaillons die verschiedenen Schulen.»

Die neue Beleuchtung mit Messing-Kronleuchtern orientiert sich am Vorbild der Oper. Für die Galerie war von Semper keine Beleuchtung, außer dem Tageslicht, vorgesehen. Erst nach der Jahrhundertwende sind Lampen im Eingangsbereich installiert worden; beim Wiederaufbau nach der Kriegszerstörung kamen gläserne Ampeln klassizistischer Grundstimmung ins Vestibül, ins Treppenhaus, in den Canalettogang und in die sogenannte Südgalerie, die jetzt in Übereinstimmung zwischen Architekten und Denkmalpflegern durch Kronleuchter ersetzt wurden.

Wendet sich der Besucher der Galerie aus der Mitte der Eingangshalle nach rechts, so führt ihn eine neue, Sempers Architektur angepaßte Treppe ins Kellergeschoß, das bisher kein Öffentlichkeitsbereich war, sondern Gemäldedepots und technische Räume enthielt. Hier findet er Kassen und Garderoben sowie einen Verkaufsraum für Kataloge und Bücher. Auch die sanitären Anlagen wurden hier untergebracht. Diesen zurückhaltend gestalteten und in den Formen zwischen Gegenwart und Erbauungszeit vermittelnden Bereich verläßt der Besucher auf gleichem Wege und kommt erneut ins Vestibül, von wo er sich entweder zum Gobelinsaal und in die anschließenden Räume wendet oder über die große Treppe ins Hauptgeschoß gelangt. An den traditionellen Wegen der Besucher wird sich also wenig ändern, sieht man von der nach unten verlegten Garderobenhalle ab.

Der Respekt vor Semper und seiner architektonischen Leistung, der sich in der sorgfältigen Rekonstruktion deutlich ausspricht, verlangte nach einer Hängung, die den Dimensionen der Räume Rechnung trägt. So konnte die Disposition der letzten dreißig Jahre nicht das alleinige Vorbild sein: Es galt vielmehr, auch ältere Dresdener Erfahrungen einzubeziehen. Zwar kann heute nicht mehr so dicht gehängt werden wie im 18. und 19. Jahrhundert, doch wir dürfen nicht vergessen, daß Sempers Galerie für eine mehrreihige, gedrängte Hängung der Gemälde gedacht war, daß sein Ziel der überwältigende dekorative Reichtum der Säle gewesen ist.

Heutige Vorstellungen der musealen Präsentation von Meisterwerken der Malerei machen es unmöglich, diesen dekorativ gestimmten Charakter der Räume völlig aufzunehmen: Das einzelne Bild beansprucht sein Recht; es sollte nicht zu hoch und nicht beeinträchtigt von anderen Bildern gezeigt werden – und gleichzeitig wurde doch angestrebt, der denkmalpflegerischen Wiederherstellung der Säle entgegenzukommen. Das war ein ständiges Balancieren zwischen der Annäherung an das Museum des 19. Jahrhunderts als Bau- und Raum-Kunstwerk und den Vorstellungen und Anforderungen an ein Museum der Gegenwart. Schon Karl Woermann ist sich dieser Schwierigkeit bewußt gewesen und hat 1887 festgestellt, «... daß bei der Gestaltung der einzelnen Wände einer Gemäldegalerie allerdings die dekorative Forderung stets mit zu berücksichtigen ist, ja, daß dieser dekorativen Forderung zuliebe unter Umständen selbst die wissenschaftliche Anordnung durchbrochen werden muß ...» Nachdem Woermann schließlich noch aufgezählt hatte, wieviele Ausnahmen von der Schul-Regel das Hängen im Einzelfall bestimmen können, zog er den Schluß: «... und das Anordnen der Bilder an den Wänden bleibt schließlich doch immer hauptsächlich eine Frage des guten Geschmacks.»

Wichtiger als früher sind für den Raumeindruck die Farben der Wände: Im 19. Jahrhundert wirkten die Gemälde bestimmend, zwischen denen nur wenig Wand sichtbar blieb. Doch gerade dadurch war eine kraftvolle Farbigkeit dominierend, festlich akzentuiert durch die goldenen Rahmen. So ist der Farbklang bei der jetzt vollendeten Rekonstruktion tiefer und bestimmter gewählt worden als in den Jahrzehnten zuvor – und damit traditioneller. Bereits Hans Posse hatte sich bei der Neueinrichtung in den Jahren nach 1910 für tiefes Rot bei den drei Hauptsälen der Italiener und für tiefes Grün bei den Niederländern entschieden. Diesem schon von Leo von Klenze für die Alte Pinakothek in München gewählten Schema sind wir gefolgt und haben es auf das ganze Haus übertragen, wobei die Mitte des Gebäudes, die beiden Farben trennend, grau gehalten ist. Sowohl der Entrée-Saal als auch der mittlere Kabinett-Raum auf der Theaterplatz-Seite (mit den französischen Gemälden des 17. Jahrhunderts) und der mittlere Bereich im zweiten Obergeschoß (mit den spanischen Gemälden des 17. Jahrhunderts) sind in unterschiedlichen Grau-Werten gestaltet. Ausgangspunkt der Rekonstruktion in den Jahren 1988/89 bis 1992 waren technische Notwendigkeiten. Wesentlich hinzu kam: die Frage nach Sinn und Funktion einer solchen Galerie heute. In Dresden, wo die Verluste an historischer Substanz durch Krieg und Nachkriegsjahrzehnte erschütternd groß sind und das Gefühl für Geschichte vielleicht darum so lebendig, wurde eine Lösung gesucht, die besten Museumstraditionen verpflichtet und dadurch der Gegenwart gemäß sein sollte.

Die Gemälde der «Alten Meister» fesseln uns, weil Schicksale und Hoffnungen, Erfahrungen und Träume ganzer Zeitalter in ihnen nachklingen, weil sie, wie Louis Aragon 1956 in den mit Jean Cocteau geführten «Gesprächen über die Dresdener Galerie» bemerkte, «der Widerschein des Menschen» sind. Die Bilder genauso wie Gottfried Sempers Architektur setzen Wertmaßstäbe. Aufs neue kann die Galerie jetzt sein, was schon Julius Hübner 1856 in ihr erkannt hatte: «Ein Ziel andächtiger Pilger aller Nationen.»

Harald Marx

ZU DEN EINZELNEN SCHULEN

Die italienischen Gemälde

Der Ruhm der Dresdener Gemäldegalerie beruht zu einem wesentlichen Teil auf den hier vorhandenen Werken italienischer Meister vom 15. bis zum 18. Jahrhundert. Schon Winckelmann sah in ihnen den Schwerpunkt, als er die Sammlung umschrieb als «die größten Schätze aus Italien und was sonst Vollkommenes in der Malerei in anderen europäischen Ländern hervorgebracht wurde», und eine solche Wertung hat besonders noch dadurch Gewicht erhalten, daß gerade italienische Gemälde, wie Rafaels «Sixtinische Madonna», Giorgiones «Schlummernde Venus», Tizians «Zinsgroschen» oder die «Heilige Nacht» von Correggio und noch zahlreiche andere, zum Inbegriff der Galerie geworden sind. Die profilbestimmende Häufung italienischer Meisterwerke in Dresden ist Ausdruck einer allgemeineren Vorliebe für italienische Kultur bei den fürstlichen Sammlern der ersten Hälfte des 18. Jahrhunderts, der wesentlichen Zeit des Zustandekommens der Galerie. Eine solche Neigung ist schon bei August II., dem Starken (1694–1733), zu beobachten, tritt aber bei seinem Sohn und Nachfolger August III. (1733–1763) als dem an den Bilderkäufen erheblich mehr beteiligten Regenten noch viel stärker hervor. So kam es in Dresden auch zur Berufung zahlreicher italienischer Künstler und Handwerker der verschiedensten Bereiche und zur Entstehung einer kulturell außerordentlich einflußreichen italienischen Kolonie, deren Mitglieder weithin ebenso das weltliche und kirchliche Musikgeschehen wie das Theaterleben einschließlich des Theaterbaues, die architektonische Tätigkeit wie die bildende Kunst und darüber hinaus die Formen des höfischen geselligen Lebens mit prägten. Von den italienischen Städten war besonders Venedig in vieler Hinsicht das Vorbild für die Entwicklung in Dresden, nicht nur für die Maskenfeste im Zwinger und die venezianischen Nächte auf der Elbe mit den eigens dazu nach venezianischem Vorbild hergestellten Gondeln und Galeeren, sondern auch in bleibender Weise sogar für das Stadtbild der sächsischen Residenz: Durch eine möglichst reiche Uferbebauung versuchte man, die Elbe dem palastbestandenen Canal Grande anzugleichen, wobei die vom Zwingerbaumeister Pöppelmann ausgebaute steinerne Elbbrücke als der «sächsische Rialto« galt. Ein italienischer, bezeichnenderweise wiederum aus Venedig stammender Maler, Bernardo Bellotto, der sich nach seinem Onkel und Lehrer Canaletto nannte, war es auch, der das damals im Barockstil neu gestaltete Gesicht der Stadt über alle Zerstörungen folgender Kriege hinweg in seinen Veduten bewahrt hat. Er war der bekannteste, aber nur einer unter manchen anderen in Dresden wirkenden italienischen Malern, die in mehreren Fällen – wie etwa die Brüder Lorenzo und Ventura Rossi – zugleich als Vermittler von Bilderkäufen aus ihrem Lande wirksam wurden. So war gerade Ventura Rossi entscheidend an dem großartigen Ankaufserfolg beteiligt, durch den die hundert besten Bilder der gerühmten Sammlung in Modena für Dresden gewonnen wurden. Auch andere Italiener, wie der Galerieinspektor Guarienti oder der Hofmann Francesco Algarotti, stellten ihre hohe Kunstkennerschaft in den Dienst der Galerie. Enge Verbindungen unterhielt der Hof zu der geschätzten venezianischen Pastellmalerin Rosalba Carriera, die zwar nicht selbst nach Dresden kam, von deren Werken aber hier die bei weitem größte und beste Sammlung zustande gebracht werden konnte. So wird ein Schwergewicht der italienischen Abteilung aus solchen Einzelheiten gut verständlich. Von den heute im Semperbau ausgestellten italienischen Werken, einer Auswahl der besten Bestände, kamen – abgesehen von den Bildern nicht mehr bekannter Herkunft – die meisten aus Italien selbst, neben Modena vor allem aus Venedig, aber auch aus Bologna, Florenz und Rom. Einige hatten der kaiserlichen Galerie in Prag angehört, andere der Sammlung Wallenstein im böhmischen Dux, von der 1741 insgesamt 268 Bilder verschiedener europäischer Schulen erworben werden konnten. Auch in Paris und Madrid wurden italienische Bilder verkauft, einzelne noch an anderen Orten.

Von den rund 780 ausgestellten Gemälden gehören mehr als zwei Fünftel, etwa 345, italienischen Schulen an. Sie nehmen vor allem die drei westlichen Oberlichtsäle des Hauptgeschosses ein, aber auch die diese begleitenden Seitenkabinette am Theaterplatz einschließlich des Eckraumes zur Semperoper hin, die beiden zum Zwingerhof geöffneten Südgalerien, weiterhin die Räume um den Gobelinsaal im Untergeschoß, das Treppenhaus, die Rotunde und den östlichen, vom Aufgang her rechten Flügel des zweiten Obergeschosses.

Die Bestände umfassen mit Ausnahme weniger noch mittelalterlicher Bilder den Zeitraum von der zweiten Hälfte des 15. bis zum Ausgang des 18. Jahrhunderts, stilistisch also den Bereich von der Frührenaissance bis zum Spätbarock und Klassizismus. Die Werke des 15. Jahrhunderts lassen erkennen, wie auf der Grundlage der in Italien zeitig einsetzenden frühkapitalistischen Entwicklung und der Erstarkung des Bürgertums auch in der Kunst das Mittelalter überwunden wurde. War das Denken und Streben der Menschen vorher vor allem auf jenseitige Dinge gerichtet gewesen, so wurde nun die irdische Welt in ihrer Vielfalt und Schönheit wiederentdeckt und abgebildet. Der Stilbegriff Renaissance umschreibt den starken Impuls, den die Kunst durch die umfassenden neuen Aufgabenstellungen erhielt, weist aber zugleich auf die «Wiedergeburt» der mit ihrem Geistes- und Formengut als Vorbild dienenden Antike hin. Neben den weiterhin zunächst vorherrschenden christlichen waren die antik-mythologischen Stoffe – die besonders Anlaß zur Darstellung des nackten menschlichen Körpers gaben – und die mit der Befreiung der Persönlichkeit breit einsetzende Porträtdarstellung die entscheidenden Motivkreise. Zugleich zeigte sich aber das Streben, jedes Bild zusätzlich durch Einbeziehung möglichst vieler realistischer Details zu bereichern, so daß auch die Landschaft mit der Pflanzen- und Tierwelt, das Stilleben und die Architektur von Gebäuden und Innenräumen zur Wiedergabe gelangten, wenn auch zumeist noch untergeordnet. Die Anwendung der neuentdeckten Zentralperspektive ermöglichte die illusionistische Raumdarstellung. Die um 1500 einsetzende Hochrenaissance gab von diesem Detailreichtum der Frührenaissance zugunsten der harmonisch vereinheitlichten Gesamtkomposition wieder etwas auf, doch sollten sich die verschiedenen Stoffe ohnehin bald in eigenen Bildgattungen verselbständigen. Die Renaissance geht um etwa 1520–1530 in den Manierismus über, der in einer zunächst überraschenden «Manier» die bis dahin herrschende klassische Ausgewogenheit der Formgebung durch spannungsvollere Gestaltungsmittel ersetzt. Überbetonte perspektivische Wirkungen, jähe Verkürzungen und unruhige Lichtführung und Farbgebung gehören ebenso dazu wie ein neues Ideal gestreckter, kleinköpfiger und um ihre Achse geschraubter Körper. Der Manierismus ist als Ausdruck starker politischer und gesellschaftlicher Spannungen zu verstehen. Die Zeit war erfüllt von Auseinandersetzungen zwischen dem aufstrebenden Bürgertum und der Feudalaristokratie, von Kämpfen um nationale Selbständigkeit und die Vorherrschaft in Europa, die weithin unter religiösem Vorzeichen geführt wurden.

Am Ausgang des 16. Jahrhunderts entwickelte sich in Italien der Barock als Kunst der Epoche des Feudalabsolutismus, mit ihrer sinnlichen Pracht, ihrem Bewegungsreichtum und Pathos so recht geeignet als Mittel der Repräsentation und ideologischen Beeinflussung, nicht nur im Dienst der weltlichen Fürsten, sondern auch der durch die Gegenreformation wieder gefestigten katholischen Kirche. Erst im späten 18. Jahrhundert wird der Barock in seiner Endphase des Rokoko durch den von bürgerlichem Geist geprägten Klassizismus abgelöst. Das ist im großen die Stilentwicklung, wie sie sich in ihren lokal wiederum sehr unterschiedlichen Ausprägungen in den versammelten italienischen Gemälden widerspiegelt.

Die Dresdener Bestände repräsentieren die Entwicklung der italienischen Malerei mit ihren zahlreichen, zumeist mit den Namen der großen Städte verbundenen Kunstlandschaften freilich nicht lückenlos. Das erklärt sich besonders daraus, daß die Sammeltätigkeit des 18. Jahrhunderts nicht auf kunstgeschichtliche Vollständigkeit gerichtet war, sondern mit dem Geschmack der Sammler vor allem ästhetischen Gesichtspunkten folgte. Die zahlenmäßig nicht sehr umfangreichen Erwerbungen des 19. und 20. Jahrhunderts, meist Werke des Mittelalters und der Frührenaissance sowie einige venezianische Gemälde des 18. Jahrhunderts, konnten das in der augusteischen Zeit geprägte Sammlungsprofil besonders für das Quattrocento dennoch bemerkenswert bereichern. Daß die beiden Bilder von Botticelli, der Tondo von Piero di Cosimo, die Sebastiansdarstellungen von Antonello da Messina und Cosimo Tura, die «Heilige Familie» von Mantegna und einige andere noch gekauft werden konnten, war ein großes Glück. Die Eigenart und hervorragende Größe der Dresdener Sammlung liegt darin, daß hier fast ausschließlich höchste Spitzenwerke, nicht nur der italienischen Malerei, sondern auch anderer europäischer Schulen, vereinigt sind und den Betrachter von einem Höhepunkt zum anderen gelangen lassen.

Venezianische Gemälde 15.–16. Jahrhundert Am stärksten von allen italienischen Schulen ist die venezianische vertreten; sie wurde wegen ihrer stimmungsvollen, wesentlich von der Farbe ausgehenden Schönheit und dekorativen Festlichkeit, ihrer engen Bezüge zu einem glanzvollen gesellschaftlichen Leben und zu einer schönen Natur bei den Ankäufen besonders bevorzugt. «Der heilige Sebastian» (1475/76) von Antonello da Messina, erst 1873 erworben, läßt die Bedeutung der von Antonello selbst in Venedig eingeführten Ölfarbentechnik für die venezianische Malkultur erkennen. Mit dem klassisch aufgefaßten nackten Körper und der träumerischen Gestimmtheit erscheint das Bild wie ein Gegenstück zur «Schlummernden Venus» Giorgiones, die nach Giorgiones frühem Tod an der Pest 1510 von Tizian vollendet wurde. Giorgione war der eigentliche Begründer der venezianischen Hochrenaissance; er fußte auf dem von Antonello da Messina und Mantegna beeinflußten Giovanni Bellini, der mit einer vielleicht seiner Schule zugehörigen, sehr eindrucksvollen Pietà-Darstellung vertreten ist. Der zumeist in Mantua tätige Mantegna schuf die Darstellung der Heiligen Familie, die in ihrer ruhigen Strenge den Einfluß der antiken Plastik erkennen läßt.

Von den vier genannten Meistern ging die weitere Entwicklung in Venedig vor allem aus, auch Catenas intarsienartig klare Umrißbildung, die anmutig erzählende

Kunst Cimas aus Conegliano, die besonders in seinem «Tempelgang Mariä» sichtbar wird, und die pastoralen biblischen oder mythologischen Darstellungen Palma Vecchios mit dem immer wiederkehrenden weichen, blonden Frauentypus. Die Landschaft mit dem klassischen Liebespaar Jakob und Rahel ist ein hervorragendes Beispiel des Giorgionismus in der Einheit von Mensch und Natur. Wie Palma folgte auch Tizian zunächst Giorgione, ersetzte aber bald dessen lyrische Haltung durch ein sachlicheres Pathos. «Zinsgroschen» und «Madonna mit vier Heiligen» von etwa 1516 zeigen objektivere menschliche Beziehungen und weisen damit auf die drei späteren Porträts hin. Der Venezianer Jacopo de'Barbari hat schon seit etwa 1500 bei seinem Aufenthalt im Norden venezianische Einflüsse an die deutsche Kunst weitervermittelt.

Reich vertreten sind in Dresden auch die beiden anderen ganz großen Meister des «Goldenen Zeitalters» der venezianischen Malerei neben Tizian: Paolo Veronese, der in seinen oft großformatigen Bildern von harmonischer Schönheit – wie den vier um 1571 für die venezianische Patrizierfamilie Cuccina gemalten Querformaten – die Renaissance bis gegen Ende des Jahrhunderts weiterbewahrte, und Jacopo Tintoretto, der unter dem Einfluß Michelangelos die venezianische Farbkultur mit den expressiven Gestaltungsmitteln des Manierismus durchdrang. Sein Spätwerk «Kampf des Erzengels Michael gegen den Satan» von etwa 1590 ist ein Gleichnis auf die krisenhafte Zeit der Gegenreformation. Die «Rettung der Arsinoë» zeigt Meisterschaft auch auf dem Gebiet profaner, erotisch bestimmter Thematik, ebenso wie die rhythmisch bewegten Akte der «musizierenden Frauen». Den von der Kunstwissenschaft lange vernachlässigten venezianischen Manierismus repräsentieren auch Werke von Schiavone, Gualtiero Padovano, Mariscalchi und dem Wahlvenezianer Giuseppe Salviati sowie ganz besonders das Bild «Simsons Kampf gegen die Philister» von Jacopo Bassano, der zusammen mit seinen vier Söhnen eine große Werkstatt betrieb. Aus ihr gingen vor allem genrehaft erzählende Darstellungen bäuerlichen Lebens mit biblischer Motivierung hervor, von denen auch zwei hoch über der Haupttreppe der Galerie hängen. Die Hände der Familienmitglieder sind oft nicht leicht zu scheiden. Von den Brüdern hat sich Leandro als der drittälteste nach Francesco und Giovanni Battista und vor Girolami besonders als Porträtmaler ausgezeichnet, wie es die gleichermaßen repräsentativen und lebensvollen Bildnisse eines Dogenpaares und eines Herrn im Lehnstuhl erkennen lassen. Andere venezianische Maler, wie Lotto, Cavazzola oder Girolamo da Treviso, lassen in ihren Bildern den Einfluß Raffaels erkennen. Als ein Werk Giorgiones galt lange das ungewöhnliche Doppelbildnis mit einem Liebespaar, das aber nach neuer Erkenntnis von Altobello Meloni aus Cremona gemalt wurde, als Tizian oder auch Licinio das strengschöne Bildnis einer Dame im roten Kleid, das ebenfalls einem lombardischen Maler, Giovanni Battista Moroni, zugehören dürfte.

Ferraresische und bolognesische Gemälde 15.–16. Jahrhundert Die Säle im Westflügel des Hauptgeschosses beherbergen außer venezianischen auch Gemälde einiger anderer bedeutender italienischer Schulen. Ferrara ist mit der zeichnerisch strengen Kunst seiner frühen Entwicklung repräsentiert durch zwei dramatisch aufgefaßte Szenen aus der Leidensgeschichte Christi von Ercole de'Roberti. Eine von fast metallischer Schärfe der Formgebung bestimmte Darstellung des heiligen Sebastians von Cosimo Tura, von einigen Lorenzo Costa zugeschrieben, ist dem tonig weich gemalten Bild gleichen Inhalts von Antonello konfrontiert, so daß hier sehr anschaulich die Gegensätzlichkeit der Ausdrucksmittel zweier bedeutender italienischer Schulen sichtbar wird. Die ebenfalls plastisch-strenge «Verkündigung» von Francesco del Cossa aus den Jahren 1470–1472 galt bezeichnenderweise früher als ein Werk Mantegnas. In Costas «Maria der Verkündigung» ist bei Verzicht auf alle rahmende Architektur in großer farblicher Schönheit die klare Form der Einzelgestalt herausgearbeitet. Die empfindsame und schöne Kunst des von den Ferraresen und Raffaels Lehrer Perugino beeinflußten Francesco Francia aus Bologna ist an zwei Gemälden, «Taufe Christi» (1509) und «Anbetung der Könige», zu erleben. Mazzolinos «Ecce homo» folgt mit der Vielzahl scharfgezeichneter Figuren altferraresischer Tradition. Garofalo, mit dem Gemälde «Poseidon und Athene» vertreten, galt als der ferraresische Raffael. Die Szene mit «Mars und Venus vor Troja», zuweilen mit Girolamo da Carpi in Verbindung gebracht, erinnert dagegen mehr an die rätselvoll verhaltene Sinnlichkeit Giorgiones. Auch die Malerei der Brüder Dosso und Battista Dossi zeigt neben dem Einfluß der Klassizität Raffaels besonders den Giorgiones mit der romantisierenden Verbindung des Figürlichen mit der Landschaft in Gestalten wie dem heiligen Georg oder dem Erzengel Michael und noch mehr in den zwei Darstellungen aus einem Tageszeitenzyklus, von denen «Der Traum» außerdem starke niederländische Anklänge aus dem Bereich von Bosch aufweist. Von hoher Eleganz ist der Stil Girolamo da Carpis mit der Verbindung von Einflüssen Raffaels, Parmigianinos und der Antike in Gemälden wie «Gelegenheit und Reue», «Venus, von Schwänen gezogen», «Judith» und «Raub des Ganymed». Prospero Fontana als Schulhaupt der bolognesischen Malerei in der zweiten Hälfte des 16. Jahrhunderts zeigt sich in seiner «Heiligen Familie mit weiblichen Heiligen» wesentlich vom römisch-florentinischen Manierismus geprägt.

Sienesische und florentinische Gemälde 14.–16. Jahrhundert Die frühesten Zeugnisse italienischer Malerei in Dresden sind einige Werke der sienesischen Schule, die mit ihrer anmutigen Malerei auf Goldgrund noch in der – in Siena lange bewahrten – mittelalterlichen Tradition stehen und an den von der Renaissance gestellten Formproblemen keinen Anteil haben. Von gleicher liebenswürdiger Schönheit wie sie sind die vorhandenen frühen Werke der benachbarten florentinischen Malerei aus dem Kreis von Fra Angelico und Pesellino. Trotz späterer Entstehung noch entscheidend von der Gotik bestimmt zeigt sich die schönlinige Malerei Botticellis, der mit einem Madonnenbild und einer noch bedeutenderen Darstellung von vier Szenen aus dem Leben des Florentiner Bischofs Zenobius erscheint. Ähnlich gefühlvolle Konturen bestimmen die Gemälde des Lorenzo di Credi mit der Heiligen Familie und der thronenden Madonna zwischen zwei Heiligen. Stilistisch nicht unverwandt ist das schöne Knabenbildnis des Umbriers Pinturicchio, das früher als Bildnis des jungen Raffael angesehen wurde. Eine stark plastische Gestaltungsweise zeigt der für die florentinische Frührenaissance zwischen 1450 und 1500 typische Tondo, das Rundbild, von Piero di Cosimo mit der Heiligen Familie im kunstvoll geschnitzten Originalrahmen. Andere florentinische Gemälde, zumeist aus dem dritten Jahrzehnt des 16. Jahrhunderts, haben manieristischen Charakter, wie der «Uriasbrief» (1523) von Franciabigio oder das gleichzeitige «Leichenschießen» von Bacchiacca mit einer metallisch kalten Farbgebung. Hochbedeutend ist das in den gewundenen Bewegungen der Gestalten von der antiken Laokoongruppenplastik beeinflußte «Opfer Abrahams» (um 1527/28) von Andrea del Sarto neben dessen früherem, noch klassischem Werk mit der «Verlobung der heiligen Katharina».

Gemälde der Schulen von Rom und Parma 16. Jahrhundert Das unstreitig berühmteste Gemälde der Galerie ist Raffaels Sixtinische Madonna, das an der Stirnseite des westlichsten großen Oberlichtsaales auch den besten Platz im Semperbau innehat und dort seine unübertroffene monumentale, zugleich von klassischer Harmonie bestimmte Wirkung voll entfalten kann. Hier ist die Hochrenaissance mit ihrem humanistischen Idealismus auf ihrem absoluten Höhepunkt. Das Gemälde entstand 1512/13 in Rom im Auftrag Papst Julius' II. und wird ergänzt durch die nach Raffaels Entwürfen gewebten, von ähnlichem monumentalem Pathos bestimmten fünf Bildteppiche im danach benannten Gobelinsaal. Auftraggeber für die zugehörigen Vorlagen von 1514–1516 und die erste Teppichserie war auch hier ein Papst, Leo X., und so bieten sich Beispiele dafür, wie die Kunst in Rom unter dem Mäzenat der Päpste zu dieser Zeit einen gewaltigen Aufschwung nahm. Weitere Bilder der römischen Schule des 16. Jahrhunderts sind die genrehaft aufgefaßte «Madonna mit der Waschschüssel» von Raffaels Hauptschüler Giulio Romano, «Moses am Berge Sinai» von Daniele da Volterra, worin an der ins Heroische gesteigerten Körperlichkeit die Nachfolge Michelangelos sichtbar wird, und die «Heilige Familie» von Girolamo Muziano als ein Bild, das einen kraftvollen Figurenstil mit venezianisch beeinflußtem Landschaftsempfinden verbindet. Raffaels Einfluß ist wie der von Leonardo da Vinci wirksam geworden bei Correggio aus der gleichnamigen emilianischen Stadt, dessen vier große Altartafeln einen weiteren Höhepunkt der Dresdener Sammlung bilden. Die «Madonna des heiligen Franziskus» (1514/15) mit der klassischen Dreieckskomposition ist ein typisches Werk harmonievoller Hochrenaissance, während die «Georgsmadonna» (1530–1532) schon eine manieristische Geziertheit der Gestalten aufweist. Die «Sebastiansmadonna» mit der Kühnheit der Bewegungsmotive der sich selbst tragenden Figurenkomposition und noch mehr die «Heilige Nacht» (1522–1530) mit ihrer dramatischen und zugleich intimen Helldunkelwirkung nehmen schon den Barock vorweg. Gerade dieses Bild ist ein Beispiel für die stilbildende Wirkung der italienischen auf die gesamte europäische Kunst. Das Prinzip der Helldunkelmalerei, von Correggio in der Anbetungsszene monumental ausgeprägt und gegen 1600 von Caravaggio aufgegriffen, sollte von da an zu einem wesentlichen Kompositionsmittel der gesamten europäischen Malerei werden und ist auch in der Dresdener Galerie gut weiterzuverfolgen. Von Correggio war auch der in Bologna tätige Flame Calvaert abhängig, wie das etwas pathetische Bild mit zwei Heiligen und Maria beweist. Der zweite ganz große Meister der Schule von Parma neben Correggio war Parmigianino. Die «Madonna mit der Rose» (1527–1531) in ihrer weltlichen Eleganz und die dagegen von religiösem Mystizismus bestimmte «Madonna in der Glorie mit zwei Heiligen» (1539/40) sind ganz vom Manierismus geprägt und lassen die zwei gegensätzlichen Tendenzen dieser Kunst zwischen Renaissance und Barock erkennen. Stilistisch eng verwandt ist Bedolis «Maria mit dem Kinde und Heiligen».

Bolognesische, florentinische, römische, neapolitanische, genuesische und mailändische Gemälde 17.–18. Jahrhundert Hervorragend vertreten ist in Dresden auch die bolognesische Malerei des 17. Jahrhundert. Die zwei großen Gemälde von Annibale Carracci in der Rotunde, die «Himmelfahrt Mariä» von 1587 und die «Madonna mit dem heiligen Matthäus» von 1588, sind mit dem dramatischen Pathos asymmetrischer Kompositionen Marksteine für den Beginn der Barockmalerei, die von der Schule der Carracci entscheidend mitbegründet wurde. Annibale Carraccis Monumentalgemälde von 1594/95 mit dem almosenspendenden heiligen Rochus bringt mit seiner Diagonalkomposition und den heftigen Verkürzungen die barocken Gestaltungsmittel nicht weniger umfassend zur Wirkung. Weitere Gemälde des Meisters, in der Farbigkeit teilweise venezianisch beeinflußt, befinden sich in den zum Theaterplatz hin geöffneten Seitenkabinetten neben der französischen Abteilung. Hier folgen zahlreiche andere Werke bolognesischer Maler der Carraccischule, darunter Guercinos frühe Serie (1615) der großgesehenen Evangelisten und seine durch Helldunkelkontraste dramatisierte «Vision des heiligen Franziskus», weiter die im Typus von Giorgiones berühmtem Bild herzuleitende, jetzt umstrittene «Venus mit Amor» von Guido Reni, dem auch noch ein trinkender Bacchusknabe und eine großformatige Santa Conversazione in der Rotunde zugehören. Sein «Christus mit der Dornenkrone», ein von ihm wiederholt gestaltetes Motiv, ist ein Passionsbild von ergreifender Eindringlichkeit. Mit dem Liebespaar «Medoro und Angelica» nach Ariost ist Alessandro Tiarini vertreten, der unter dem Einfluß Lodovico Carraccis und Caravaggios stand. Es reihen sich an «Diana und Aktäon» mit reizvollen Aktmotiven von Albani, dessen klassizistisch empfundene «Galatea im Muschelwagen» sowie Cignanis Zentralkomposition mit Joseph und der überaus verführerisch dargestellten Frau Potiphars. Bei Cignanis Schüler Franceschini im Bild «Die Geburt des Adonis» wirkt der Klassizismus Albanis nach. Spätere bolognesische Maler finden sich in der italienischen Abteilung des 18. Jahrhunderts im zweiten Obergeschoß. Zu nennen ist vor allem Giuseppe Maria Crespi, dessen Zyklus der sieben Sakramente von 1712 als die bedeutendste Leistung der bolognesischen Malerei dieser Zeit überhaupt angesprochen wird. Neben Crespis Werken, zu denen auch das geistvolle Porträt des Generals Pálffy gehört, sind zwei phantastische Architekturbilder von Paltronieri und zwei heitere Szenen aus dem Mönchsleben von Gambarini zu sehen.

Die übrigen Seitenkabinette des Hauptgeschosses beherbergen andere italienische Schulen des 17. Jahrhunderts. Carlo Dolci mit seinen manieristisch verfeinerten Frauengestalten, wie der «heiligen Cäcilie» (1671) oder dem geradezu veristisch gemalten «Christus, Brot und Wein segnend», war einer der letzten bedeutenden florentinischen Meister, zu denen auch Pignoni gehört. Der Römer Borgianni als hochbedeutender italienischer Nachfolger Caravaggios, des anderen großen Begründers der italienischen Barockmalerei, zeigt in dem Gemälde «Tod des Evangelisten Johannes» das von seinem Lehrer entwickelte Helldunkel in Verbindung mit ungewöhnlich tiefen, leuchtenden Farben. Auch Spada, nach seiner Herkunft Bologneser, erweist sich mit seinem «Christus an der Säule» und noch mehr mit «David mit dem Haupte Goliaths» als Nachfolger Caravaggios.

Der römischen Schule gehören weiterhin Sacchi mit der schönfarbigen «Ruhe auf der Flucht» und Mola mit der romantisch stimmungshaften Homerdarstellung an, die beide auch den Venezianern nahe sind. Gleiches gilt für die aus Lucca gebürtigen, in Rom durch Pietro da Cortona geschulten, immer vereinigt tätig gewesenen Maler Coli und Gherardi: Ihr höfisch elegantes, prachtvolles Gemeinschaftswerk «Die Verlobung der heiligen Katharina» zeigt außerdem lombardisch-correggieske und bolognesische Einflüsse. Carlo Marattis «Heilige Nacht», die mit der traulichen Stimmung entscheidend von Correggios Gemälde gleichen Themas beeinflußt erscheint, hat sich wie dieses seit jeher großer Beliebtheit erfreut. Römische Malerei sind auch die Großformate mit der bühnenmäßig aufgefaßten «Ruhe auf der Flucht» von Trevisani (um 1715) und die mehr neoklassizistische «Anbetung der Könige» von Chiari (1714) in der Rotunde sowie die caravaggiesk realistische «Wachstube» von Manfredi zuoberst an der Haupttreppe. Es folgen im zweiten Obergeschoß noch zwei kleinere Bilder von Trevisani, die besonders den Einfluß Correggios erkennen lassen, die klassizistische Allegorie der bildenden Künste von Batoni und Architekturphantasien von Paltronieri und Buti.

Salvator Rosa mit einer wildromantischen Waldlandschaft und der Stillebenmaler Ruoppolo repräsentieren die Schule von Neapel. Zu ihr gehört auch der durch seine gewaltige Produktivität und großzügig dekorative Arbeitsweise bekannte Luca Giordano mit der Darstellung der um den verwundeten heiligen Sebastian bemühten heiligen Irene und «Lot mit seinen Töchtern». Die beiden Halbfigurenbilder «Der Einsiedler Paulus» und «Der heilige Hieronymus» verraten in ihrem düsteren Ernst die künstlerische Herkunft von dem Spanier Ribera. Der späteste in der Galerie vertretene Neapolitaner ist Solimena, dessen Werke als schon dem 18. Jahrhundert zugehörig im zweiten Obergeschoß hängen. Im Pathos der Gebärden und der Farbkontraste verkörpern sie den Spätbarock. Schüler Solimenas in Neapel war Sebastiano Conca, der später in Rom mit Trevisani um die führende Position rivalisierte. Seine «Heiligen Drei Könige vor Herodes» verraten den für ihn bezeichnenden gestalterischen Aufwand einer Malerei zwischen Rokoko und Klassizismus.

Zur genuesischen Schule gehört Valerio Castello mit den malerisch locker behandelten Gegenstücken «Anbetung der Könige» und «Darstellung Christi im Tempel». Werke lombardischer Maler, wie das anmutige Bild des heiligen Antonius mit dem Jesuskind von Morazzone und Giulio Procaccinis manieristisch elegante «Heilige Familie», die weich fließende Malerei mit dem «Tod der Dido» von Nuvolone und Paganis stark sinnlich empfundene, venezianisch beeinflußte «Büßende Magdalena» sind über verschiedene Räume entlang der Theaterplatzseite verstreut. Magnascos phantastisch-visionäre Darstellung von «Nonnen im Chor» im Obergeschoß beschließt diese kleine Abteilung der Mailänder Schule.

Venezianische Gemälde 17.–18. Jahrhundert Die venezianische Schule findet ihre Fortsetzung in den Seitenkabinetten. Hier gibt es von dem Feinmaler Turchi die Kabinettstücke «Venus und Adonis» und «Lot mit seinen Töchtern», von Pietro Negri das Historienbild «Kaiser Nero an der Leiche seiner Mutter Agrippina» und von dem michelangelesk beeinflußten Andrea Celesti die theatralisch aufgefaßte Szene der Israeliten, die ihren Schmuck zum Guß des goldenen Kalbes zusammentragen. Celesti gehört zu den wenigen bedeutenderen venezianischen Malern seiner Zeit. Darüber hinaus empfing die Malerei Venedigs im 17. Jahrhundert die entscheidenden Impulse vor allem durch zugewanderte Künstler aus anderen italienischen Kunstlandschaften. Das waren neben dem Deutschen Johann Liss der Römer Domenico Fetti und Bernardo Strozzi aus Genua, die gemäß ihrer künstlerischen Disposition die Lagunenstadt später zu ihrer Wahlheimat machten und hier die großen malerischen Traditionen des Cinquecento aufgriffen und fortführten, so daß sie selbst als Venezianer gelten können. Fetti ist in Dresden vertreten durch seine das Profil der Sammlung mitbestimmende Serie der in ihrer Unmittelbarkeit und malerischen Schönheit beglückenden Darstellungen biblischer Gleichnisse (1618–1622). Sie entstanden noch vor Fettis venezianischer Zeit, erscheinen aber in vieler Beziehung schon wie venezianische Bilder. Es folgen «David mit dem Haupte Goliaths» und das ebenfalls von Helldunkelwirkungen bestimmte Bildnis eines Gelehrten, dessen Zuschreibung jedoch in

Frage gestellt wird. Von Strozzi ist besonders das Bild der jungen Gambenspielerin (um 1640) in seiner farbigen Schönheit bekannt, doch sind die drei alttestamentlichen Szenen mit «Bathseba und David», «Rebekka mit Abrahams Knecht» und «David mit dem Haupte Goliaths» von ähnlicher Kraft der Farbe und der Modellierung. Giulio Carpioni gelangte unter dem Einfluß des bolognesischen Klassizismus zu hellfarbigen, klarlinigen Bildern wie den zwei Szenen nach Ovids «Verwandlungen».

Im 18. Jahrhundert erlebte die venezianische Malerei eine zweite große Blüte, mit der sie die gleichzeitigen Leistungen der anderen italienischen Kunstlandschaften zurückließ. Zahlreiche Gemälde im zweiten Obergeschoß der Galerie legen davon Zeugnis ab. Sebastiano Ricci bereitete die Rokokomalerei vor, wie es die zwei farbig reichen Opferszenen seiner Spätzeit (um 1723), aber auch die frühere, hoch über der Haupttreppe ausgestellte «Himmelfahrt Christi» (1702) erkennen lassen. Er hat auch Bilder seines Neffen Marco Ricci, eines der Begründer der venezianischen Landschaftsmalerei dieser Zeit, mit Figuren staffiert. Der jüngere Piazzetta ist – ähnlich wie Francesco Migliori in seinen zwei mythologischen Riesenformaten – mit seinen schweren Farben und starken Dunkelheiten noch stärker dem 17. Jahrhundert nahe, war aber zugleich von beträchtlichem Einfluß auf den jungen Tiepolo. Für Giovanni Battista Tiepolos gewaltiges Kompositionsvermögen legen der großartig dekorative querformatige «Triumph der Amphitrite» (um 1740) und die dem extremen Querformat gerade entgegengesetzte Vertikalkomposition mit der «Vision der heiligen Anna» (1759) Zeugnis ab. Tiepolos Sohn Giovanni Domenico folgte nach. Die in Dresden vorhandenen Bilder beider Maler konnten ebenso wie eine Venedigansicht Guardis noch während der letzten hundert Jahre erworben werden. Nazari, Nogari und Rotari malten Bildnisse und Halbfiguren. Einen noch entscheidenderen Beitrag zur Porträtmalerei, die in der weltoffenen Lagunenstadt mit ihrem regen gesellschaftlichen Leben stark gefragt war, leistete Rosalba Carriera. Ihre mit Pastellfarben gemalten Bildnisse weisen unabhängig von allen Zugeständnissen an das nivellierende herrschende Schönheitsideal einen hohen Grad an persönlicher Charakterisierung aus. Von europäischer Bedeutung ist auch der Beitrag zur Landschaftsmalerei, den Venedig im 18. Jahrhundert in Gestalt der Vedute, der porträthaft getreuen Wiedergabe von Stadtansichten, lieferte. Antonio Canalettos Bilder, von denen in Dresden sieben vorhanden sind, beschwören in größter Lebendigkeit das Antlitz der Lagunenstadt selbst. Der Neffe dieses Malers, Bernardo Bellotto, der von seinem Onkel und Lehrer Antonio Canal den Beinamen Canaletto übernahm, war nach anfänglicher Tätigkeit in Oberitalien dem Ruf nach Dresden gefolgt. Seine zahlreichen Ansichten der sächsischen Residenz sind zum Teil im Erdgeschoß, zum anderen Teil in der Südgalerie im Hauptgeschoß ausgestellt, wo sie neben Dokumenten über die Geschichte der Galerie die Stadt Dresden zur Zeit des Zustandekommens der weltberühmten Kunstsammlungen wiedergeben. Die Bedeutung, die den italienischen Gemälden in diesen Sammlungen zukommt, beweist sich damit von neuem. *Angelo Walther*

Die spanischen Gemälde

Die Abteilung spanischer Malerei in der Dresdener Galerie ist spät entstanden und zahlenmäßig klein. Zwar kamen die Bilder von El Greco, Luis de Morales und Vasco Pereira, die ganze Gruppe der Werke von Jusepe de Ribera und schließlich (mit den

Bildern der Sammlung des Herzogs von Modena) 1746 auch die drei Gemälde von Velázquez schon in der ersten Hälfte des 18. Jahrhunderts in die Sammlung, dazu 1755 Murillos «Madonna» (Gal.-Nr. 705), doch wurde erst 1853, mit der Erwerbung von 14 hervorragenden Werken aus dem Nachlaß des «Bürgerkönigs» Louis Philippe von Frankreich, der durch die Februarrevolution des Jahres 1848 gestürzt worden war, der Gruppe spanischer Meister in der Galerie ihre heutige Struktur gegeben. Damals erhielt Dresden aus London, das Louis Philippe als Zufluchtsort gewählt hatte, Meisterwerke von Murillo («Der heilige Rodriguez», Gal.-Nr. 704), Valdés Leal, Zurbarán und Pedro Orrente, während Murillos Hauptbild «Der Tod der heiligen Clara» (Gal.-Nr. 703B) sogar erst 1894 erworben wurde.

So ist die Dresdener Galerie, obwohl nicht eben reich an spanischer Malerei, doch in der Lage, von der künstlerischen Blüte des 17. Jahrhunderts mit einer Reihe von wichtigen Werken zu zeugen, Charakter und Haupttendenzen wenigstens anzudeuten.

Die hier vereinten Meister, El Greco und Luis de Morales, Ribera, Murillo und Valdés Leal, Zurbarán und Velázquez, repräsentieren teils unterschiedliche Entwicklungsstufen, teils verschiedene lokale Schulen, doch finden sie sich geeint in einer tiefen Frömmigkeit, die auch der Malerei Spaniens ihr besonderes Gepräge gab: Mythologie und Landschaft, Akt und Stilleben fehlen weitgehend, Werke religiöser Thematik und Bildnisse beherrschen das Feld.

Angesichts der «Heilung des Blinden», einem in Venedig entstandenen Jugendwerk El Grecos, fällt es schwer, sich vorzustellen, welche Entwicklung dieser Maler später in Spanien nehmen sollte, daß er berufen war, der spanischen Malerei der zweiten Hälfte des 16. Jahrhunderts ein verändertes Gesicht zu geben und Gemälde zu schaffen, die in ihrer Expressivität und glühenden, ganz immateriellen Farbigkeit nicht ihresgleichen haben. Man spürt in unserem Bild das Ringen um Aneignung und Bewältigung der Kompositionsformen und der Malweise des venezianischen Manierismus, der die Grundlage war für El Grecos spätere Entwicklung.

Die spanische Malerei des 16. Jahrhunderts hat Einflüsse aus Italien, aus Frankreich und aus den Niederlanden aufgenommen: Künstler aus diesen Ländern haben in Spanien gearbeitet, haben Gedanken und Formen mitgebracht, Spanier sind nach Italien gezogen, um in den dortigen Kunstzentren ihre Ausbildung zu vollenden – und doch hat die spanische Malerei ihre unverwechselbare Eigenart bewahrt. Sie liegt in einer Grundhaltung, von der die Auswahl der Themen genauso wie die Formensprache beeinflußt werden. Viele der hervorragendsten spanischen Meister jener Zeit sind von einem asketischen Mystizismus durchdrungen, der auch ihre Werke kennzeichnet. Luis de Morales ist ein solcher typisch spanischer Meister, dessen Werke sich thematisch auf einige wenige Motive beschränken, die Jungfrau mit dem Kinde oder den gegeißelten Christus vor allem, und die ganz aus gefühlvoller Hingabe an das heilige Geschehen entstanden sind.

Das an der spanischen Ostküste gelegene Valencia, wo Jusepe de Ribera gelernt hat, war im 17. Jahrhundert auf vielfältige Weise mit Italien verbunden, was sich in der künstlerischen Entwicklung der Stadt manifestierte, der eine für die Malerei wichtige Vermittlerrolle zufiel. Zwar unterscheidet sich Riberas Stil deutlich von der Art der gleichzeitigen Italiener, doch ist der Einfluß unverkennbar, den Caravaggio mit seinem Realismus und seinem Helldunkel auf den Spanier hatte, der selbst später auf die italienische Barockmalerei Einfluß gewann und in seinem Schüler Luca Giordano eine der kraftvollsten Künstlerpersönlichkeiten des 17. Jahrhunderts formte. Ribera ging jung nach Italien und ließ sich etwa 1615 in Neapel nieder, das seit 1504 und bis 1735 Hauptstadt des von spanischen Vizekönigen regierten Königreichs beider Sizilien war.

Das Werk des Pedro Orrente, der aus der Schule von Toledo hervorgegangen ist und der 1615 auch einmal in Valencia gearbeitet hat, weist dagegen nach Venedig: Der Stil der Künstlerfamilie Bassano dürfte ihm die entscheidenden Anregungen für seine Landschaften mit Tierstaffage gebracht haben.

Bartolomé Esteban Murillo ist der bedeutendste Vertreter der Malerschule von Sevilla, einer der größten Maler des 17. Jahrhunderts in Spanien und ein Künstler von ausgesprochen hochbarocker Tendenz, mit Werken von visionärer Schönheit, volkstümlicher Einfachheit und religiöser Innigkeit. Gerade die mit feinem Sinn für kultivierte Farbigkeit gemalten Madonnen, die den Ruhm Murillos weit über die Lebenszeit des Künstlers hinaus erhalten haben, sind dafür bezeichnende Beispiele. Sein «Tod der heiligen Clara» verbindet zwei Pole seines Schaffens: realistische Schilderung in dem «irdischen» Teil links, «himmlische» Schönheit in der Erscheinung rechts. In dieser Gegenüberstellung von Realität und Vision begegnen sich Murillo und der zwanzig Jahre ältere Zurbarán, der in Sevilla Schüler von Juan de Roélas gewesen war und dessen «Heiliger Bonaventura im Gebet» ein bezeichnendes Werk dieses Schilderers spanischen Mönchslebens ist.

Schon im 16. Jahrhundert hatte die Bildnismalerei in Spanien geblüht, ehe sie mit Velázquez im 17. Jahrhundert zu unübertroffener Höhe aufstieg. Velázquez war künstlerisch – in thematischer wie formaler Hinsicht – von Caravaggio ausgegangen und hatte, immer auf seinem eigenen Weg fortschreitend, einen großen, klaren und distanzierten Stil geschaffen, der bei manchen Bildnissen, wie bei unserem mutmaßlichen Porträt des königlichen Oberjägermeisters Juan Mateos, an Tizian gemahnt.

Harald Marx

Die französischen Gemälde

In zwei weit voneinander entfernten Räumen der Galerie, im Hauptgeschoß der eine, im zweiten Obergeschoß der andere, sind die Werke der französischen Maler untergebracht. Die Meister des 17. Jahrhunderts haben ihren Platz im Hauptgeschoß, zwischen den Abteilungen der Niederländer und der Italiener des 17. Jahrhunderts im großen, auf der Theaterplatzseite genau in Galeriemitte gelegenen Seitenkabinett, gleichsam in ihrer Mittelstellung zwischen Nord und Süd betont, während die französischen Maler des 18. Jahrhunderts im Anschluß an die Italiener des 18. Jahrhunderts und vor den Pastellen der Rosalba Carriera ein großes Eckkabinett im Ostflügel füllen. Durch diese Trennung wird der eigene Charakter der beiden Jahrhunderte unterstrichen, weniger kann die Kontinuität der Entwicklung sichtbar gemacht werden. Da der zwar hervorragende, aber zahlenmäßig kleine Bestand der Galerie an französischer Malerei jedoch ohnehin nicht ausreicht, ein Bild aller unterschiedlichen Tendenzen zu geben, so ist der eingeschlagene Weg, Kreise um Hauptwerke zu bilden und einzelne Höhepunkte besonders rein erstrahlen zu lassen, sachlich gerechtfertigt.

Die Werke Nicolas Poussins und Claude Lorrains machen den Kern der Werkgruppe aus dem 17. Jahrhundert aus. Daneben sind Nicolas Regnier und Valentin de Boulogne ausgestellt sowie eine Landschaft von Gaspard Dughet. Werke von Laurent de La Hyre, von Francisque Millet, von François Perrier und Charles Le Brun, die aus Platzmangel nicht ständig gezeigt werden, waren in den letzten Jahren doch zumindest zeitweise als Austauschbilder zugänglich.

Es dominiert also die klassizistisch-ideale Richtung, während die mehr barocken Tendenzen, so die Schöpfungen der Caravaggisten, nur eben angedeutet sind, wenn auch mit einem Hauptwerk, den «Falschspielern» von Valentin. Bestechend ist die durchgehende Qualität: Poussins «Reich der Flora», seine «Anbetung der Könige» sowie «Pan und Syrinx» zeugen davon, genauso Claude Lorrains Landschaften, die – untereinander sehr verschieden – zu seinen Meisterwerken gehören. Poussin wie Claude Lorrain haben die Heimat verlassen und in Italien den Boden gefunden, auf dem sich ihre rein französische Kunst entfalten konnte, der eine die ideale Landschaftsmalerei vollendend, der andere in der Erinnerung an Raffael und die Antike die klassizistischen Figurenkompositionen auf einen Höhepunkt führend. (Von Poussins späten heroischen Landschaften besitzt Dresden kein Beispiel.)

Während in Italien französische Maler nach hohen Idealen künstlerischer Vollendung strebten, verlangte der Absolutismus König Ludwigs XIII., getragen von der Politik des Kardinals Richelieu, nach Mitwirkung der Künste, deren Förderung und Einsatz als im Staatsinteresse liegend angesehen wurden. Die Gründung der Académie Royale 1648, der Académie de France in Rom 1666 sollten die bildenden Künste zur Blüte bringen und sie gleichzeitig zentraler Leitung zugänglich machen. Einen Höhepunkt dieser Entwicklung erlebte Frankreich unter König Ludwig XIV., als unter Le Bruns Leitung mit der Ausgestaltung des Schlosses in Versailles eine riesige Aufgabe alle Kräfte auf ein Ziel lenkte.

Bei den Gemälden des 18. Jahrhunderts, Werken von Künstlern also, die für die Galeriegründer Zeitgenossen waren, lassen sich zwei Hauptgruppen unterscheiden: Bildnisse von Dresdener Persönlichkeiten sowie Werke der Meister der galanten Feste, Watteaus und seiner Nachfolger. Zwei Hauptwerke Antoine Watteaus, in Komposition und Malweise deutlich unterschieden, doch beide bezaubernd schön in ihrer Art, machen das Zentrum letzterer Gruppe aus, zu dem noch Gemälde von Pater und Lancret gehören. Die Strahlkraft dieser Schöpfungen hat in ganz Europa Künstler und Liebhaber durchdrungen.

Die Bildnisse setzen ein mit einem Gemälde von Hyacinthe Rigaud: Kurprinz Friedrich August, späterer König August III. von Polen; das Bild ist für eine ganze Reihe von Porträts Augusts III. vorbildlich gewesen. Es verkörpert rein den Typus des portrait d'apparat, des Repräsentations-Bildnisses, wie er für die europäische Malerei seit van Dyck festgelegt war. Ein in der Auffassung ähnliches großes Werk von Jean-Marc Nattier, aufwendiger sogar noch, ist als Leihgabe der Galerie im Barockmuseum Schloß Moritzburg bei Dresden. Es stellt Moritz Grafen von Sachsen dar, einen Sohn Augusts des Starken.

Auch Nicolas de Largillierre, Louis de Silvestre (der von 1716–1748 in Dresden als Oberhofmaler gearbeitet hat, seit 1727 auch als Akademiedirektor) und Pierre Subleyras sind mit Bildnissen vertreten. Subleyras mit dem Porträt des sächsischen Kurfürsten Friedrich Christian, noch als Kurprinz, gemalt während dessen Aufenthalt in Rom 1739. Drei Werke von Antoine Pesne, dem Berliner Hofmaler, darunter ein Selbstbildnis, deuten an, wie sehr dieser produktive Künstler zur Zeit Augusts des Starken in Dresden geschätzt war. Die alten Inventare verzeichnen eine Fülle von Bildern dieses Meisters, der – anders als Silvestre mit seinen klaren Linien und leuchtenden Farben – ein schimmerndes Ton in Ton und ein von Rembrandt herzuleitendes Helldunkel bevorzugte.

Schließlich seien noch die Pastelle von Maurice Quentin de La Tour erwähnt, die im folgenden Kabinett hängen: ein Bildnis der Prinzessin Maria Josepha, Tochter König Augusts III., die 1747 durch ihre Hochzeit mit dem Sohn Ludwigs XV. nach Frankreich kam, und ein Bildnis des Maréchal de Saxe (sein Bildnis von Nattier wurde schon genannt). Charakter im Bildnis sichtbar zu machen, ganz im Sinne der Aufklärung den Menschen und nicht seine hohe Geburt oder sein Amt zu sehen, das machte sich de La Tour zur Aufgabe, und er leitete so schon aus dem höfischen Zeitalter hinüber ins bürgerliche. Die Werke dieser im späteren 18. Jahrhundert anbrechenden neuen Zeit fehlen in Dresden: Mit der Jahrhundertmitte kam die Sammeltätigkeit für die Galerie auf einen Höhepunkt, der auch ein Abschluß war. Zwar blieben die Kontakte eng zwischen Paris und Dresden, Erwerbungen für die Galerie aber gab es dort für lange Zeit nicht mehr.

Harald Marx

Die altniederländischen Gemälde

Die Gruppe der altniederländischen Gemälde in der Dresdener Galerie ist zahlenmäßig klein; von den zweiundsechzig Bildern, die diese Abteilung umfaßt, sind die bedeutendsten Stücke im deutschen Saal, Raum 107, sowie im Raum 111 ausgestellt. Von besonderem Interesse ist die Geschichte der Erwerbung der altniederländischen Gemälde: sie spiegelt deren unterschiedliche Beurteilung zu verschiedenen Zeiten wider. Während des 16. Jahrhunderts, als man in Dresden schon Gemälde für die Kunstkammer erwarb, galt besonderes Interesse der Landschaftsmalerei. Hier nahmen unter den für die Sammlung erworbenen Bildern die Werke des aus Mecheln stammenden Hans Bol eine Vorrangstellung ein. Die subtil gemalten kleinen Ansichten mit dem Hofvijver im Haag (Gal.-Nr. 822), eines der ersten Stadtbilder in der niederländischen Kunst, oder der «Frühling im Schloßgarten» (Gal.-Nr. 825), das Dorf Schelle-Belle, wo Kirmes gefeiert wird (Gal.-Nr. 823), und die anderen Bilder Bols sind alle schon in den ersten Kunstkammerinventaren verzeichnet. Von den ursprünglich zweiundzwanzig Arbeiten des Künstlers besitzt die Galerie heute noch acht; ein neuntes, früher Hans Bol zugeschriebenes Bild konnte neuerdings als Werk des Jacob Savery identifiziert werden (Gal.-Nr. 824). Für die Forschung bedeutet dieses Bild einen besonderen Fund, da das Œuvre des Künstlers bisher kaum erschlossen ist.

Bis in die zweite Hälfte des 17. Jahrhunderts hinein wurden keine weiteren altniederländischen Gemälde erworben. Erst 1687 gelangte ein großes dreiteiliges Altarbild aus der Schloßkirche in Wittenberg nach Dresden. Bis heute konnte man den Künstler nicht ermitteln; es handelt sich aber um einen nordniederländischen Meister aus der Zeit um 1500, der möglicherweise in Wittenberg gearbeitet hat. Nächste Kunde über den Zugang eines altniederländischen Bildes gewinnen wir im Jahre 1700: Der Hofmaler Samuel Bottschild lieferte den «Turmbau zu Babel» des Maerten van Valckenborch (Gal.-Nr. 832). 1707 tauchte noch einmal eine Landschaft auf, geführt als «Goltzius und Brueghel», heute erkannt als Hauptwerk des Gillis van Coninxloo (Gal.-Nr. 857), das der Künstler, der damals aus Glaubensgründen seine niederländische Heimat verlassen mußte, in Frankenthal in der Pfalz gemalt hat, wo er sich niederließ und eine Malerkolonie gründete. Das 1588 in Frankenthal entstandene

Gemälde kam später nach Amsterdam; erst dort hat Carel van Mander die Figuren mit dem Midas-Urteil in das Bild gemalt. Es wurde schon von den Zeitgenossen bewundert und war von Einfluß auf die folgende Malergeneration: Joos de Momper, Jan Brueghel, Jan Wildens und nicht zuletzt Peter Paul Rubens blieben davon nicht unberührt.

Mit dem Dresdener Gemälde-Inventar von 1722–1728 stehen wir vor einer völlig veränderten Situation: Was damals an altniederländischer Kunst nach Dresden gelangte, das trug andere Namen. Die hervorragende Qualität einzelner Werke, deren Zugehörigkeit zur altniederländischen Schule man aber nicht erkannte, führte zu klangvollen Zuschreibungen: Dürer und Holbein, Raffael und Tizian wurden in Anspruch genommen. Das in seiner malerischen Art etwas herbe und auch zurückhaltende Porträt eines bartlosen Mannes (Gal.-Nr. 809B) des Joos van Cleve, eines der besten Bildnisse des Künstlers, ist damals als Dürer erworben worden. Nicht viel anders war es mit dem männlichen Bildnis (Gal.-Nr. 811), das als Holbein erworben und später als Arbeit des Bernaert van Orley erkannt wurde. Auch Raffaels Name fehlte nicht in der Ankaufsliste: Es handelt sich um die Darstellung «David tötet Goliath» (Gal.-Nr. 844), die heute als Arbeit des Jan van Scorel angesehen wird. Der aus Utrecht stammende Scorel gehörte mit zu den ersten Künstlern des Nordens, die nach Italien gegangen sind, um sich dort zu schulen. Er war einer von jenen Meistern, die eine glückliche Synthese zwischen südlicher und heimischer Kunst fanden.

Das Inventar Guarienti (1747–1750), das nur noch die als galeriewürdig befundenen Gemälde verzeichnete, im Gegensatz zu den früheren Gesamtinventaren, enthielt nur drei heute als altniederländisch erkannte Bilder, darunter eine große Anbetung der Könige; als Autor war Albrecht Dürer genannt, doch gehört das Bild zu den bedeutendsten Werken des Joos van Cleve (Gal.-Nr. 809A). Schließlich das Inventar von 1754: Wiederum tauchen altniederländische Werke unter falschen Zuschreibungen an Dürer, Holbein und Tizian auf, darunter eines der bedeutendsten Bilder der Dresdener Galerie: der kleine Reisealtar des Jan van Eyck (Gal.-Nr. 799), als Dürer erworben und erst im 19. Jahrhundert als Arbeit des Jan van Eyck erkannt.

Schließlich die Gruppe der Erwerbungen aus dem 19. Jahrhundert, achtzehn Bilder, wobei die sogenannte «Kleine Anbetung» des Joos van Cleve (Gal.-Nr. 809) und das aus der Werkstatt des Rogier van der Weyden stammende Bild «Christus am Kreuz» (Gal.-Nr. 800) zu den wichtigsten Stücken gehören. *Annaliese Mayer-Meintschel*

Die flämischen Gemälde

Das 17. und beginnende 18. Jahrhundert bezeichnet man in Europa als das Zeitalter des Barock. Man versteht darunter jenes künstlerische Schaffen, das, besonders von den europäischen Höfen ausgehend, das Stilempfinden des Absolutismus ausdrückt. Die Niederlande haben während dieser Zeit eine getrennte Entwicklung genommen. Während die sieben nördlichen Provinzen Hollands in der Haager Unabhängigkeitserklärung ihre Selbständigkeit errungen hatten, blieb Flandern an Spanien gebunden. Die Regentschaft des Hauses Habsburg, das in Europa den gewaltigsten Verfechter der katholischen Glaubenslehre und den Hauptträger des Gedankens der Gegenreformation darstellte, prägte die Staatsform und bis zu einem gewissen Grade auch das Geistesleben in Flandern. Sie verlieh der Kunst im Vergleich zu Holland andere Merkmale.

Während sich in Holland Leben und Kunst mehr auf die einzelnen Städte konzentriert, sich bestimmte Lokalschulen herausbilden, ist es in Flandern anders. Hier ist es Antwerpen, das zugleich als Handelsmetropole künstlerischer Mittelpunkt des Landes wird. Von hier aus strahlen die Impulse, hier dominieren der Hof, der Statthalter, die katholische Kirche, hier sind es die Paläste, die ausgeschmückt werden müssen. Geradezu am Rande wirken kleinere Meister, wie die Bauernmaler Adriaen Brouwer und David Teniers, die Landschaftsmaler Paul Bril, Jan Brueghel und Joos de Momper.

In der traditionsreichen Stadt an der Schelde wirken die Hauptmeister der flämischen Malerei des 17. Jahrhunderts: Peter Paul Rubens, Anton van Dyck und Jacob Jordaens.

Während Rembrandt in bescheidenen Verhältnissen aufgewachsen war, ist Rubens ein Künstler gewesen, der eine sorgfältige wissenschaftliche Bildung erfahren hatte, den man auch zum Hofdienst vorbereitete. Nachdem er sich bei Adam van Noort und Otto van Veen das künstlerische Rüstzeug geholt hatte, ging er acht Jahre nach Italien, arbeitete eine Zeitlang am Hofe des Herzogs Gonzaga von Mantua, reiste nach Rom und Genua, besuchte Spanien, Frankreich und England.

Die meisten Rubensbilder kamen im 18. Jahrhundert nach Dresden, und das Inventar von 1722–1728 verzeichnet nicht weniger als 50 Gemälde unter seinem Namen. Heute besitzt die Galerie 19 Werke des Künstlers aus fast allen Schaffensperioden. In Rom war Rubens der großartigen Kunst von Michelangelo begegnet, er lernte die grandiosen Fresken der Sixtinischen Kapelle kennen, er wurde aber auch mit der Kunst von Raffael, Giorgione, Palma, Tintoretto und Veronese bekannt, ebenso mit den klassischen Werken der Antike. All dies bildete für ihn eine unerschöpfliche Quelle künstlerischer Inspiration. Er studiert, nimmt alles in sich auf, und als er 1608 wieder nach Antwerpen zurückkehrt, sind diese Erlebnisse in ihm lebendig. Große Auftragswerke entstehen, programmatisch in ihrem Inhalt. Reminiszenzen an Italien sind vielfältig sichtbar, auch in einigen Bildern der Dresdener Galerie, so in dem erst neulich für die Forschung zurückgewonnenen Frühwerk «Christus auf dem Meer» (Gal.-Nr. 1001), das vor allem in Auseinandersetzung mit Motiven nach Michelangelo entstanden ist und das Rubens 1608/09 kurz nach seiner Rückkehr aus Italien in Antwerpen malte, aber auch das Bild «Leda mit dem Schwan» (Gal.-Nr. 71) gehört in diese Gruppe, wenngleich man bis heute noch nicht klären konnte, ob Rubens das Bild noch vor seiner Italienreise in Antwerpen schuf oder während seines Aufenthaltes in Italien; dazu gehören auch die beiden Fassungen mit dem «Trunkenen Herkules» (Gal.-Nr. 987 und 957), wo die sehr seltene Situation in der Geschichte einer Sammlung gegeben ist, daß sich Original und spätere Replik an einem Ort befinden. Die Eichenholztafel mit dem «Trunkenen Herkules» (Gal.-Nr. 987) ist schon im Inventar von 1722–1728 verzeichnet als «Hercules umfaßt die Jole», während die einige Jahre später entstandene Fassung – sie ist auf Leinwand gemalt, der Herzog Gonzaga von Mantua hatte sie persönlich beim Künstler in Auftrag gegeben – erst 1743 durch den Bilderaufkäufer des sächsischen Hofes, Ventura Rossi, nach Dresden gelangte. Vital und burlesk zeigt dieses Bild, wie die alte Sage in flämisch-fülliges Leben umgesetzt wird.

Oftmals entstehen seine Bilder unter Mitwirkung eines ganzen Stabes von Schülern und Gehilfen, hatte er doch nach seiner Rückkehr aus Italien (1608) eine große Werkstatt organisiert, in der zahlreiche Hände tätig waren, des Meisters Ideen und Entwürfe auszuführen, weniger wichtige Teile seiner Gemälde anzulegen und die fertigen in Kupfer stechen zu lassen, um der überaus großen Nachfrage zu genügen. Nicht nur die Kirche Flanderns, auch das übrige Europa wollte die Bilder des gefeierten Meisters besitzen. Es entsteht ein neuer und großartiger Malstil. Rubens beschäftigt zahlreiche Mitarbeiter und Gehilfen, der eine hat die Tiere in seine großen Kompositionen zu malen, wie Frans Snyders in «Dianas Heimkehr von der Jagd» (Gal.-Nr. 962 A), ein anderer die Blumen, wie Jan Brueghel, und Jan Wildens ist bekannt dafür, daß er die landschaftlichen Hintergründe malte. Rubens ist vielseitig und bewährt sich auf fast allen Gebieten: Porträt, Landschaft, Tierbild und Mythologisches stehen gleichwertig nebeneinander. In der umfangreichen Gruppe der Dresdener Rubens-Bilder ist wohl das schönste und reife Werk des fast Sechzigjährigen die «Bathseba» (Gal.-Nr. 965). Ein Werk von Rang ist aber auch die «Wildschweinjagd» (Gal.-Nr. 962). In diesem Bild, das 1749 für die Galerie erworben wurde, ist wie in anderen Darstellungen die starke Bewegung dominierend. Eine hellere Farbgebung vollzieht sich. Im buschigen Wald tritt eine Gruppe von Männern, mit Spießen und Gabeln bewaffnet, einem Eber entgegen. Die Komposition ist in einer gewissen Dramatik angelegt. Und die Art, wie die Landschaft mit der Jagdszene verbunden ist, macht Rubens' außergewöhnlichen Stil deutlich. Schließlich sei hier noch auf ein Bild hingewiesen, auf die große Willkommenswand, die anläßlich des Einzuges des Kardinalinfanten Ferdinand in Antwerpen entstanden ist, «Quos ego! Neptun beschwichtigt die Wogen» (Gal.-Nr. 964 B), das 1635 am Mechelse Plein in Antwerpen aufgestellt worden war und von dem sich das Gegenstück im Kunsthistorischen Museum in Wien befindet und eine Skizze zum Dresdener Bild im Fogg Art Museum in Cambridge/Mass. aufbewahrt wird. In die gleiche Schaffensperiode gehört das «Merkur und Argus»-Bild (Gal.-Nr. 962 C), das im Zusammenhang mit den Dekorationen für die Torre de la Parada, ein Jagdschloß in der Nähe von Madrid, geschaffen worden ist.

Von van Dyck, dem wohl bedeutendsten Rubens-Schüler, besitzt die Galerie 25 Werke. Van Dyck ist vor allem als Bildnismaler hoch geschätzt gewesen, bewährte sich aber auch auf dem Gebiet der Mythologie und der Darstellung religiöser Themen. Wie eng die Beziehungen zu seinem Lehrer Rubens waren, wird in dem Werk mit dem «Heiligen Hieronymus» (Gal.-Nr. 1024) deutlich: Nicht nur, daß sich das Bild früher im Besitz von Rubens befunden hat, sondern auch die Wahl des Themas macht das Lehrer-Schüler-Verhältnis deutlich, zumal Dresden auch den «Heiligen Hieronymus» von Rubens (Gal.-Nr. 955) besitzt, der drei Jahre vor der Dyckschen Fassung entstanden ist.

Einer der besten Freunde von Rubens, der Antwerpener Kunstkenner Balthasar Gerbier, schrieb an van Dyck: «Nun, seit Rubens tot ist, bleibt Jordaens der beste Maler.» Damit ist eine Wertschätzung ausgesprochen, die Jacob Jordaens zu Lebzeiten erfahren hat. Das große Bacchanal mit «Ariadne» (Gal.-Nr. 1009) läßt deutlich den Einfluß von Rubens erkennen, während «Diogenes mit der Laterne, auf dem Markte Menschen suchend» (Gal.-Nr. 1010) ein wahrhaft flämisches Volksfest wiedergibt. Mit dem Thema hat Jordaens zugleich eine neue Formulierung gefunden. Da steht in der Mitte des Bildes der greise Philosoph, dem äußerste Bedürfnislosigkeit als höchste Weisheit erschien, und sucht die Menschen. Er findet sie im Volk. Das Volk, das Jordaens malt, sind flämische Bauern. Diogenes will sie von aller Konvention wieder zur rechten Natur zurückführen, ohne Rücksicht auf Hohn und Spott, indem er ihnen den beißenden Witz und den tiefen Ernst seiner Lehre einzuprägen versuchte.

Annaliese Mayer-Meintschel

Die holländischen Gemälde

Die Dresdener Gemäldegalerie besitzt eine außergewöhnliche Sammlung holländischer Bilder des 17. Jahrhunderts. Wie an kaum einem anderen Ort läßt sich das «Goldene Zeitalter», wie es so oft genannt wird, in seiner ganzen Vielfalt ablesen und studieren. Holland, so nach seiner größten Provinz genannt, wurde, nachdem es durch die Haager Konvention seine Unabhängigkeit erreicht hatte, zu einem reichen Land. Seine Lage am Meer begünstigte nicht nur die Seefahrt, sondern auch den Handel mit fernen Ländern. Der Welthandel nahm immer größere Ausmaße an, und von Amsterdam aus segelten die Schiffe in die verschiedensten Erdteile. Wie sich der Blick des Kaufmanns für die Realitäten der Welt schärfte, so kam auch ein vielseitiges Erlebnis der Wirklichkeit in die Kunst. Der schnell gehäufte Reichtum des Bürgertums, dessen Glanz von einer Generation hochbegabter Maler in vielerlei Formen festgehalten wurde, wird in vielen Beispielen dokumentiert.

Höhepunkt einer jeden Sammlung sind jedoch immer wieder die Bilder von Rembrandt. Dresden besitzt aus fast allen Schaffensperioden des Künstlers Beispiele. In ihnen klingt die Kraft des Reichtums des inneren und äußeren Erlebens, das in siegreichen Kämpfen geborene neue Lebensgefühl so machtvoll auf, daß seine Werke bis auf den heutigen Tag nichts an ihrer Wirkung einbüßten. Aus der frühen Amsterdamer Zeit, der Mitte der dreißiger Jahre, besitzt Dresden das liebenswürdige Bildnis der lächelnden Saskia (1633), das Porträt des Rotterdamer Korn- und Weinhändlers Willem Burchgraeff (1633). Der antiken Mythologie entstammt das Bild «Ganymed in den Fängen des Adlers» (1635). Selten hat sich ein Künstler so von der Tradition gelöst, wie es hier der Fall ist. Anstelle eines schönen Knaben, der von einem Adler in den Olymp entführt wird, malt Rembrandt ein schreiendes, strampelndes Kind. Ganz anders, viel verhaltener dagegen, ist das Selbstbildnis mit der Rohrdommel von 1639. Was den Künstler hier interessiert haben mag, ist die überraschende Vereinigung eines beliebten Motivs der Stillebenmaler, des toten, an einem Haken hängenden Vogels, mit einem Selbstbildnis. Man hat hier den Eindruck, als wolle der Künstler angesichts der Schönheit der Natur zurückweichen. Eine wundervolle Gruppe in Dresden bilden das Selbstbildnis Rembrandts mit Saskia im Gleichnis vom verlorenen Sohn (1635–1639) und das Bildnis der Saskia mit der roten Blume (1641), das man heute als Flora deutet. Schließlich wären hier zu nennen die schon zu Lebzeiten Rembrandts berühmte «Simsonhochzeit» (1638) und das ergreifende Bild mit dem Opfer des Manoah (1641). In vielen Zusammenhängen mit Rembrandts Schaffen wird von ihm als dem Zauberer des Lichtes, dem Meister des Helldunkels, gesprochen. In solchen Bezeichnungen drückt sich das Neue aus, das Rembrandt nicht nur in der Malerei, sondern auch in der Graphik brachte, indem er seine Kompositionen vorzüglich durch die Führung des Lichtes aufbaute. Damit ist eine in der Malerei anderer Meister vorbereitete Tendenz zur Monochromie, der Herrschaft eines Farbtons, verbunden. In Rembrandts Malerei findet diese Art ihre Vervollkommnung. Besonders dann in den späten Gemälden, hierzu gehören auch einige Bildnisse in Dresden, ist alles auf eine Skala von warmen braunen Tönen reduziert.

Rembrandt besaß eine große Anzahl von Schülern. Auch ihre Namen sind in Dresden vertreten, so Ferdinand Bol, Gerbrand van den Eeckhout, Govaert Flinck, Jan Victors und Aert de Gelder, von denen die Galerie kleinere Werkgruppen besitzt.

Fast in allen Galerien, die Bestände an europäischer Malerei beherbergen, findet man neben großen Bildersälen kleine Kabinette. Die meist dicht aneinandergereihten Bilder fordern den Betrachter schon wegen des geringen Formats zum Nähertreten auf. Es ist die Welt des niederländischen Bürger- und Bauernlebens, in welche man durch die kleinen Fenster der Rahmen schaut. Wenn man sieht, mit welcher Ungezwungenheit sich diese Welt darbietet, kann man vergessen, daß sie vor dreihundert Jahren gemalt wurde. Warum, mag sich der Besucher fragen, ist es gerade die holländische Malerei, die sich in jener Zeit so sehr mit dem kleinen Format beschäftigte? Gewiß malten auch Velázquez, Murillo, Poussin oder Lorrain und andere Zeitgenossen kleine Bilder, aber das wandfüllende Bild ist im 17. Jahrhundert häufig und kennzeichnet das Werk dieser Meister. Was also mag mehrere Generationen von Malern vor allem in Holland bewogen haben, sich so ausschließlich oder doch zum größten Teil ihres Schaffens auf kleinste Bildfläche zu beschränken, so daß für sie sogar der Name Kleinmeister geprägt wurde?

Es sind zwei Bedingungen, die eine so einmalige Erscheinung hervorbrachten: eine schlicht äußerliche, die Kundschaft dieser Bilder und die Beschaffenheit der Räume, in denen sie Platz fanden, dazu eine innerlich-inhaltliche, nämlich der Motivwelt, der sich die holländischen Maler angenommen haben, und die künstlerische Haltung, mit der dies geschah. Der Bilderschmuck in den niederen und engen Grachtenstuben mußte diesen Dimensionen angemessen sein, und er hatte vor allem das auszudrücken, was dem neuen Lebensgefühl entsprach. Und das waren Sachlichkeit, dabei Unbekümmertheit und der Stolz auf die sich ansammelnden Reichtümer. Die Städte lagen im Land eng beieinander, und dort hatte jede ihre Eigenheit: Amsterdam war Handelsmetropole, Utrecht lebte von der Blumenzucht, und in Leiden war die Gelehrsamkeit zu Hause. Zu den Hauptvertretern der Leidener Feinmalerschule gehört vor allem Gerard Dou. Die Dresdener Galerie besitzt nicht weniger als 14 Bilder von ihm. August II. und nicht nur er, sondern auch der englische und französische König fanden großen Gefallen an diesen kleinen Holztafelbildern. Zu den bedeutendsten Stücken in Dresden zählt das Selbstbildnis von 1647, und kulturhistorisch von besonderer Bedeutung ist das Stilleben mit Leuchter und Taschenuhr, das ehemals als Deckel für einen Kasten diente, in dem Gerard Dou seine Bilder in Leiden ausstellte. Bemerkenswert ist auch die Tatsache, daß seine Bilder zu Lebzeiten höher geschätzt waren als die Bilder von Rembrandt; in der Sorgfalt, mit der er jeden Gegenstand behandelt, kommt er dem Geschmack des Bürgertums natürlich viel näher. Heute bedarf es keiner Frage, wer von beiden der größere Künstler war.

Die Gabe des Fabulierens und Erfindens von szenischen Anordnungen ist bei Gabriel Metsu viel stärker. Er nimmt seine Motive aus den vornehmen Kreisen der Städte, malt Geflügelverkäufer und -verkäuferinnen, denen er oftmals einen doppelten Sinn gibt, den der Zeitgenosse selbstverständlich sofort erkannte. Frisch und ungekünstelt wirkt das Selbstbildnis Metsus mit seiner Frau im Wirtshaus (1661). Hervorzuheben sind die Werke von Gerard Terborch, besonders das Bildnis einer Dame, die sich die Hände wäscht. Bei Frans van Mieris d. Ä., einem Schüler von Dou, spürt man schon Kühle und Berechnung in der Komposition. Man nimmt an der Begebenheit kaum Anteil, sondern erfreut sich an der Führung des Lichtes.

In der holländischen Malerei wächst die heimische Landschaft für das Tafelbild zum eigenständigen Motiv, auf das sich – etwas völlig Neues – zahlreiche Künstler spezialisieren. Verschiedene Landschaftsschulen bilden sich: Amsterdam, Haarlem, Leiden. Jan van Goyen, Jacob van Ruisdael, Salomon van Ruysdael, Aert van der Neer und schließlich Philips Wouwerman, von dem die Dresdener Galerie die größte Sammlung – 45 Gemälde – besitzt. Allen Landschaftsmalern eignet die Anschaulichkeit des Raumes, der Atmosphäre, das subtile Spiel der gebrochenen Töne und, immer auffallend, die große Einfachheit der Natur. Oft ist die Landschaft mit Figuren belebt, jedoch nur so, wie der Mensch natürlicher Gast der Natur ist. *Annaliese Mayer-Meintschel*

Die deutschen Gemälde

Aus drei Quellen ist die heutige Sammlung deutscher Malerei in der Galerie im wesentlichen zusammengeflossen: aus dem älteren Kunstbesitz der sächsischen Kurfürsten seit dem 16. Jahrhundert, aus der Tätigkeit der Hofmaler in Dresden und aus Ankäufen des 18. Jahrhunderts. Dabei erfreute sich die «altdeutsche» Malerei in den Gründungsjahrzehnten der Galerie einer Wertschätzung, die sich zwar auf die großen Namen Dürer, Cranach und Holbein konzentrierte, denen beinahe alle deutsche Malerei des 16. Jahrhunderts zugeschrieben wurde, doch ist dieses Interesse an eigener nationaler Tradition, bei der überragenden Stellung, die den Künstlern Italiens und der Niederlande eingeräumt wurde, immerhin beachtenswert. So waren im ersten gedruckten Galeriekatalog, dem von 1765, Dürer und Cranach je acht, Holbein sogar zehn Gemälde zugeschrieben.

Demgegenüber hatten die Werke der Hofmaler des 18. Jahrhunderts zu ihrer Zeit noch kaum einen Platz in der Galerie, waren vielmehr als Dekoration in den sächsischen Schlössern und sind erst spät in die Sammlung gelangt. Einen Tiefpunkt erreichte ihr Ansehen Mitte des vorigen Jahrhunderts, als bei Versteigerungen 1859, 1860 und 1861 vor allem Kunst des 18. Jahrhunderts verkauft wurde, sogenannte Doubletten. Einen kräftigen Zuwachs erhielt die deutsche, vor allem die sächsische Malerei des 18. Jahrhunderts dagegen in den Jahren nach 1945, als aus ehemaligem Adelsbesitz eine Reihe hervorragender Arbeiten zur Galerie kamen.

Im «Deutschen Saal» sind es auch heute die Gemälde der genannten drei Künstler, Dürer, Cranach, Holbein, die besonderes Interesse finden. Daneben enthält dieser Saal (sieht man von der ebenfalls dort ausgestellten altniederländischen Malerei ab) ein Werk des Hausbuchmeisters, ein Gemälde von Sigmund Holbein, einen Altar von Jörg Breu, ein Bild von Hans Baldung Grien, drei Bruchstücke einer Anbetung der Könige von Georg Pencz, ein Bildnis von Hans Maler und ein Bildnis eines unbekannten oberdeutschen Meisters um 1520 sowie drei Gemälde von Lucas Cranach dem Jüngeren. Aus galeriegeschichtlichen Gründen ist hier auch die Kopie der «Madonna des Bürgermeisters Meyer» nach Holbein ausgestellt, die durch Algarotti aus Venedig nach Dresden gekommen war und die als ein nationaler Gegenpol zur «Sixtinischen Madonna» Raffaels verstanden wurde, ehe sich seit 1871 die Erkenntnis durchsetzte, daß es sich nur um eine spätere Kopie nach dem Darmstädter Bild Holbeins handelt.

Der überragende deutsche Meister seiner Zeit, Albrecht Dürer, ist mit den «Sieben Schmerzen der Maria», dem «Dresdener Altar» und dem Bildnis des Bernhard von Reesen vertreten; mit einem seiner frühesten großen Malwerke also, dessen Szenen noch deutlich sein Herkommen aus spätgotischer Tradition zeigen, dabei schon wunderbar kräftig und frei in Landschaftsmotiven der Hintergründe, mit einem in mancherlei Hinsicht nicht problemlosen Altar und schließlich mit einem reifen Bildnis.

Gerade an einem Werk wie letzterem ersieht man, wie Dürers Renaissanceform nicht nur aus Italien, sondern auch aus den Niederlanden sich herleitet.

Lucas Cranach der Ältere, der in Wien zu den Begründern des Stils der Donauschule gehört hatte und der seit 1505 als kurfürstlich-sächsischer Hofmaler in Wittenberg, zuletzt in Weimar, arbeitete, der aber auch im Auftrag der in Dresden und Freiberg residierenden Wettiner malte, richtete in dem neuen Wirkungskreis einen großen Werkstattbetrieb ein, was auf seine Kunst nicht ohne Einfluß blieb. Ganz am Anfang der Wittenberger Zeit, 1506, entstand eines von seinen Hauptwerken, der Katharinen-Altar, von geradezu bildteppichhaftem Reichtum der dekorativen Formen, blühend in der Farbe, unbekümmert um Perspektive und Anatomie. Der mit Luther eng befreundete Meister stellte seine Kunst zeitweise in den Dienst der Reformation, was auch die Porträts des Reformators beweisen, die in Fülle aus seiner Werkstatt hervorgingen. Cranachs Bildnisse Herzog Heinrichs des Frommen und der Katharina von Mecklenburg sind nach den «Stalburg»-Bildnissen eines unbekannten Malers von 1504 in Frankfurt/Main die zweiten lebensgroßen Bildnisse dieser Art, vor Strigel, Seisenegger und Tizian, und zeigen ihn als einen der selbständigsten Porträtmaler seiner Zeit.

Anders sind die Bildnisse Hans Holbeins des Jüngeren, durchdrungen von der klaren Körperlichkeit der Hochrenaissance, mit einer Deutlichkeit im Detail, die ihresgleichen sucht. Er hat sich völlig aus der spätgotischen Tradition gelöst, die ihn nicht beschäftigt und nicht hemmt, im Gegensatz zu Dürer, der immer dieser Herkunft verhaftet blieb, um neue Formen ringend, im Gegensatz zu Cranach auch, der aus Spätgotischem eine Tendenz zu manieristischem Gestalten entwickelt, Renaissanceformen kaum berührend.

Wie schnell die eben und nur von Einzelnen errungene Klarheit der Renaissance in Deutschland zugunsten anderer Ziele wieder aufgegeben wurde, zeigt Jörg Breus großer «Ursula-Altar», dessen beklemmendes Durcheinander von Körpern einen eigenen Aspekt manieristischer Kunst ausmacht.

Den zeitlichen Ausklang im «Deutschen Saal» machen die Gemälde Cranachs des Jüngeren, ein Bildnis des Kurfürsten Moritz, durch dessen geschickte Politik die sächsische Kurwürde von den Ernestinern auf die Albertiner überging, von Wittenberg nach Dresden, und ein Bildnis des Kurfürsten August, dem als Gründer der Dresdener Kunstkammer in unserem Zusammenhang besondere Bedeutung zukommt.

Die im zweiten Obergeschoß des Semperbaus ausgestellten deutschen Werke des 17. und 18. Jahrhunderts setzen ein mit so hervorragenden Gemälden wie Elsheimers spätem kleinem «Jupiter und Merkur bei Philemon und Baucis», einem Kupfertäfelchen, das barocke Helldunkelmalerei im Kabinettformat zeigt, trotz kleinen Formats aber mit groß empfundener Komposition.

Andere Tendenzen deutscher Kunst des 17. Jahrhunderts repräsentieren Christoph Paudiss als Rembrandt-Schüler von deutlicher Eigenart, Schönfeld und Liss als barocke Maler von hohem Rang, Johann Heiss als klassizistischer Akademiker und Joseph Heintz der Ältere als Vertreter des Rudolfinischen Manierismus. Die künstlerische Sprache aller dieser Meister bleibt wesentlich beeinflußt von den Leistungen der Italiener und den epochemachenden Neuerungen der Holländer und Flamen.

Die deutsche Malerei des 17. Jahrhunderts kann nur im Zusammenhang mit der gesellschaftlichen und politischen Entwicklung während dieser Epoche verstanden werden: Der Bedeutungsverlust des unabhängigen Stadtbürgertums, das die deutsche

Kunst der Dürerzeit gesellschaftlich wesentlich mit getragen hatte, zugunsten des Machtzuwachses der Territorialfürsten, hatte schon im weiteren Verlauf des 16. Jahrhunderts zu einer Wesensverwandlung der Kunst geführt, wo nun aristokratischer Machtanspruch, vor allem in Bildnissen und Allegorien, nach künstlerischer Darstellung drängte. Während auf dieser Grundlage in Italien, Frankreich, Flandern und Spanien eine kraftvolle Barockkunst entstand, sich in Holland eine Barockkunst auf bürgerlicher Gesellschaftsgrundlage entwickelte, konnte Deutschland keine eigenen entwicklungsfähigen Formen schaffen und keine Zentren von mehr als regionaler Bedeutung gründen. Die größten deutschen Maler dieser Zeit suchten ihre Ausbildung im Ausland zu vollenden.

In der Aufnahme und Anverwandlung der Vorbilder gelangen den deutschen Künstlern schöne und auch bedeutende Werke, gelang bisweilen der Vorstoß zu europäischem Niveau und erreichten die Größten die Ausbildung eines persönlichen Stils. Territoriale Zersplitterung und Religionsunterschied zwischen dem protestantischen Norden und dem katholischen Süden trugen aber dazu bei, solchen Beispielen das breite Wirken zu erschweren, und schließlich brachte der Dreißigjährige Krieg mit seinen unvorstellbaren Verheerungen in Deutschland alles Kunstleben zum Erliegen.

Stilleben und Landschaft, soweit sie hier gezeigt werden, standen unter niederländischem Einfluß: Wilhelm Bemmel und Johann Heinrich Roos seien als Landschafter genannt, Abraham Mignon wegen seiner Stilleben. Das beginnende 18. Jahrhundert markieren schon die Werke von Agricola und dann von Johann Alexander Thiele, der zum Begründer der sächsischen Landschaftsmalerschule wurde, die über Dietrich zu Klengel führt und so den Anschluß ans 19. Jahrhundert findet.

Um die Jahrhundertwende gelang es in Dresden Christian Wilhelm Ernst Dietrich, mit Virtuosität und Produktivität zu europäischem Ruhm zu kommen. Das frühreife Wunderkind blieb sein Leben lang ein Meister im Imitieren großer Vorbilder, hatte dabei aber eine so eigene Handschrift, daß es heute keine Mühe mehr macht, seine Bilder zu erkennen. Dietrichs Eklektizismus scheint wahllos im Aufgreifen der Stilrichtungen und begnügt sich damit, in unerreichtem Virtuosentum zu brillieren. Darin unterscheidet er sich von Anton Raphael Mengs, der, von Dresden ausgehend, in Rom einen epochemachenden Eklektizismus klassizistischer Prägung entwickelte.

Die beherrschende Stellung, die Höfe und Adel noch in der ersten Hälfte des Jahrhunderts als Auftraggeber hatten, begann damals zu schwinden: Erstmals nach der Renaissance gewann das Bürgertum wieder derart an ökonomischem und geistigem Einfluß, daß Veränderungen in der Kunst, zuerst kaum merklich, dann spürbarer, davon bedingt waren.

Das Bildnis setzt in diesem Teil der Galerie mit Arbeiten des späten 17. Jahrhunderts ein, wie Heinrich Christoph Fehlings einprägsamer Darstellung des sächsischen Oberlandbaumeisters Wolf Caspar von Klengel, und wird in diesem Zweig der repräsentativen Porträtmalerei mit Werken von George de Marées und Falbe fortgesetzt, während Künstlerselbstbildnisse von dem Böhmen Jan Kupezký, von Ismael Mengs und Christian Seybold eine realistische Tendenz vertreten. Balthasar Denners Realismus kennt zwei Pole: Seine Köpfe oder Halbfiguren sind entweder besonders alt und runzelig oder besonders jung, glatt und schön. Seine Werke erschließen auch Häßliches als Objekt der Kunst, wurden von den Zeitgenossen als Gegengewicht zur idealisierenden höfischen Bildnismalerei empfunden, als – von Zeit zu Zeit – wohltuender Schock für schönheitsmüde Augen.

Erst die von aufklärerischer Geistigkeit getragenen bürgerlichen Bildnisse von Anton Graff, Joseph Friedrich August Darbes, Johann Friedrich August Tischbein und Georg Friedrich Weitsch brachten in der zweiten Hälfte des 18. Jahrhunderts das Interesse am Menschen als Einheit aus seelischer und äußerlich-sichtbarer Individualität, bei weitgehendem Verzicht auf dekoratives Beiwerk. Die hier verwirklichte schlichte Bildnisauffassung ist an Werken Anton Graffs eingehend zu studieren, denen breiter Raum gegeben ist, und dessen Entwicklung an drei Selbstbildnissen aus verschiedenen Phasen seines Lebens besonders deutlich verfolgt werden kann. Mit Graffs Porträts sowie mit den Gemälden von Angelica Kauffmann, Christian Leberecht Vogel und Georg Friedrich Weitsch erreichen wir die Grenze zum 19. Jahrhundert und den Ausklang dessen, was die Galerie Alte Meister an deutscher Malerei zeigt.

Harald Marx

FARBTAFELN

1 Pinturicchio
Bildnis eines Knaben
Wohl um 1480–1485. Tempera, Pappelholz
50 × 35,5 cm. Gal.-Nr. 41

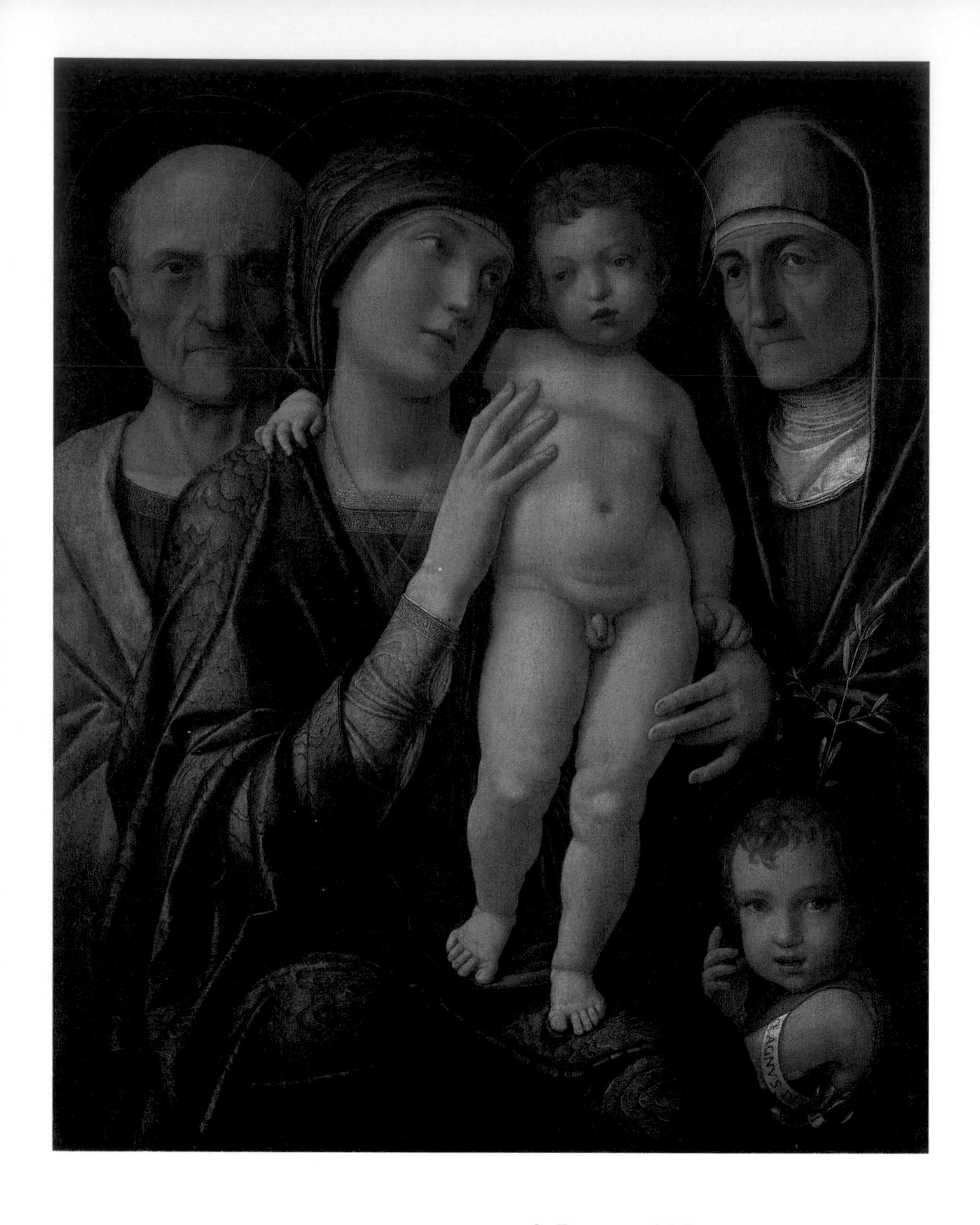

2 Andrea Mantegna
Die Heilige Familie
Um 1495–1500. Tempera, Leinwand
75×61,5 cm. Gal.-Nr. 51

3 Francesco del Cossa
Die Verkündigung
1470–1472. Tempera, Pappelholz
137,5×113 cm. Gal.-Nr. 43
Francesco del Cossa (?)
Die Geburt Christi
1470–1472. Tempera, Pappelholz
26,5×114,5 cm. Gal.-Nr. 44

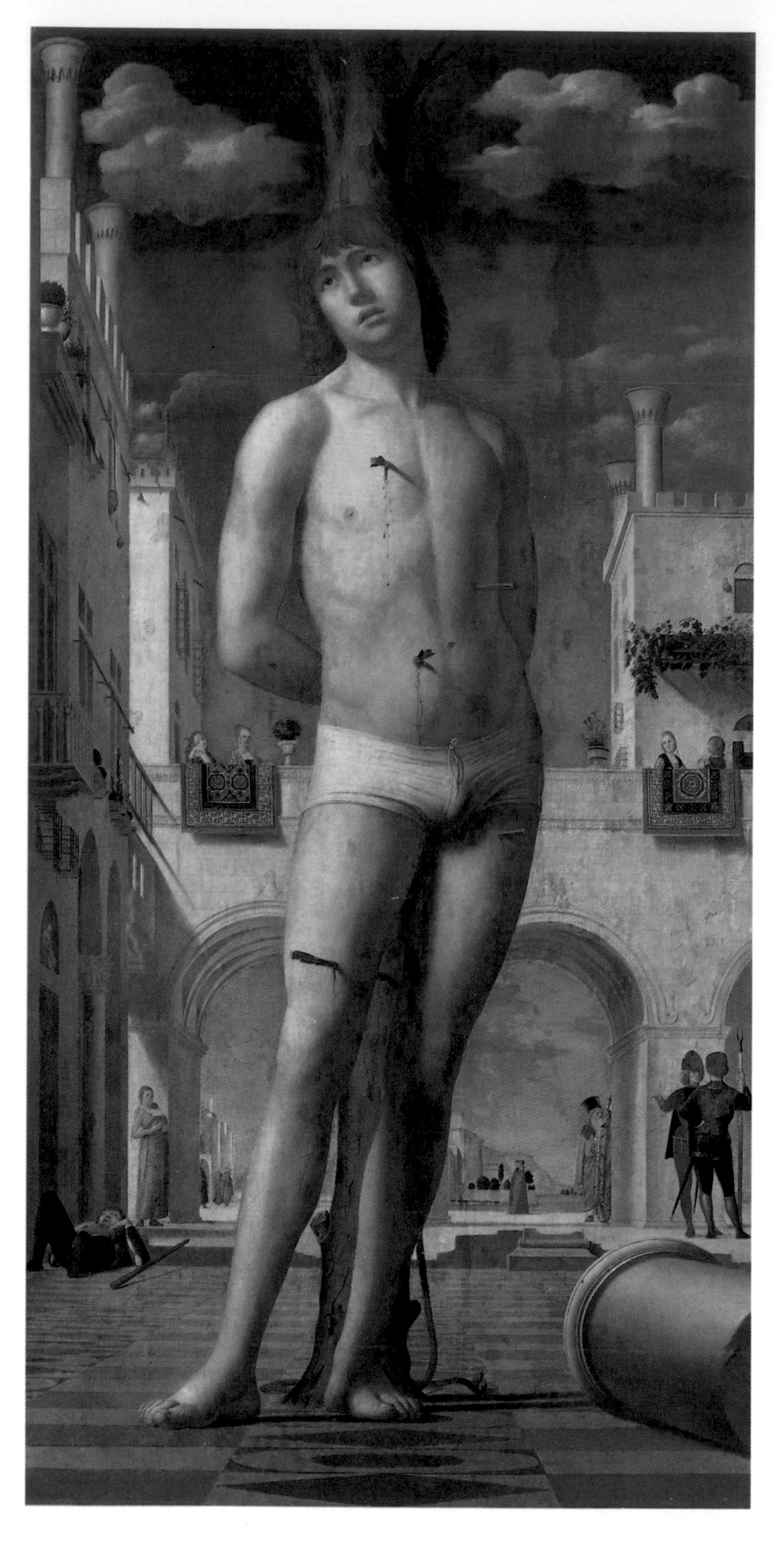

4 Antonello da Messina
Der heilige Sebastian
1475/76
Öl, von Holz auf Leinwand übertragen
171 × 85,5 cm
Gal.-Nr. 52

5 Tizian
Der Zinsgroschen
Um 1516. Bezeichnet rechts am Kragen des Pharisäers: TICIANVS. F. Öl, Pappelholz 75×56 cm. Gal.-Nr. 169

6 Giorgione
und Tizian
Schlummernde
Venus
Um 1508–1510
Öl, Leinwand
108,5 × 175 cm
Gal.-Nr. 185

7 Paolo Veronese
Die Anbetung der Könige
Bald nach 1571. Öl, Leinwand, 206 × 455 cm
Gal.-Nr. 225

8 Parmigianino
Die Madonna mit der Rose
Zwischen 1527 und 1531. Öl, Pappelholz
109 × 88,5 cm. Gal.-Nr. 161

9 Raffael
Die Sixtinische Madonna
1512/13. Öl, Leinwand, 269,5 × 201 cm
Gal.-Nr. 93

10 Andrea del Sarto
Abrahams Opfer
Um 1527/28
Bezeichnet rechts unten an einem Stein mit dem Monogramm AA (ligiert). Öl, Pappelholz 213× 159 cm. Gal.-Nr. 77

11 Correggio
Die Madonna des heiligen Georg
1530–1532. Öl, Pappelholz, 285× 190 cm Gal.-Nr. 153

12 Annibale Carracci
Thronende Madonna mit dem heiligen Matthäus
1588. Bezeichnet am Rande der Schreibtafel: HANNIBAL CARRACTIVS BON. F. MDLXXXVIII. Öl, Leinwand, 384× 255 cm. Gal.-Nr. 304

13 Tintoretto
Der Kampf des Erzengels Michael mit dem Satan
Gegen 1590. Öl, Leinwand, 318× 220 cm Gal.-Nr. 266

14 Bernardo Strozzi
Eine Gambenspielerin (Barbara Strozzi)
Um 1640. Öl, Leinwand, 126 × 99 cm
Gal.-Nr. 658

15 Domenico Fetti
Das Gleichnis vom verlorenen Groschen
Um 1618–1622. Öl, Pappelholz, 55×44 cm
Gal.-Nr. 418

16 Antonio Canal, genannt Canaletto
Der Canal Grande in Venedig mit der Rialtobrücke
Gegen 1725. Öl, Leinwand, 146×234 cm. Gal.-Nr. 581

17 Bernardo Bellotto, genannt Canaletto
Der Neumarkt in Dresden vom Jüdenhofe aus
1749. Öl, Leinwand, 136×237 cm. Gal.-Nr. 610

18 Maurice Quentin de La Tour
Graf Moritz von Sachsen, Marschall von Frankreich
1748. Pastell, Papier, 59,5×49 cm. Gal.-Nr. P164

19 Rosalba Carriera
Die Gräfin Anna Katharina Orzelska
Gegen 1739. Pastell, Papier, 64 × 51 cm.
Gal.-Nr. P25

20 Jean-Etienne Liotard
Das Schokoladenmädchen
Um 1744/45. Pastell, Pergament, 82,5 × 52,5 cm
Gal.-Nr. P161

21 Anton Raphael Mengs
Die Sängerin Caterina Regina Mingotti
1745. Pastell, Papier, 55,5 × 42,5 cm.
Gal.-Nr. P170

22 Diego Velázquez
Bildnis eines Herrn, wahrscheinlich des
königlichen Oberjägermeisters Juan Mateos
Um 1632. Öl, Leinwand, 108,5× 90 cm. Gal.-Nr. 697

23 Jusepe de Ribera
Die heilige Agnes im Gefängnis
1641. Bezeichnet unten in der Mitte:
Jusepe de Ribera español, F. 1641
Öl, Leinwand, 203×152 cm. Gal.-Nr. 683

24 Bartolomé Estéban Murillo
Maria mit dem Kind
Um 1670. Öl, Leinwand, 166× 115 cm. Gal.-Nr. 705

25 Francisco de Zurbarán
Der heilige Bonaventura im Gebet
1629. Öl, Leinwand, 239× 222 cm. Gal.-Nr. 696

26 Johann Liss
Herkules am
Scheidewege
Um 1625
Öl, Leinwand
61 × 75 cm
Gal.-Nr. 1841 A

27 Nicolas
Poussin
Das Reich der
Flora
1630/31
Öl, Leinwand
131 × 181 cm
Gal.-Nr. 719

28 Antoine Watteau
Gesellige Unterhaltung im Freien
Um 1720 (?)
Öl, Leinwand
60× 75 cm
Gal.-Nr. 781

29 Claude
Lorrain
Landschaft
mit der Flucht
nach Ägypten
1647
Bezeichnet
unten links:
CLAVDE IVEF
ROMA 1647
Öl, Leinwand
102× 134 cm
Gal.-Nr. 730

30 Peter Paul Rubens
Die Wildschweinjagd
Um 1615–1620
Öl, Eichenholz
137× 168 cm
Gal.-Nr. 962

31 Frans Snyders
Stilleben mit der Hündin und ihren Jungen, dem Koch und der Köchin
Öl, Leinwand
197× 325 cm
Gal.-Nr. 1195

32 Peter Paul Rubens
Bathseba am Springbrunnen, den Brief
Davids erhaltend
Um 1635. Öl, Eichenholz, 175 × 126 cm
Gal.-Nr. 965

33 Anton van Dyck
Der trunkene Silen
Um 1620. Bezeichnet oben
in der Mitte am Krug: AVD
Öl, Leinwand, 107 × 91,5 cm. Gal.-Nr. 1017

34 Jacob Jordaens
Die Angehörigen Christi am Grabe
Um 1617–1620. Öl, Leinwand, 215×146 cm
Gal.-Nr. 1013

35 Rembrandt Harmensz. van Rijn
Saskia van Uylenburgh als Mädchen
1633. Bezeichnet links in der Mitte:
Rembrandt. fe 1633
Öl, Eichenholz, 52,5×44,5 cm. Gal.-Nr. 1556

36 Jacob
Isaacksz.
van Ruisdael
Der
Judenfriedhof
bei Ouderkerk
1653–1655
Bezeichnet links
am Stein:
JvRuisdael
Öl, Leinwand
84×95 cm
Gal.-Nr. 1502

37 Rembrandt Harmensz. van Rijn
Simson, an der Hochzeitstafel das Rätsel aufgebend
1638
Bezeichnet und datiert unten in der Mitte: Rembrandt f. 1638
Öl, Leinwand
126,5 × 175,5 cm
Gal.-Nr. 1560

38 Gerrit Adriaensz. Berckheyde
Straße in Haarlem
Um 1680
Bezeichnet rechts an der Banklehne:
G. Berck. Heyde 16 … Öl, Eichenholz, 43 × 39 cm
Gal.-Nr. 1523 A

39 Jan Vermeer van Delft
Brieflesendes Mädchen am offenen Fenster
Um 1659
Reste der Bezeichnung zwischen der Mädchengestalt und dem Vorhang rechts. Öl, Leinwand
83 × 64,5 cm
Gal.-Nr. 1336

40 Pieter Claesz.
Stilleben mit hohem goldenem Pokal
1624. Bezeichnet links unten:
PC (verschlungen) A⁰ 1624. Öl, Eichenholz
65×55,5 cm. Gal.-Nr. 1370

41 Gabriel Metsu
Selbstbildnis des Künstlers mit seiner
Frau Isabella de Wolff im Wirtshaus
1661. Bezeichnet links oben: G Metsu 1661
Öl, Eichenholz, 35,5×30,5 cm. Gal.-Nr. 1732

42 Jan van Eyck
Flügelaltar
1437
Bezeichnet
in der Hohlkehle
des Rahmens der
Mitteltafel:
Johannes
de Eyck me fecit
et cō (m) plevit
Anno Domini
MCCCCXXX VII
(1437)
Als ixh xan.
Öl, Eichenholz
33,1× 27,5 cm
die Flügel je
33,1× 13,6 cm
Gal.-Nr. 799

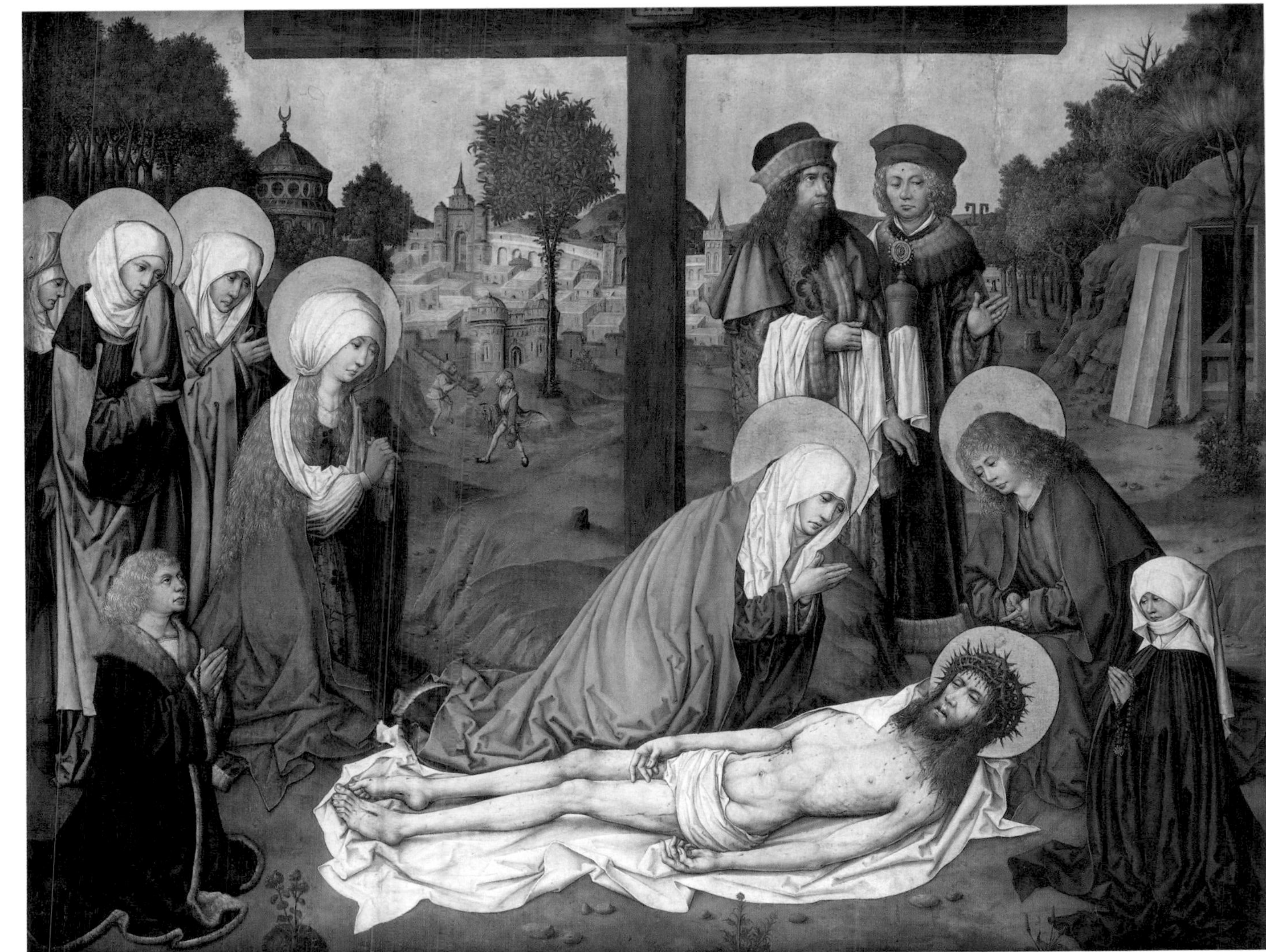

43 Meister
des Hausbuches
Die Beweinung
Christi
Nach 1480
Öl, Fichtenholz
131× 171 cm
Gal.-Nr. 1868 A

44 Lucas Cranach der Ältere
Heinrich der Fromme, Herzog von Sachsen.
Katharina von Mecklenburg, Herzogin von Sachsen
1514
Öl, von Lindenholz auf Leinwand übertragen
je 184× 83 cm. Gal.-Nr. 1906 G und H

45 Hans Baldung Grien
Mucius Scaevola
1531. Bezeichnet rechts unten an der Truhe:
HG Baldung Fac. 1531
(die Anfangsbuchstaben HBG ineinander verschlungen)
Inschrift und Datum links unter dem Feuer: 1531
MUCI und ein Kürzel
Öl, Lindenholz, 98× 68 cm. Gal.-Nr. 1888 B

46 Hans Holbein der Jüngere
Bildnis des Charles de Solier, Sieur de Morette
1534/35. Öl, Eichenholz
92,5× 75,5 cm. Gal.-Nr. 1890

47 Albrecht Dürer
Bildnis des Bernhard von Reesen
1521. Bezeichnet oben in der Mitte mit dem Monogramm AD und 1521
Öl, Eichenholz, 45,5 × 31,5 cm. Gal.-Nr. 1871

48 Anton Graff
Selbstbildnis mit 58 Jahren
1794/95
Öl, Leinwand, 168 × 105 cm. Gal.-Nr. 2167

KATALOG DER AUSGESTELLTEN WERKE

GEMÄLDE

Agricola, Christoph Ludwig Geboren 1667 in Regensburg, dort gestorben 1719. Die näheren Lebensumstände sind kaum bekannt. Zahlreiche Reisen führten den Maler auch nach England und Italien, besonders nach Neapel. In Rom schloß er sich der Künstlergruppe um Franz Joachim Beich und Jan Kupezký an. Sein Werk zeigt, persönlich verwandelt, u. a. Einflüsse von Gaspard Dughet, Claude Lorrain und Salvator Rosa.

2057 Agricola

2057 *Landschaft mit dem Mühlstein.* Um 1710. Bezeichnet rechts unten: L. A. fec. Leinwand, 84×67 cm. Inventar 1754, II 492.

Die Landschaften von Agricola sind poetische Stimmungsbilder, feingliedrig aufgelöst in der Pinselsprache, duftig in den Farben (die nicht selten zartes Rosa neben Hellblau zeigen) und trotz mancher «realistischer Motive» insgesamt weit entfernt von sachlicher Wirklichkeitsschilderung. Götz Adriani hat auf Salvator Rosa als Vorbild hingewiesen und Agricola «den Romantiker unter den deutschen Landschaftskünstlern» dieser Epoche genannt.

Literatur: G. Adriani: Deutsche Malerei im 17. Jahrhundert. Köln 1977, S. 108, Abb. 93.

Albani, Francesco Geboren 1578 in Bologna, dort gestorben 1660. Schüler des Flamen Denys Calvaert und der Carracci in Bologna, beeinflußt von Guido Reni. Seit 1600/01 in Rom in der Werkstatt des Annibale Carracci, tätig in Rom bis 1614 und erneut 1623–1625, 1621/22 in Mantua, sonst in Bologna. In einem poesievollen, romantisierenden Klassizismus hat Albani, unterstützt von seiner Werkstatt, häufig Themen der antiken Mythologie von arkadischem Charakter gestaltet und dabei zugleich einen wesentlichen Beitrag zur Entwicklung der Landschaftsdarstellung geleistet.

339 Albani

339 *Diana mit neun Nymphen und Aktäon.* Um 1625–1630. Von Holz auf Leinwand übertragen, 74,5×99,5 cm. 1746 aus der herzoglichen Galerie in Modena.

Der Jäger Aktäon hatte ungewollt die keusche, männerfeindliche Jagdgöttin Diana und ihre Nymphen beim Baden überrascht; er wurde von ihr zur Strafe in einen Hirsch verwandelt und in dieser Gestalt von seinen eigenen Hunden zerrissen (vgl. Ovid, Metamorphosen III, 138–253). Albani hat das Thema mit sinnlich reizvollen Aktmotiven in einer idealen Landschaft mehrfach gestaltet. Die Dresdener Galerie besitzt selbst ein zweites Exemplar mit acht Nymphen.

Literatur: A. Walther, in: Europäische Landschaftsmalerei 1550–1650. Ausstellungskatalog. Dresden 1972, Nr. 3.

340 Albani

340 *Galatea im Muschelwagen.* Um 1630. Leinwand, 188 × 123,5 cm. Inventar 1722–1728, A 33.

Die Nereide Galatea war eine der fünfzig schönen geschwätzigen Nymphen, Personifikationen des plätschernden Meeres. Geliebte des Akis, wurde sie auch von dem Zyklopen Polyphem begehrt. Hier fährt sie im Triumph auf einem von Delphinen gezogenen Muschelwagen, begleitet von Amor, der die Zügel führt, und anderen Amoretten. Auch durch die Draperie ist der reizvolle weibliche Akt zu dekorativer Wirkung gebracht. Das ausgezeichnete Werk aus der reifen Zeit des Künstlers verarbeitet gewisse Anregungen eines Freskos von Raffael in der Villa

Farnesina in Rom. Das Motiv wurde von Kändler und Eberlein im Meißner Schwanenservice (1737–1741) nachgebildet.

Literatur: G. C. Cavalli, in: Kindlers Malereilexikon, Bd. I. Zürich 1964, S. 37.

Angelico, Fra, Schule, eigentlich Fra Giovanni da Fiesole, genannt Fra Angelico oder Beato Angelico. Geboren 1387 in Vicchio di Mugello (toskanischer Apennin), gestorben 1455 in Rom. Trat 1407 in das Dominikanerkloster in Fiesole ein. Autodidakt, beeinflußt von Lorenzo Monaco und der gotischen Miniaturmalerei, aber auch von den Fresken Masaccios in Florenz. Tätig in den Dominikanerklöstern in Foligno, Cortona, Fiesole und besonders im Kloster San Marco in Florenz, seit 1445 mit kurzen Unterbrechungen in Rom. Er schuf ausschließlich Werke religiösen Inhalts, worin sich die zarte lyrische Schönheit gotischer Malerei mit gestalterischen Errungenschaften der florentinischen Frührenaissance verbindet.

7 Angelico, Schule

7 *Die Verkündigung.* Tempera, Pappelholz, 27,5 × 44 cm. 1846 aus dem Nachlaß Rumohr.

Das Bild galt früher als Jugendwerk des um über eine Generation jüngeren Gehilfen Angelicos, Benozzo Gozzoli, ist aber für diesen stilistisch, etwa auch durch den Goldhintergrund, noch zu stark der Gotik verhaftet. Eine hölzerne Stütze trennt die Bereiche Marias und des Verkündigungsengels, der ihr die bevorstehende Mutterschaft mitteilt, den Lilienstengel als Symbol der Keuschheit Mariä in der Hand. Links oben die Taube des Heiligen Geistes.

Literatur: Posse 1929, S. 3/4.

Antonello da Messina. Geboren um 1430 in Messina, dort gestorben 1479. Zwischen 1445 und 1455 Schüler des Niccolò Colantonio in Neapel, dort beeinflußt durch Bilder flämischer Meister wie Jan van Eyck und Rogier van der Weyden, von denen er auch die Technik der Ölmalerei übernahm. Mit Unterbrechungen immer wieder in Messina tätig, 1475/76 in Venedig, wo er durch Vermittlung der Öltechnik wie auch zentralitalienischer Stileinflüsse wesentliche Grundlagen zur Entwicklung der venezianischen Renaissancemalerei schuf und zugleich selbst zu einem venezianischen Künstler wurde.

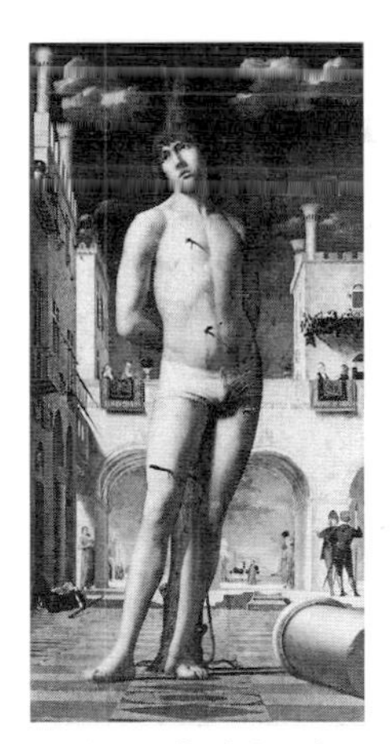

52 Antonello da Messina

52 *Der heilige Sebastian.* 1475/76. Von Holz auf Leinwand übertragen, 171 × 85,5 cm. 1873 durch Johann Christian Endris aus der Sammlung Hussian in Wien. *Farbtafel 4*

Sebastian war nach der Legende Offizier der Leibwache des römischen Kaisers Diokletian und mußte bei den Christenverfolgungen seit 303 wegen seines Glaubens seinen Kameraden zur lebenden Zielscheibe dienen. Da er das Martyrium überlebte, wurde er zum Schutzheiligen der Soldaten und gegen die Pest. Das Thema bot dem Maler Gelegenheit zur Aktdarstellung und zur Anwendung der Zentralperspektive als Errungenschaften der Renaissance. Die feintonige Malweise ist ebenso typisch venezianisch wie das Interesse am Stadtbild und an genrehaften Zügen. Die Figuren im Hintergrund lassen den Einfluß solcher Künstler wie Piero della Francesca und Mantegna erkennen.

Literatur: L. Scascia/G. Mandel: L'opera completa di Antonello da Messina. Milano 1967, Nr. 71.

Asselijn, Jan Geboren um/nach 1610 in Dieppe (Nordfrankreich), gestorben 1652 in Amsterdam. Um 1621 zog die Familie nach Amsterdam. Vermutlich von Jan Martsen de Jonghe wurde Asselijn zum Reiterschlachtenmaler ausgebildet. Bald nach 1635 zog er durch Frankreich nach Rom. 1644/45 war er wieder in Frankreich, in Lyon nachweisbar, wo er heiratete. Seit 1647 hielt er sich bis zu seinem Tode in Amsterdam auf. In Italien wandte er sich der Darstellung südlicher Hirtenidylle und Ruinenlandschaften zu, blieb aber sehr vielseitig in der Themenwahl.

1594 Asselijn

1594 *Hirtenjunge und Herde am Wasser.* 1648–1652. Bezeichnet links unten mit dem Monogramm: JA. Leinwand, 45,5 × 35,5 cm. Inventar 1722–1728, A 459.

Nach A. Ch. Steland-Stief (1971) wird das Bild in die späte Amsterdamer Zeit (1648–1652) datiert. Zusammen mit Carel Dujardin, Adam Pynacker und Nicolaes Berchem gehörte der Künstler zur Gruppe der niederländischen italianisierenden Landschaftsmaler. Sie waren alle zeitweilig in Rom tätig und haben hier einen eigenen Landschaftsstil geprägt.

Literatur: A. Ch. Steland-Stief: Jan Asselijn. Nach 1610 bis 1652. Amsterdam 1971, S. 93f., 146, Nr. 138.

Ast, Balthasar van der Geboren 1593 oder 1594 in Middelburg, gestorben 1657 in Delft. Lehre bei seinem Schwager Ambrosius Bosschaert in Middelburg. 1619 Meister der Utrechter Lukasgilde. Seit 1632 in Delft ansässig. Neben Blumen- und Früchtestilleben malte er einige wenige Stilleben mit Muscheln. Häufig finden sich in seinen Gemälden Schmetterlinge und andere Insekten, die die Darstellungen verlebendigen. Er bevorzugte kleinere Formate.

1257 Ast

1257 *Muscheln und Früchte.* Bezeichnet rechts unten: B. van der Ast. Holz, 29 × 37 cm. Inventar 1722–1728, A 674.

Auf einem steinernen Tisch liegen zwischen exotischen Meeresschnecken ein Pfirsichzweig, ein Johannisbeerzweig, Maiglöckchen und Vergißmeinnicht. Eine Eidechse richtet sich an der Tischkante auf, ferner sind verschiedene Insekten zu sehen. Exotische Meeresschnecken waren kostbar und beliebte Sammlungsstücke für Kunst- und Wunderkammern. Diese Kostbarkeiten im Bild festzuhalten, in Kombination mit Insekten und verschiedenen Pflanzen weist auf eine verschlüsselte Botschaft hin. Auf den Vanitasgedanken spielen die Schalen an als Hinweis auf vergangenes Leben. Verstärkt wird diese Deutung durch die Spinnen: bald wird alles mit Spinnweben bedeckt und vergessen sein. Ebenso sind die von Insekten zerfressenen Blätter ein Zeichen des Vergehens. Die Eidechse hingegen ist ein Symbol der Erneuerung des Lebens, der Schmetterling ein Hinweis auf die errettete Seele. Der Vanitasgedanke mag überwiegen, aber gleichzeitig wird an die Wiederauferstehung erinnert. Nicht auszuschließen ist der Gedanke, das Bild als eine Wiedergabe der vier Elemente zu interpretieren.

Literatur: H. Marx, in: Das Stilleben und sein Gegenstand. Ausstellungskatalog. Dresden 1983, S. 91, Nr. 6. – S. Segal: A Prosperous Past. Katalog der Ausstellung in Delft, Cambridge, Fort Worth. Den Haag 1988, S. 88f., 231f., Nr. 14.

1827 Avercamp

1828 Avercamp

Avercamp, Hendrick Geboren 1585 in Amsterdam, gestorben 1634 in Kampen. 1586 siedelte die Familie nach Kampen über. Der taubstumme Avercamp durchlief kurz nach 1600 in Amsterdam eine Lehre bei dem Porträtmaler Pieter Isaacksz. In seiner Landschaftsauffassung wurde er zunächst von den flämischen Immigranten Hans Bol, David Vinckboons und Gillis Coninxloo beeinflußt. Seit 1614 war Avercamp wieder in Kampen und spezialisierte sich auf die Darstellung der Winterlandschaft, worin er zum Vorbild von Jan van Goyen, Aert van der Neer und Jan van de Capelle wurde. Sein Neffe und Schüler war Barent Avercamp.

1827 *Schlittenfahrt und Schlittschuhlauf.* Gegenstück zu Gal.-Nr. 1828. Eichenholz, 24,5×45 cm. Inventar 1722–1728, A 441.

Früher galten das Bild und sein Gegenstück Gal.-Nr. 1828 als Arbeiten von Pieter Bruegel. Bereits Hübner (1856) schrieb die Gemälde Hendrick Avercamp zu, während man heute eher an seinen Neffen Barent Avercamp (1612–1679) denkt. Eine eindeutige Entscheidung hierüber wurde auch von C.J. Welcker/D.J. Hensbroek-van der Poel nicht getroffen.

Literatur: Hübner: 1856, S. 204, Nr. 891, 892. – C.J. Welcker/D.J. Hensbroek-van der Poel: Hendrick Avercamp 1585 bis 1634 ... en Barent Avercamp 1612–1679, «Schilders tot Campen». Doornspijk 1979, S. 210, Nr. S 43, S. 331, Nr. B.A.S 11.1.

1828 *Kugelspiel auf dem Eise.* Gegenstück zu Gal.-Nr. 1827. Eichenholz, 24,5×43 cm. Inventar 1722–1728, A 440.

Vgl. die Bemerkungen zum vorigen Bild. Auf dem zugefrorenen Fluß, der sich nach links bildeinwärts zieht, ist in der Mitte eine Gruppe von Schlittschuhläufern zusammengekommen, um sich beim Kugelspiel zu vergnügen. Vom Ufer aus beobachten Zuschauer die bunte Szene, und es scheint, als habe der Maler dabei kaum ein Detail übersehen.

Literatur: Welcker/Hensbroek-van der Poel 1979, S. 210, Nr. S 44, S. 331, Nr. B.A.S 11.2.

80 Bacchiacca

Bacchiacca, eigentlich Francesco Ubertini, genannt Bacchiacca. Geboren 1495 als Sohn eines Goldschmiedes in Florenz, dort gestorben 1557. Schüler des Pietro Perugino, beeinflußt von Piero di Cosimo, Franciabigio, Andrea del Sarto, Michelangelo, Vasari, Pontormo und Bronzino sowie der deutschen und flämischen Malerei. Tätig in Florenz, seit 1540 im Dienst der Medici, und zeitweilig in Rom. Er war ein geschickter Eklektiker, der das illustrative Prinzip der alten Truhenmalerei mit poesievollen Landschaften sowie einem zunehmend manieristischen Figurenstil und einer ebensolchen metallisch kalten Farbgebung verband.

80 *Das Leichenschießen.* Um 1523. Pappelholz, 84,5×196 cm. 1750 vom Marchese Suares in Florenz; Inventar 1745, I 151, als Franciabigio.

Nach dem mittelalterlichen Novellenbuch Gesta Romanorum («Die Taten der Römer», Kap. 45) sollte von den Söhnen eines Königs der das Reich erben, der mit seinem Pfeil dem Herzen des toten Vaters am nächsten traf. Der einzige legitime Sohn – in der Mitte vor den Richtern unter dem Renaissance-Portikus – verweigerte den Schuß und traf damit nach dem

Schiedsspruch dem Vaterherzen am nächsten. Die erzählerische Auffassung ist typisch für das Truhenbild.

Literatur: L. Nikolenko: Francesco Ubertini called Il Bacchiacca. New York 1966, S. 44.

Backer, Jacob Adriaensz. Geboren 1608 in Harlingen, gestorben 1651 in Amsterdam. Zusammen mit Govert Flinck Lehre bei Lambert Jacobsz. in Leeuwarden. Nach 1632 ging er nach Amsterdam, wo er von der Kunst Rembrandts beeinflußt wurde. Seit den vierziger Jahren Hinwendung zu einem klassisch orientierten, eleganten Stil. Malte Historien und Porträts.

1587 Backer

1587 *Junger Mann in rotem Mantel und dunklem Federhut.* Spätwerk. Eichenholz, 72×55 cm. Zuerst im Katalog 1835; nach Hübner (1856) angeblich durch Hagedorn aus Hamburg.

Auf der Rückseite des Bildes handschriftlicher Vermerk: de Koningh. Obwohl der Dargestellte bisher nicht identifiziert werden konnte, ist der Einfluß Rembrandts deutlich. Nach Bauch (mündlich 1967) handelt es sich um ein Spätwerk Backers, das auf den Bildnisstil Rembrandts der dreißiger Jahre zurückgeht.

Literatur: K. Bauch: Jacob Adriaensz. Backer. Berlin 1926, Nr. 85. – W. Sumowski: Die Gemälde der Rembrandt-Schüler. Landau 1983, Bd. 1, S. 138, 199, Nr. 45 (Angaben vertauscht mit dem verlorenen Bild Gal.-Nr. 1586).

Backhuysen, Ludolf Geboren 1631 in Emden, gestorben 1708 in Amsterdam. Schüler von Allaert van Everdingen und Hendrick Dubbels. Seit 1649 arbeitete er in Amsterdam. Neben Willem van de Velde gehört er zu den bekanntesten Marinemalern in der holländischen Kunst des 17. Jahrhunderts.

1641 Backhuysen

1641 *Eine Seeschlacht zwischen Holländern und Engländern.* Nach 1673. Bezeichnet unten in der Mitte mit dem Monogramm: L. B. Leinwand, 94×113 cm. Inventar 1754, II 267.

Dargestellt ist die letzte Seeschlacht des dritten Englisch-Holländischen Krieges, ausgetragen am 11. August 1673 bei Texel und siegreich für die Holländer; schon Anfang 1674 wurde Frieden geschlossen. Das Schiff mit dem goldenen Löwen am Heck ist dasjenige des Admirals Cornelius Tromp, Befehlshaber des Neuseeländischen Geschwaders der Holländer, im Kampf mit dem Flaggschiff des Blauen Geschwaders der Engländer, «Royal Prince», unter Admiral Sir Edward Spragg. Es handelt sich um Backhuysens erstes Schlachtenbild, entstanden wohl einige Jahre nach dem Ereignis und nicht in allen Details getreu.

Literatur: F. C. Willis: Die niederländische Marinemalerei. Leipzig o. J. (1911), S. 108.

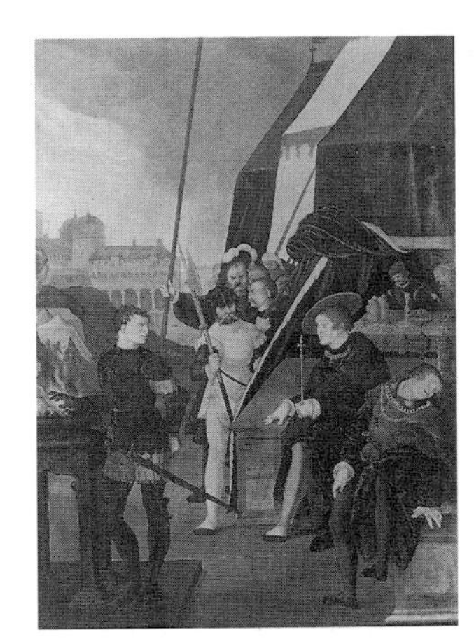
1888 B Baldung

Baldung, Hans, genannt Hans Baldung Grien. Geboren 1484 oder 1485 in Schwäbisch-Gmünd, gestorben 1545 in Straßburg. Erste Ausbildung in Straßburg. Kam 1503 nach Nürnberg und trat in die Werkstatt Dürers ein. Lebte seit 1509 in Straßburg, mit Ausnahme der Jahre 1512–1517, als er in Freiburg i. Br. die Gemälde für den Hochaltar des Münsters schuf, die sein Hauptwerk sind. Nach anfangs starker Beeinflussung durch Dürer entwickelte er später einen Manierismus von leuchtender Farbigkeit und Ausdruckskraft.

1888 B *Mucius Scaevola.* 1531. Bezeichnet rechts unten an der Truhe: H G Baldung Fac. 1531 (die Anfangsbuchstaben HGB ineinander verschlungen). Inschrift und Datum links unter dem Feuer: 1531 MUCI (es folgt ein Kürzel). Holz, 98×68 cm. 1927 erworben. *Farbtafel 45*

Inhaltlich liegt eine bei Livius II, 12 f., und Plutarch VI, 17, berichtete Episode aus der frühen Geschichte Roms zugrunde. Gaius Mucius versuchte 508/07 v. Chr. mit Einwilligung des Senats den die Stadt belagernden Etruskerkönig Porsenna zu ermorden, stach aber, infolge einer Verwechslung, den Zahlmeister statt des Königs nieder. Ergriffen und mit dem Tode bedroht, zeigte er sich furchtlos und hielt zum Zeichen, daß auch Folter ihn nicht schrecke, die rechte Hand über ein Kohlebecken und ließ sie langsam rösten. Das brachte ihm den Namen «Scaevola» (Linkshand) ein. Seine Furchtlosigkeit ängstigte Porsenna, der nun mit den Römern Frieden schloß. Hans Posse hatte 1927/28 eine gewisse Porträtähnlichkeit zwischen König Porsenna (auf Baldungs Gemälde) und Kaiser Maximilian festgestellt. Alexander N. Nemilow dagegen wollte 1972 in der Gestalt des Königs ein «Rollenporträt» von Ferdinand I., dem Enkel von Maximilian, erkennen.

Literatur: H. Posse, in: Zeitschrift für bildende Kunst, LXI, 1927/28, S. 244–246. – Hans Baldung Grien. Ausstellungskatalog. Karlsruhe 1959, Nr. 60. – H. Marx, in: Deutsche Kunst der Dürer-Zeit. Ausstellungskatalog. Dresden 1971, Nr. 56. – A. N. Nemilow, in: Probleme des Porträts. Wissenschaftliche Konferenz (1972). Moskau 1974 (russisch), S. 55. – G. von der Osten: Hans Baldung Grien. Gemälde und Dokumente. Berlin 1983, Nr. 70 d, S. 196 ff.

57 Barbari

Barbari, Jacopo de' In Deutschland Jakob Walch oder der welsche Jakob genannt. Geboren zwischen 1440 und 1450 in Venedig, gestorben vor 1516 vermutlich in Brüssel. Gebildet unter dem Einfluß des Alvise Vivarini, des Antonello da Messina, der Bellini und später der deutschen Kunst, besonders Dürers. Bis etwa 1500 tätig in Venedig, danach im Dienst Kaiser Maximilians I. in Nürnberg und Friedrichs des Weisen in Wittenberg (1503–1505), 1507 tätig für den Herzog von Mecklenburg, 1508 für Markgraf Joachim von Brandenburg, dann für Philipp von Burgund. Seit 1510 Hofmaler der Erzherzogin Margarete, Statthalterin der Niederlande, in Brüssel. Er vermittelte bei starker Wechselwirkung Einflüsse der venezianischen Kunst nach dem Norden.

57 *Der segnende Christus.* Um 1503. Von Lindenholz auf Leinwand übertragen, 61×48 cm. 1588 aus dem Nachlaß Lucas Cranachs des Jüngeren.

Das Bild wurde im Kunstkammerinventar von 1595 und noch lange in der Galerie als Lucas van Leyden geführt und erst seit dem Katalog von 1872 richtig zugeschrieben. Der Text auf einem Holzschnitt nach dem Bild, den Lucas Cranach der Jüngere 1553 für ein Reformationsflugblatt schuf (1892 von Cust im Britischen Museum London entdeckt), weist sowohl Jacopo de' Barbari als den Maler wie auch das Entstehungsjahr 1503 des Bildes aus. Aus dem sanften, feinlockigen Christus spricht der Geist des deutschen Protestantismus aus der künstlerischen Nähe Dürers. Die feine, fast zaghaft anmutende zeichnerische Behandlung, der die dünne, lasierende Farbe untergeordnet ist, verrät nordischen Einfluß. Die Farbgebung selbst ist venezianisch wie der auf Alvise Vivarini und Giovanni Bellini zurückgehende Typus. Die hebräische Schrift am Saum und Ärmel heißt (nach Jay Alan Levenson 1978): Ich werde Wahrheit und Leben sein, Jehovah. Das Dresdener Bild gilt als die bedeutendste der zahlreichen Fassungen, die Barbari vom Thema des Christus Salvator mundi, des Erlösers der Welt, geschaffen hat.

Literatur: Walther 1968, Nr. 2. – J. A. Levenson: Jacopo de' Barbari. Phil. Diss. New Haven, Conn., 1978, Nr. 5.

58 Barbari

58 *Die heilige Katharina.* Um 1503. Gegenstück zu Gal.-Nr. 59. Lindenholz, 50,5 × 30 cm. Wahrscheinlich 1588 aus dem Nachlaß Lucas Cranachs d.J. zur Kunstkammer, 1830 zur Galerie.

Katharina stammte aus edlem alexandrinischem Geschlecht und erlitt wegen ihres christlichen Glaubens zu Beginn des 4. Jahrhunderts unter Kaiser Maxentius den Märtyrertod. Sie sollte ihn durch das Rad finden, das jedoch durch einen Blitz zerstört wurde, und starb dann durch das Schwert. Rad und Schwert wurden zu ihren Attributen. Der Typus der Heiligen, Bildkomposition und Farbgebung weisen Barbari eher als nordischen Künstler aus.

Literatur: A. de Hevesy: Jacopo de' Barbari, le Maître au Caducée. Paris 1925, S. 24, 45. – L. Servolini: Jacopo de' Barbari. Padova 1944, S. 121/22. – Levenson 1978, Nr. 3 und 4.

59 Barbari

59 *Die heilige Barbara.* Um 1503. Gegenstück zu Gal.-Nr. 58. Von Holz auf Leinwand übertragen, 42,5 × 27,5 cm. Herkunft wie Gal.-Nr. 58.

Die heilige Barbara war nach der Legende im 3. Jahrhundert die Tochter eines reichen Mannes aus Nikodemien, der sie wegen ihrer Schönheit und aus Furcht vor dem christlichen Einfluß in einem Turm in Gewahrsam hielt. Dennoch erfuhr sie vom Christentum, bekannte sich zu ihm und wurde darum von ihrem Vater mit dem Schwert erschlagen.

Wegen des ihr zugehörigen Turmes, ihrem Attribut, wurde Barbara zur Schutzheiligen der Bergleute, die in einem solchen Turm ihr Pulver aufbewahrten, sowie der Artilleristen. Die Bildgestaltung entspricht der von Gal.-Nr. 58.

Literatur: vgl. Gal.-Nr. 58.

Barbari (?), Jacopo de'

59 A *Galatea, auf einem Delphin stehend.* Pappelholz, 130 × 54 cm. Inventar 1754, II 610.

Die betont graziöse, fast gezierte Haltung der Nereide (vgl. Albani, Gal.-Nr. 340) im Bemühen um das Gleichgewicht und die stark bewegten, vor dem dunklen Hintergrund besonders zur Geltung gebrachten Umrisse der überschlanken Gestalt sowie die Neigung zum Amourösen verleihen dem Bild einen aus-

59 A Barbari (?)

gesprochen manieristischen Charakter und lassen ebenso an Cranach d. Ä. wie an die Spätgotik denken. Das Motiv erinnert an Cranachs Venus von 1531 (Galleria Borghese in Rom), für die vielleicht wiederum Credis Venus in den Uffizien Vorbild war. Im 18. Jahrhundert galt das Bild als Werk eines unbekannten deutschen oder niederländischen Meisters.

Literatur: Hevesy 1925, S. 28, 45. – Levenson 1978, Nr. 49.

Barocci (?), Federico Geboren wahrscheinlich 1535 (nach Bellori 1528) in Urbino, dort gestorben 1612. Schüler seines Vaters Ambrogio Barocci, des Battista Franco und in Pesaro seines Onkels Bartolomeo Genga, beeinflußt von Raffael, Michelangelo und besonders von Correggio. Tätig vor allem in Urbino, 1560–1563 in Rom. Mit der weichen Verschmelzung der Farbtöne vertritt Barocci in Mittelitalien im Gegensatz zur nüchternen Stilisierung bei den Michelangeloanhängern wieder das malerische Element und eine betont gefühlvolle Auffassung, womit er schon dem Barock zugehört.

107 Barocci (?)

107 *Hagar und Ismael.* Leinwand, 39 × 28,5 cm. Inventar 1754, II 54.

Das Bild galt zeitweilig als eine Darstellung Marias mit dem Kinde auf der Flucht, doch ist besonders wegen der Größe des Knaben die alte Bezeichnung als «Hagar und Ismael», als die verstoßene Nebenfrau Abrahams mit ihrem Sohn (1. Buch Mose, 21), richtig. Die Komposition ist stark beeinflußt von Correggios Zingarella-Madonna in der Nationalgalerie Neapel und in der Innigkeit der Beziehungen zwischen Mutter und Kind für Barocci bezeichnend. Nach Krommes und Olsen ist das Bild nicht von Barocci gemalt.

Literatur: H. Olsen: Federico Barocci. Copenhagen 1962, S. 243.

Bartolomeo Veneto Nachweisbar zwischen 1502 und 1546. Da er sich selbst als halb Venezianer, halb Cremonese bezeichnete, ist die Herkunft aus Cremona zu vermuten. In Venedig wurde er von Giovanni Bellini beeinflußt, aber auch von Dürer und Lucas van Leyden. Die Verwandtschaft zur lombardischen Kunst macht einen Aufenthalt in Mailand wahrscheinlich. Die hervorragenden Bildnisse als Bartolomeos Hauptleistung weisen dagegen auf Beziehungen zu Bergamo.

201 A Bartolomeo Veneto

201 A *Salome mit dem Haupte Johannes des Täufers.* Um 1520–1525. Pappelholz, 103 × 62 cm. 1749 aus der Kaiserlichen Galerie in Prag.

Die judäische Prinzessin Salome ließ sich auf Geheiß ihrer Mutter Herodias das Haupt Johannes des Täufers auf einer Schüssel reichen, weil dieser Herodias des Ehebruchs mit Herodes angeklagt hatte (Markus 6, 21–28). Wie es für Bartolomeo typisch ist, verbindet sich die Schärfe der Zeichnung mit großer Eleganz der Auffassung. Bezeichnenderweise galt das Bild bei seiner Erwerbung als ein Werk Leonardo da Vincis.

Literatur: E. Michalski: Zur Problematik des Bartolomeo Veneto. In: Zeitschrift für bildende Kunst 61. 1927/28, S. 304/05. – E. Michalski: Zur Stilkritik des Bartolomeo Veneto. In: Zeitschrift für bildende Kunst 65. 1931/32, S. 178.

Bassano, Jacopo, eigentlich Jacopo da Ponte, genannt Jacopo Bassano. Geboren um 1517/18 oder etwas früher in Bassano del Grappa, dort gestorben 1592. Schüler seines Vaters Francesco da Ponte und vorübergehend des Bonifazio Veronese, beeinflußt durch Tizian, Lotto, Raffael, Michelangelo, Pordenone und Parmigianino. Er betrieb mit vier Söhnen in Bassano eine große Werkstatt. Seine religiösen und mythologischen Darstellungen tragen mit der Einbeziehung von Szenen bäuerlichen Lebens oft ausgesprochen genrehaften Charakter.

252 A Bassano, Jacopo

252 A *Simson besiegt die Philister.* Bald nach 1538. Leinwand, 156×219,5 cm. 1749 aus der kaiserlichen Galerie in Prag.

Nach dem Bericht im Alten Testament (Richter 15, 15–16) erschlug der israelitische Nationalheld Simson mit einem Eselskinnbacken auf einmal tausend seiner Feinde vom Stamm der Philister. Dem Inhalt gemäß bildet der Eselskinnbacken den Gipfelpunkt der Komposition. Die Fülle stark plastischer und gewaltsamer Bewegungsmotive in einer dichtgedrängten, tumultuarischen Schlachtenszene verrät den Einfluß der römischen Schule Michelangelos und trägt stark manieristischen Charakter. Das Bild galt darum bei seiner Erwerbung auch als Werk des von Raffael und Michelangelo geprägten Römers Giulio Romano.

Literatur: Walther 1968, Nr. 7.

253 Bassano, Jacopo

253 *Der Zug der Israeliten durch die Wüste.* Gegenstück zur Gal.-Nr. 254. Leinwand, 183×278 cm. Wie das Gegenstück 1747 aus der Casa Grimani dei Servi in Venedig.

Nach dem Alten Testament (2. Buch Mose, 12ff.) wurde der Religionsstifter Moses von Jahwe beauftragt, das geknechtete Volk der Israeliten aus Ägypten in die alte Heimat Palästina zurückzuführen. Der Maler hat das Thema benutzt, um bäuerliche Menschen seiner eigenen Heimat mit ihren Haustieren und Gerätschaften inmitten der heimischen oberitalienischen Landschaft darzustellen. Sie formieren sich zu einer Art Zug, der sich freilich vorn in der Bildmitte zugunsten stillebenhafter statischer Wirkungen fast völlig auflöst. Moses ist links neben seinem Bruder Aaron klein im Mittelgrund an der Spitze erkennbar. Arslan schreibt das Bild Francesco Bassano zu und datiert es um 1575.

Literatur: E. Arslan: I Bassano. Milano 1960, I, S. 216.

254 Bassano, Jacopo

254 *Die Heimreise des jungen Tobias.* Gegenstück zu Gal.-Nr. 253. Leinwand, 179×277 cm. Herkunft wie Gal.-Nr. 253.

Der junge Tobias wurde von seinem alten und blinden Vater gleichen Namens ausgesandt, um ausgeborgtes Geld zurückzuholen (Buch Tobias, Apokryphen). Ein Engel gesellte sich unerkannt als Begleiter zu ihm, und Tobias kehrte reich beschenkt von dem Schuldner wieder zu seinen Eltern zurück. Auch hier diente das Thema als Vorwand, um einen langen Zug von Haustieren darzustellen, den der junge Tobias und der Engel anführen. Wie im Gegenstück und in zahlreichen anderen Gemälden erweist der Maler sich auch hier als Meister der Landschaftsdarstellung. Vermutlich war an diesem Bild Jacopos Sohn und Gehilfe Francesco beteiligt. Arslan (1960) sieht hier ein Werk des Gerolamo Bassano mit Beteiligung Francescos.

Literatur: Arslan 1960, I, S. 288.

256 *Moses und die Israeliten am Felsenquell.* Leinwand, 113×175 cm. Inventar Guarienti (1747–1750), Nr. 40.

Beim Auszug aus Ägypten rettete Moses das Volk Israel vor dem Verdursten, indem er auf Geheiß ihres Gottes Jahwe mit seinem Stab auf den Felsen schlug und Wasser entspringen ließ (2. Buch Mose 17, 1–7). Wieder ist eine lebendige Szene bäuerlichen Genres mit zahlreichen Details entstanden, ein für die venezianische Malerei typisches Hirtenstück, eine Pastorale. Indem Menschen und Tiere der neuentsprungenen Quelle zustreben, gewinnt die Darstellung Bewegung und einen gewissen dramatischen Akzent. Die Gruppe von Moses – erkenntlich an den von seinem Haupte ausgehenden zwei Lichtstrahlen –, Aaron mit der Krone und den anderen Ältesten tritt gegenüber den Nebenfiguren zurück. Wahrscheinlich ist an diesem Bild Jacopo Bassanos Sohn Francesco stark beteiligt. Arslan (1960) und Zampetti (A dictionary of venetian painters, 16th century. Leigh-On-Sea 1970, S. 28) halten Leandro Bassano für den Maler.

Literatur: A. Walther, in: Europäische Landschaftsmalerei 1550–1650. Ausstellungskatalog. Dresden 1972, Nr. 8.

256 Bassano, Jacopo

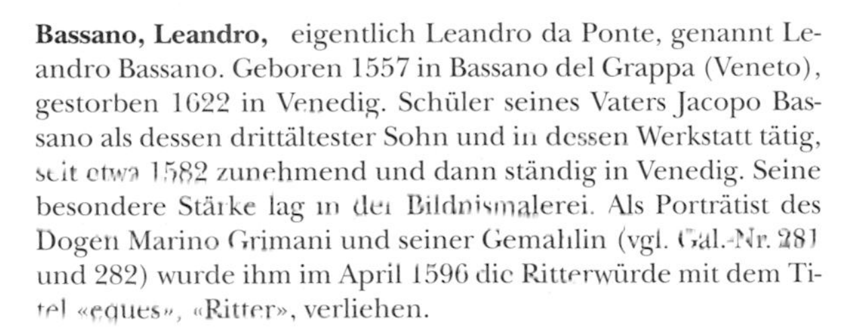

Bassano, Leandro, eigentlich Leandro da Ponte, genannt Leandro Bassano. Geboren 1557 in Bassano del Grappa (Veneto), gestorben 1622 in Venedig. Schüler seines Vaters Jacopo Bassano als dessen drittältester Sohn und in dessen Werkstatt tätig, seit etwa 1582 zunehmend und dann ständig in Venedig. Seine besondere Stärke lag in der Bildnismalerei. Als Porträtist des Dogen Marino Grimani und seiner Gemahlin (vgl. Gal.-Nr. 281 und 282) wurde ihm im April 1596 die Ritterwürde mit dem Titel «eques», «Ritter», verliehen.

280 *Christus, das Kreuz tragend.* Um 1604/05. Bezeichnet rechts oben am Kreuz: LEANDER A PONTE BASSs. EQVES.F. Leinwand, 81×67 cm. 1741 durch Ventura Rossi aus Venedig.

In der transparenten Feinheit der Pinselführung und der Gefühlsbetontheit ist das Bild stark von Auffassungen des frühen 16. Jahrhunderts geprägt; Arslan (1931, 1960) hat sich an Maler wie Palmezzano, Maineri oder den giorgionesken Rocco Marconi erinnert gefühlt. Mit diesen etwas altertümlichen Zügen verbindet sich ein hoher Grad an Durchgeistigung, der das Bild zu einem hervorragenden Hauptwerk Leandros macht.

Literatur: E. Arslan: I Bassano. Milano 1960, I, S. 247.

280 Bassano, Leandro

281 *Der Doge Marino Grimani.* 1595/96. Bezeichnet rechts unter dem Fenster: LEANDER.BASS.FACIEBAT. Gegenstück zu Gal.-Nr. 282. Leinwand, 134×111 cm. 1744 durch Ventura Rossi aus der Casa Grimani in Venedig.

Es war in Venedig Brauch, daß jeder Doge seine eigenen offiziellen Bildnisse für den Dogenpalast und andere staatliche Gebäude lieferte. Die bedeutendsten venezianischen Maler bemühten sich um das Privileg, diese zu malen. Das Dresdener Bild zeigt den 1532 geborenen Dogen Grimani, der am 6. Mai 1595 gekrönt wurde und 1605 starb, auf dem Thron in voller Amtstracht mit dem corno ducale, der hornförmig auslaufenden Mütze, und dem reich gestickten Cape, die Linke in verbindlicher Geste erhoben. Die Fensteröffnung gibt den Blick frei auf die Piazzetta mit dem Dogenpalast und die Seite der Markuskirche rechts, Sansovinos Bibliothek, die Loggetta am

281 Bassano, Leandro

Fuß des Campanile links und den Glockenturm mit den zwei stundenschlagenden Mohren im Hintergrund. Vorn auf dem Platz stehen die Säulen mit dem heiligen Theodor und dem geflügelten Löwen des heiligen Markus, den Schutzpatronen Venedigs. Da die Signatur noch nicht den Titel «eques» enthält, muß das Bildnis zwischen der Dogenkrönung am 6. Mai 1595 und der Erhebung Bassanos in den Ritterstand im April 1596 gemalt sein. Eine zweite Fassung des Porträts im Art Museum Princeton University enthält den Titel «eques» in der Signatur schon und muß daher nach diesem Zeitpunkt entstanden sein. Der Dargestellte galt früher irrtümlich als der Doge Pasquale Cicogna.

Literatur: F. Gibbons: Doge Marino Grimani by Leandro Bassano, knight. In: Record of the Art Museum Princeton University, XXII. 1963, S. 22–34.

282 Bassano, Leandro

283 Bassano, Leandro

282 *Die Dogaressa Morosina Morosini.* 1595/96. Bezeichnet links unter dem Fenster: LEANDER.BASS.F. Gegenstück zu Gal.-Nr. 281. Leinwand, 134×111 cm. Herkunft wie Gal.-Nr. 281.

Die Dogaressa war zwölf Jahre jünger als ihr Gemahl; sie ist thronend in einer seitenverkehrt entsprechenden ähnlichen Pose wiedergegeben, in goldbraunem Mantel und karminrotem Kleid mit einem großen Kreuz an langer Kette. Die Vedute in der Fensteröffnung bezieht sich hier nun nicht auf den städtischen Amtssitz, sondern zeigt einen typischen venezianischen Villenbereich. Eine breite Straße mit einem großen Brunnen vorn führt in die Tiefe zu einer Kirche im Stile Palladios mit einem Giebel auf durchgehenden hohen Säulen. Links wird die Straße von einem burgähnlich geschlossenen mittelalterlichen Palastkomplex gesäumt, rechts von verschiedenartigen Villen. Die großen venezianischen Familien hatten Villen im Veneto, wohin sie sich in den heißen Sommermonaten zurückzogen. Gibbons hat ermittelt, daß die Dogaressa eine Villa in Frangipane und das mittelalterliche Kastell S. Vincenti in Dignano d'Istria als Mitgift eingebracht hatte, und er vermutet, daß das letztere hier wiedergegeben ist. Nach Posse (1929) wurde Morosina Morosini erst 1597 zur Dogaressa gekrönt. – Eine seitenverkehrte ähnliche Fassung befindet sich im Rijksmuseum Amsterdam.

Literatur: vgl. Gal.-Nr. 281.

283 *Bildnis eines Herrn.* Bald nach 1605. Bezeichnet rechts unten unter dem Fenster: LEANDER A PONTE BASS.s EQUES. F. Leinwand, 92×107 cm. Nach Hübner 1744 mit Gal.-Nr. 281 und 282 durch Ventura Rossi aus der Casa Grimani Calergi in Venedig, aber unbestätigt. Inventar 1754, I 240, als Giacomo Bassano.

Das Bild ist erst im Katalog von 1856 als Werk des Leandro Bassano und Selbstporträt aufgeführt. Vorbilder mit der erweiterten Halbfigur und dem Landschaftsausblick sind ebenso bei Tizian und Tintoretto wie beim jungen Greco gesehen worden. Arslan hat auf die Nähe zu Frans Hals hingewiesen. Wie bei diesem liegt der Reiz in der Erfassung der Wirklichkeit des Augenblicks, die frei von jeder Pose ist und in ungezwungener Lebendigkeit das Vorher und Nachher ahnen läßt. Von der gleichen Lebensfülle wie das Gesicht sind auch die feingebildeten Hände.

Literatur: Walther 1968, Nr. 8.

Batoni, Pompeo Girolamo Geboren 1708 in Lucca, gestorben 1787 in Rom. Nach einer Goldschmiedelehre bei seinem Vater seit 1728 in Rom Schüler von Sebastiano Conca, Agostino Masucci und Francesco Imperiali, beeinflußt von der Kunst Raffaels und der Plastik der Antike. Er war einer der Begründer des Neoklassizismus, bewahrte aber in seinen Bildern viel von der Anmut und farblichen Poesie des Rokoko und verfiel daher nicht dem nüchternen Eklektizismus wie sein Gesinnungsgenosse Mengs in Rom.

455 Batoni

455 *Die bildenden Künste.* Nach 1740. Leinwand, 99×74 cm. Inventar 1754, I 397.

Die Auffassung des von Batoni öfters behandelten Themas offenbart den klassizistischen Geist, den der Maler durch das Studium Raffaels und der Antike zu fördern suchte. In der Bindung an das sorgfältig ausgewählte und gestellte Modell zeigt sich seine akademische Haltung, die jedoch durch die poesievolle Anmut der Gestalten und den Fluß der Komposition ausgeglichen wird. Links steht mit gerollter Bauzeichnung, Zirkel und Winkel die Baukunst, ihr zu Füßen sitzt auf einer Steinstufe die Bildhauerkunst, ausgewiesen durch Hammer und Meißel sowie die am Boden liegende Plastik eines Kopfes. Dazwischen erscheint mit Pinseln und Palette in der Hand nächst der Staffelei mit der begonnenen Darstellung eines männlichen Aktes die Malkunst. – Die wohl früheste Fassung des Motivs in Frankfurt/Main ist 1740 datiert, ebenso die in der Sammlung Leonardo Vitetti in Rom, die Dresdener ist etwas danach anzusetzen.

Literatur: I. B. Barsali: Pompeo Batoni. Ausstellungskatalog. Lucca 1967, Nr. 7.

Bedoli, Girolamo, genannt Girolamo Mazzola. Geboren um 1500 in Parma, dort gestorben 1569. Seit 1520 beeinflußt von Parmigianino, dem Vetter seiner späteren Frau, dem er im manieristisch gebrochenen, oft changierenden Kolorit, dem manieristischen überzüchteten Figurenideal und dem oft spannungsvoll verunklärten Verhältnis von Raum, Figuren und Beiwerk sehr nahe kommt.

166 Bedoli

166 *Maria mit dem Kind und Heiligen.* Um 1532/33. Pappelholz, 168×95,5 cm. Inventar Guarienti (1747–1750), Nr. 442, als Parmigianino.

Der Jesusknabe umfaßt zärtlich den Kopf des kleinen Johannes des Täufers, dessen Attribute Taufschale und Kreuzstab mit Schriftband vorn auf der Stufe erscheinen. Bei den Knaben kniet betend der heilige Franziskus, während der von einem Pfeil durchbohrte, ganz mädchenhafte Sebastian vorn an einer Säule der Ruinenarchitektur lehnt. Die ihn ausweisenden Gegenstände – Märtyrerpalme und -krone sowie weitere Pfeile – sind ebenfalls stillebenhaft auf dem Marmorsockel gruppiert. Die gestreckten und langhalsigen Gestalten, die Zärtlichkeit ihrer Beziehungen und die Eleganz der Auffassung erinnern an Parmigianino. Die Autorschaft Bedolis wurde 1889 von Lermolieff-Morelli erkannt. Eine vorbereitende Zeichnung befindet sich im Louvre.

Literatur: A. R. Milstein: The Paintings of Girolamo Mazzola Bedoli. New York, London 1978, S. 142/43.

Bellini, Giovanni, Schule Geboren um 1430 oder später in Venedig, dort gestorben 1516. Schüler seines Vaters Jacopo Bellini, beeinflußt von Mantegna und Antonello da Messina. Er schuf mit Hilfe der von Antonello in Venedig eingeführten Ölmalerei wesentliche Grundlagen der von feintonigen Farbwerten ausgehenden venezianischen Malkultur, bezog die Landschaft stark in die figürlichen Darstellungen ein und entwickelte für verschiedene Bildthemen klassische Formulierungen.

52 A Bellini, Schule

52 A *Maria mit dem Leichnam Christi.* Tempera, Pappelholz, 56,5 × 38,5 cm. 1892 als Vermächtnis von G. W. E. Johann Kestner und Frau in Dresden.

Giovanni Bellini hat dieses Motiv mehrfach variiert. Die bekannteste Fassung in der Brera in Mailand bezieht links noch Johannes den Täufer ein. In der Plastizität der Malweise zeigt sich der Einfluß Mantegnas. Die Landschaft vertieft die ergreifende Ausdruckskraft der Figuren. Bellinis Bilderfindung wurde von seiner Werkstatt und Nachahmern wiederholt. Nach Heinemann kommt das Dresdener Bild dem verschollenen Original von etwa 1470 am nächsten, ist aber wohl erst gegen 1495 entstanden.

Literatur: F. Heinemann: Giovanni Bellini e i Belliniani (Saggi e studi di storia dell'arte 6). Venezia 1962, I, Nr. 161 a, S. 49.

Bellotto, Bernardo, genannt Canaletto. Geboren 1721 in Venedig, gestorben 1780 in Warschau. Schüler seines Onkels Antonio Canal, von dem er den Beinamen Canaletto übernahm. An seiner Stelle ging er nach anfänglicher Tätigkeit in Italien 1747 nach Dresden, wo er 1748 Hofmaler Augusts III. wurde. Mit der in Venedig traditionellen Vedutenmalerei schuf er in mehreren Fassungen porträthafte getreue Ansichten der im 18. Jahrhundert durch zahlreiche Barockbauten bereicherten sächsischen Residenz, im Interesse fürstlicher Repräsentation. Seine Kunst spiegelt schon den Rationalismus der Aufklärung und bedeutete einen entscheidenden Schritt zur realistischen Landschaftsdarstellung. Während des Siebenjährigen Krieges arbeitete Bellotto 1759/60 in Wien, 1761 in München. Nach Augusts Tod war er seit 1764 Lehrer an der neugegründeten Kunstakademie. 1767 ging er nach Warschau und wurde 1768 Hofmaler des polnischen Königs Stanislaus August Poniatowski.

602 Bellotto

602 *Dresden vom rechten Elbufer oberhalb der Augustusbrücke.* 1747. Bezeichnet unten rechts am Steinblock: BERNARDO.BELLOTO/DETTO. CANALETO/F.ANNO. 1747. IN. DRESDA. Gegenstück zu Gal.-Nr. 606. Leinwand, 132 × 236 cm. Vermutlich 1747 vom Maler an die Galerie geliefert.

Mit diesem Bild gab Bellotto in Dresden sein Debüt. Er hat es darum voll signiert und vor allem sich selbst mit dargestellt: zwischen seinen Hofmalerkollegen Christian Wilhelm Ernst Dietrich und Johann Alexander Thiele, der ihm das Motiv weist. In der Dreiergruppe weiter rechts der königliche Leibarzt Filippo di Violante, der leibesstarke Altist Niccolò Pozzi, genannt Niccolini – also zwei Landsleute Bellottos – und der Kammertürke, daneben in seiner heimatlichen Tracht des österreichischen Salzkammergutes der Hofnarr Fröhlich. Diese Vedute veranschaulicht besonders deutlich das Bestreben Augusts des Star-

606 Bellotto

ken und Augusts III., ihre Residenz auch äußerlich der Stadt Venedig anzugleichen. Durch reiche Uferbebauung der Elbe sollte eine Prachtwasserstraße ähnlich dem Canal Grande entstehen. Die alte Steinbrücke als Verbindung der beiden Stadtteile wurde durch den Zwingerbaumeister Pöppelmann rekonstruiert als die sächsische Rialtobrücke. Die Bauten des Premierministers Brühl auf der alten Venusbastion – die Gemäldegalerie mit der Frauenkirche darüber, die Bibliothek, der Gartensaal und das Brühlsche Palais – spiegeln sich im Wasser. Am Brückenkopf neben dem Schloß die Katholische Hofkirche mit noch unvollendetem Turm.

Literatur: St. Kozakiewicz: Bernardo Bellotto genannt Canaletto. Recklinghausen 1972, II, Nr. 140. – A. Walther, in: Le Vedute di Dresda di Bernardo Bellotto. Dipinti e Incisioni dai Musei di Dresda. Katalog der Ausstellung Venezia 1986. Vicenza 1986, Nr. 1.

605 *Der alte Ponte delle Navi in Verona.* 1747/48. Leinwand, 133×234 cm. Inventar 1754, I 542.

Der Blick geht in Flußrichtung der Etsch nach Süden. Am rechten Bildrand die Kirche S. Fermo Maggiore. Die schöne alte Brücke mit zinnenbewehrtem Torturm und Rampe wurde schon 1757 durch Hochwasser zerstört.

Literatur: Kozakiewicz. 1972, II, Nr. 102.

605 Bellotto

606 *Dresden vom rechten Elbufer unterhalb der Augustusbrücke.* 1748. Bezeichnet unten in der Mitte: Bernardo Bellotto detto/Canaleto F. an°. 1748. Gegenstück zu Gal.-Nr. 602. Leinwand, 133×237 cm. Inventar 1754, I 543.

Das charakteristische Panorama, das Dresden während der ersten Hälfte des 18. Jahrhunderts gewonnen hatte. Über der vom Zwingerbaumeister Pöppelmann 1727–1731 ausgebauten alten Augustusbrücke die Kuppel der von George Bähr 1726–1743 errichteten Frauenkirche, links davon die Gemäldegalerie des Ministers Graf Brühl auf der Brühlschen Terrasse, nach rechts das Brühlsche Palais und das Palais Fürstenberg. Am Brückenkopf die nach Plänen des römischen Architekten Gaetano Chiaveri errichtete, hier noch im Bau befindliche Katholische Hofkirche (1739–1755). Links davon in der Ferne die Kreuzkirche, rechts das zum Teil verdeckte Residenzschloß mit dem hohen Hausmannsturm.

Literatur: Kozakiewicz 1972, II, Nr. 146.

607 Bellotto

608 Bellotto

607 *Dresden vom linken Elbufer unterhalb der Festungswerke.* 1748. Bezeichnet unten links am Steinblock: Bernardo Bellotto detto/Canaletto F.An.° 1748. Leinwand, 135 × 238 cm. Vermutlich 1748 vom Maler an die Galerie geliefert.

Der Standpunkt des Malers befand sich im Bereich des Holzhofes vor der Bastion Sol. Ein Steg führt über die Ufermauer zu einem Pförtchen im Wall, das bei Belagerung zum Ausfall dienen konnte. Den Hauptakzent bildet die Hofkirche. Zwischen ihr und dem Wall ist das «italienische Dörfchen» mit den Häuschen der am Kirchenbau beschäftigten italienischen Handwerker zu denken. Am jenseitigen Brückenaufgang steht das 1730 begonnene Blockhaus, das ursprünglich als Stufenpyramide mit dem Reiterstandbild Augusts des Starken gedacht war, aber nun zur Neustädter Wache umgebaut wird. Die barocken Bürgerhäuser am Ufer stehen an der Großen Meißner Gasse, die links zum Japanischen Palais führt. Dieser Vierflügelbau entstand aus dem Holländischen Palais und war von August dem Starken für die Aufnahme seiner Porzellansammlung bestimmt worden, doch kam das Vorhaben nach dem Tode des Fürsten (1733) zum Erliegen.

Literatur: Kozakiewicz 1972, II, Nr. 154. – Walther 1986, Nr. 2.

608 *Dresden vom linken Elbufer oberhalb des Altstädter Brückenkopfes.* 1748. Bezeichnet unten halblinks: BERNARD° BELOTO DETTO CANALETO. F.AN°. 1748. Leinwand, 133 × 235 cm. Vermutlich 1748 vom Maler an die Galerie geliefert.

Von der Jungfernbastei oder Venusbastion, nach den von Graf Brühl seit 1739 darauf errichteten Bauwerken als Brühlsche Terrasse bekanntgeworden, geht der Blick auf den Schloßplatz und talwärts auf die Elbe bis zu den Höhen der Lößnitz. Die alte Elbbrücke war unlängst 1727–1731 vom Zwingerbaumeister Pöppelmann im Auftrag Augusts des Starken rekonstruiert und mit halbovalen Austritten mit Bänken, Fußgängerwegen und Geländer ausgestattet worden. Am linken Bildrand erscheint das Residenzschloß: der Georgenbau und der Nordflügel mit dem Hausmannsturm. Die Katholische Hofkirche, 1739–1755 nach den Plänen des römischen Architekten Chiaveri errichtet, erinnert daran, daß August der Starke und sein Sohn August III. zum katholischen Glauben übertraten, um Könige von Polen werden zu können. Der Bau gliedert sich in ein Hauptschiff und ein zurücktretendes Hochschiff. Der Turm war bei Entstehung des Bildes kaum bis zur halben Höhe gediehen, doch hat ihn Bellotto im Interesse der Bildwirkung und Repräsentation nach den Plänen als vollendet wiedergegeben. Er huldigte August III. auch, indem er die sechsspännige Staatskarosse einbezog. – Rechts hinten das Japanische Palais (vgl. Gal.-Nr. 607).

Literatur: Kozakiewicz 1972, II, Nr. 151. – Walther 1986, Nr. 3.

609 *Der Zwingergraben in Dresden.* Zwischen 1749 und 1753. Leinwand, 133×235 cm. Bis 1753 vom Maler an die Galerie geliefert.

Mit der «scharfen Ecke» springt die Lunabastion in den Stadtgraben vor. Gegen den Einspruch des Stadtkommandanten ließ August der Starke auf dem Stadtwall den Zwinger erbauen, genannt nach seinem Platz zwischen dem Schloß und dem äußeren Festungswall. Die Langgalerien im Hintergrund folgen dem Verlauf des Grabens, in der Mitte gegliedert durch das Kronentor. Es hat seinen Namen nach der vergrößerten Wiedergabe der polnischen Königskrone, die – von vier ebenfalls vergoldeten polnischen Adlern getragen – die Kuppel bekrönt als Hinweis auf das hohe Amt des sächsischen Kurfürsten als König von Polen. Eine leichte, im Kriegsfalle schnell abzubrechende Holzbrücke, von der rechts verlaufenden Ostra-Allee her, führt über das Wasser. Am westlichen Ende der Langgalerie zum Betrachter hin steht auf dem Wall der Pavillon des Mathematisch-Physikalischen Salons, dem am anderen Ende der Naturwissenschaftliche oder Zoologische Pavillon entspricht. An ihn drängt sich dicht das ebenfalls von Pöppelmann gebaute Opernhaus mit rotem Ziegeldach. Der Giebel mit den Blendarkaden und der seitliche Glockenturm gehören zur Sophienkirche, einer ehemaligen Franziskanerkirche. Weiter links der hohe Turm der Kreuzkirche am Altmarkt. Zu sehen sind auch der geduckte Bau der Spiegelschleife, das große weiße Haus des Landbauamt-Schreibers Adam mit mächtigen Kaminen auf dem Mansardendach, der Turm des Wilsdruffer Tores und das Fachwerkhaus mit dem Theatermalsaal rechts, ganz links über den Bäumen der Schloßturm. Mit dieser vom heiteren Geist des Spätbarock erfüllten Vedute hat Bellotto wohl eines seiner schönsten Bilder geschaffen.

Literatur: Kozakiewicz 1972, II, Nr. 157. – Walther 1986, Nr. 4.

610 *Der Neumarkt in Dresden vom Jüdenhofe aus.* 17[illegible]. Leinwand, 136×237 cm. 1751 vom Maler an die Galerie geliefert.

Farbtafel 17

Links das alte Stallgebäude, das wohl bald nach dem ersten Umbau von 1729 die Gemäldesammlung aufnahm und bis 1855 beherbergte. Im Hintergrund die Frauenkirche, davor das langgestreckte Wachgebäude, am rechten Bildrand das Gewandhaus. Über den Platz fährt die mit sechs Schimmeln bespannte Galakarosse Augusts III. mit Gefolge.

Literatur: Kozakiewicz 1972, II, Nr. 167. – Walther 1986, Nr. 10.

611 *Die ehemaligen Festungswerke von Dresden.* Wohl 1750. Leinwand, 132×236 cm. Im Februar 1751 vom Maler an die Galerie geliefert.

Von Süden geht der Blick auf die Saturnbastei mit dem Wilsdruffer Tor. Über dem Akzisehaus diesseits des Grabens im Hintergrund das von Pöppelmann 1718/19 errichtete Opernhaus am Zwinger, darüber der Turm der Hofkirche und der Hausmannsturm des Schlosses, links von der Oper die östliche Langgalerie des Zwingers mit dem Zoologischen Pavillon und dem Kronentor. Über der Torbrücke das weiße Adamsche Haus, hinter dem die Turmspitze der Sophienkirche hervorschaut, und das Torgebäude mit dem Turm, der unter dem Dach ein Wasserreservoir für die Zwingerbrunnen besaß. Die Postmeilensäule mit der Jahreszahl 1722 vorn ist eine von über hundert, die im Auftrage Augusts des Starken nach den Vermessungen durch den Pfarrer, Hofgeographen und Landgrenzkommissar

609 Bellotto

610 Bellotto

611 Bellotto

Adam Friedrich Zürner von 1722 bis 1740 in Sachsen aufgestellt wurden. Der Vordergrund mit reicher Staffage offenbart etwas von der Technologie des Hausbaus zu jener Zeit.

Literatur: Kozakiewicz 1972, II, Nr. 161. – Walther 1986, Nr. 5.

612 Bellotto

612 *Der Neustädter Markt in Dresden.* 1750/51. Leinwand, 134×236 cm. 1751 vom Maler an die Galerie geliefert.

Der Blick folgt der beim Wiederaufbau von Altendresden als der Neuen Königstadt (nach dem Brande von 1685) betonten Hauptachse nach Norden. An dieser im Mittelgrund der «Goldene Reiter», das Denkmal Augusts des Starken, dahinter in der Tiefe die noch turmlose Dreikönigskirche, rechts am Platze das vom Brande verschonte alte Rathaus, links gegenüber im Abbruch das Gewandhaus.

Literatur: Kozakiewicz 1972, II, Nr. 185. – Walther 1986, Nr. 13.

613 Bellotto

613 *Der Neumarkt in Dresden von der Moritzstraße aus.* 1749–1751. Leinwand, 135×237 cm. 1751 vom Maler an die Galerie geliefert.

Rechts hinter dem Wachgebäude der Zentralbau der Frauenkirche, links das Gewandhaus mit zwei Quergiebeln. Rechts vorn der «Türkenbrunnen» mit der Siegesgöttin, um den herum Wochenmarkt gehalten wird.

Literatur: Kozakiewicz 1972, II, Nr. 170. – Walther 1986, Nr. 11.

614 Bellotto

614 *Der Altmarkt in Dresden von der Schloßstraße aus.* Wohl 1751. Gegenstück zu Gal.-Nr. 615. Leinwand, 137×238 cm. 1751 vom Maler an die Galerie geliefert.

Der Altmarkt als Mittelpunkt der Stadt ist hier von der nordwestlich in ihn einmündenden, vom Residenzschloß herkommenden Straße zu sehen. Die ihn umgebenden hohen Häuser, meist mit Verkaufsgewölben im Erdgeschoß, repräsentieren den Wohlstand ihrer bürgerlichen und adligen Besitzer. Während die Giebel früher oft die Schauseite bildeten, wurde das nach dem großen Brand des rechtselbischen Dresdens von 1685 wegen der Gefahr der Brandausbreitung baupolizeilich verboten. Ganz links steht das Haus der Familie Pflug, daneben das der Bildhauerfamilie Walther mit dem 1888 abgebrochenen Justitiabrunnen von 1653 davor. Hinter der Einmündung der Frohngasse der Erbgasthof «Goldener Löwe». Das vorletzte Haus mit der Marienapotheke war das älteste der Stadt von 1481. Im dritten Haus von links auf der Südseite wohnten zeitweise der Bildnismaler Anton Graff und der Opernkapellmeister Carl Maria von Weber. Das niedrige Gebäude davor war Standort der Ratschaisenträger, die Personen und Lasten beförderten. Rechts hinten führt die Seegasse zum Seetor. Vor dem an seinem Dachreiter erkenntlichen Rathaus rechts Fässer für Löschwasser, in der Platzmitte die sechsspännige Kutsche Augusts III. Zurückgesetzt über der Südostecke erhebt sich die spätgotische Kreuzkirche mit dem 1579–1584 ergänzten Turmaufbau. Sie wurde 1760 bei der preußischen Beschießung zerstört, aber im klassizistischen Stil wieder aufgebaut.

Literatur: Kozakiewicz 1972, II, Nr. 173. – Walther 1986, Nr. 7.

615 Bellotto

615 *Der Altmarkt in Dresden von der Seegasse aus.* Wohl 1751. Gegenstück zu Gal.-Nr. 614. Leinwand, 137×239 cm. 1751 vom Maler an die Galerie geliefert.

Von Süden geht der Blick über den Markt und links in die Schloßgasse, von der aus das Gegenstück des Bildes (Gal.-Nr. 614) gemalt wurde. Über ihr ist in der Tiefe über dem Osttrakt des Schlosses der Turm der Katholischen Hofkirche (1739–1755) sichtbar. Rechts an der Ecke zur Schloßgasse das Haus des ehemaligen Bürgermeisters Hans Gleinig mit dem gotischen Erker. Über dem an seinem Dachreiter erkenntlichen Rathaus links hinten ragt in der Ferne die Spitze des Schloßturmes auf. Das zweite Haus links von vorn ist der berühmte Erbgasthof «Zum goldenen Ring», worin 1711 der russische Zar Peter der Große Quartier nahm. Über dem großen Eckhaus rechts hinten erscheint die steinerne Kuppel der Frauenkirche. An der Ostseite die Häuser, wie schon im Gegenstück, auch der breitgelagerte Gasthof «Goldener Löwe» vor der Einmündung der Frohngasse rechts vorn, worin zu Bellottos Zeiten die Reformierte Kirche Gottesdienst hielt, und – hier ganz rechts – die Marienapotheke. Halb im Schatten liegt das Häuschen der Chaisenträger, von denen einige mit ihren Schubkarren bereitstehen. Es ist Markttag, und die Menge drängt sich zwischen den an drei Seiten aufgestellten Buden.

Literatur: Kozakiewicz 1972, II, Nr. 176. – Walther 1986, Nr. 8.

616 Bellotto

616 *Die ehemalige Kreuzkirche in Dresden.* Wohl 1751–1752. Gegenstück zu Gal.-Nr. 617. Leinwand, 196×186 cm. 1753 vom Maler an die Galerie geliefert.

Nach der Zerstörung der mittelalterlichen Nikolaikirche mit der zugehörigen Kreuzkapelle durch den Stadtbrand von 1491 wurde in den folgenden Jahren bis 1499 von Conrad Pflüger ein neuer, nunmehr Kreuzkirche genannter Bau errichtet, als Hallenkirche mit Netzgewölbe. Der Westturm auf dem mittelalterlichen Unterbau entstand nach dem Entwurf von Hans Walther II. erst 1579–1584: eine zweigeschossige Glockenstube mit breitem, auf Konsolen ruhendem Austritt zwischen erstem und zweitem Geschoß, darüber ein quadratischer zweigeschossiger Turm, ebenfalls mit einem Austritt, bekrönt durch eine Kuppel mit zweigeschossiger Laterne zwischen vier Dreiecksgiebeln, sowie zwei ähnlichen Kuppeln mit hohen Spitzen neben dem Turm. Das Portal besaß reichen plastischen Schmuck. Von den palaisartigen Barockhäusern an der Nordseite der Kirche ist besonders das Palais Vitzthum-Rutowski mit den Schildwachen davor zu nennen. Sein Bewohner, der Generalfeldmarschall Rutowski, war ein natürlicher Sohn Augusts des Starken. Die Staffage läßt vornehmes Milieu erkennen.

Literatur: Kozakiewicz 1972, II, Nr. 181. – Walther 1986, Nr. 9.

617 Bellotto

617 *Die Frauenkirche in Dresden.* Wohl 1751–1752. Gegenstück zu Gal.-Nr. 616. Leinwand, 193×186 cm. 1753 vom Maler an die Galerie geliefert.

Von der Rückseite der Altstädter Wache geht der Blick nach Osten in die Rampische Gasse zum Kurländer Palais. Die Frauenkirche ist nur angeschnitten, doch sind zwei der vier diagonal gestellten Ecktürme und der dazwischenliegende Portalrisalit mit dem gesprengten Giebel darüber und ein Teil der Kuppelwölbung gut zu erkennen. Die Monumentalität des Bauwerkes auch gegenüber den viergeschossigen Häusern mit hohen Mansarddächern wird anschaulich. Rechts neben der Kirche tritt im Hintergrund das 1711 ebenfalls von George Bähr errichtete «Haus zur Glocke» hervor. Das Eckhaus daneben von 1730 ist noch reicher verziert. Eine Abteilung der königlichen Leibgarde reitet zum Kurländer Palais, das von Knöffel für den Grafen Wackerbarth errichtet wurde. Erst später gehörte es dem Herzog Carl von Kurland. Unter August dem Starken fanden im gewölbten Keller die Trinkgelage der «Société des antisobres», der «Gesellschaft der Nüchternheitsgegner», statt. Rechts vorn eine Gruppe von Schülern der Kreuzkirchenschule bei der Kurrende, dem üblichen Singeumzug.

Literatur: Kozakiewicz 1972, II, Nr. 179. – Walther 1986, Nr. 12.

629 *Der Zwingerhof in Dresden.* 1749–1753. Leinwand, 134×237 cm. 1753 vom Maler an die Galerie geliefert.

Der Zwinger wurde von Pöppelmann im Auftrage Augusts des Starken 1710–1732 als ein von sechs Pavillons und verbindenden Galerien gebildeter Festplatz unter freiem Himmel errichtet und diente seit 1728 zur Unterbringung von Sammlungen, nach denen die Pavillons später benannt wurden. Links vorn der Französische Pavillon (nach den französischen Gemälden), rechts der Mathematisch-Physikalische Salon (nach den naturwissenschaftlichen Instrumenten), hinten links der Deutsche Pavillon (nach Gemälden deutscher Meister), dahinter das Komödienhaus und ein Giebel des Residenzschlosses, rechts der Zoologische Pavillon (nach den tierkundlichen Beständen), worin sich heute die Porzellansammlung befindet, an seiner Rückseite Pöppelmanns Opernhaus. In der Mitte, durch Bogengalerien verbunden, der Stadtpavillon, dahinter die Kreuzkirche und das mächtige Dach der Sophienkirche. Die Langgalerien rechts werden überragt von der feingliedrigen Silhouette des Kronentores. Gegenüber links blieb der Zwinger lange nur durch eine Mauer abgeschlossen, bis 1847–1855 hier nach den Plänen Sempers das neue Galeriegebäude errichtet wurde. Zur Zeit der Entstehung des Bildes war der Zwinger bereits für den öffentlichen Verkehr freigegeben.

Literatur: Kozakiewicz 1972, II, Nr. 164. – Walther 1986, Nr. 6.

634 *Palasttreppe zu einer Kolonnade vor einem Palasthof.* 1762 bis 1766. Gegenstück zu Gal.-Nr. 636. Leinwand, 105×146 cm. 1855 zur Galerie.

Schon während des Siebenjährigen Krieges wandte sich Bellotto von den realistischen Veduten verstärkt der Wiedergabe architektonischer Capricci zu. Das entsprach der einsetzenden Entwicklung zum Klassizismus. Diese Phantasiearchitekturen folgten besonders italienischen Bauwerken der Renaissance und des Barocks, hatten als Neuerfindungen aber auch Vorbildcharakter. Bedeutung gewannen sie außerdem für Bellottos Tätigkeit als Lehrer für architektonische Vorkurse an der 1764 gegründeten Dresdener Kunstakademie. Ein ähnliches und fast genauso staffiertes, seitlich noch weiterführendes Bild befindet sich in der Kunsthalle Hamburg.

Literatur: Kozakiewicz 1972, II, Nr. 318.

636 *Palasttreppe zu einem Park.* 1762–1766. Gegenstück zu Gal.-Nr. 634. Leinwand 103×146 cm. 1855 zur Galerie.

Die Treppe führt doppelläufig zu einer Terrasse zwischen Palastflügeln im klassizistischen Barockstil. Ihre einläufige Fortsetzung zu einem Park mit gestutzten Bäumen könnte als frühe Anregung zu der 1814 in Dresden angelegten Treppe vom Schloßplatz zur Brühlschen Terrasse mit dem französischen Garten hinter dem Palais Brühl angesehen werden. Der bewegte Umriß des Bildes im Sinne einer Kartusche läßt wie beim Gegenstück die vorgesehene Verwendung als Supraporte über einer Tür erkennen.

Literatur: Kozakiewicz 1972, II, Nr. 327.

629 Bellotto

634 Bellotto

636 Bellotto

638 *Die Trümmer der ehemaligen Kreuzkirche in Dresden.* 1765. Bezeichnet unten in der Mitte: BERNAR: BELOTO DE CANALETTO. FEC. A. MDCCLXV. Leinwand, 80 × 110 cm. 1765 vom Maler an die Kunstakademie geliefert, im gleichen Jahr an die Galerie (Catalogue 1765, S. 244).

Bei der Beschießung Dresdens durch die Preußen 1760 wurde neben vielen anderen Gebäuden auch die Kreuzkirche zerstört. Nur der Turm war im wesentlichen erhalten geblieben und sollte in den 1764 begonnenen Neubau mit einbezogen werden, stürzte aber am 22. Juni 1765 nach schweren Regenfällen noch ein und mußte mühsam abgetragen werden. Der Maurergeselle Künzelmann erbot sich dazu, wobei er zum Besteigen der Ruine einholmige Leitern benutzte. Bellotto hat dies alles mit der Treue des Chronisten festgehalten. Das lange verschollen gewesene, aber durch die Radierung bekannte Gegenstück mit den Ruinen der Pirnaischen Vorstadt in Dresden von 1766 wurde 1974 von P. Rosenberg, Paris, im Museum von Troyes entdeckt.

Literatur: Kozakiewicz 1972, II, Nr. 297. – Walther 1986, Nr. 15.

638 Bellotto

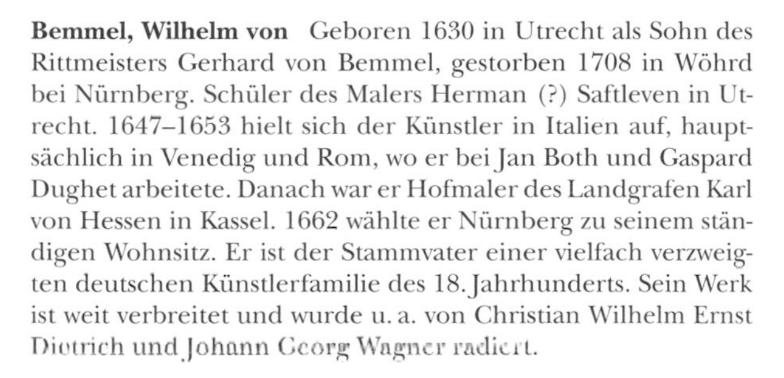

Bemmel, Wilhelm von Geboren 1630 in Utrecht als Sohn des Rittmeisters Gerhard von Bemmel, gestorben 1708 in Wöhrd bei Nürnberg. Schüler des Malers Herman (?) Saftleven in Utrecht. 1647–1653 hielt sich der Künstler in Italien auf, hauptsächlich in Venedig und Rom, wo er bei Jan Both und Gaspard Dughet arbeitete. Danach war er Hofmaler des Landgrafen Karl von Hessen in Kassel. 1662 wählte er Nürnberg zu seinem ständigen Wohnsitz. Er ist der Stammvater einer vielfach verzweigten deutschen Künstlerfamilie des 18. Jahrhunderts. Sein Werk ist weit verbreitet und wurde u. a. von Christian Wilhelm Ernst Dietrich und Johann Georg Wagner radiert.

2000 *Landschaft mit einer Brückenruine.* Leinwand, 68,5 × 95,5 cm. Inventar 1722, B 1365; wahrscheinlich 1699 durch den Hofmaler Bottschild zur Kunstkammer.

Die schräg in die Tiefe gestaffelte Flußlandschaft ist im Farbklang zurückhaltend und gewinnt ihre Stimmung aus atmosphärisch weich gebrochenen Tönen. Bemmel fand mit Werken wie diesem im Anschluß an holländische Italianisanten eine eigene unverwechselbare Ausdrucksweise. Joachim von Sandrart lobte sowohl des Künstlers «sinnreiche Inventionen» als auch die «Fertigkeit seiner Hand» und stellte fest, daß er in Italien «alles zu seinen Landschaften dienliche nach der Natur selbst so fleißig zu Papier gebracht» habe, wie niemand vor ihm.

2000 Bemmel

Berchem, Nicolaes Pietersz. Geboren 1620 in Haarlem, gestorben 1683 in Amsterdam. Zunächst Schüler seines Vaters, des Stillebenmalers Pieter Claesz., später wohl auch – nach Houbraken – Unterricht bei Jan van Goyen, Claes Moyaert, Pieter de Grebber, Jan Wils und Jan Baptist Weenix. Seit 1642 Mitglied der Haarlemer St. Lukasgilde. Reist mit Jakob Ruisdael nach Deutschland. Ungesichert sind die zwei vermuteten Italienreisen, die zwischen 1642 und 1653 stattgefunden haben sollen. Unter dem Einfluß von Pieter van Laer wandte er sich von den frühen biblischen Landschaften ab und schuf in den späten vierziger Jahren Hirtenbilder und Landschaftsidyllen. In den sechziger Jahren sind klassizistische Tendenzen feststellbar. Tätig in Haarlem und Amsterdam. Er gehörte zu den bedeutendsten Vertretern der holländischen Landschaftsmalerei.

1479 Berchem

1479 *Ein Handelsherr, am Hafenpalast einen Mohren empfangend.* Bezeichnet links unten: C Berchem f. Von Holz auf Leinwand übertragen, 94×98,5 cm. 1727 durch Le Plat.

Inhaltlich und stilistisch steht das Werk einem Gemälde Berchems nahe in The Wadsworth Atheneum, Hartford, «Ein Mohr überreicht einer Dame einen Papagei» (um 1665), das als «Rückkehr Sarahs zu Pharao» (1. Buch Mose 12, 18–20) oder «Othello und Desdemona» gedeutet worden ist. Zur gleichen Folge gehören die Bilder «Palast am Seehafen», ehemals Sammlung Six in Amsterdam, und die «Rückkehr des verlorenen Sohnes» im Museum in Genf. Unzweifelhaft ist hier eine Historie dargestellt, deren Inhalt aber bisher nicht eindeutig bestimmt werden konnte.

Literatur: E. Schaar: Studien zu Nicolaes Berchem. Phil. Diss. Köln 1958, S. 48ff. – E. Plietzsch: Holländische und Flämische Maler des 17. Jahrh. Leipzig 1960, S. 152.

1481 Berchem

1481 *Landschaft mit Schloß Bentheim.* 1656. Bezeichnet links unten: Berchem f 1656. Leinwand, 138×103 cm. 1742 durch de Brais aus Paris.

Schloß Bentheim, in der Nähe von Burgsteinfurt, dem Geburtsort von Berchems Vater Pieter Claesz., gelegen, ist vielfach von holländischen Künstlern des 17. Jahrhunderts gemalt worden. Berchems italianisierende Behandlung des Motivs ist deutlich: im Vordergrund Hirtinnen und Hirten mit ihren Herden, weit in der Ferne das auf einer Anhöhe liegende Schloß. Ganz anders sieht Jacob von Ruisdael diese Landschaft, indem er auf eine figürliche Staffage verzichtet (vgl. Gal.-Nr. 1496). Eine ebenfalls 1656 datierte Landschaft Berchems mit Schloß Bentheim befindet sich in der Sammlung des Herzogs von Westminster in London.

Literatur: I. v. Sick: Nicolaus Berchem, ein Vorläufer des Rokoko. (Kunstwiss. Studien V). Berlin 1930, Taf. 30. – Plietzsch 1960, S. 149. – B. Haak: Das Goldene Zeitalter der holländischen Malerei. Köln 1984, S. 382.

Berckheyde, Gerrit Adriaensz. Geboren 1638 in Haarlem, dort gestorben 1698. Wohl Schüler seines Bruders Job Adriaensz. Berckheyde. Reiste in den fünfziger Jahren zusammen mit seinem Bruder nach Deutschland. Seit 1660 Mitglied der Haarlemer St. Lukasgilde. Spezialisierte sich auf die Architekturmalerei. Die Figuren ließ er vielfach von anderen Malern in seine Werke malen.

1521 Berckheyde, Gerrit

1521 *Ansicht des Dam zu Amsterdam.* Bezeichnet links unten: G. Berckheyde. Eichenholz, 41×55,5 cm. Inventar Guarienti (1747–1750) Nr. 1619.

Berckheyde hat den Damplatz häufig gemalt, jedoch meist von einem anderen Blickpunkt und mit veränderten Staffagefiguren. In der Bildmitte das von Jacob van Campen 1648 erbaute Rathaus, rechts davor die Stadtwaage und dahinter die Nieuwe Kerk. Datierte Bilder mit gleichem Motiv im Mecklenburgischen Landesmuseum in Schwerin (1665), im Königlichen Museum in Antwerpen (1668), im Rijksmuseum in Amsterdam (1672, 1673, 1693) und in der Kunsthalle in Karlsruhe (1689). Dem Dresdener Bild am nächsten die Fassung in Antwerpen von 1668.

1523 A *Straße in Haarlem.* Um 1680. Bezeichnet rechts an der Banklehne: G. Berck. Heyde 16. Eichenholz, 43×39 cm. 1912 von der Versteigerung der Sammlung Weber. *Farbtafel 38*

Dargestellt ist der Blick auf die St. Bavo-Kirche in Haarlem von der Jansstraat aus. In dieser Straße haben die beiden Brüder Berckheyde in Haarlem gewohnt. Das Motiv hat der Künstler sehr häufig gemalt.

Literatur: C. Lawrence: Gerrit Berckheyde. Doornspijk 1991, S. 25, 35.

1523 A Berckheyde, Gerrit

Berckheyde, Job Adriaensz. Geboren 1630 in Haarlem, dort gestorben 1693. Schüler des Jacob Willemsz. de Wet. Seit 1654 als selbständiger Meister in Haarlem tätig, wo er auch die Ausbildung seines Bruders Gerrit Adriaensz. übernahm. Gemeinsam mit Pieter Saenredam und Emanuel de Witte gehört er zu den wichtigsten Vertretern der Architekturmalerei.

1511 *Innenansicht der St. Bavokerk zu Haarlem.* 1665. Bezeichnet rechts unten: I. Berckheyde 1665. Eichenholz, 61,5×85,3 cm. 1874 aus der Sammlung A. v. d. Willigen in Haarlem.

Holland brachte im 17. Jahrhundert einen neuen Zweig der Malerei zur Blüte: das Architekturbild. Einige Maler, vor allem in Delft, Amsterdam und Haarlem, bevorzugten dabei ein besonderes Gebiet, die Darstellung von Kircheninterieurs. Es sind Emanuel de Witte, von dem Berckheyde das warme Kolorit übernahm, und Pieter Saenredam, dessen feinlinige, fast transparent gemalten Kircheninterieurs sich durch kühle Sachlichkeit auszeichnen. Berckheydes Bilder beeindrucken vor allem durch die lebendige Behandlung des Lichtes und das Verhältnis des Menschen im Raum.

Literatur: Perspectives: Saenredam and the architectural painters of the 17th century. Ausstellungskatalog. Rotterdam 1991, S. 275, 276.

1511 Berckheyde, Job

Bertin, Nicolas Geboren 1668 in Paris, dort gestorben 1736. Sohn eines Bildhauers, Schüler von Guy-Louis Vernansal, Jean Jouvenet und Bon Boullogne und also erzogen in der akademischen Tradition der Epoche Ludwigs XIV. Ging 1685 als Preisträger des akademischen Wettbewerbs und damit als Stipendiat für vier Jahre an die Académie de France nach Rom. Auf dem Rückweg von Italien nach Frankreich hielt er sich kurz in Lyon auf, war aber 1689 schon wieder in Paris. 1703 wurde er Mitglied der Königlichen Akademie, 1705 Professor. Arbeitete auch für die Kurfürsten von Bayern und von Mainz, jedoch ohne Frankreich zu verlassen. Das Angebot, als Hofmaler nach Dresden zu kommen, schlug er 1715 aus; diesem Ruf folgte 1716 der von ihm empfohlene Louis de Silvestre.

762 *Die Eichel und der Kürbis.* Um 1690–1695. Leinwand, 59,5×49,5 cm. Inventar 1722–1728, A 335. Seit 1765 in den gedruckten Galeriekatalogen.

762 Bertin

Die Darstellung basiert inhaltlich auf einer Fabel von La Fontaine (IX, 4). Ein Dorfbewohner hatte den Eindruck, der Kürbis sei zu groß geraten im Verhältnis zur zierlichen Pflanze, an der er wächst. Viel eher meinte sich der Bauer vorstellen zu können, daß ein so kräftiger Baum wie die Eiche diese schweren Früchte tragen könnte. Nach solchen Überlegungen schlief er unter einer Eiche ein. Als ihm eine Eichel auf die Nase fiel, begriff er, so sagt der Fabeldichter, daß Gott alles, was er gemacht hat, gut gemacht hat.

Dieses Bild und das nachfolgende dürften, so hat Thierry Lefrançois festgestellt, zu den ersten Gemälden überhaupt gehören, deren Sujets den Fabeln von La Fontaine entlehnt wurden. Gleichzeitig ist von Lefrançois auf holländischen Einfluß hingewiesen worden, besonders auf die Werke von Willem Kalf.

Literatur: Th. Lefrançois: Nicolas Bertin. 1668–1736. Peintre d'Histoire. Neuilly-sur-Seine 1981, S. 25, 64, Nr. 69.

763 Bertin

763 *Der Bär und der Gärtner.* Um 1690–1695. Leinwand, 59,5×49,5 cm. Inventar 1722–1728, A 336. Seit 1765 in den gedruckten Galeriekatalogen.

Die Darstellung basiert inhaltlich auf einer Fabel von La Fontaine (VIII, 10). Ein Gärtner und ein Bär, die beide des einsamen Lebens überdrüssig waren, schlossen Freundschaft. Eines Tages bemerkte der Bär auf der Nasenspitze des eingeschlafenen Gärtners eine Fliege, nahm einen Stein, um sie zu töten – und zerschmetterte den Kopf seines Freundes. Der Fabeldichter faßte die Moral der Geschichte dahingehend zusammen, daß selbst ein kluger Feind weniger gefährlich sei als ein dummer Freund. Unser Bild zeigt die Fliege im Vordergrund neben dem Spaten auf der Erde. Damit ist der Erzählung eigentlich die Pointe genommen, denn der Stein wurde in diesem Falle ja nicht mit voller Absicht auf den Kopf gezielt. Eine vorbereitende Zeichnung zu dem Bären, der aufrecht hinter dem Gärtner steht, besitzt das Nationalmuseum Stockholm.

Literatur: Lefrançois 1981, S. 25, 64, Nr. 70.

Beuckelaer, Joachim Geboren um 1530 in Antwerpen, dort gestorben vermutlich 1573. Schüler von Pieter Aertsen. 1560 Meister in der Lukasgilde von Antwerpen. Malte vor allem bäuerliche Jahrmarktszenen unter dem Einfluß Pieter Aertsens.

831 *Die vier Evangelisten.* 1567. Bezeichnet auf dem Buchdeckel links unten mit dem Monogramm JB und links oben an der Plinthe datiert 1567. Eichenholz, 175×130 cm. Inventar 1722–1728, A 1 (als Original von «Balthasar»), zuvor in der Kunstkammer.

Nach Carel van Mander (1604) befand sich das Bild im Besitz des Kaufmanns Hans Verlaen in Haarlem. Die vier Evangelisten sind mit ihren Attributen dargestellt: links Matthäus schreibend mit dem Engel, daneben Johannes mit dem Adler, Lukas rechts vorn mit dem Stier und Markus hinter ihm mit dem Löwen als Symbol.

Literatur: Mayer-Meintschel 1966, S. 18.

831 Beuckelaer

Bevilacqua, Giovanni Ambrogio, genannt il Liberale. Vertreter der älteren lombardischen Schule, erwähnt seit 1481, spätestes datiertes Werk von 1502, tätig in Mailand oder dessen Umgebung, beeinflußt von Butinone, weiterhin stark abhängig von Borgognone und wie dieser in seinen Werken von altlombardischen Traditionen und verinnerlichtem religiösem Empfinden bestimmt.

68 Bevilacqua

68 *Maria, das Kind anbetend.* Frühwerk der achtziger Jahre. Leimfarbe, Leinwand, 152×107 cm. 1851 aus dem Nachlaß des Kunsthändlers Kaspar Weiß in Dresden.

Das Bild galt früher als Werk des Ambrogio Borgognone und wurde von Lermolieff-Morelli (1880) als Bevilacqua erkannt. Vor den roten Seraphim als «Funken aus dem Herzen Gottes» erscheint segnend Gottvater über sieben Engeln mit einem Spruchband «Gloria in excelsis deo et in terra pax ...» – Ehre sei Gott in der Höhe und Friede auf Erden ... Das Wort PAX, Friede, findet sich in goldenen Buchstaben auch vielfach auf dem Gewand Marias. Zwei weitere Engel halten ein das Bild unten begrenzendes Spruchband mit der Inschrift: VIRGA.IESSE. FLORVVIT.VIRGO.DEVM.ET.HOMINEM.GENVIT./PACEM. DEVS.REDDIDIT.IN.SE.RECONCILIANS.IMA.SVMMIS., zu deutsch: Die Wurzel Jesse blühte, die Jungfrau gebar den Gott und Menschen, Gott gab den Frieden zurück, da er in sich das Niedrigste mit dem Höchsten versöhnte.

Literatur: G. Pauli, in: Thieme-Becker-Künstlerlexikon, 3. Bd., Leipzig 1909, S. 559/60.

Bles, Herri met de Geboren um 1510 in Bouvignes-les-Dinant, gestorben nach 1555 vermutlich in Antwerpen. Entwickelt unter dem Einfluß von Patinir. Während seines Italienaufenthaltes erhielt der Künstler den Beinamen «Civetta», «Käuzchen», das als Motiv oft auf seinen Bildern vorkommt, aber nicht als Signum anzusehen ist.

806 Bles

806 *Affen plündern den Kram eines unter einem Baum eingeschlafenen Krämers.* Links im Baum das Käuzchen. Eichenholz, 59,5×85,5 cm. Inventar 1722–1728, B 1007, als unbekannte Kopie; zuerst im Katalog von 1846 als Bles erkannt.

Carel van Mander (1604) beschreibt das Bild als «eine ziemlich große, schöne und reizende Landschaft, wie ein Krämer schlafend unter einem Baume liegt, während eine Menge Affen dabei sind, alle seine Krämerware wegzuschleppen und überall an den Bäumen aufzuhängen und ihm tüchtig zusetzen, was von einigen als Verspottung des Papstes aufgefaßt wird. Die Affen sollen die drei Martinisten sein, die Anhänger Martin Luthers, die die Lehre des Papstes verraten, die sie Krämerware nennen. Doch können sie sich schwer irren, und vielleicht hat Hendrick das nicht damit gemeint, denn die Kunst darf kein Spötter sein.». Friedländer (1936) glaubte, daß man als Quelle für den Bildinhalt eine volkstümliche Fabel vermuten darf, die schon 1486 in einer Pantomime nachweisbar ist. Der Affe als burlesker Nachahmer menschlichen Gebarens fügt sich in die Spukhaftigkeit, mit der man im 16. Jahrhundert die Landschaft zu würzen liebte. Man sah darin eine Art spielerischer Unterhaltung; der Maler gab Bilderrätsel auf und regte zum Ablesen und Deuten an.

Literatur: Mayer-Meintschel 1966, S. 18. – H. G. Franz: Niederländische Landschaftsmalerei im Zeitalter des Manierismus. Graz 1969, Bd. 1, S. 81 ff.

806 C Bles

806 C *Predigt Johannes des Täufers.* Links im Baum das Käuzchen. Eichenholz, 27×41 cm. 1921 erworben.

Das Bildschema des Künstlers ist unverwechselbar: links oder rechts gibt eine Baumkulisse den Blick in eine weite Landschaft frei, dazwischen ragen hohe Bergkuppen empor, den Hintergrund schließt zumeist die Silhouette einer Stadt. Damit folgt Bles ganz der Tradition, vor allem Joachim Patinir. Farblich dominieren drei Töne: Braun im Vordergrund, Grün der Mittelgrund und Blau der Hintergrund. Oftmals werden auch vor gleichem landschaftlichem Grund die Themen ausgetauscht. Dem Dresdener Bild zeitlich am nächsten steht die «Predigt Johannes des Täufers» im Kunsthistorischen Museum in Wien. Während auf dem Dresdener Bilde die Figuren zeitgenössische Kostüme tragen, sind sie beim Wiener als Orientalen wiedergegeben. Nach brieflicher Mitteilung von G. J. Hoogewerff stammen die Figuren auf dem Dresdener Bild von der Hand des M. Cock, während G. Franz (1969) meint, sie einem anonymen Künstler zuweisen zu können, den er mit dem Notnamen Meister II bezeichnet.

Literatur: Mayer-Meintschel 1966, S. 19 f. – Franz 1969, Bd. 1, S. 81–83, S. 88.

Bol, Ferdinand Geboren 1616 in Dordrecht, gestorben 1680 in Amsterdam. Schüler Rembrandts vermutlich zwischen 1631 (nach Gerson 1635) und 1637. In biblischen Darstellungen knüpfte er an Rembrandts Stil der dreißiger Jahre an. Früheste Werke stammen aus der Zeit von 1642–1644. Als Bildnismaler war er vor allem in Amsterdam sehr geschätzt und hat sich auch an der Ausschmückung des Amsterdamer Rathauses beteiligt. Bildnis- und Historienmaler in der Nachfolge Rembrandts.

1603 Bol, Ferdinand

1603 *Die Ruhe auf der Flucht nach Ägypten.* 1644. Bezeichnet links unten: F Bol. fecit 1644. Leinwand, 203×261 cm. 1743 von der Leipziger Ostermesse.

Wie andere Rembrandtschüler übernimmt Bol häufig Grundmotive aus dem Werk seines Lehrers. Reminiszenzen an Rembrandts «Heilige Familie in der Zimmermannswerkstatt» von 1631 in der Alten Pinakothek München sind deutlich. Im Matthäus-Evangelium (2, 13) heißt es: «Siehe, da erschien der Engel des Herren dem Joseph im Traum, und sprach: Stehe auf, und nimm das Kindlein und seine Mutter zu dir und fliehe in Ägyptenland und bleibe allda, bis ich dir sage, denn es ist vorhanden, daß Herodes das Kindlein suche, dasselbe umzubringen.»

Literatur: A. Blankert: Ferdinand Bol (1616–1680). Rembrandt's Pupil. Groningen 1982, S. 96 f., Nr. 16. – W. Sumowski: Gemälde der Rembrandt-Schüler. Landau 1983, Bd. 1, S. 291, Nr. 81.

1604 Bol, Ferdinand

1604 *Jakobs Traum von der Himmelsleiter.* Um 1650. Bezeichnet rechts unten: F. Bol. fecit. Leinwand, 128×97 cm. Inventar 1722–1728, A 140.

Zum Thema vgl. die Gemälde von Gerbrand van den Eeckhout (Gal.-Nr. 1618 A) und von Hans Bol (Gal.-Nr. 828). Die betonte Lichtführung und die Helldunkelkontraste verweisen auf den Einfluß Rembrandts. Analogien im Aufbau und in Einzelheiten zu dem 1642 datierten «Traum Jakobs» von Gerbrand van den Eeckhout in Warschau (Nationalmuseum) sind zu erkennen. Eine Entwurfzeichnung zu Bols Gemälde wird im Musée des Beaux-Arts in Besançon aufbewahrt.

Literatur: Blankert 1982, S. 91f., Nr. 5. – Sumowski 1983, S. 281, Nr. 80.

1605 *Jakob vor Pharao.* Um 1650. Leinwand, 170×214 cm. Inventar Guarienti (1747–1750), Nr. 400.

Jakob war mit Labans Töchtern verheiratet, erst mit Lea und dann mit Rahel. Sein Sohn Joseph war von seinen neidischen Brüdern verkauft worden und kam nach Ägypten in das Haus des Potiphar. Als Jakob mit seiner Frau und seinen zwölf Kindern nach Ägypten zog, stellte Joseph seinen Vater dem Pharao vor, der ihn segnete und ihm Land und Nahrung gab (1. Mose 47, 7–10). Die Figur des Joseph in Bols Gemälde wurde früher irrtümlich für ein Selbstporträt des Künstlers gehalten. Physiognomische Ähnlichkeiten zwischen dem Pharao und Rembrandts Belsazar in dem Gemälde der National Gallery London sind zu beobachten. Die Wahl des Themas ist ungewöhnlich. Um 1600 hatte Carel van Mander sich diesem Sujet zugewandt. Alle anderen Versionen des Themas stammen erst von Schülern Rembrandts. Es gibt mehrere Stiche nach Bols Gemälde.

Literatur: Blankert 1982, S. 92f., Nr. 8. – Sumowski 1983, S. 293, Nr. 87.

1605 Bol, Ferdinand

1606 Bol, Ferdinand

1606 *Bildnis eines jungen Mannes mit Hut.* Bezeichnet links unten (nur Reste erhalten): 16…/J… Leinwand, 63×48 cm. Inventar 1722–1728, A 64 als Rembrandt.

Zeitweilig hat man angenommen, daß es sich bei dem Dargestellten um ein Selbstbildnis handeln könnte, was aber von K. Bauch (1963) widerlegt wurde. Vergleiche mit anderen Selbstbildnissen des Künstlers im Rijksmuseum in Amsterdam, in Dordrecht, Braunschweig, im Taft Museum in Cincinnati, im Dayton Art Institute u. a. waren nicht überzeugend. A. Blankert (1982) bezweifelt darüber hinaus die Autorschaft Bols.

Literatur: Blankert 1982, S. 160, Nr. D 9.

Bol, Hans Geboren 1534 in Mecheln, gestorben 1593 in Amsterdam. 1548 Lehre in Mecheln, danach zweijähriger Aufenthalt in Heidelberg. 1560 Eintritt in die Lukasgilde in Mecheln. Als Reformierter mußte er aus Glaubensgründen 1572 Mecheln verlassen und ging nach Antwerpen. Als aber auch dort Unruhen ausbrachen, wanderte er nach Holland aus. Er war zuerst in Bergen-op-Zoom, dann in Dordrecht und zuletzt in Amsterdam tätig, wo er bis zu seinem Tode verblieb.

822 *Wasserturnier auf dem Weiher im Haag.* 1586. Bezeichnet unten in der Mitte: HBol 1586. Pergament auf Eichenholz, 12,5×58 cm. Kunstkammerinventar 1595.

Bols miniaturhafte Landschaftsbilder waren beliebte Sammelgegenstände, die in Dresden schon in den Kunstkammerinventaren erwähnt sind. Heute besitzt die Galerie noch acht «gemalte Täflein», ein neuntes Bild (Gal.-Nr. 824) konnte als Arbeit von Jacob Savery identifiziert werden, der ein Schüler von Hans Bol war. – Wasserturniere gehörten im 16. Jahrhundert zu den

822 Bol, Hans

bevorzugten Bildmotiven der Maler, wobei das «Gänseziehen» eine besondere Rolle spielte: Von Ufer zu Ufer spannte man ein Drahtseil, an dem eine Gans festgehalten wurde, die die Spieler vom Boot aus zu treffen versuchten. Die Szene ist allerdings im Hintergrund dargestellt. Neue Züge erhält das Bild aber durch die topographisch genaue Stadtansicht mit dem Hofvijver in Den Haag. Weitere Exemplare befinden sich im Museum in Kopenhagen (von 1589), in der Münchener Residenz und in den Staatlichen Museen Berlin, Gemäldegalerie.

Literatur: Mayer-Meintschel 1966, S. 20/21. – A. Zwollo, in: Oud Holland 84, 1969, S. 302. – W. H. H. Hummelen, in: Oud Holland 103, 1989, S. 17.

823 Bol, Hans

823 *Dorfkirmes vor der Kirche und dem Schloß in Schelle-Belle.* 1582. Bezeichnet links unten: Hans Bol. 1.5.8.2. Pergament auf Eichenholz, 14×21 cm. Kunstkammerinventar 1587.

Vor der Kirche und dem Schloß in Schelle-Belle wird Kirmes gefeiert. Es ist ein Ort, der damals 1600 Einwohner zählte, am rechtsseitigen Ufer der Schelde liegt und zur Provinz Ostflandern gehört. Es herrscht ein buntes Treiben. Mit dem Planwagen, zu Pferde und zu Fuß ist man gekommen, um sich zu amüsieren. Dabei geht es turbulent zu, man tanzt, trinkt, singt und ist in Raufhändel verstrickt. Zum Dresdener Bild wird eine Vorstudie in London im Britischen Museum aufbewahrt.

Literatur: Mayer-Meintschel 1966, S. 21.

825 Bol, Hans

825 *Frühling im Schloßgarten.* 1586. Bezeichnet halbrechts unten: HBol 1586. Pergament auf Eichenholz, 13×20 cm. Kunstkammerinventar 1588.

Während im Schloßgarten Gärtner mit dem Umgraben beschäftigt sind, vergnügt sich im Park bei fröhlichem Spiel und Tanz die Hofgesellschaft. Im Hintergrund erhebt sich auf einem steilen Felsen eine Burg, und links ist der Blick auf das Meer freigegeben. Bol zeigt sich hier als feinsinniger Schilderer des Details. Ein mutmaßlich etwas später entstandenes Bild mit dem gleichen Thema befindet sich in der Residenz in München.

Literatur: De Eeuw van Bruegel. Ausstellungskatalog. Brüssel 1963, Nr. 31, Abb. 218. – A. Mayer-Meintschel: Zwei Dresdener Bilder auf der Ausstellung «De Eeuw van Bruegel» in Brüssel. In: Dresdener Kunstblätter. 8. Jg. 1964, S. 92–95. – Mayer-Meintschel 1966, S. 21.

826 Bol, Hans

826 *Abraham und die drei Engel.* 1586. Bezeichnet links unten am Baumstumpf: HBol. 1586. Pergament auf Eichenholz, 14×21 cm. Kunstkammerinventar 1588 (?).

Der Darstellung liegt eine Silberstiftzeichnung des Künstlers zugrunde, die sich im Britischen Museum in London befindet. Eine Kanallandschaft bietet den Rahmen für die alttestamentarische Szene (1. Buch Moses 18, 1–5): auf der Brücke begrüßt Abraham die drei Engel, und links vor dem Hause des Patriarchen steht Sarah an der Tür. Abraham bewirtet hier die drei Engel.

Literatur: H. G. Franz: Hans Bol als Landschaftszeichner. In: Jahrbuch des Kunsthistorischen Instituts der Universität Graz 1, 1965, S. 19ff. – Mayer-Meintschel 1966, S. 21–22. – H. Menz, in: Deutsche Literaturzeitung. 88. Jg. 1967 (6), Sp. 532–534.

827 Bol, Hans

827 *Abigail vor David.* 1587. Bezeichnet links unten am Stein: HANS BOL.1.5.8.7. Pergament auf Eichenholz, 14×21,5 cm. Kunstkammerinventar 1595.

Fast alle Dresdener Landschaften mit biblischer oder mythologischer Staffage sind in der Zeit seines Aufenthaltes in Holland entstanden, auch die Darstellung mit Abigail und David (1. Samuelis 25, 23–24). Es wird der Vorgang geschildert, da Abigail den David sah, «stieg sie eilends vom Esel und fiel vor David auf ihr Antlitz, und betete zur Erde. – Und fiel zu seinen Füßen, und sprach: «Ach, mein Herr, mein sei diese Missetat, und laß deine Magd reden vor deinen Ohren, und höre die Worte deiner Magd».

Literatur: Mayer-Meintschel 1966, S. 27.

828 Bol, Hans

828 *Jakobs Traum von der Himmelsleiter.* Pergament auf Eichenholz, 14×21,5 cm. Kunstkammerinventar 1595.

In einem weiten, von Flußläufen durchströmten und Bergen begrenzten Tal liegt das Dorf. Es ist Abendstimmung, die Menschen eilen heimwärts. Vor einem Baum im Vordergrund hat sich Jakob niedergelassen, von dem es im 1. Buch Mose 28, 11–12 heißt: «Und kam an einen Ort, da blieb er über die Nacht, denn die Sonne war untergegangen. Und er nahm einen Stein des Orts, und legte ihn zu seinen Häupten, und legte sich an demselben Ort schlafen. Und ihm träumte, und siehe, eine Leiter stand auf Erden, die rührete mit der Spitze an den Himmel, und siehe, die Engel Gottes stiegen daran auf und nieder». Man vergleiche hierzu dieselben Themen der Rembrandt-Schüler Ferdinand Bol von 1644 (Gal.-Nr. 1604) und Gerbrandt van den Eeckhout von 1669 (Gal.-Nr. 1618 A).

Literatur: Mayer-Meintschel 1966, S. 22.

829 Bol, Hans

829 *Meleager übergibt Atalante den Kopf des Ebers.* 1580. Bezeichnet unten in der Mitte am Baumstumpf: HBol 1580. Pergament auf Eichenholz, 14×21,5 cm. Kunstkammerinventar 1595.

Nach Ovid, Metamorphosen VIII, 426–431. – Bei der Geburt Meleagers wurde seiner Mutter geweissagt, das Kind werde so lange leben, bis ein im Feuer liegendes Stück Holz verbrannt sei. Meleager erlegte einen Eber, der die ganze Umgebung der Stadt Kalydon verwüstet hatte, und schenkte Atalante, in die er verliebt war, das Haupt des Ebers, und er erschlug zwei Oheime, die Atalante das Geschenk mißgönnten. Nun verbrannte seine Mutter aus Rache das Holzscheit, und Meleager starb.

Literatur: Mayer-Meintschel 1966, S. 22.

830 Bol, Hans

830 *Moses mit den Töchtern Jethros am Brunnen.* 1586. Bezeichnet am Stein vor dem Schweinetrog: Bol. 1.(5).8.6. Pergament auf Eichenholz, 14×21,5 cm. Kunstkammerinventar 1587.

Bol schildert in dem Bild den Vorgang aus dem 2. Buch Mose 2, 15–17, als Moses vor Pharao geflohen war, sich an einem Brunnen niederließ und da den sieben Töchtern Jethros begegnete, als sie die Schafe ihres Vaters tränken wollten, aber von

Hirten zurückgestoßen wurden. «Aber Moses machte sich auf und half ihnen, und tränkte ihre Schafe.» Sie berichteten dem Vater von der Hilfe, die ihnen Moses hatte angedeihen lassen. Aus Dankbarkeit gab er ihm seine Tochter Zipora.

Literatur: Mayer-Meintschel 1966, S. 22–23.

Bordon, Paris Geboren 1500 in Treviso, gestorben 1571 in Venedig. Schüler Tizians in Venedig, beeinflußt auch von Giorgione, Pordenone und Lorenzo Lotto. Tätig vor allem in Venedig, außerdem in anderen oberitalienischen Städten, Paris und Augsburg. In seiner lyrischen, gefühlsbetonten Auffassung und der Vorliebe für die Darstellung weicher blonder Frauen war er ein Vertreter des Giorgionismus, ließ aber später in den Posen seiner Gestalten auch manieristische Tendenzen erkennen.

203 Bordon

203 *Apollo zwischen Marsyas und Midas.* Gegen 1530. Leinwand, 98×81,5 cm. Inventar 1754, I 283.

Nach Ovid (Metamorphosen VI, 381–400) hatte der Silen Marsyas den Gott der Musen, Apollo, zum Wettkampf im Flöteblasen herausgefordert. Er unterlag und wurde zur Strafe lebendig gehäutet. Dem König Midas, der das Urteil tadelte, weil Marsyas besser gespielt hatte, ließ Apollo Eselsohren wachsen. Bordone hat die drei Gestalten, Apollo mit der Leier zwischen dem bekrönten Midas und dem flöteblasenden Marsyas, nebeneinandergestellt. Trotz der echt venezianischen handlungsarmen Verhaltenheit werden in den Gesichtszügen die bestehenden Spannungen deutlich. Die Datierung des Bildes schwankt zwischen 1530 und 1550, doch ist das Bild, wie auch Heinemann meinte, vormanieristisch.

Literatur: Walther 1968, Nr. 177. – G. Mariani Canova: Paris Bordon. Katalog der Ausstellung Treviso 1984. Milano 1984, Nr. 21.

Borgianni, Orazio Geboren 1578 in Rom, dort gestorben 1616. Vor 1600 erstmals und wieder 1605–1608 in Spanien tätig, danach endgültig in Rom ansässig. Beeinflußt von El Greco, den Nachfolgern des Jacopo Bassano und vor allem von Caravaggio, aber auch vom venezianischen Kolorismus des 16. Jahrhunderts. Borgianni gehörte zu den bedeutendsten frühen Vertretern des Caravaggismus und hat trotz seiner nur kurzen Lebensdauer mit seiner ausdrucksstarken und durch ungewöhnliche malerische Wirkungen bestimmten Kunst entscheidende Grundlagen der Barockmalerei geschaffen.

2684 Borgianni

2684 *Der Tod des Evangelisten Johannes.* Vielleicht 1608. Leinwand, 146,5×118 cm. Erworben 1942/43 von der Galerie Neupert, Zürich.

Der Evangelist Johannes ist nach der Überlieferung in höchstem Greisenalter um das Jahr 100 in Ephesus gestorben. Hier wird der Sterbende von seinen Anhängern aufrecht gehalten. Der über ihm schwebende Adler als sein Symbol trägt eine Tafel mit der Inschrift «IN PRINCIPIO ERAT VERBVM» – «Im Anfang war das Wort», die dem Einleitungssatz des Johannesevangeliums entspricht. Die Inschrift auf dem am Boden liegenden Pilasterkapitell, das in dieser Form die Überwindung der heidnischen Antike symbolisiert, lautet «FILIOLI DILIGITE / AL-

9 Botticelli

TERVTRVM» – «Söhnchen, liebet einander», bezogen wahrscheinlich auf Johannes 13, 33–35. Vor dem dunklen Hintergrund entfaltet sich in den Gestalten die Glut einer ungewöhnlichen Palette tiefer schöner Farben. Die Datierung wurde von Wethey vorgeschlagen und von Moir und Hirst bekräftigt (1970).

Literatur: H. E. Wethey: Orazio Borgianni in Italy and in Spain. In: The Burlington Magazine, April 1964, S. 154.

Botticelli, Sandro, eigentlich Alessandro di Mariano Filipepi, genannt Sandro Botticelli. Geboren 1444 oder 1445 in Florenz, dort gestorben 1510. Nach Goldschmiedelehre Schüler des Fra Filippo Lippi, beeinflußt durch Verrocchio und Antonio Polaiuolo. Tätig hauptsächlich in Florenz und Umgebung, 1481/82 in Rom zur Ausmalung der Sixtinischen Kapelle. Durch die große Bedeutung der sensiblen, rhythmisch bewegten Umrißlinie und die empfindsame Schönheit seiner schlankgliedrigen Gestalten ist Botticelli als Maler der Frührenaissance zugleich noch stark der Gotik verhaftet.

8 Botticelli

8 *Maria mit dem Jesuskind und dem jungen Johannes dem Täufer.* Wohl um 1490. Tempera, Pappelholz, 89,5 × 73,5 cm. 1874 aus England, früher im Besitz von M. A. Fitzmorrice.

Botticelli hat das Motiv 1470 in dem Bild des Pariser Louvre erstmals gestaltet und später mehrfach wiederholt (u. a. Städelsches Kunstinstitut Frankfurt/Main). Die Bangigkeit im Gesichtsausdruck aller drei Gestalten deutet auf das Wissen um das spätere Schicksal des Jesuskindes und des späteren Täufers hin. Die mädchenhafte Schönheit Marias rückt diese in die Nähe gotischer Madonnen.

Literatur: R. Salvini: Tutta la pittura del Botticelli. Milano 1958, II, Tafel 52.

9 *Vier Szenen aus dem Leben des heiligen Zenobius.* Um 1500. Tempera, Pappelholz, 66 × 186 cm. 1868 aus der Sammlung von Quandt, Dresden.

Zenobius (gestorben 417) war ein Bischof und Patron von Florenz, der sich durch Wundertaten auszeichnete. Hier wird gezeigt, wie er durch den Diakon Eugenio einen von einem Wagen überfahrenen Knaben wieder zum Leben erwecken läßt.

Rechts liegt er selbst auf dem Sterbebett. Die Szene halbrechts, wie der Mutter das geheilte Kind wieder übergeben wird, ist durch die architektonische Umrahmung hervorgehoben. Nach mittelalterlichem Prinzip der Simultanëität sind zeitlich aufeinanderfolgende Episoden in einem Bild vereinigt. Die ausdrucksvolle Umrißlinie ist ein wesentliches Gestaltungsmittel. Zwei weitere Tafeln im gleichen Format des Truhenbildes zur Zenobiusgeschichte befinden sich in der National Gallery London, eine vierte im Metropolitan Museum New York.

Literatur: Salvini 1958, II, Tafel 125. – M. Davies, in: The Earlier Italian Schools. National Gallery London Catalogues. London 1961, S. 108–110.

Bray, Joseph de Geboren in Haarlem (Datum unbekannt), dort gestorben 1664. Sohn des Salomon de Bray und Bruder des Jacob und Jan de Bray. Im Testament seines Bruders Jan ist das «Lof van den Pekelharingh» erwähnt.

1407 *Stilleben mit dem Lobgedicht auf den Hering.* 1656. Bezeichnet unten in der Mitte: Joh Bray. 1656. Eichenholz, 57×48,5 cm. 1741 durch von Kaiserling.

In der Kartusche auf einer Steintafel das Gedicht von Jacob Westerbaen «Lof van den Pekelharingh» lautet in der deutschen Übersetzung:

1407 Bray

Lob des Pökelherings

Ein Pökelhering blank,
Feist, dick und lang,
Der keinen Kopf mehr hat,
An Bauch und Rücken
Schön sauber aufgeschnitten,
Die Haut abgezogen,

Die Eingeweide herausgetan,
Roh oder am Feuer gebraten,
Dann die Zwiebeln nicht vergessen,
Und ehe abends spät
Die Sonn zu Bette geht,
Mit Hunger aufgefressen.

Und dazu ein Stück,
So groß wie ein Bauernbrot,
Roggenbrot verzehrt,
Ist gute Medizin.
Theriak kann nicht
So lobenswürdig sein.

Ein Trunk, der schmeckt danach
Bredaer oder Haarlemer Naß (Bier)
Oder aus Delfter Kneipen;
Er macht die Gurgel
Wieder glatt und tüchtig breit,
Am Morgen von neuem zu saufen.

Und wenn dir speiübel ist
Und du mit offenem Maul gähnend herumsitzt,
Kann er dich wieder frisch und lustig machen;
Trocknet die Katarrhe,
Die aus dem Kopf kommen
Und Brust und Zähne befallen.

Bewirkt auch, daß man tüchtig pißt
Und daß man (mit Verlaub)
das Kacken nicht verfehlt,
Den Winden läßt er keine Ruhe,
Die nach Speis und Trank verlangen.

Wie ... kann es anders sein,
Als daß jemand, der mit Lust den Pökelhering schmaust,
Viel besser mit P ... dran ist, als wer mit auserlesenen
Und üppigen Leckereien die Därme gierig füllt?

Für das Dresdener Bild liegt zugrunde «Jacobi Westerbani Minne-Dichten. Haarlem 1633». In der bereits 1624 erschienenen Ausgabe von Westerbaen-Gedichten nicht enthalten (Mitteilung von L. Grisebach, 1970). Eine weitere Fassung im Suermondt-Museum in Aachen.

Literatur: A. Mayer-Meintschel, in: Das Stilleben und sein Gegenstand. Ausstellungskatalog. Dresden 1983, Nr. 22.

Brekelenkam, Quiringh Gerritsz. van Geboren nach 1620 in Zwammerdam, gestorben zwischen 1667 und 1669 in Leiden. Mitbegründer der Leidener St. Lukasgilde, der er 1648 beitrat. Widmete sich in Frühwerken, die unter dem Einfluß des Gerard Dou stehen, der Darstellung von Einsiedlern und von einfachem häuslichem Leben. Später entstanden auch elegante Interieurs, Konversationsstücke sowie Markt- und Verkaufsszenen, bei denen Parallelen zu Metsu, Terborch oder Steen zu erkennen sind. Bekannt ist er vor allem durch seine Darstellungen von Schuhmachern und Schneidern.

1731 Brekelenkam

1731 *Der Wochenbesuch.* Anfang der sechziger Jahre. Reste der Bezeichnung rechts unten: Q Brekl... (infolge Beschädigung nicht mehr erhalten). Eichenholz, 36 × 31 cm. Inventar 1754, II, S. 790.

In der für ihn charakteristischen ruhigen und sachlichen Weise schildert der Künstler, wie durch einen Besuch das freudige Ereignis der Geburt eines Kindes gewürdigt wird. Der Vater und der gratulierende Herr erheben darauf die Gläser. Die Dame wendet sich an die junge Mutter, die merkwürdig ungeschickt das Kind zum Stillen von links an die rechte Brust hält. Überaus gelungen ist die Wiedergabe der kostbaren Stoffe. Kompositorisch ähnelt das Gemälde Metsus Darstellung gleichen Themas von 1661 im Metropolitan Museum in New York an.

Literatur: A. Lasius: Quiringh Gerritsz. van Brekelenkam. (Ars picturae, 3) Doornspijk 1992, S. 51–52, Nr. 149.

Breu der Ältere, Jörg Geboren um 1475 in Augsburg, dort gestorben 1537. Lernte wohl bei Ulrich Apt dem Älteren, beeinflußt wurde er aber auch von Hans Burgkmair. Bei seiner Wanderschaft in den Donaugegenden kam er anscheinend mit Werken Jan Polacks, Mairs von Landshut und Rueland Frueaufs des Jüngeren in Berührung. Die Eigenart und Bedeutung Breus zeigen schon der 1500 entstandene Bernhardsaltar in Zwettl, der bereits seine Begabung für das Landschaftliche verrät, sowie der Passionsaltar im Benediktinerstift Melk, der einen absoluten Höhepunkt in seinem Schaffen bedeutet. Seit 1502 war Breu wieder in Augsburg tätig. Eine Italienreise ist für die Jahre 1514 oder 1515 anzunehmen. Erstaunlich und für die Krisensituation der Zeit bezeichnend ist die Tatsache, daß Breu als Maler in seinen späten Jahren die von der Reformation ausgelöste Bilderstürmerei bejahte.

1888 *Der Ursula-Altar.* Um 1522–1527. Mittelbild und Flügel-Innenseiten: das Martyrium der heiligen Ursula. Außenseiten der Flügel, grau in grau: links Standbild des heiligen Georg, rechts Standbild der heiligen Ursula. Lindenholz, Mittelbild

1888 Breu d.Ä.

215×162 cm, jeder Flügel 173×77 cm. 1852 aus dem Nachlaß des Majors Aster.

Die heilige Ursula und die elftausend Jungfrauen ihrer Begleitung erlitten nach der Legende auf ihren Schiffen in Köln das Martyrium durch die Hunnen unter König Guan. Mit ihnen starb angeblich auch Papst Cyriakus. Zur Ausschmückung der Legende haben im 12. Jahrhundert die Visionen der Elisabeth von Schönau und des seligen Hermann Joseph von Steinfeld beigetragen. Über den Fluß Blick auf die Stadt Köln mit dem unvollendeten Dom (Chor, das Langhaus fehlt, angefangene Westtürme) und Groß St. Martin rechts neben dem Kruzifix. 1531 erschien Anton Woensams große gestochene Ansicht von Köln, doch gab es Panoramen der Stadt im Hintergrund religiöser Bilder schon sehr früh, vor allem bei Bildern des Martyriums der heiligen Ursula. Die Darstellung bleibt befangen in verwirrender Fülle sich drängender Details. Neben italienischen Vorbildern dürfte vor allem niederländischer Manierismus die Gestaltung beeinflußt haben.

Literatur: C. Glaser: Zwei Jahrhunderte deutscher Malerei. München 1916, S. 243.

Bril, Paul Geboren 1554 in Antwerpen, gestorben 1626 in Rom. Schüler des Damiaen Wortelmans (auch Ortelmans) in Antwerpen. 1574 Reise nach Frankreich (Lyon), dann nach Rom, wo bereits sein Bruder Matthijs arbeitete. 1582 Mitglied der Accademia di San Luca. Mit seinem Bruder arbeitete er zusammen in Rom für verschiedene Auftraggeber an Landschaftsfresken; erst in den neunziger Jahren begann er Ölbilder zu malen. Seine topographisch getreuen Ansichten von Rom mit arkadischem Charakter haben nachhaltig die italianisierende niederländische Landschaftsmalerei beeinflußt.

858 Bril

858 *Blick auf das Forum Romanum mit den Säulen des Castor-und-Pollux-Tempels und der Hadrianischen Basilika.* 1600. Bezeichnet unten in der Mitte: P. Bril. 1600. Kupfer, 21,5×29,5 cm. 1742 durch de Brais aus Paris.

Das Forum Romanum diente im 16. und 17. Jahrhundert als Campo Vaccino, als Viehmarkt. Nicht nur der malerische Charakter der antiken Ruinen hat Bril besonders interessiert, sondern auch das bunte und geschäftige Treiben. Er schuf hier eine neue Form des Landschaftsbildes, in dem Mensch und Natur eine sinnvolle Einheit bilden. Das Dresdener Bild gehört zu den frühesten Beispielen dieser Art.

Eine weitere Fassung, Frans Momper zugeschrieben, sie gibt die gleiche topographische Ansicht wie auf dem Dresdener Bild wieder, befindet sich im Statens Museum for Kunst in Kopenhagen (Katalog 1951, Nr. 470). Im weiteren Sinne wäre zu nennen das Bild von Breenbergh im Museum in Tours (Kupfer, 22,5×30 cm).

Literatur: Y. Thiéry: Le paysage flamand au XVIIe siècle. Paris/Brüssel 1953. A. 40, S. 173. – A. Mayer-Meintschel, in: Europäische Landschaftsmalerei 1550–1650. Ausstellungskatalog. Dresden 1972, Nr. 16.

Bronzino, eigentlich Agnolo di Cosimo, genannt Bronzino. Geboren 1503 in Monticelli bei Florenz, gestorben 1572 in Florenz. Schüler des Raffaellino del Garbo, beeinflußt von Jacopo da Pontormo sowie von Sebastiano del Piombo, Raffael und Michelangelo. Tätig meist in Florenz als Hofmaler der Medici, 1530–1532 in Pesaro, 1546–1548 in Rom. Besonders seine intellektuelle, manieristisch elegante Bildnisauffassung war für die Entwicklung der florentinischen Malerei des späteren 16. und des 17. Jahrhunderts von Bedeutung.

81 Bronzino

81 *Bildnis des Großherzogs Cosimo I. von Toskana.* Um 1555. Am oberen Rand beschriftet: COSMVS MED. FLOR. ET. SENARVM./DVX.II. Pappelholz, 58,5 × 44,5 cm. Inventar Guarienti (1747–1750), Nr. 105 (wahrscheinlich schon Ende des 16. Jahrhunderts in der Kunstkammer).

Cosimo I. regierte 1537 bis 1574, war erst Herzog und wurde 1569 von Papst Pius V. zum Großherzog ernannt. Seine Förderung der Künste diente seiner unumschränkten Herrschaft. Das Bildnis, das in zahlreichen, zumeist über das Brustbild hinausgehenden Wiederholungen existiert, läßt etwas von der Härte des Fürsten erahnen. Die Bezeichnung als DVX II. soll vielleicht Cosimo den Alten als Vorgänger berücksichtigen.

Literatur: E. Baccheschi: L'opera completa del Bronzino. Milano 1973, Nr. 113 e.

Brouwer, Adriaen Geboren 1605 oder 1606 in Oudenaarde, gestorben 1638 in Antwerpen. 1626 in Amsterdam erwähnt, im gleichen Jahr in Haarlem Mitglied der Rederijkerskammer. Vermutlich in der Lehre bei Frans Hals in Haarlem, seit 1631 Freimeister in der Antwerpener Lukasgilde. Rubens und Rembrandt schätzten Brouwer besonders, beide besaßen Werke von ihm. Er malte bäuerliche Genreszenen, auch Landschaften und Bildnisse.

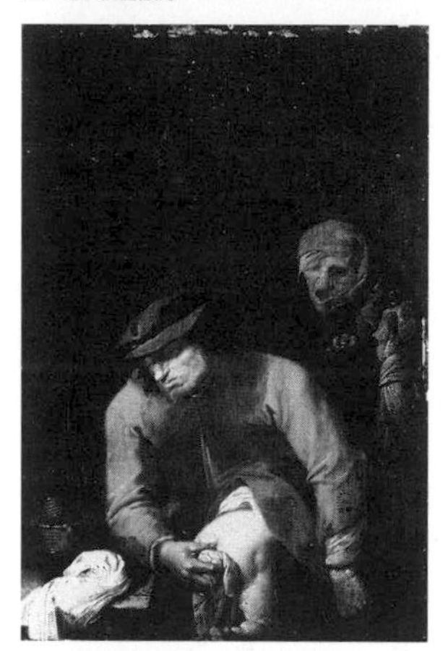
1057 Brouwer

1057 *Unangenehme Vaterpflichten.* Um 1631. Eichenholz, 20 × 13 cm. Zuerst im Katalog 1817.

Vermutlich zu einer Folge der «Fünf Sinne» gehörend, von der die übrigen Darstellungen noch nicht wieder bekannt geworden sind: Hier handelt es sich um die Wiedergabe des Geruchssinnes. Bode (1924) vermutete als Entstehungszeit die Jahre zwischen 1627 und 1631. Nach Knuttel (1962) hingegen entstand das Gemälde in der frühen Antwerpener Zeit.

Literatur: W. Bode: Adriaen Brouwer. Berlin 1924, S. 71. – W. Drost: Motivübernahme bei Jacob Jordaens und Adriaen Brouwer. In: Königsberger kunstgeschichtliche Forschungen. 1928, S. 33f. – E. Höhne: Adriaen Brouwer. Leipzig 1960, S. 33f. – G. Knuttel: Adriaen Brouwer. Den Haag 1962, S. 105.

1058 Brouwer

1058 *Bauernrauferei beim Würfelspiel.* Um 1634 bis 1636. Eichenholz, 22,5 × 17 cm. 1741 durch von Kaiserling.

Mitte der dreißiger Jahre malte Brouwer eine Reihe von Raufszenen, der auch das Dresdener Bild angehört. Drei Bauern sind beim Würfelspiel in Streit geraten. Auf knappem Raum schildert er das drastische Geschehen und baut die Komposition in drei Farben auf, nämlich Blau, Rot und Grün. Weitere Fassungen befinden sich im Metropolitan Museum in New York, im Suermondt-Museum in Aachen und im Museum in Lyon.

Literatur: Höhne 1960, S. 39, Taf. 29. – Knuttel 1962, S. 143. – J. F. Muller: Rubens. The Artist as Collector. Princeton/N.J. 1989, Nr. 279.

1059 *Bauernrauferei beim Kartenspiel.* Spätwerk. Eichenholz, 26,5 × 34,5 cm. Zuerst im Katalog 1817.

Drei Bauern sind durch das Kartenspiel in eine Rauferei geraten. Die Komposition wird durch die Szene im Vordergrund beherrscht. Die energische Lichtführung, verstärkt durch die koloristische Akzentuierung der Hauptgruppe, trägt zur weiteren Verlebendigung der Szene bei. Nach H. Gerson (1966) gehört das Bild zu den Spätwerken.

Literatur: Höhne 1960, S. 39. – Knuttel 1962, S. 110f. – H. Gerson, in: Kunstchronik 19, 1966 (3), S. 62.

1059 Brouwer

1061 *Zerrbild eines Mannes, der einen Finger in den Mund steckt.* Eichenholz, oval, 11 × 8,5 cm. Inventar 1722–1728, A 510 (als Brouwer Original).

Von F. Winkler (1936) wegen der weichen Malweise Joos van Craesbeck zugeschrieben. Das Gegenstück (Kat. 1876, Nr. 1206) «Brustbild eines Bauern in roter Mütze mit sperrweit offenem Mund» kam 1889 abhanden. Beide Bilder sind in Nachzeichnungen von Christian Wilhelm Ernst Dietrich in dessen Skizzenbuch im Dresdener Kupferstichkabinett erhalten und von W. Schade (1959) identifiziert worden.

Literatur: F. Winkler, in: Pantheon XVII, 1936, S. 163f. – W. v. Bode: Die Meister der holländischen und flämischen Malerschulen. Leipzig 1951, 6. Aufl., S. 495. – Knuttel 1962, S. 152f.

1061 Brouwer (?)

Brueghel der Ältere, Jan, genannt Samt- oder Blumen-Brueghel. Geboren 1568 in Brüssel, gestorben 1625 in Antwerpen. Sohn Pieter Bruegels des Älteren, Schüler von Pieter Goetkind in Antwerpen. 1593/94 in Rom, 1596 in Mailand, 1597 Meister der Antwerpener Lukasgilde, 1601/02 Dekan. Hofmaler des Erzherzogs Albrecht von Österreich. Brueghel arbeitete zusammen mit Peter Paul Rubens, Hendrick van Balen, Rottenhammer, Frans Francken und Joos de Momper. Er war Landschafts- und Blumenmaler.

883 *Küstenlandschaft mit der Berufung des Petrus und Andreas.* 1608. Bezeichnet rechts unten: BRVEGHEL 1608. Kupfer, 50 × 66 cm. Inventar 1722–1728, A 328.

Seit der Mitte des 16. Jahrhunderts entwickelte sich in Europa die Landschaftsmalerei zu einem selbständigen Bildzweig. Hier war es vor allem Pieter Bruegel – auch Bauernbruegel genannt –, der in seinen Jahreszeitenbildern die Verschiedenheit der Natur anschaulich zu machen vermochte. An der Wende vom 16. zum 17. Jahrhundert ist diese Tradition noch lebendig. Auf kleinen Eichenholz- oder Kupfertafeln versuchen die Maler, die Landschaft in ihrer ganzen atmosphärischen Erscheinung festzuhalten. Allerdings bedient sich der Künstler noch eines alten Hilfsmittels: der Aufbau der Komposition wird durch eine Diagonale bestimmt. Dieses Schema ist erst einige Jahrzehnte später durch Rubens aufgegeben worden, der die Landschaft in ihrer ganzen Bewegtheit und Dynamik zu erfas-

884 Brueghel d.Ä.

883 Brueghel d.Ä.

sen vermochte. Eine Replik mit geringfügigen Veränderungen in der Staffage, ebenfalls in der Zeit um 1608 entstanden, befindet sich in der Ermitage in St. Petersburg (Ertz, Abb. 197).

Literatur: Y. Thiéry: Le paysage flamand au XVIIe siècle. Brüssel 1953, S. 176. – R. H. Wilenski: Flemish Painters 1430–1830. London 1960, S. 514. – K. Ertz: Jan Brueghel der Ältere. Köln 1979, Nr. 173.

884 *Flußlandschaft mit Holzhackern.* 1608. Bezeichnet links unten: BRVEGHEL. 1608. Eichenholz, 46,5 × 55,5 cm. 1708 von Lemmers aus Antwerpen.

Die Besonderheit des Bildes liegt in der stimmungsvollen Wiedergabe des Atmosphärischen, aber auch dem sachlichen Detail schenkt der Künstler Aufmerksamkeit. Am Ufer herrscht geschäftiges Treiben, Holz wird transportiert und auf Schiffe verladen. Im Gegensatz dazu stehen die Weite der Wasserfläche und der Ausblick auf ein im Hintergrund liegendes Dorf.

Literatur: Thiéry 1953, S. 176. – Wilenski 1960, S. 514. – Ertz 1979, Nr. 172.

890 *Belebter Fahrweg auf waldiger Höhe.* Eichenholz, 42,5 × 66 cm. Inventar Guarienti (1747–1750), Nr. 518.

Die Landschaft ist mit geringen Veränderungen wiederholt in einem Gemälde von Jan Brueghel dem Älteren in der Alten Pinakothek in München, das 1610 datiert ist.

Literatur: E. Brochhagen: Deutsche und niederländische Malerei zwischen Renaissance und Barock. Katalog I. München 1961, Nr. 821. – L. Schreiner, in: Niederdeutsche Beiträge zur Kunstgeschichte 14, 1975, S. 116, Note 14. – Ertz 1979, Nr. 127.

890 Brueghel d.Ä.

Brueghel der Ältere, Jan (?)

893 *Wasserumspülte Häuser hinter Bäumen.* Gegenstück zu Gal.-Nr. 894. Kupfer, 13,5 × 19 cm. Inventar 1722–1728, A 600; durch Kurprinz Friedrich August aus Italien.

Eine Zeichnung von Matthaeus Merian dem Älteren im Kupferstichkabinett der Staatlichen Museen zu Berlin gibt topographisch (Abb. L. H. Wüthrich, Die Handzeichnungen von M. Merian d. Ä., Basel 1963, Kat.-Nr. 41) fast denselben Gegenstand wieder. Ebenso ein Bild von Brueghel, das sich 1945 bei P. de Boer in Amsterdam befand. Eine Kompilation zwischen der Merian-Zeichnung und dem Gemälde Brueghels stellt das Dresdener Bild dar, dessen Authentizität von J. Müller Hofstede (1963) und K. Ertz (1974) in Frage gestellt wurde. E. Brochhagen (1963) gibt das Dresdener Bild frageweise Pieter Gysels.

Literatur: Posse 1930, S. 30, Nr. 893 als Original von Jan Brueghel dem Älteren.

893 Brueghel d.Ä (?)

894 *Eine Kapelle unter Bäumen.* Gegenstück zu Gal.-Nr. 893. Kupfer, 13,5 × 19 cm. Inventar 1722–1728, A 598; durch Kurprinz Friedrich August aus Italien.

Bei dem Bild handelt es sich um eine alte Kopie des 17. Jahrhunderts, nach dem Original in der Sammlung des Duke of Wellington, Apsley House in London.

Literatur: Brod Gallery. Ausstellungskatalog. Jan Brueghel the Elder. A Loan Exhibition of Paintings (21. 6.–20. 7. 1979). London 1979, Nr. 24.

894 Brueghel d.Ä (?)

Buti, Giovanni Antonio Tätig um 1750 in Rom, als Architekturmaler offenbar in der Nachfolge und dem Umkreis der Prospekt- und Ruinenmalerei Panninis und Piranesis. Außer den zwei in Dresden befindlichen Bildern ist nichts von ihm bekannt.

461 *Palast mit Säulenhallen um einen Hof.* 1750. Bezeichnet links am Brunnen: Buti P.: MDCCL. P. Leinwand, 135 × 99,5 cm. Inventar 1754, I 404, als «autore moderno».

Da der Künstler im Inventar 1754 als moderner Autor bezeichnet wird, muß die Jahreszahl zweifellos MDCCL (statt MDCCI) gelesen werden. Die Darstellung riesiger antikisierender Architektur mit Kuppel, Tonnen- und Kreuzgewölben, Kolossalsälen und Pilasterreihen mit teils sakralem, teils profanem Charakter verherrlicht als Architekturphantasie die Größe des antiken Roms. Wie das Gegenstück (vgl. Paltronieri, Gal.-Nr. 462) im Catalogue 1765 als Pannini.

Literatur: L. Ozzola, in: L'Arte XVI. 1913, S. 124.

461 Buti

Calvaert, Denys, genannt Dionisio Fiammingo. Geboren 1540 in Antwerpen, gestorben 1619 in Bologna. Schüler des Landschaftsmalers Christian van den Queborn, bald danach in Bologna Schüler des Prospero Fontana und des Lorenzo Sabatini, mit dem er 1570 nach Rom ging. Dort beeinflußt von Vasari, Raffael, Michelangelo, Correggio und Barocci. Seit etwa 1572 ständig in Bologna tätig, wo er noch vor den Carracci eine Malerschule eröffnete. Er vereinigt die kräftige Farbigkeit der flämischen Manieristen mit vielfältigen italienischen Einflüssen zu einer stark pathetischen Malerei von oft emailartiger Glätte.

120 Calvaert

120 *Maria erscheint den Heiligen Franziskus und Dominikus.* 1598. Datiert unten in der Mitte: 1598. Leinwand, 159,5 × 125 cm. 1756 aus der Casa Ranuzzi in Bologna.

Links halb stehend, halb kniend der heilige Franziskus (1182–1226), Gründer des Franziskanerordens (1209), das rote Kreuz so von sich streckend, daß es genau im Mittelpunkt des Bildes steht. Rechts kniend der heilige Dominikus (1170 bis 1221), Gründer des Predigerordens (1215), bei ihm am Boden Buch und Lilie als Attribute. Beide Heilige blicken verklärt zu der in goldener Glorie aus dunklem Gewölk auftauchenden Madonna empor. Das Helldunkelprinzip und die überschwenglichen Gebärden sind vor allem das Erbe Correggios, die weiträumige Flußlandschaft verrät die flämische Herkunft des Künstlers.

Literatur: K. Woermann: Ein Bild Calvaerts in der Dresdener Galerie. In: Der Kunstfreund 1. Jg. 1885, Nr. 15, Spalte 232–234.

Canaletto, eigentlich Antonio Canal, genannt Canaletto. Geboren 1697 in Venedig, dort gestorben 1768. Sohn und Schüler des Theatermalers Bernardo Canal, Onkel des Bernardo Bellotto. 1719/20 in Rom, beeinflußt durch Pannini und den Holländer Gaspar van Wittel, danach in Venedig weitergebildet unter Luca Carlevaris und Marco Ricci. 1742 erneut in Rom, 1746–1750 und 1751–1755 in England tätig. Mit Hilfe der Camera obscura malte Canaletto sachlich getreue Stadtansichten, besonders von Venedig, Rom und London. Aufbauend auf holländische Städtemaler wie Jan van der Heyden oder die Brüder Berckheyde sowie Carlevaris als den Begründer der venezianischen Vedutendarstellung verlieh er diesem Zweig der Malerei höchsten künstlerischen Rang. Die Landschaft wird nicht mehr aus Versatzstücken konstruiert, sondern als Einheit empfunden und wiedergegeben. Die barock-theatralische Auffassung Panninis und Piranesis weicht einer realistisch-aufklärerischen Haltung, doch sind die topographischen Details über eine bloße Prospektmalerei hinaus durch die atmosphärische Stimmung und koloristische Wirkungen zusammengefaßt und gesteigert. Zu Canalettos zahlreichen Nachfolgern gehörte auch sein Neffe Bernardo Bellotto.

581 Canaletto

581 *Der Canal Grande in Venedig mit der Rialtobrücke.* Gegen 1725. Leinwand, 146 × 234 cm. Inventar 1754, I 524. *Farbtafel 16*

Der Blick aus der Nähe des Palazzo Corner Spinelli nach Nordosten auf den Großen Kanal als der Hauptverkehrsader Venedigs ist durch die Gruppierung von Frachtkähnen und Gondeln wie durch Licht und Schatten und die atmosphärische Bewegtheit dramatisiert. Links die Mündung des Rio di San

Polo, darüber der Turm der Kirche San Polo. Der Palast weiter hinten mit den Obelisken ist der Palast Papadopoli-Cuccina, bekannt durch Veroneses Gemälde der «Madonna Cuccina» in Dresden (Gal.-Nr. 224). In der Bildtiefe die Rialtobrücke.

Literatur: W. G. Constable: Canaletto. Giovanni Antonio Canal 1697–1768. Oxford 1962, II, Nr. 208. – K. Baetjer/J. G. Links, in: Canaletto. Ausstellungskatalog. New York 1989/90, Nr. 6.

582 *Der Platz vor Santi Giovanni e Paolo in Venedig mit der Scuola di San Marco und Verrocchios Reiterdenkmal des Colleoni.* Um 1725. Leinwand, 125 × 165 cm. Inventar 1754, I 555.

Rechts die gotische Dominikanerkirche, Grabstätte bedeutender Venezianer, daneben der Renaissancebau der Scuola (Schule) di San Marco, einst Sitz einer Laienbruderschaft am Rio dei Mendicanti (Kanal der Bettler). Ganz rechts das Denkmal des venezianischen Söldnerführers Colleoni, 1488 von Verrocchio, dem Lehrer Leonardos da Vinci, geschaffen.

Literatur: Constable 1962, II, Nr. 305. – Baetjer/Links 1989, Nr. 5.

583 *Der Platz von San Giacomo di Rialto in Venedig.* Kurz vor 1730. Leinwand, 95,5 × 117 cm. Inventar 1754, I 558.

Zwischen der Kirche und dem großen Palast rechts die Ruga degli Orefici (Goldschmiede), benannt nach den Verkaufsständen für Gold- und Silberwaren. Sie führt zur Rialtobrücke, die mit drei Treppenpassagen und zwei Reihen von Läden den Canal Grande überquert. Auf dem Campo werden Bilder und Geflügel zum Verkauf angeboten. Die Darstellung vereinigt zwei perspektivische Standpunkte. – Baetjer und Links möchten, im Gegensatz zu Constable und V. Pemberton-Pigott (briefl. 1989), das Bild viel später, gegen 1750, datieren.

Literatur: Constable 1962, II, Nr. 297. – Baetjer/Links 1989, Nr. 7.

585 *An der Mündung des Canal Grande in Venedig.* Um 1720. Gegenstück zu Gal.-Nr. 586. Leinwand, 65 × 98 cm. 1741 aus der Sammlung Wallenstein in Dux.

Am südöstlichen Ende des Kanals rechts die barocke Kuppelkirche Santa Maria della Salute vor dem Meereszollamt mit dort versammelten Lastkähnen, links im Hintergrund der Campanile der Kirche San Marco, weiter rechts der Dogenpalast mit seinen gotischen Arkaden. Die Autorschaft des Bildes wie auch des Gegenstückes ist umstritten.

Literatur: Constable 1962, II, Nr. 168.

586 *Der Canal Grande in Venedig.* Um 1720. Gegenstück zu Gal.-Nr. 585. Leinwand, 65,5 × 97,5 cm. Herkunft wie Gal.-Nr. 585.

Die Blickrichtung ist die gleiche wie beim Gegenstück, der Standpunkt weiter westlich, kanaleinwärts. Rechts der Campo di San Vio, hinten die Kuppel der Salutekirche. Links der Palazzo Corner della Cà Grande, die heutige Präfektur.

Literatur: Constable 1962, II, Nr. 183.

582 Canaletto

583 Canaletto

585 Canaletto

586 Canaletto

52/20 *Der Canal Grande in Venedig nahe der Rialtobrücke nach Norden.* Um 1725/26. Gegenstück zu Nr. 52/105. Leinwand, 149,5 × 197 cm. Inventar 1754, I 525.

Links eine Ecke des offenen Gemüsemarktes, daneben die Fabbriche Nuovo di Rialto und am Bildrand der Kirchturm von S. Cassiano, dahinter der offene Fischmarkt und – im Scheitel der Kanalkrümmung hervortretend – der Palazzo Pesaro; rechts der Palazzo Michiel del Brusa, der Palazzo Michiel dalle Colonne, vor der Gondelanlegestelle der Palazzo Foscari, hinter dieser der Palazzo Morosini-Sagredo und – ein Stück hinter der Gondelanlegestelle – mit dem reichen Kreuzblumenabschluß die Cà d'Oro. In der Tiefe herausragend der Palazzo Loredan Vendramin Calergi vor dem Campanile von S. Marcuola. Das Bild wird wie sein Gegenstück um 1725/26 datiert, in die Nähe der 1726 für Stefano Conti in Lucca gemalten Veduten. Der Dresdener Galeriedirektor Friedrich Matthäi erwähnte die beiden Dresdener Gemälde 1834 im königlichen Lustschloß Pillnitz im Zimmer neben dem Speisesaal. Viola Pemberton-Pigott (1988) vermutet wegen der großen Formate, daß sie von Canaletto eigens im Auftrage Augusts des Starken gemalt wurden. Ein Bild mit gleichem Motiv von kleinerem Format befindet sich in der Sammlung Pillow in Montreal.

Literatur: Constable 1962, II, Nr. 231.

52/20 Canaletto

52/105 Canaletto

52/105 *Der Canal Grande in Venedig vom Palazzo Balbi aus.* Um 1725/26. Gegenstück zu Nr. 52/20. Leinwand, 148 × 196 cm. Inventar 1754, I 524.

Blick vom Cà Foscari nach Nordosten zur Rialtobrücke. Links angeschnitten der Palazzo Balbi, rechts die Palazzi Erizzo und Contarini dalle Figure und die vier Palazzi der Familie Mocenigo, in der Ferne die Dachregion der Kirche Santi Giovanni e Paolo. Wie das Gegenstück ist auch dieses Bild durch die starken Helldunkelkontraste der früheren Zeit des Malers bestimmt. Ein ähnliches Bild von kleinerem Format bewahrt die Accademia Carrara in Bergamo, ein weiteres die Sammlung Crespi in Mailand. Wie ihr Gegenstück ist auch diese Vedute von höchster malerischer Schönheit.

Literatur: Constable 1962, II, Nr. 211.

Carpioni, Giulio Geboren 1611 in Venedig, gestorben 1674 in Verona. Schüler von Alessandro Varotari, weitergebildet unter dem Einfluß von Simone Cantarini. Tätig in Venedig, Vicenza und Verona. Nach dem Vorbild klassizistischer bolognesischer Künstler des 17. Jahrhunderts wie Albani und auch Poussins gelangte er im Gegensatz zur venezianischen Tradition der Gestaltung aus der Farbe zur Betonung linearer und plastischer Werte. Seine hellfarbigen Bilder sind aber zugleich Vorstufen der großen dekorativen Kompositionen in der venezianischen Malerei des 18. Jahrhunderts.

536 Carpioni

536 *Latona verwandelt die Bauern in Frösche.* Um 1665–1670. Gegenstück zu Gal.-Nr. 537. Leinwand, 108 × 132 cm. 1738 durch Ventura Rossi aus Venedig.

Nach den Metamorphosen Ovids (VI, 338–380) kam die von Juno, der eifersüchtigen Gemahlin Jupiters, verfolgte Latona mit ihren von Jupiter gezeugten Kindern Apollo und Diana ermattet nach Lykien. Als schilfschneidende Bauern sie dort daran hindern wollten, an einem Weiher ihren Durst zu löschen, verwandelte sie diese zur Strafe in Frösche. Das erscheint hier als glaubhafte Gegenwart. Mit Entsetzen lehnen sich die Unglücklichen ohnmächtig gegen ihr Schicksal auf. Die in Kulissen aufgebaute Landschaft unterstützt die Wirkung.

Literatur: Walther 1968, Nr. 26. – R. Pallucchini, in: La Pittura Veneziana del Seicento. Milano 1981, I, S. 215.

537 *Coronis wird in eine Krähe verwandelt.* Um 1665 bis 1670. Gegenstück zu Gal.-Nr. 536. Leinwand, 108 × 131,5 cm. Herkunft wie Gal.-Nr. 536.

Der Meeresgott Poseidon oder Neptun hat mit seinem Muschelgefährt am Strand von Thessalonien angelegt, um sich der vor ihm fliehenden keuschen Tochter des Königs von Phocis zu bemächtigen (Ovid, Metamorphosen, II, 572–588). Die auf einer Wolke lagernde, selbst jungfräuliche Göttin Minerva aber verwandelt die schöne Coronis in eine Krähe, die sich in die Lüfte erhebt. Dennoch wirkt das Mädchen unglücklich, sein Verfolger dagegen ergrimmt. Das Bild weist schon auf das Rokoko voraus, und Carpioni erscheint als Vorläufer Tiepolos.

Literatur: Pallucchini 1981, I, S. 215.

537 Carpioni

Carracci, Annibale Geboren 1560 in Bologna, gestorben 1609 in Rom. Zusammen mit seinem drei Jahre älteren Bruder Agostino Schüler ihres Vetters Ludovico Carracci in Bologna. Beeinflußt von Passarotti, 1584/85 in Parma von den Werken Correggios, 1587/88 in Venedig von Tizian und Veronese. Bis 1595 tätig in Bologna, wo die Carracci unter Leitung Ludovicos eine gemeinsame Werkstatt unterhielten und 1582 eine gegen den Manierismus gerichtete Schule gründeten; sie entwickelte sich später unter Leitung von Reni und Guercino zur Bologneser Akademie. Seit 1595 tätig in Rom im Auftrage des Kardinals Odoardo Farnese, beeinflußt durch Raffael, Michelangelo und die Antike. Neben Caravaggio Begründer der italienischen Barockmalerei, die auch von den zahlreichen Schülern seiner römischen Werkstatt weitergeführt wurde.

302 Carracci

302 *Christus mit der Dornenkrone, von Engeln gestützt.* Um 1585 bis 1587. Leinwand, 85 × 100 cm. 1746 aus der herzoglichen Galerie in Modena.

Carracci stützt sich bei der Darstellung auf Kompositionen der Frührenaissance. Die Körperbildung erinnert an Mantegna. Das Bild ist eine gemilderte Form der Ecco-homo-Darstellung, der Wiedergabe des gegeißelten, mit Dornenkrone und anderen Insignien als falschen König dem Gespött preisgegebenen Christus. Der römische Statthalter Pilatus wollte mit seinen Worten «Ecce homo» – «Siehe, welch ein Mensch» (Johannes 19,4–5) – das Volk zum Mitleid mit ihm bewegen.

Literatur. D. Posner: Annibale Carracci. London 1971, II, Nr. 34.

303 Carracci

303 *Die Himmelfahrt Mariä.* 1587. Datiert an der Platte unterhalb der Wölbung des Sarkophages: M.D.LXXXVII. Leinwand, 381 × 245 cm. Herkunft wie Gal.-Nr. 302.

Maria hat sich in die Lüfte erhoben, während die um den leeren Sarkophag versammelten Apostel ihr mit Gebärden des Ergriffenseins und Verwunderns nachschauen. Die Bewegungsmotive mit den ungewöhnlichen Verkürzungen und das dramatische Pathos folgen dem Stil Correggios, der hier als eine Grundlage der Barockmalerei Wiederaufnahme findet. Die «Assunta» gilt als das erste große Werk des neuen Stils. Das Bild wurde in Dresden eine Zeitlang irrtümlich Ludovico Carracci zugeschrieben.

Literatur: Posner 1971, II, Nr. 40.

304 *Thronende Madonna mit dem heiligen Matthäus.* 1588. Bezeichnet am Rande der Schreibtafel: HANNIBAL CARRACTIVS BON. F. MDLXXXVIII. Leinwand, 384×255 cm. Herkunft wie Gal.-Nr. 302. *Farbtafel 12*

Links der Evangelist Matthäus mit Schreibgerät, der zu ihm gehörige Engel mit der Schriftrolle zu Füßen des Thronsockels sitzend, rechts der heilige Franziskus, den Fuß des Jesusknaben küssend, und Johannes der Täufer mit Blick auf den Betrachter auf das Kind als den kommenden Erlöser weisend. Die unsymmetrische, diagonale Komposition hat ihre Vorbilder in Tizians Pesaromadonna und Veroneses Madonna mit der heiligen Katharina in Venedig. Neben dem starken venezianischen Einfluß zeigt sich in den Typen der Gestalten der Einfluß Correggios, wie der Vergleich mit dessen Georgsmadonna (Gal.-Nr. 153) ausweist.

Literatur: Posner 1971, II, Nr. 45.

304 Carracci

305 *Der heilige Rochus, den Pestkranken Almosen spendend.* Um 1594/95. Leinwand, 331×477 cm. Herkunft wie Gal.-Nr. 302.

Rochus stammte nach der Legende aus dem südfranzösischen Montpellier, gab sein ererbtes Vermögen den Armen, nahm sich bei einer Pilgerfahrt nach Rom der Pestkranken an, erkrankte selbst an der Pest und genas und wird daher als Pestheiliger verehrt. Der Heilige, zu dem die kompositionsbestimmende Diagonale hinführt, ist als Hauptfigur aus der Mitte nach rechts oben gerückt, eine Gruppe von Almosenempfängern, die ihr Geld nachzählen, dagegen in den Vordergrund. Von kühner Neuartigkeit ist das Motiv des Schwerkranken, der auf einer Karre gefahren wird. Realistische Wirklichkeitsschilderung ist gemäß einem Prinzip der Barockkunst in den Dienst rhetorisch-didaktischer Wirkung gestellt. Das Bild wird als die erste große vielfigurige Komposition des Barocks bezeichnet.

Literatur: Posner 1971, II, Nr. 86.

305 Carracci

306 *Der Genius des Ruhmes.* Um 1588/89. Leinwand, 174×114 cm. Herkunft wie Gal.-Nr. 302.

Die Deutung des geflügelten Jünglings, der mit der Linken eine Krone emporhebt und Siegeskränze am Arm trägt, als «Genius des Ruhms und der Ehre» stammt von Carl Heinrich von Heinecken (Altes Galeriewerk II. 1757). Das Bild wurde früher auch als «Die Ehre» oder «Die Tapferkeit» bezeichnet und wahrscheinlich für eine Deckenmalerei entworfen. Die malerische Behandlung läßt den venezianischen Einfluß erkennen.

Literatur: Posner 1971, II, Nr. 48.

306 Carracci

307 *Die Madonna mit der Schwalbe.* Um 1589/90. Leinwand, 101×85 cm. Herkunft wie Gal.-Nr. 302.

Links unten angeschnitten der kleine Johannes, dem Jesusknaben die auf seiner Hand sitzende Schwalbe darreichend, ein Symbol für die Menschwerdung und Auferstehung Christi. Auch hier zeigt sich besonders in der Farbigkeit der venezianische Einfluß, vor allem Veroneses.

Literatur: Posner 1971, II, Nr. 49.

307 Carracci

308 *Bildnis eines Lautenspielers.* Um 1593/94. Leinwand, 77×64 cm. Herkunft wie Gal.-Nr. 302.

Wahrscheinlich das Bildnis des Musikers Mascheroni, des vertrauten Freundes des Malers, das der Kunsthistoriograph Malvasia 1678 in Modena sah und beschrieb. Im 19. Jahrhundert kam die Meinung auf, daß hier der Schauspieler Giovanni Gabrielle, genannt «il sivello», dargestellt sei. Wie Denis Mahon nachgewiesen hat (1947), läßt sich dies jedoch kaum rechtfertigen. Mit dem fast provozierend auf den Betrachter gerichteten Blick, der zugleich die Konzentration auf das Spiel verrät, ist das Bildnis von großer Lebendigkeit. Vorzeichnungen befinden sich in Windsor Castle, in der Albertina Wien sowie in den Uffizien und im Kupferstichkabinett Berlin-Dahlem.

Literatur: Posner 1971, II, Nr. 76.

308 Carracci

Castello, Valerio Geboren 1624 in Genua, dort gestorben 1659. Schüler des Fiasalla und des Giovanni Andrea de Ferrari, beeinflußt von den Werken des Pierino del Vaga, danach in Mailand von Procaccino. Seine stark rhythmisch bewegte, von kräftigen Helldunkelwirkungen dramatisierte Malerei vereint die Anmut Correggios und die Farbkultur und das malerische Temperament Veroneses und Tintorettos.

665 *Die Anbetung der Könige.* Um 1654/55. Gegenstück zu Gal.-Nr. 666. Leinwand, 54,5×60 cm. Inventar 1722–1728, A 404, als Luca Giordano; seit dem Catalogue 1765 als Biscaino.

Castello hat das zumeist statuarisch behandelte Thema der Anbetung der drei Könige (Matthäus 2, 1–12) mit Hilfe seiner nervösen, geistreichen Kunst dynamisiert und dramatisiert. Ein Page hält die Krone des knienden Königs, dem sich das Jesuskind lebhaft zuwendet. Ungewöhnlich ist die Begleitfigur des Trompeters, der das Ereignis der Geburt ausposaunt. Die Autorschaft Castellos ist heute unbestritten, nachdem das Bild wie auch sein Gegenstück Gal.-Nr. 666 seit dem Catalogue 1765 als Werk des Schülers Castellos, des Bartolomeo Biscaino, geführt worden war.

Literatur: C. Manzitti: Valerio Castello. Genova 1972, Nr. 108.

665 Castello

666 *Die Darstellung Christi im Tempel.* Um 1654/55. Gegenstück zu Gal.-Nr. 665. Leinwand, 55×59 cm. Inventar 1722–1728, A 403, als Luca Giordano; seit dem Catalogue 1765 als Biscaino.

Stilistisch wie das Gegenstück behandelt. Im Mittelpunkt der Darstellung (nach Lukas 2, 22–32) der Hohepriester mit dem Jesuskind, hinter ihm zwei Gehilfen, von denen der eine eine Kerze hält, Symbol auf die hier gesprochenen Worte Simeons «Ein Licht, zu erleuchten die Heiden», weshalb das Ereignis der Darbringung auch als «Lichtmesse» (2. Februar) begangen wird. Auf den Stufen Maria und Joseph, die den Jesusknaben 40 Tage nach seiner Geburt zur Weihe in den Tempel zu Jerusalem gebracht haben.

Literatur: Manzitti 1972, Nr. 109.

666 Castello

Catena, Vincenzo, eigentlich Vincenzo di Biagio, genannt Vincenzo Catena. Geboren um 1470 vermutlich in Venedig, dort gestorben 1531. Beeinflußt von Giovanni Bellini und später vor allem von Giorgione, wodurch er von einer anfänglich fast metallisch harten Malweise zu weicherer Modellierung gelangte. Catena genoß trotz der Stilverspätung seiner – dennoch reizvollen – Kunst zu seiner Zeit hohe Anerkennung.

64 A *Maria mit dem Kind zwischen Petrus und der heiligen Helena.* Bald nach 1505. Pappelholz, 84,5×107,5 cm. 1874 aus der Sammlung Barker in London.

Der Apostel Petrus ist an den auf der Brüstung liegenden Schlüsseln zu erkennen, dem Symbol der ihm von Jesus übertragenen Schlüsselgewalt, kraft derer Petrus den Menschen den Zugang zum Himmelreich eröffnen oder verwehren kann (Matthäus 16, 18–19). Die heilige Helena, Mutter des ersten christlichen römischen Kaisers Konstantin und Förderin des Christentums, wird durch das große Kreuz ausgewiesen. Berenson erkannte in dem Bild ein Frühwerk Catenas, wofür auch die an Intarsien erinnernde Klarheit und Strenge der Flächenbegrenzung spricht. Dagegen hat Heinemann (1963) den sogenannten Vincenzo di Girolamo aus dem Kreis der Santacroce in Vorschlag gebracht. Die Gruppe der Maria mit dem Kinde folgt einem Bild Giovanni Bellinis in der Sammlung Earl of Harewood, London.

Literatur: G. Robertson: Vincenzo Catena. Edinburgh 1954, S. 18/19, 44, Nr. 8.

64 A Catena

Cavazzola, eigentlich Paolo Morando, genannt Cavazzola. Geboren um 1486/88 in Verona, dort gestorben 1522. Schüler des Francesco Bonsignori sowie des Domenico und des Francesco Morone. Als der klassische Vertreter des Raffaelismus in Verona wurde er der Veroneser Raffael genannt.

201 *Bildnis eines Herrn.* 1518. Bezeichnet links in Schulterhöhe: PAVLVS/MORANDVS/MDX/VIII. Leinwand, 93×75,5 cm. 1875 von R. Brooks in London.

Dargestellt ist wahrscheinlich der Jurist und apostolische Protonotarius Joannes Emilius aus der Familie degli Emili in Verona. Dieser war 1518 42 Jahre alt, was dem Anschein entspricht. An dem kostbaren Gewand mit Goldbrokatärmeln und pelzbesetztem Samtmantel ist der Patrizier zu erkennen. In der

201 Cavazzola

ruhigen, schönen Klarheit der Formgebung offenbart sich der Einfluß Raffaels. Die Signatur wurde erst 1970 mit Hilfe von Infrarotaufnahmen entdeckt.

Literatur: Chr. Hornig: Cavazzola. München 1976, S. 108/09.

Celesti, Andrea Geboren 1637 in Venedig, gestorben um 1711 in Toscolano (Gardasee). Schüler des Matteo Ponzone, beeinflußt von den Venezianern des 16. Jahrhunderts wie Veronese und Tintoretto, aber auch von Correggio, Michelangelo und zeitgenössischen italienischen und flämischen Künstlern. Tätig in Venedig und später im Gebiet von Brescia. Celesti war einer der wenigen bedeutenderen aus Venedig gebürtigen Maler des 17. Jahrhunderts, bekannt durch großformatige theatralische Darstellung religiöser Stoffe.

543 Celesti

543 *Die Israeliten, ihren Schmuck für den Guß des Goldenen Kalbes zusammentragend.* Bald nach 1680. Leinwand, 149×201 cm. 1725 durch Le Plat erworben; Inventar 1722–1728, A 1589.

Während Moses beim Auszug des Volkes Israel aus Ägypten auf dem Berg Sinai die Gesetzestafeln empfing, forderte sein Bruder Aaron das scheinbar führerlos gewordene Volk auf, sich selbst ein Götzenbild zu gießen (2. Buch Mose, 32, 1–4). Celesti hat in der Verbindung michelangelesker kühner Bewegungsmotive mit der typisch venezianischen malerischen Weichheit und einer durch zwei sich kreuzende Diagonalen bestimmten spannungsvollen Komposition eine stark pathetische Darstellung geschaffen.

Literatur: A. M. Mucchi/C. Della Croce: Il pittore Andrea Celesti. Milano 1854, S. 45, 84. – R. Pallucchini: La Pittura Veneziana del Seicento. Milano 1981, I, S. 267.

Cerquozzi, Michelangelo, genannt Michelangelo delle battaglie. Geboren 1602 in Rom, dort gestorben 1660. Schüler des Cavaliere d'Arpino, dann des Schlachtenmalers Jakob de Hase. Die entscheidenden Anregungen für die Darstellung von Volksszenen und Schlachtenbildern empfing er von dem Holländer Pieter van Laer, dessen Kunst er gleichsam ins Italienische umsetzte. Wegen seiner Spezialisierung wurde er «Michelangelo der Schlachten» genannt.

428 Cerquozzi

428 *Plünderungsszene.* Leinwand, 60×73 cm. Inventar 1754, I 278.

Ein Soldat beraubt einen Toten seiner Kleider, während eine junge Frau, ihr Kind an der Brust, einen Offizier um Gnade anfleht und im Hintergrund das Haus ausgeräumt wird. Über das Anekdotische hinaus ist der Szene durch die klare Gruppierung und Verbindung mit großzügig behandelter Architektur und Landschaft Monumentalität verliehen.

Literatur: Posse 1929, S. 188.

Chiari, Giuseppe Bartolomeo Geboren 1654 in Rom, dort gestorben 1727. Seit seinem zwölften Lebensjahr Schüler und Gehilfe des Carlo Maratti, entscheidend von diesem beeinflußt und nach dessen Tod (1713) der führende Vertreter der akademischen römischen Barockmalerei. Der neoklassizistische Zug seiner Kunst äußert sich nicht zuletzt in der etwas gedämpften Farbigkeit.

444 Chiari

444 *Die Anbetung der Könige.* 1714. Bezeichnet links unten: IOSEPH CLARUS PINGEBAT. ANNO MDCCXIV. Leinwand, 245×281 cm. Inventar 1754, I 360.

Das Bild ist bestimmt durch ein dekoratives lyrisches Pathos und den Ausdruck inniger, demutsvoller Frömmigkeit. Ikonographisch ungewöhnlich sind die beiden Engel links. Das Bild wurde vielleicht für den Kardinal Ottoboni gemalt, als Gegenstück zur «Ruhe auf der Flucht nach Ägypten» von Francesco Trevisani (vgl. Gal.-Nr. 447). H. Voss (1924) hat auf die große Nähe zu Maratti hingewiesen. Eine zweite, sehr ähnliche Fassung befindet sich seit 1971 in der Gemäldegalerie der Staatlichen Museen Berlin.

Literatur: H. Voss, in: Die Malerei des Barock in Rom. Berlin 1924, S. 605. – E. Schleier: «Die Anbetung der Könige» von Giuseppe Chiari. In: Berliner Museen 1973. 2, S. 58–67.

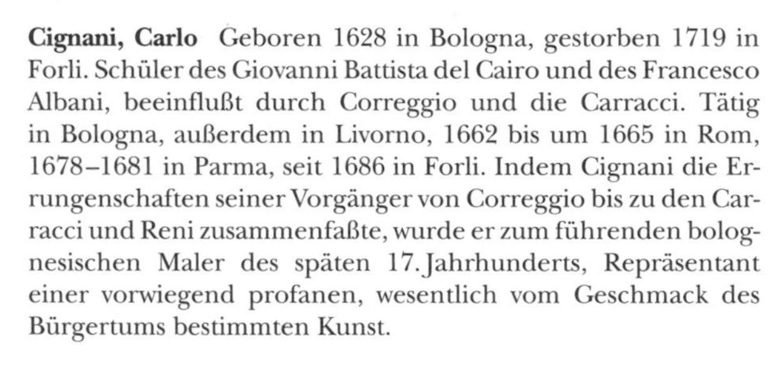

Cignani, Carlo Geboren 1628 in Bologna, gestorben 1719 in Forli. Schüler des Giovanni Battista del Cairo und des Francesco Albani, beeinflußt durch Correggio und die Carracci. Tätig in Bologna, außerdem in Livorno, 1662 bis um 1665 in Rom, 1678–1681 in Parma, seit 1686 in Forli. Indem Cignani die Errungenschaften seiner Vorgänger von Correggio bis zu den Carracci und Reni zusammenfaßte, wurde er zum führenden bolognesischen Maler des späten 17. Jahrhunderts, Repräsentant einer vorwiegend profanen, wesentlich vom Geschmack des Bürgertums bestimmten Kunst.

387 Cignani

387 *Joseph und Potiphars Weib.* Um 1678 bis 1680. Leinwand, achteckig, 99×99 cm. 1749 durch Guarienti aus der Casa Contarini in Venedig.

Die junge Gemahlin des hohen ägyptischen Staatsbeamten Potiphar wollte den von seinen Brüdern als Sklaven nach Ägypten verkauften und in ihrem Hause als Verwalter beschäftigten Israeliten Joseph verführen, was Joseph aus Treue zu seinem Herrn verweigerte (1. Buch Mose, 39, 1–12). Cignani hat der Gestalt der Frau hohen sinnlichen Reiz verliehen und durch die Zentralkomposition das Gegeneinander der Willensanstrengungen anschaulich gemacht.

Literatur: H. Olsen: Italian Paintings and Sculpture in Denmark. Copenhagen 1961, S. 52. – Chr. Thiem, in: Guido Reni und Europa. Ausstellungskatalog. Frankfurt/Main 1988, Nr. D 9.

Cima, Giovanni Battista, genannt Cima da Conegliano. Geboren 1459 oder 1460 in Conegliano (Provinz Treviso), dort gestorben 1517 oder 1518. Ausgebildet im Umkreis des Bartolomeo Montagna in Vicenza, beeinflußt durch Antonello da Messina, Giovanni Bellini und Giorgione als einer ihrer begabtesten

63 Cima

Anhänger. Tätig in Conegliano, Vicenza und 1492–1516 in Venedig. Seine Malerei ist bestimmt von einer lichtdurchtränkten warmen Farbigkeit und poetisch stiller Schönheit im Zusammenwirken von Landschaft und Figuren.

61 *Der segnende Christus.* Bald nach 1500. Pappelholz, 151×77 cm. Inventar 1754, I 195, als Bellini.

Der milde Typus des segnenden Christus geht zurück auf Jacopo Bellini, dem das Bild früher auch zugeschrieben war. Die beiden Männer, die auf der Straße mit dem Esel daherkommen, sind die von Christus ausgesandten zwei Jünger, die ihm das Reittier zum Einzug in Jerusalem herbeibringen (Matthäus 21, 1–7). Damit ist hier der Beginn der Leidensgeschichte angedeutet.

Literatur: P. Humfrey: Cima da Conegliano. Cambridge/Mass., 1983, Nr. 42.

61 Cima

63 *Mariä Tempelgang.* Kurz vor 1500. Pappelholz, 105×145 cm. 1743 durch Minelli aus einer Kirche bei Venedig; Inventar 1754, I 146, als Bellini.

Nach einem apokryphen Evangelium wurde die zukünftige Gottesmutter Maria zehnjährig dem Tempel übergeben. Mit einem Licht in der Hand steigt sie die Stufen zu dem sie erwartenden Hohenpriester hinauf, während ihre Verwandten unten zurückbleiben. In der Nachfolge Gentile Bellinis und Carpaccios hat Cima eine ausführlich erzählende Darstellung gegeben und die Schilderung der heimatlichen Landschaft, zeitgenössischer Architektur und der Menschen in ihrem alltäglichen Leben einbezogen.

Literatur: D. Rosand: Titian's Presentation of the Virgin in the Temple and the Scuola della Carità. In: The Art Bulletin, March 1976, S. 61. – Humfrey 1983, Nr. 44.

Claesz., Pieter Geboren 1597 oder 1598 in Burgsteinfurt (Westfalen), gestorben 1661 in Haarlem. Vater des Landschaftsmalers Nicolaes Pietersz. Berchem (vgl. Gal.-Nr. 1479, 1481). Tätig hauptsächlich in Haarlem. Mit Willem Claesz. Heda gehört er zu den wichtigsten Vertretern der Haarlemer Stillebenmalerei.

1370 Claesz.

1370 *Stilleben mit hohem goldenen Pokal.* 1624. Bezeichnet links unten: PC (verschlungen) A° 1624. Eichenholz, 65×55,5 cm. 1875 aus dem Kunsthandel in Amsterdam. *Farbtafel 40*

Ein Prunkstück holländischer Goldschmiedekunst ist der hohe goldene Pokal. Dargestellt ist die Vergänglichkeit irdischen Lebens, also ein Vanitasstilleben, worauf die einzelnen Gegenstände hindeuten: die beiden Nelkenblüten, die Muscheln – sie sind nur leere Schalen – und die Uhr, die abläuft.

Literatur: N. R. A. Vroom: A Modest Message. 2 Bde. Schiedam 1980. Bd. 1, S. 92f., Bd. 2, S. 101, Nr. 506. – A. Mayer-Meintschel, in: Das Stilleben und sein Gegenstand. Ausstellungskatalog. Dresden 1983, Nr. 31. – S. Segal: A Prosperous Past. Katalog der Ausstellung in Delft, Cambridge, Fort Worth. Den Haag 1988, S. 129, Nr. 29.

Cleve, Joos van, eigentlich Joos van der Beke, genannt Joos van Cleve. Geboren um 1480/85 in Cleve, gestorben 1540 in Antwerpen. Sein Werk wurde ursprünglich unter dem Notnamen «Meister des Todes Mariä» zusammengefaßt. Vor 1511 möglicherweise in Brügge tätig, wo er unter dem Einfluß von Hans Memling und Gerard David stand. 1511 Freimeister in Antwerpen, 1519 und 1525 Dekan der St. Lukasgilde. Reisen nach Köln, Frankreich (Bildnisse von Franz I. und dessen zweiter Gemahlin, Eleonore von Portugal) und nach England. Reise nach Italien wird vermutet, vor allem nach Genua, wo sich einige seiner Werke befinden.

809 Cleve

809 *Die (kleine) Anbetung der Könige.* Um 1513. Beschriftet am Mantelsaum des Mohrenkönigs: REX: BALTHESAR ... TVS: REIS ... IN ALMA. Am Gefäß rechts unten: IASPER IN O ... Eichenholz, oben geschweift, 110×70,5 cm. Zuerst im Katalog 1812.

Das Hauptgeschehen ist auf den Vordergrund konzentriert. Rechts sitzt Maria und hält das Kind auf dem weißen Corporale. Es reicht Kaspar, dem knienden König, eine rote Mohnblüte. Die Gabe Kaspars, der Kelch mit dem Weihrauch, steht neben Maria auf dem Stein. Hinter ihm Melchior, der älteste der Könige mit phrygischer Mütze, überbringt dem Kind goldene Gefäße. Links der Mohrenkönig, er reicht die Myrrhe. Es war Brauch in der Malerei, den ersten König als Europäer, den zweiten als Asiaten im Mannesalter und den dritten als Mohren und Jüngling darzustellen. So vertreten die drei Könige nicht nur die drei Lebensalter, sondern auch die drei Erdteile: Europa, Asien und Afrika. Zur Hauptgruppe gehört auch Joseph mit Pilgerstab und Hut. Weiter hinten stehen drei Männer, wovon der jüngere mit schwarzer Kappe (links) der Künstler selbst ist.

Literatur: Mayer-Meintschel 1966, S. 14. – M. J. Friedländer: Early Netherlandish Painting. Bd. IX, Teil 1. New York/Washington 1972, Nr. 27.

809 A Cleve

809 A *Die (große) Anbetung der Könige.* Um 1525. Eichenholz, oben rund, 251 × 185 cm. Aus der Kirche San Luca d'Erba bei Genua vom Grafen Schulenburg bei der Belagerung von Genua gerettet und als Geschenk an König August III. Inventar Guarienti (1747–1750), Nr. 52, als Dürer, ebenso noch im Inventar 1754, B 70.

Im Katalog von 1812 war das Bild Jan Gossaert zugeschrieben, J. Hübner (1856) stellte Gossaerts Autorschaft in Frage, und K. Woermann (1908) erkannte es als Werk vom «Meister des Todes Mariä». Aufgrund der Herkunft des Bildes kann man annehmen, daß es für eine Lukaskirche geschaffen worden ist, denn der Heilige erscheint rechts vorn im Bilde, die Madonna malend, mit dem Stier, während auf der linken Seite der heilige Dominikus mit Hund und brennender Fackel wiedergegeben ist. Im Hintergrund in der Mitte der Künstler selbst in schwarzer Kappe.

Literatur: Mayer-Meintschel 1966, S. 15–16. – Friedländer 1972, Nr. 28.

809 B Cleve

809 B *Bildnis eines bartlosen Mannes.* Um 1513. Halbfigur. Eichenholz, 42,5 × 30,5 cm. Inventar 1722–1728, A 297, als Hans Holbein «ein Contrefait, wie ein Jesuit» aus Leipzig.

Das Bild wurde früher Anthonis Mor zugeschrieben und von Scheibler (1884) als Werk vom «Meister des Todes Mariä» erkannt. In dem Dargestellten vermutet man einen Sammler (G. Ring), einen Kleriker (L. Baldass) oder eine Selbstdarstellung, was aber nach Vergleichen mit anderen erhaltenen Selbstbildnissen nicht aufrechterhalten werden konnte.

Literatur: L. Scheibler: Dresdener Notizen (Manuskript) des Herrn Dr. Scheibler von 1884. – G. Ring: Beiträge zur Geschichte der niederländischen Bildnismalerei im 15. und 16. Jahrhundert. Leipzig 1913, S. 151. – L. Baldass: Joos van Cleve. Wien 1925, Nr. 43. – Mayer-Meintschel 1966, S. 16. – Friedländer 1972, Nr. 81.

Codde, Pieter Jacobsz. Geboren 1599 in Amsterdam, dort gestorben 1678. Beeinflußt von Frans Hals, malte hauptsächlich Genrebilder mit Bürger- und Soldatengesellschaften. 1633 hat er ein von Frans Hals unvollendetes Bild, die sogenannte «Magere Kompanie» fertiggestellt. Tätig hauptsächlich in Amsterdam, wahrscheinlich auch in Haarlem und Leiden. Er gehört zu den besten Vertretern des Amsterdamer Gesellschaftsbildes.

3489 Codde

3489 *Familienbildnis mit sieben Personen:* 1643. Bezeichnet unterhalb des Buches, das der neben dem Vater stehende Knabe in den Händen hält: PC (verschlungen) 1643. Leinwand, 133 × 192 cm. 1948 aus Schweikershain.

Wegen einer Bezeichnung auf der Rückseite der Doublierleinwand war das Bild ursprünglich Jonson van Ceulen zugeschrieben. Es konnte 1958 aufgrund einer Restauration, bei der die Signatur freigelegt wurde, als Codde bestimmt werden. Da der Künstler allgemein nur kleinformatige Bilder dieser Art malte, muß es sich um einen bestimmten Auftrag gehandelt haben. Durch den Knaben mit Hut in der Mitte, der ein Medaillon trägt, auf dem ein Reiter und einige Buchstaben, möglicherweise VNM (?) erkennbar sind, dürfte man hier den Schlüssel für die Identifizierung der Personen sehen. Stilistisch nahestehend einem Bild von Codde im Rijksmuseum in Amsterdam von 1642.

Literatur: Mayer-Meintschel 1962, Nr. 7. – A. Mayer-Meintschel: Ein Familienbild von Pieter Codde. In: Dresdener Kunstblätter, Jg. 10, 1966, Heft 4, S. 58–63. – C. Bigler Playter: Willem Duyster and Pieter Codde: The «Duystere Werelt» of Dutch Genre Painting c. 1625–1635. Phil. Diss. Cambridge/Mass. 1987 (Mikrofilm), S. 33.

Giovanni Coli Geboren 1636 in Lucca, dort gestorben 1681.
Filippo Gherardi Geboren 1643 in Lucca, dort gestorben 1704.

Beide Maler waren Schüler des Pietro Paolini in Lucca und danach in Rom des Pietro da Cortona, aber besonders in dem warmen Kolorit auch von venezianischen Meistern beeinflußt. Da sie immer zusammenarbeiteten, sind sie praktisch nicht voneinander zu trennen. Sie entwickelten einen glanzvollen Stil, in dem sich venezianische und römische, bolognesische und lombardisch-correggieske Einflüsse zu malerischem Reichtum und barocker Prachtentfaltung verbinden.

379 Coli und Gherardi

379 *Die Verlobung der heiligen Katharina.* Leinwand, 142 × 196 cm. 1738 durch Ventura Rossi erworben.

Die heilige Katharina von Alexandrien (vgl. Barbari, Gal.-Nr. 58) soll wegen ihres christlichen Glaubens unter Kaiser Maxentius 306 oder 307 den Märtyrertod erlitten haben. Weil das zu ihrem Martyrium vorgesehene Rad der Blitz zerstörte, wurde sie enthauptet. Rad und Schwert sind daher zumeist, wie auch hier, in die bildliche Darstellung einbezogen. Zum Zeichen des mystischen Verlöbnisses steckt der Jesusknabe Katharina einen Ring auf den Finger, wie es ihr im Traum erschienen war, während ein Engel Violine spielt. Die beiden toskanischen Maler haben hier ein Bild von glanzvoller sinnlicher Schönheit geschaffen. Die kostbaren Gewänder, das reichverzierte Schwert, Draperie, Architekturdetails und eine dramatisierte Landschaft steigern die fast höfische Eleganz der Szene und verleihen ihr hohen gesellschaftlichen Anspruch. Das Bild wurde im Dresdener Inventar Guarienti (1747–1750), Blatt 21, Nr. 3, als Werk des «Filippo Gherardi detto il Lucchese» aufgeführt, seit dem ersten gedruckten «Catalogue» von 1765, S. 221, Nr. 277, aber dem älteren Lucchese Pietro Ricchi (1605–1675) zugeschrieben. Neuerlich ist von A. Bonini (1973) dessen Autorschaft wieder in Erwägung gezogen worden.

Literatur: H. Voss, in: Mitteilungen aus den Sächsischen Kunstsammlungen III. 1912, S. 69/70. – A. Mezzetti: La Pittura di Antonio Gherardi. In: Bollettino d'Arte XXXIII. 1948, S. 176. – A. Walther, in: Dresda sull'Arno. Katalog der Ausstellung Florenz 1982/83. Milano 1982, III. 4, S. 148.

Conca, Sebastiano Geboren 1679 in Gaeta (Provinz Rom), gestorben 1764 in Neapel. Schüler Solimenas in Neapel, seit 1706 in Rom. 1719 wurde er in die Accademia di San Luca aufgenommen und war zeitweilig ihr Präsident, gegen 1730 arbeitete er mit Giaquinto in Turin, seit 1751 wieder in Neapel. Seine vielfigurigen, dekorativ-theatralischen Decken- und Wandgemälde in Kirchen und Palästen Roms, Neapels und anderer italienischer Städte wie auch seine meist großformatigen Tafelbilder verraten den Einfluß älterer Maler wie Maratti, Luca Giordano und Giovanni Battista Gaulli; sie zeigen gestalterischen Aufwand und lebhafte Farbigkeit in einem schon vom oberflächlichen Rokoko mitbestimmten Klassizismus. Nach dem Tode Marattis (1713) und Chiaris (1727) rivalisierte Conca mit Trevisani um die führende Position in Rom. Seine Kunst fand schon zu seinen Lebzeiten viele Freunde auch im Ausland.

505 *Die Heiligen Drei Könige vor Herodes.* Um 1725 (?). Leinwand, 249 × 464 cm. 1743 durch Ventura Rossi.

Die Darstellung der Heiligen Drei Könige aus dem Morgenlande, auch Magier oder Weise genannt, gehörte zu den häufigsten und ältesten Themen der christlichen Kunst, zumeist in der Form der Anbetung des neugeborenen Jesuskindes. Hier erscheinen die Drei Könige vor dem Thron des Königs Herodes von Judäa in Jerusalem. Er hat sie zu sich kommen lassen, um den Zweck ihrer Reise nach Bethlehem zu erforschen, in Furcht vor dem prophezeiten neugeborenen König der Juden (Matthäus 2, 1–9). Das Thema bot dem Maler die Möglichkeit zur Wiedergabe einer bühnenmäßigen Szenerie im königlichen Palast mit mächtigen Säulen, Bögen, Balustraden und Draperien sowie reich und phantasievoll gekleideten Gestalten. Der etwas zurückgesetzte bärtige Herodes erhebt sich, um die Könige zu begrüßen. Als Hauptfiguren erscheinen der dunkelhäutige, Afrika repräsentierende «Mohrenkönig» in leuchtender blauer, goldgelber und weißer Tracht mit federgeschmücktem Turban und die fast herausfordernd thronende Königin in rosarotem und hellgrünem Gewand – die ein besonderes Interesse aneinander zu finden scheinen. Nach H. Voss (1924) gehörte zu Concas Bild als Gegenstück Trevisanis «Bethlehemitischer Kindermord», Gal. Nr. 445 (Kriegsverlust 1945).

Literatur: H. Voss, in: Die Malerei des Barock in Rom. Berlin 1924, S. 620/21.

505 Conca

857 Coninxloo

Coninxloo, Gillis van Geboren 1544 in Antwerpen, gestorben 1607 in Amsterdam. Schüler des Pieter Coecke van Aelst des Jüngeren und des Gillis Mostaert. 1570 Meister der Antwerpener Lukasgilde. 1585 verließ er bei der Protestantenverfolgung seine Heimat und ging nach Frankenthal in der Pfalz, 1595 nach Amsterdam. Begründer und Hauptmeister der Frankenthaler Malerschule, die von der phantastischen Richtung der Landschaftsschule der Mitte des 16. zur realistischen des 17. Jahrhunderts überleitet.

857 *Landschaft mit dem Urteil des Midas.* 1588. Bezeichnet rechts oberhalb des Türsturzes über dem Satyr mit dem Monogramm und der Jahreszahl 1588. Eichenholz, 120×204 cm. 1707 im Kunstkammerinventar; Inventar 1722–1728, A 475, als «Goltzius und Brueghel».

Dargestellt ist eine Episode aus Ovids Metamorphosen (XI, 147–180), wo in einem Musikwettstreit zwischen Pan und Apollo der Berggott Tmolus zugunsten Apollos entscheidet. König Midas, ohne um seine Meinung gefragt zu sein, nennt dieses Urteil ungerecht. Dadurch gekränkt, straft ihn Apollo mit Eselsohren. Früher glaubte man, die Figuren stammten von Cornelis van Haarlem, Rezniček (1965) jedoch nimmt an, daß sie Carel van Mander 1603 ausführte, als Coninxloo schon wieder nach Amsterdam zurückgekehrt war.

Literatur: Mayer-Meintschel 1966, S. 24/25. – H. G. Franz: Niederländische Landschaftsmalerei im Zeitalter des Manierismus. Graz 1969, Bd. 1, S. 235, 271–274.

Cornelisz. van Haarlem, Cornelis Geboren 1562 in Haarlem, wo er 1638 verstarb. Verbrachte seine Lehrzeit bei Pieter Pietersz. (ca. 1572–1578). Ging 1579 ein Jahr lang bei Gillis Coignet in Antwerpen in die Lehre. 1580/81 wurde er in Haarlem ansässig. Gründete mit Hendrick Goltzius und Karel van Mander 1584 die Haarlemer Akademie, die ihre Blütezeit in den Jahren 1588–90 erlebte. Vertreter des holländischen Manierismus. Malte vorwiegend biblische und mythologische Historien.

851 *Venus, Bacchus und Ceres.* 1614. Bezeichnet links unten: CH. 1614. Leinwand, 154×184 cm. Inventar 1722–1728, A 1453. Von der Gräfin Vrsovec in Prag 1723 erworben.

Das seit dem späten 16. Jahrhundert häufig behandelte Thema der Götter Bacchus, Ceres und Venus ist hier dargestellt. In der Mitte erscheint Bacchus, der Gott der Fruchtbarkeit und später vor allem des Weines, links Venus mit Amor und rechts Ceres, die Göttin der Feldfrüchte mit einem Ährenkranz im Haar. Ein Terenz-Vers (Eunuch 732) regte zu derartigen Darstellungen an: «Sine Cerere et Libero (Baccho) friget Venus». Das besagt, daß Liebe (Venus) ohne Essen (Ceres) und Trinken (Bacchus) ins Frieren kommt. Eine verwandte Darstellung von Venus und Amor befindet sich in Braunschweig.

851 Cornelisz.

Correggio, eigentlich Antonio Allegri, genannt Correggio. Geboren um 1489 in Correggio, dort gestorben 1534. Schüler des Francesco Bianchi Ferrari, weitergebildet unter dem Einfluß Lorenzo Costas und Mantegnas, Leonardo da Vincis, Raffaels und Michelangelos. Correggio entwickelte eine von kühnen Bewegungsmotiven, räumlichem Illusionismus und Helldunkelkontrasten bestimmte, sinnlich-anmutige Kunst, die in vieler Beziehung selbst den Barockstil vorwegnimmt.

150 Correggio

150 *Die Madonna des heiligen Franziskus.* 1514/15. Bezeichnet unten rechts am Rad: ANTOIUS DE ALEGRIS P. Pappelholz, 299×245 cm. 1746 aus der herzoglichen Galerie in Modena.

Franziskus, der Titelheilige der Kirche in Correggio, für die der Altar gestiftet wurde, empfängt den Segen der Madonna und des Kindes. Hinter ihm steht der heilige Antonius von Padua (1195–1231), ebenfalls Franziskaner, mit Buch und Lilie, auf der rechten Seite die heilige Katharina mit Palme, Schwert und Rad, und vor ihr der bärtige Johannes der Täufer, den Betrachter auf den kommenden Erlöser hinweisend. Der Thronsockel zeigt im Relief den Sündenfall, darüber in einem von zwei Putten gehaltenen Medaillon Moses mit den Gesetzestafeln. Stilistisch, auch in der Dreieckskomposition, ist der Einfluß der Sixtinischen Madonna Raffaels bemerkbar.

Literatur: C. Gould: The Paintings of Correggio. London 1976, S. 201–203.

151 Correggio

151 *Die Madonna des heiligen Sebastian.* Um 1523/24. Pappelholz, 265×161 cm. Herkunft wie Gal.-Nr. 150.

An ein Bäumchen gefesselt und zur Madonna aufschauend, steht links der heilige Sebastian, Patron der Bruderschaft, die das Bild stiftete. Vor ihm kniet der Bischof Geminianus als Schutzheiliger von Modena, dem ein Mädchen symbolisch das Stadtmodell darbietet; rechts Rochus, wie Sebastian als Pestheiliger verehrt. Der Verzicht auf stützende Architektur, die unauflösliche Verflechtung der Figuren im Raum, auch durch eine dramatisierende Lichtführung, bedeuten einen entscheidenden Vorgriff auf den Barock.

Literatur: Gould 1976, S. 203/04.

152 *Die Heilige Nacht.* 1522–1530. Pappelholz, 256×188 cm. Herkunft wie Gal.-Nr. 150.

Correggios Anbetung des neugeborenen Jesuskindes durch die Hirten (nach Lukas 2, 15/16) ist eine frühe monumentale Nachtszene in der europäischen Malerei. Mit größter Folgerichtigkeit ist dafür das Prinzip der Helldunkelmalerei angewandt, das im Barock seit etwa 1600 große Bedeutung erlangen sollte. Quelle des Lichtes sind symbolhaft das Jesuskind und Maria. Die schwebenden Engel geben eine Vorstellung vom Bewegungsreichtum in Correggios Deckenmalereien.

Literatur: Gould 1976, S. 204–206.

153 Correggio

153 *Die Madonna des heiligen Georg.* 1530–1532. Pappelholz, 285×190 cm. Herkunft wie Gal.-Nr. 150. *Farbtafel 11*

Das Gemälde zeigt wie Franziskus- und Sebastiansmadonna den Typus der Sacra Conversazione, der «heiligen Unterhaltung». Der Titelheilige, Ritter Georg, rechts vorn setzt den Fuß auf den abgeschlagenen Kopf des von ihm getöteten Drachen. Hinter ihm erfleht der Dominikaner Petrus Martyr (gestorben 1252) als Titelheiliger der Kirche für die Gemeinde die Fürsprache der Madonna. Gegenüber nimmt der Bischof Geminianus von einem Putto das Stadtmodell von Modena entgegen, nach dem der Jesusknabe, wiederum symbolisch gemeint, die Ärmchen ausstreckt. Vorn links als eine fast weibliche Erscheinung Johannes der Täufer, auf den Jesusknaben hinweisend.

In dieser geschlechtlichen Indifferenz, die gerade dem sehr mannhaften Täufer völlig widerspricht, wie auch in den gezierten, verschraubten Bewegungen und einem künstlichen Pathos äußert sich der Manierismus, den Correggio auf seinem Wege von der Hochrenaissance zum Barock ebenfalls streifte.

Literatur: Gould 1976, S. 206/07

Cossa, Francesco del Geboren 1435 oder 1436 in Ferrara, gestorben 1477 oder 1478 in Bologna. Beeinflußt von Cosimo Tura und Piero della Francesca. Bis 1470 in Ferrara, danach in Bologna tätig. Seine Auffassung ist durch eine an Mantegna erinnernde plastische Kraft und Dramatik bestimmt. Er war ein Hauptmeister der ferraresischen Malerei in der zweiten Hälfte des 15. Jahrhunderts.

43 *Die Verkündigung.* 1470–1472. Tempera, Pappelholz, 137,5×113 cm. 1750 durch den Kanonikus Luigi Crespi aus der Kirche dell'Osservanza in Bologna. *Farbtafel 3*

Der Engel verkündet Maria, daß sie zur Gottesmutter auserwählt ist (Lukas 1, 26–38). Eine Bogenarchitektur im zeitgenössischen Renaissancestil schafft den kompositionellen Rahmen. Die Häufung von ornamentalem Dekor verweist auf Cossas Tätigkeit als Kunsthandwerker. Links ist am Himmel Gottvater zu sehen, die Taube des Heiligen Geistes entsendend. Die Schnecke am unteren Bildrand ist Symbol für die Jungfräulichkeit Marias. Das Bild galt bezeichnenderweise früher als Werk Mantegnas.

Literatur: E. Ruhmer: Francesco del Cossa. München 1959, S. 77 – V. Scarsellati-Riccardi: Francesco Cossa. Milano 1965.

43 Cossa

152 Correggio

44 Cossa (?)

Cossa, Francesco del (?)

44 *Die Geburt Christi.* 1470–1472. Predella zur Verkündigung Gal.-Nr. 43. Tempera, Pappelholz, 26,5×114,5 cm. Inventar 1754, I 302. *Farbtafel 3*

Das querformatige Gemälde im Altarunterbau weicht stilistisch von der Haupttafel Nr. 43 ab, so daß Cossas alleinige Autorschaft in Frage gestellt und die Beteiligung eines Gehilfen vermutet wird. Die Darstellung ist von lebendig-erzählerischem Charakter.

Literatur: vgl. Gal.-Nr. 43.

Costa, Lorenzo Geboren um 1460 wahrscheinlich in Ferrara, gestorben 1535 in Mantua. Schüler des Cosimo Tura, beeinflußt von Francesco Cossa, Ercole de'Roberti und Francesco Francia. Tätig in Ferrara, seit 1483 in Bologna und seit 1507 als Hofmaler in Mantua. Die gefällige Eleganz und Lieblichkeit seiner Malerei wurde seit etwa 1500 teilweise durch expressiv manieristische Züge verdrängt.

47 A *Maria der Verkündigung.* Wohl um 1490. Tempera, Pappelholz, 60,5×62 cm. 1922 in Venedig erworben.

Die Tafel bildete wahrscheinlich den oberen Teil des rechten Flügels eines Altars als Gegenstück zum Verkündigungsengel auf der linken Seite. Wie üblich sind die Taube des Heiligen Geistes und als Attribut Marias das Gebetbuch einbezogen. Von A. Venturi (1927), Ph. Pouncey (1971) und P. Cinti (1973) wurde die Autorschaft der Brüder Zaganelli vertreten.

Literatur: N. Pevsner: Neuerwerbungen italienischer Kunst in der Dresdener Gemäldegalerie. In: Cicerone XVII. 1925, S. 295.

47 A Costa

Cranach der Ältere, Lucas Geboren 1472 in Kronach in Oberfranken, gestorben 1553 in Weimar. Lernte bei seinem Vater in Kronach. In den Jahren nach 1500 war er in Wien tätig, wo er Kontakte zu den Humanisten der dortigen Universität unterhielt und zu den Mitbegründern des expressiven Stils der «Donauschule» gehörte. Er folgte 1505 einem Ruf Friedrichs des Weisen als Hofmaler nach Wittenberg und arbeitete von diesem Zeitpunkt an ununterbrochen fast fünfzig Jahre lang für die sächsischen Kurfürsten; war eng befreundet mit Martin Luther. 1508 reiste er im Auftrag des Kurfürsten in die Niederlande. Trat vor allem in den beiden ersten Jahrzehnten des 16. Jahrhunderts auch mit Kupferstichen und Holzschnitten hervor. Gewann später Einfluß durch die massenhafte Verbreitung von

1906 BB, A, B Cranach d.Ä.

Gemälden, die aus seiner Werkstatt hervorgingen und seine Kompositionen in ganz Europa bekanntmachten. Signierte anfangs, sofern überhaupt, mit den Buchstaben «LC» (vgl. «Katharinenaltar»), seit 1508 jedoch, nachdem ihm der Kurfürst das Wappen der geflügelten Schlange verliehen hatte, mit diesem Zeichen, das er bis etwa 1514 durch die Buchstaben «LC» ergänzte (vgl. Bildnis Herzog Heinrichs des Frommen); die aufgerichteten Flügel der Schlange wurden seit 1537 (dem Todesjahr des Sohnes Hans) waagerecht gewinkelt. Stilistisch leitete das Werk Cranachs aus der Spätgotik in den Manierismus hinüber. Die Formprobleme der Renaissance (Raumdarstellung durch Zentralperspektive, Proportionslehre, anatomische «Richtigkeit» des Menschenbildes) haben ihn nicht in dem Maße beschäftigt, wie beispielsweise Dürer. Die feste Bindung an fürstliche Auftraggeber, die streitbare Parteinahme für die Reformation und die Hinneigung zu Gedanken und Themenkreisen des Humanismus beeinflußten den besonderen Charakter seines Werkes. Er gehört neben Dürer und Holbein dem Jüngeren zu den bedeutendsten Künstlern der Epoche in Deutschland.

1906 BB, A, B *Der Katharinenaltar.* 1506. Bezeichnet auf der Mitteltafel unten: L 1506 C. Lindenholz, Mitteltafel 126×139 cm, jeder Flügel 124×66,5 cm. Mitteltafel und rechter Flügel zuerst im Katalog von 1835; der linke Flügel kam 1930 als Dauerleihgabe aus der Sammlung Speck von Sternburg in die Galerie.

Der Katharinenaltar entstand 1506 als erstes großes Auftragswerk, das Cranach nach seiner 1505 erfolgten Berufung als Hofmaler in Wittenberg geschaffen hat. Das Darstellungsthema der Mitteltafel wurde anscheinend nicht zufällig gewählt: 1502 hatte Kurfürst Friedrich der Weise in Wittenberg eine Universität gegründet (an der später Luther lehrte), und Katharina galt als Schutzpatronin der Gelehrten. Sie hatte – nach der Legende – Anfang des 4. Jahrhunderts in Alexandrien fünfzig heidnische Professoren, die sie vom Christentum abbringen sollten, durch geschickte Argumentation ihrerseits bekehrt. Da nichts sie von ihrem Glauben abbringen konnte, sollte sie gerädert werden. Auf ihr Gebet hin fiel Feuer vom Himmel und zerstörte das Rad. Daraufhin wurde sie enthauptet. Die Köpfe der dargestellten Personen auf der Mitteltafel sind so individuell aufgefaßt, daß man schon früh in ihnen Bildnisse zu erkennen glaubte (vgl. u. a. Dörnhöffer 1904, Lossnitzer 1913, Kaemmerer 1931/32), doch blieben alle diesbezüglichen Versuche widersprüchlich. Übereinstimmung herrschte im Hinblick auf den oben links dargestellten Auftraggeber des Altars, Kurfürst Friedrich den Weisen. Neben ihm ist vermutlich sein Bruder Johann der Beständige porträtiert. Der stürzende Reiter zwischen dem Henker und der heiligen Katharina dürfte nach allgemeiner Auffassung der Humanist Hans von Schwarzenberg sein. In der Burg des Hintergrundes der Mitteltafel wird Schloß Hartenfels in Torgau erkannt, die Burg des rechten Seitenflügels gilt als Veste Coburg, beide kursächsisch zu Cranachs Zeit. Die Flügel des Altars zeigen je drei weibliche Heilige, nämlich links Dorothea, Agnes und Kunigunde, rechts Barbara, Ursula und Margaretha. In dem Kind mit dem Blumenkorb bei der heiligen Dorothea hat Gertrud Rudloff-Hille 1953 zuerst und wohl zu Recht den damals dreijährigen (späteren sächsischen Kurfürsten) Johann Friedrich den Großmütigen erkannt. Auch die Außenseiten der Flügel waren bemalt. Diese Darstellungen, je zwei weibliche Heilige (Christina und Ottilie sowie Genoveva und Appolonia) befinden sich in der National Gallery London. Daniel Fritzsch aus Torgau hat zwei vollständige Kopien des schon im 16. Jahrhunderts hochberühmten Werkes geschaffen (1586, heute Wörlitz, Gotisches Haus und 1596, heute Berlin-Tempelhof, Alte Kirche). Der Katharinenaltar ist ein Werk von dekorativem Reichtum und farbiger Pracht, von beinahe bildteppichhafter Wirkung. Er läßt den Stilwandel deutlich werden, den der Maler in jenen Jahren durchmachte: Seine in Wien entstandenen Frühwerke sind Vorläufer der Malerei der «Donauschule», wie sie später Altdorfer und Wolf Huber vertreten haben, seine späteren Wittenberger Werke wurden formelhafter, weniger expressiv. Einzelformen, wie der Baum des linken Seitenflügels, nehmen Motive solcher frühen Bilder auf, und andererseits zeigt sich schon der Umbruch ins Schönlinig-Dekorative als Merkmal späterer Werke. Man hat in der Formulierung des Themas die Auseinandersetzung mit Dürers Holzschnitt von 1497 erkannt, was aber im Vergleich weniger eine Abhängigkeit, als vielmehr die eigene Leistung Cranachs verdeutlicht. Bereits kurz vor dem Katharinenaltar hatte Cranach eine kleinere Tafel mit dem Martyrium der heiligen Katharina geschaffen, die aber viel dramatischere Formen zeigt und noch ganz den Stil der Wiener Frühzeit vertritt (vgl. Katalog der Cranach-Ausstellung in Basel 1974, Bd. 2, Nr. 414).

Literatur: F. Dörnhöffer: Ein Jugendwerk Lukas Cranachs. In: Jahrbuch der k. k. Zentral-Kommission, Nr. 2. 1904, S. 176–198. – M. Lossnitzer: Die frühesten Bildnisse Kurfürst Friedrichs des Weisen. In: Mitteilungen aus den Sächsischen Kunstsammlungen 4, 1913, S. 8f. – L. Kaemmerer: Die Bildnisse auf Cranachs Katharinenaltar in Dresden. In: Zeitschrift für bildende Kunst 65, 1931/32, S. 193/94. – M. J. Friedländer/J. Rosenberg: Lucas Cranach. Zuerst ersch. Berlin 1932. G. Schwarz (Hrsg.) d. 2. überarb. Auflage. Stuttgart 1989, Nr. 12–15. – G. Rudloff-Hille: Lucas Cranach der Ältere. Katharinenaltar. Dresden 1953. – Lukas Cranach. Katalog der Ausstellung Basel 1974. Bearbeitet von D. Koepplin und T. Falk. Basel und Stuttgart 1974 (Bd. 1), 1976 (Bd. 2), Bd. 1, S. 48f.

3861 *Die Austreibung der Wechsler aus dem Tempel.* Um 1509/10. Lindenholz, 147×100 cm, oberer Abschluß halbrund. Mitteltafel eines Altars, der sich zuerst in Wittenberg oder Torgau befunden haben könnte. Die Mitteltafel kam um 1700 nach Mölbis bei Borna, die Flügel waren seit 1746 in Obergersdorf in der Lausitz, wo sie 1945 verbrannten. Die Mitteltafel war von etwa 1948 bis 1973 als Dauerleihgabe in der Dresdener Galerie und wurde 1973 im Tausch gegen die Flügel des Schneeberger Altars von Cranach (ehemals Gal.-Nr. 1915 A und 1915 B) von der Kirchgemeinde Mölbis erworben.

Die Darstellung basiert inhaltlich auf dem Evangelium des Johannes, 2, 14f. «Und er fand im Tempel sitzen, die da Ochsen, Schafe und Tauben feil hatten, und die Wechsler. Und er machte eine Geißel aus Stricken und trieb sie alle zum Tempel hinaus samt den Schafen und Ochsen und verschüttete den Wechslern das Geld und stieß die Tische um und sprach zu denen, die die Tauben feil hatten: Traget das von dannen und machet nicht meines Vaters Haus zum Kaufhause.» Den Tempel symbolisiert strenge Renaissance-Architektur, deren Pfeilerstellung und Bögen der vordersten Bildebene zu entsprechen scheinen, während im unteren Teil des Bildes vor dieser Architektur nur gedanklich, nicht optisch, ein tiefer Raum zu erschließen ist, in dem die Wechsler und Händler (deren Charaktere in spätgotischer Übersteigerung karikierend erfaßt sind) fast wie in Schwerelosigkeit durcheinander stürzen. Die Dramatik des Geschehens wird dadurch unterstrichen, daß die Bogenstellungen nach links aus der Mitte verschoben sind. Kampfszenen als Skulpturen schmücken die Bogenfelder; das rote Rundrelief, das weit aus der Mauer hervortritt, stellt anscheinend den Vogel Phönix als Auferstehungssymbol dar. Im Evangelium des Johannes, 2,19/21, heißt es: «Jesus antwortete und sprach zu ihnen: Brechet diesen Tempel, und am dritten Tage will ich ihn aufrichten ... (Er aber redete von dem Tempel seines Leibes ...)».

Literatur: W. Hentschel: Ein unbekannter Cranach-Altar. In: Zeitschrift für Kunstwissenschaft 2, 1948, S. 35–42. – W. Hentschel: Denkmale sächsischer Kunst. Die Verluste des zweiten Weltkrieges. Berlin 1973, Nr. 333. – W. Schade: Die Malerfamilie Cranach. Dresden 1974, S. 30. – Friedländer/Rosenberg 1932 (1989), Nr. 25.

3861 Cranach d.Ä.

1906 G Cranach d.Ä.

1906 H Cranach d.Ä.

1906 G *Herzog Heinrich der Fromme.* 1514. Ursprünglich Lindenholz, auf Leinwand übertragen, 184×82,5 cm. 1641 in der Dresdener Kunstkammer, später im Historischen Museum, seit 1905 in der Galerie.

1906 H *Herzogin Katharina von Mecklenburg.* 1514. Bezeichnet unten links mit der geflügelten Schlange. LC und datiert 1514. Ursprünglich Lindenholz, auf Leinwand übertragen, 184×82,5 cm. Herkunft wie Gal.-Nr. 1906 G. *Farbtafel 44*

Cranachs überragende Fähigkeiten als Porträtist zeigen sich in den beiden zusammengehörigen Bildnissen des Herzogs Heinrich und seiner Gemahlin Katharina von Mecklenburg ebenso, wie sein Sinn für Dekoration und Repräsentation. Die Nelkenkränze im Haar wie die Schmuckstücke mit Treuhandsymbolen spielen auf die Gemeinsamkeit der Dargestellten an: Herzog Heinrich der Fromme (1473–1541), ein Wettiner aus der albertinischen Linie, Sohn Albrechts des Beherzten, der seinem Bruder Georg dem Bärtigen nach dessen Tod 1539 in der Regierung der albertinischen Erblande folgte (er war der Vater der späteren Kurfürsten Moritz und August) und Katharina von Mecklenburg (1471–1561) hatten sich 1512 vermählt. Das kostbare Gewand, das Heinrich auf unserem Bildnis trägt, dürfte dasselbe sein, das als sein Hochzeitsgewand geschildert wird (vgl. Marx 1989). Die Bestellung dieser Doppeltafel (das Schwert Heinrichs setzt sich im Bildnis seiner Gemahlin fort) könnte mit der Eheschließung erfolgt sein, die Ausführung sich verzögert haben. Katharina sympathisierte früh mit der Lehre Luthers, ließ von 1524 an heimlich in Freiberg deutsche Messen lesen und nahm später dahingehend Einfluß, daß Herzog Heinrich 1539 die Reformation im albertinischen Sachsen durchsetzte.

Die Verbindung des herzoglichen Paares zu Cranach war persönlich und langdauernd. 1537 entstand ein zweites lebensgroßes Ganzfigurenporträt Herzog Heinrichs des Frommen (Gemäldegalerie Dresden, Gal.-Nr. 1915; Kriegsverlust) und es stellt sich die Frage, ob nicht vom Auftraggeber die Anregung zu diesem Bildnistyp kam, der vor Cranach in der europäischen Malerei nur einmal nachzuweisen ist, 1504 in den beiden Flügeln des Altars aus der Hauskapelle der Familie Stalburg zu Frankfurt am Main (im Städelschen Kunstinstitut). Standfiguren von Heiligen auf Altarflügeln hatte es schon früher gegeben, bei Dürers «Paumgartner-Altar» von 1502 (München, Alte Pinakothek) bereits mit Bildnischarakter. Die Verwandlung zum autonomen Bildnis, ohne Bezug auf einen Altar, wurde aber bei Cranach erstmals vollzogen.

Literatur: Friedländer/Rosenberg 1932 (1989), Nr. 60/61. – K. Löcher: Das Bildnis in ganzer Figur. Quellen und Entwicklung. In: Zeitschrift für schweizerische Archäologie und Kunstgeschichte 42, 42, 1985, S. 74–82. – H. Marx: «... und war die Hochzeit-Kleidung fast seltsam.» Zu einem Bildnis Herzog Heinrichs des Frommen. In: Dresdener Kunstblätter, 1989, H. 3, S. 78–82.

1907 A Cranach d.Ä.

1907 A *Die Geburt Christi.* Um 1515–1520. Bezeichnet links unten mit der geflügelten Schlange. Lindenholz, 30 × 23 cm. Erworben 1917 auf der Versteigerung der Sammlung Richard von Kauffmann in Berlin. Zuerst im Katalog 1930.

Die Darstellung folgt dem Evangelium des Lukas, der die nächtliche Geburt Christi in einem Stall zu Bethlehem ausführlich schildert (2, 1–20). Allerdings ist das Kind bei Cranach nackt dargestellt, während Lukas schreibt: «Und sie gebar ihren ersten Sohn und wickelte ihn in Windeln und legte ihn in eine Krippe; denn sie hatten sonst keinen Raum in der Herberge.» Das Thema der «Heiligen Nacht» wird hier, dem Evangelium folgend (und wie auch sonst häufig in der Malerei), mit der «Anbetung der Hirten» verbunden: «Und es waren Hirten in derselben Gegend bei den Hürden, und hüteten des Nachts ihre Herde. Und siehe, des Herrn Engel trat zu ihnen und sprach ... euch ist heute der Heiland geboren ...» Engel umgeben das Neugeborene, das als «Licht der Welt» selbst zur Lichtquelle im Bild geworden ist. Maria sehen wir anbetend auf Knien. Joseph nähert sich mit einer Kerze, die nur spärliches zusätzliches Licht bringt. Zuerst in den Niederlanden ist die «Geburt Christi» als wirkliches Nachtstück behandelt worden, und Cranachs Darstellung geht ohne Frage auf Anregungen von dort zurück. Hans Posse hat auf Hugo van der Goes und Geertgen tot sint Jans als mögliche Vorbilder hingewiesen.

Literatur: H. Posse: Lucas Cranach der Ältere. Wien 1942, S. 22. – Friedländer/Rosenberg 1932 (1989), Nr. 102.

1908 *Christus am Ölberg.* Um 1515–1520. Bezeichnet rechts unten auf der Steinplatte mit der geflügelten Schlange. Lindenholz, oben rund, 68×41 cm. Wahrscheinlich im Inventar 1722–1728, B 148; 1852 im ausgestellten Galeriebestand.

Die Darstellung basiert inhaltlich auf dem Evangelium des Lukas, 22, 39ff. «Und er geht hinaus nach seiner Gewohnheit an den Ölberg ... und kniete nieder, betete und sprach: Vater, willst du, so nimm diesen Kelch von mir; doch nicht mein, sondern dein Wille geschehe! Es erschien ihm aber ein Engel vom Himmel, und stärkte ihn.» Christus hatte die Jünger aufgefordert, zu wachen und zu beten. Er fand sie aber schlafend. Im Hintergrund nähern sich die von Judas geführten Häscher.

Literatur: Köpplin/Falk 1976, Nr. 628. – Friedländer/ Rosenberg 1932 (1989), Nr. 349.

1908 Cranach d.Ä.

1908 A *Das Paradies.* 1530. Bezeichnet rechts mit der geflügelten Schlange und datiert 1530. Pappelholz, 80×117 cm. Erworben 1917. Zuerst im Katalog von 1930.

Dem Bild liegt die alttestamentliche Auffassung vom Paradies als dem von Gott geschaffenen Garten Eden zugrunde, dem Aufenthaltsort des ersten Menschenpaares, in dem auch alle Tiere friedlich miteinander lebten (während das Paradies im Neuen Testament als Aufenthaltsort der Gerechten nach dem Tode verstanden wird). Dargestellt ist die im ersten Buch Mose, 2, 3, erzählte Geschichte der ersten Menschen, von der Erschaffung Adams bis zur Austreibung aus dem Paradies. Die Szenen im einzelnen: 1. Erschaffung Adams (Mitte oben), 2. Erschaffung der Eva (ganz rechts), 3. Ermahnung durch Gott-Vater (Mitte), 4. Sündenfall (zweite Szene von links), 5. Versuch, sich zu verbergen, und Entdeckung (zweite Szene von rechts, Gott-Vater in Wolken), 6. Austreibung durch den Engel (ganz links). Die zeitlich aufeinanderfolgenden Episoden erscheinen nebeneinander, ohne erkennbares Ordnungsprinzip; die Personen kommen mehrfach im Bild vor. Das biblische Geschehen ist in eine Landschaft mit Wasserfläche, Felsen und Bäumen gebettet sowie einer Wiese im Vordergrund, auf der sich einheimische und exotische Tiere in friesartiger Reihung dem Betrachter präsentieren. Vielfach in seinem Werk hat Cranach dieses Interesse an der Darstellung von Tieren gezeigt, sowohl in einzelnen Studien als auch in großen Jagddarstellungen und hier beim «Paradies». Der untere Streifen mit den Tieren fehlt auf einem sonst ganz ähnlichen, ebenfalls 1530 datierten Bild gleichen Themas in Wien, auf dem dafür, bei fast gleichem Format, die Figuren mehr Raum gewinnen.

Literatur: Friedländer/Rosenberg 1932 (1989), Nr. 202.

1908 A Cranach d.Ä.

1911 *Adam.* 1531. Bezeichnet unten links mit der geflügelten Schlange und datiert 1531. Gegenstück zur Gal.-Nr. 1912. Lindenholz, 170×70 cm. Aus der Kunstkammer zur Galerie. Inventar 1722–1728, B 248.

1912 *Eva.* 1531. Gegenstück zur Gal.-Nr. 1911. Lindenholz, 170×70 cm. Aus der kurfürstlichen Kunstkammer zur Galerie. Inventar 1722–1728, B 249.

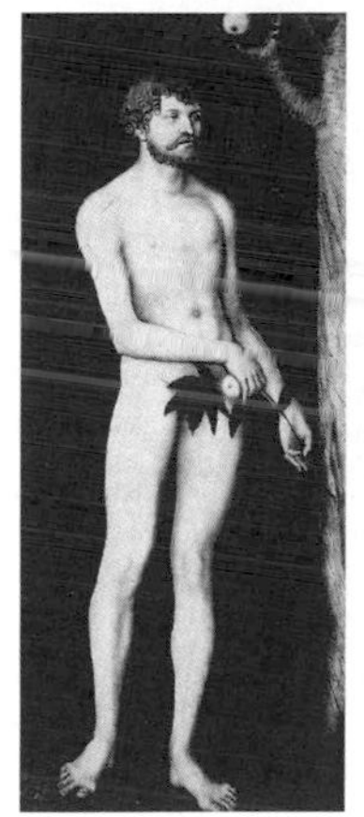

1911 Cranach d.Ä.

1912 Cranach d.Ä.

Als Bildgegenstand war der nackte Mensch für die Künstler der Renaissance von großem Interesse. Neben damals neuen Themen, die solche Darstellungen zuließen (Venus, Lucretia, Quellnymphe ...), blieben «Adam» und «Eva», die schon den Künstlern des Mittelalters erlaubt hatten, Nacktheit zu zeigen, ein häufig gewähltes Motiv, dem sich auch Cranach immer wieder zugewandt hat, sowohl in lebensgroßen Doppeltafeln als auch im kleinen Format. Anders als Dürer jedoch, der hier wie auf vielen Gebieten epochemachend war, suchte Cranach nicht das «klassische» Maß in der menschlichen Gestalt, sondern er sah Schönheit außerhalb eines verbindlichen Formenkanons in individueller Besonderheit. Die Dresdener Gemäldegalerie besitzt ein zweites lebensgroßes Bildpaar mit «Adam» und «Eva», nach 1537 entstanden und Lucas Cranach dem Jüngeren zuzuweisen (Gal.-Nr. 1916 A, 1916 B).

Literatur: Friedländer/Rosenberg 1932 (1989), Nr. 198 D.

1913 Cranach d.Ä.

1913 *Christiane von Eulenau.* 1534. Bezeichnet oben rechts mit der geflügelten Schlange und datiert 1534. Buchenholz, 20,5×14,5 cm. Inventar 1722–1728, B 554.

Das Bildnis der Christiane von Eulenau, zu deren Person bisher nichts ermittelt werden konnte, wurde schon von Flechsig 1900 für eine Arbeit von Hans Cranach oder Lucas Cranach dem Jüngeren gehalten. Der Name der Dargestellten fand sich im Inventar 1722–1728, ist sonst jedoch nicht belegt. Die neuere Forschung neigt zur Zuschreibung an Lucas Cranach den Jüngeren, und im Katalog der Basler Cranach-Ausstellung 1974 wurde zu Recht darauf hingewiesen, daß die «leichte, Glanzlichter brillant erfassende Malweise und die Betonung des Schlagschattens» Merkmale der Arbeiten Lucas Cranachs des Jüngeren seien. Die malerische «Verlebendigung der Augen» im Werk des jüngeren Cranach hat P. Cadorin in seinem Beitrag zum Basler Cranach-Kolloquium hervorgehoben und an Beispielen nachgewiesen (vgl. Akten des Kolloquiums zur Basler Cranach-Ausstellung 1974. Basel 1977, S. 13f.). Eine größere, ebenfalls 1534 datierte Variante des Porträts befindet sich im Besitz der Bayerischen Staatsgemäldesammlungen (Inv.-Nr. 13706; in der Filialgalerie Bamberg).

Literatur: E. Flechsig: Cranachstudien. Leipzig 1900, S. 274f. – Koepplin/Falk 1976, Nr. 628. – Friedländer/Rosenberg 1932 (1989), Nr. 349.

Cranach der Ältere, Lucas, Werkstatt Zahlreiche Aufträge für den Kurfürsten, besonders im Zusammenhang mit der Ausgestaltung des Torgauer Schlosses, bedingten die Gründung einer eigenen Werkstatt, in der neben den beiden Söhnen Lucas Cranachs des Älteren bis zu sieben Gesellen und mehrere Lehrlinge arbeiteten. Die Namen der Mitarbeiter sind so gut wie unbekannt.

1918 Cranach d.Ä., Werkstatt

1918 *Martin Luther.* 1532. Beschriftet oben rechts (nur noch schwer lesbar): Obdromivit in año 1546: 18. Feb. Aetatis sue 63. 1532. etatis sue 45. Gegenstück zu Gal.-Nr. 1919. Buchenholz, 18,5×15 cm. 1621 aus dem Nachlaß des Hofarchitekten Giovanni Maria Nosseni zur Kunstkammer: 1707 aus der Kunstkammer zur Galerie. Inventar 1722–1728, B 569.

Vor den Augen der Nachwelt steht Martin Luther so, wie die Bildnisse Lucas Cranachs des Älteren, der mit dem Reformator befreundet war, seine äußere Erscheinung überliefern: als Augustinermönch, als Junker Jörg und in späteren Jahren. Keiner hätte anschaulicher von dem kraftvollen und streitbaren Charakter, vom Leben und von der Leistung Luthers Kunde geben können, als Cranach, der auch die Eltern und die Frau des Mannes porträtiert hat, dessen Name zum Symbol für die Reformation in Deutschland geworden ist. Kurfürst Friedrich der Weise unterstützte und beschützte Luther, der zuerst 1508/09, dann seit 1511 an der 1502 gegründeten Wittenberger Universität lehrte.

Ein verbreitetes und verständliches Bedürfnis nach Bildnissen des Reformators führte zu ausgedehnter Werkstatt-Produktion; auch unser Bildnis – es gehört inhaltlich und formal mit dem nachfolgend aufgeführten Bildnis Melanchthons zusammen – ist aus der Cranach-Werkstatt hervorgegangen, zeigt seinen Stil, aber nicht seine Hand. Der Bildnistyp, ursprünglich von niederländischen Vorbildern herkommend, ist bezeichnend für Cranach.

Literatur: Friedländer/Rosenberg 1932 (1989), S. 314/15.

1919 Cranach d.Ä., Werkstatt

1919 *Philipp Melanchthon.* 1532. Beschriftet rechts über der Schulter: '1532' etatis sue 30. Beschriftet links oben: Obdormivit in año 1560. 19. Aprilis etatis sue 63 et 65 dierum. Gegenstück zu Gal.-Nr. 1918. Buchenholz, 18,5 × 15 cm. 1621 aus dem Nachlaß des Hofarchitekten Giovanni Maria Nosseni zur Kunstkammer; 1707 aus der Kunstkammer zur Galerie. Inventar 1722–1728, B 553.

Als Freund und enger Mitarbeiter Luthers ist Philipp Melanchthon (1497–1560), der eigentlich Schwarzert hieß, seinen Namen aber in eine griechische Form gebracht hat, häufig mit dem Reformator zusammen dargestellt worden, beziehungsweise auf zusammengehörigen Bildnissen. Er war 1518 als Professor für griechische Sprache an die Wittenberger Universität gekommen und hatte nach dem Tode Luthers die Rolle eines Führers der Evangelischen in Deutschland übernommen. Als Organisator des Unterrichts an den protestantischen Schulen und Universitäten wurde er zum «Praeceptor Germaniae». Melanchthons Aussehen ist durch Cranachs Bildnisse, aber auch durch einen Kupferstich Dürers von 1526, überliefert. Cranach der Jüngere hat ihn auf dem Totenbett dargestellt.

Literatur: Friedländer/Rosenberg 1932 (1989), Nr. 314/15.

Cranach der Jüngere, Lucas Geboren 1515 in Wittenberg, dort gestorben 1586. Sohn und Schüler von Lucas Cranach dem Älteren. Arbeitete von seiner Lehrzeit an, etwa seit 1527/29, in der Werkstatt des Vaters, anfangs zusammen mit seinem älteren Bruder Hans (1513–1537). Mit den späten dreißiger Jahren wurde sein Anteil immer gewichtiger. Das Schlangenzeichen (seit 1537 mit liegenden Flügeln) war längst ein Werkstatt-, kein Meisterzeichen, und so ist es in diesen Jahren schwer, den Anteil der Hände am Gesamtwerk der Cranachs zu trennen. Von 1549 bis 1568 war Lucas der Jüngere Ratsherr, 1555 wurde er Kämmerer und 1565 Bürgermeister in Wittenberg. Seit der Vater 1548 dem 1547 in der Schlacht bei Mühlberg unterlegenen sächsischen Kurfürsten Johann Friedrich dem Großmütigen in die Gefangenschaft nach Augsburg gefolgt war und mit diesem 1552 auch nach Weimar ging, führte der Sohn die Werkstatt allein weiter. Sie blieb unter seiner Leitung bestimmend für die Malerei im obersächsischen Raum. Lucas Cranach der Jüngere war einer der produktivsten deutschen Maler des Manierismus.

1942 Cranach d.J.

1942 *Die Kreuzigung Christi.* 1546. Bezeichnet am mittleren Kreuz mit der geflügelten Schlange und 1546. Lindenholz, 120 × 71,5 cm. Inventar 1722–1728, A 1289.

Geschildert wird die Kreuzigung Christi zwischen zwei zum Tode verurteilten Verbrechern in den Evangelien des Matthäus, 27,33ff., Markus, 15,22ff., Lukas, 23,33 und Johannes, 19,18. Die Komposition mit den Kreuzen, die sich aus der gedrängten Menschenmenge steil in den Himmel erheben, geht auf eine Bild-Erfindung von Cranach dem Älteren aus den Jahren um 1515 zurück (vgl. Katalog der Cranach-Ausstellung Basel 1974, Bd. 2, 1976, Nr. 332), die in der Werkstatt vielfach variiert und weiterentwickelt worden ist. Die Mitteltafel des Schneeberger Altars von 1539 gehört, als ein spätes Hauptwerk des älteren Cranachs, in diesen Zusammenhang (vgl. O. Thulin: Cranach-Altäre der Reformation. Berlin 1955, S. 33–53), genauso wie Bilder im Art Institute in Chicago, in Aschaffenburg, in Dessau und in Madrid, die sämtlich Cranach dem Jüngeren oder seinem Umkreis zugeschrieben werden (vgl. Friedländer/Rosenberg 1932/1989/Nr. 377). Links wird die trauernde Maria, bei der Johannes ist, von den Frauen gestützt, im Vordergrund rechts streiten die Schächer um das Gewand Christi; hinter den Schächern reitet in blank-eiserner Rüstung der Hauptmann, der als irrender Mensch plötzlich erkennt: «Wahrlich, dieser Mensch ist Gottes Sohn gewesen.» Die zeichnerische Behandlung vieler Einzelheiten und die Farbstimmung mit dem Kontrast zwischen dunkel-wolkigem Himmel und strahlender Helle über dem Horizont, mit der typischen Verwendung von Grau, Rosa und Gelb, lassen die Hand Cranachs des Jüngeren erkennen.

1947 Cranach d.J.

1948 Cranach d.J.

1947 *Kurfürst August von Sachsen.* 1565 (?). Pappe, an allen Seiten angestückt, 40,5 × 32,5 cm. Zuerst im Katalog 1835, aber wahrscheinlich schon 1707 in der Kunstkammer.

Kurfürst August (1526–1586), ein Sohn Herzog Heinrichs des Frommen, übernahm die Regierung 1553, nachdem sein kinderloser Bruder Moritz im Gefecht bei Sievershausen gefallen war. Er machte sich um Wirtschaft und Staatsverwaltung verdient, war bedeutend als Bauherr und als Sammler und wurde zum Gründer der Dresdener Kunstkammer (1560). Seine Verdienste um den erzgebirgischen Silberbergbau und die «Bergverwaltung» sind 1989 in der Ausstellung der Staatlichen Kunstsammlungen Dresden «Bergbau und Kunst in Sachsen» gewürdigt worden (Katalog Stuttgart/Leipzig 1990). August ist im Alter von knapp 40 Jahren dargestellt. Das Bildnis steht dem signierten und 1565 datierten Porträt des Kurfürsten im Historischen Museum Dresden (Inv.-Nr. H 74) nahe, zu dem es die zugrundeliegende Bildnisaufnahme sein könnte.

Literatur: W. Schade: Zum Werk der Cranach. In: Jahrbuch der Staatlichen Kunstsammlungen Dresden, 1961/62, S. 29–49 (41f.).

1948 *Kurfürst Moritz von Sachsen.* Papier auf Pappe, auf Fichtenholz aufgezogen, 40,5 × 32,5 cm. Inventar 1722–1728, A 309, aber wahrscheinlich schon 1707 in der Kunstkammer.

Moritz (1521–1553) übernahm die Regierung im Herzogtum Sachsen 1541, nach dem Tode seines Vaters, Herzog Heinrichs des Frommen. In dem Kampf zwischen Kaiser Karl V. und den im «Schmalkaldischen Bund» zusammengeschlossenen protestantischen deutschen Fürsten, die vom sächsischen Kurfürsten Johann Friedrich dem Großmütigen geführt wurden (einem Wettiner der Ernestinischen Linie), nahm Moritz aus Gründen des politischen Vorteils die Partei des Kaisers und verhalf diesem in der Schlacht bei Mühlberg 1547 zum Sieg. Johann Friedrich wurde gefangengenommen; die Kurwürde ging auf Moritz über und blieb von nun an bei den Albertinern, selbst als Moritz sich bald darauf gegen den Kaiser empörte und nun seinerseits militärisch gegen den Habsburger vorging. 1553 ist Moritz im Gefecht bei Sievershausen gefallen. Die Kurwürde ging auf seinen Bruder August über. Werner Schade hat das Bild 1961/62 ausführlich besprochen und den Versuch gewagt, es Tizian zuzuschreiben, wobei er an eine Datierung auf 1548 dachte und Augsburg als Entstehungsort annahm. Wahrscheinlicher bleibt die bisherige Zuschreibung an Cranach den Jüngeren, der das Bildnis nach einer früheren Vorlage postum gemalt haben könnte. Damit wird die Datierung unsicher.

Literatur: Schade 1961/62, S. 41–49.

Credi, Lorenzo di Geboren um 1458 in Florenz, dort gestorben 1537. Schüler des Andrea del Verrocchio und bis zu dessen Tod 1488 in seinem Atelier tätig, beeinflußt von dem jungen Leonardo da Vinci als seinem Mitschüler bei Verrocchio. Seine durch zeichnerische Sorgfalt und gefühlvolle Konturen wie auch durch eine gewisse Formelhaftigkeit und immer wiederkehrende, nur wenig differenzierte Lokalfarben bestimmte Malerei blieb stets dem 15. Jahrhundert verhaftet.

14 Credi

14 *Die Heilige Familie.* Pappelholz, 87,5 × 65 cm. 1874 aus der Sammlung Barker, London.

Die Bildgliederung erfolgt durch die Bogenarchitektur. Maria, die ihr Kind anbetet, ist vor dem verblendeten Mittelbogen als Hauptfigur groß ins Bild gesetzt, Joseph dagegen klein in den Hintergrund gerückt. Die Ähren der Garbe, auf der Jesus ruht, deuten auf die Hostie und somit auf den Leib Christi, der Stieglitz, der daran pickt, ist Symbol der menschlichen Seele, die zu Christus findet, der Löwenzahn symbolisiert die Passion. – G. Dalli Regoli sieht hier ein Werkstattbild.

Literatur: G. Dalli Regoli: Lorenzo di Credi. Pisa 1966, Nr. 183.

15 Credi

15 *Maria mit dem Kinde, dem heiligen Sebastian und dem Evangelisten Johannes.* Gegen 1516. Pappelholz, 175×176,5 cm. Herkunft wie Gal.-Nr. 14.

Auch hier sind wie noch öfters bei Credi die Figuren den Architekturbögen zugeordnet. Der heilige Sebastian links zeigt mit einer für Credi typischen gezierten Gebärde dem Jesusknaben den Pfeil, das auf sein Martyrium hindeutende Attribut. Johannes mit dem Buch erhebt belehrend den Zeigefinger. Der Blumenstrauß in der Metallvase vor Maria enthält Mariensymbole wie Lichtnelke und Heckenrose und läßt Anfänge der Stillebenmalerei erkennen.

Literatur: Dalli Regoli 1966, Nr. 152.

Crespi, Giuseppe Maria, genannt Lo Spagnuolo. Geboren 1665 in Bologna, dort gestorben 1747. Schüler von Canuti und Cignani, beeinflußt von den Carracci und Guercino. Er war ein Meister von tief menschlich empfundenen, teils intimen, teils humorvollen Genreszenen von unpathetischer, schlichter Natürlichkeit. Neben einer oft monochromen Farbigkeit diente ihm dazu vor allem eine an Rembrandt erinnernde subtile Helldunkelwirkung. Wegen seiner eleganten Kleidung wurde er «der kleine Spanier» genannt.

392–398 *Die sieben Sakramente.*

Die Serie wurde der Datierung von Nr. 398 zufolge 1712 für den Kardinal Ottoboni in Rom gemalt und aus dessen Nachlaß wohl 1744 in Rom für die Galerie erworben. Zuvor wurden die Bilder in Rom kopiert, offenbar mehrfach (Folgen in Castelgandolfo im Vatikan, im Kunsthandel in Turin, 1990). Crespi hat in einer fast monochromen, von Helldunkelwirkungen belebten Farbgebung die kirchlichen Handlungen mit schlichter Natürlichkeit und Unmittelbarkeit als bedeutsame Stationen menschlichen Lebens geschildert. – Die Abfolge hier entspricht dem katholischen Katechismus.

Literatur: M. Pajes Merriman: Giuseppe Maria Crespi. Milano 1980, Nr. 290–296.

398 Crespi

397 Crespi

396 Crespi

398 *Die Taufe.* Datiert links am Taufstein: MDCCXII. Leinwand, 127×95 cm.

Durch die Taufe erfolgt die Aufnahme in die christliche Kirche. Der Priester links hinter dem Taufstein gießt – sinnbildlich für eine Waschung – mit einem Löffel Wasser über den Kopf des Täuflings, den dessen Angehörige über das Becken halten. Zur Taufe gehört auch das Darreichen der brennenden Kerze, die der Schweigen gebietende Mann in der Hand hält. Da die «Taufe» inhaltlich das erste Bild der Serie ist, darf die Datierung auch auf die übrigen bezogen werden.

395 *Die Firmung.* Leinwand, 125,5×93 cm.

Die Firmung (lat. confirmatio) soll – wie der Name beinhaltet – eine Festigung des Glaubens herbeiführen. Der Bischof im weißen Pluviale mit Mitra und Stab salbt dem Firmling die Stirn, während der Firmpate diesem die Hand auf die Schulter legt. Der Ministrant rechts hält die Schale mit dem Salbölgefäß. Links ein zweiter Firmling mit seinem Paten.

397 *Das Abendmahl.* Leinwand, 127,5×94,5 cm.

Das Abendmahl ist Ausdruck der mystischen Vereinigung mit Gott, besonders im Hinblick auf das letzte Mahl Christi mit seinen Jüngern. Nach dem Bibeltext (Lukas, 22, 17–20) werden Brot und Wein als Leib und Blut Christi angesehen. Hier reicht der Priester soeben einem Knienden die Hostie, das geweihte Brot, während links ein Ministrant mit dem Kelch kniet.

396 *Die Beichte.* Leinwand, 127×94,5 cm.

Im offenen Beichtstuhl sitzt der Priester zur Entgegennahme der Sündenbekenntnisse und vollführt einen Absolutionsgestus gegen die links kniende Frau. Ob der Beter rechts in einem anekdotischen Bezug zu ihr steht, bleibt offen. Nach Zanotti hatte Crespi dieses Bild zuerst gemalt und dem Kardinal geschenkt, der die anderen daraufhin nachbestellte.

395 Crespi

394 *Die letzte Ölung.* Leinwand, 127×94,5 cm.

Ein Priester im weißen Chorrock salbt die Füße des sterbenden Mönchs, indem er zugleich die Litanei verliest. Ein Mönch hält die Schale mit dem geweihten Öl, ein anderer kniet mit brennender Kerze und Weihwasserwedel vor dem Sterbelager. Der Totenschädel symbolisiert die Vergänglichkeit des menschlichen Lebens, aber auch die Vertrautheit mit dem Tode.

393 *Die Priesterweihe.* Leinwand, 127×95 cm.

Die Weihe wird von dem rechts sitzenden Bischof vollzogen, der in der einen Hand den Kelch hält und mit der anderen die Hostie berührt. Der kniende junge Priester berührt mit gebundenen Händen die Hostie ebenfalls, während ein anderer links zwischen zwei Assistenten als nächster die Weihe erwartet.

392 *Das Sakrament der Ehe.* Leinwand, 127×93,5 cm.

Der Priester segnet das Brautpaar, das vor ihm am Betpult kniet, wobei der Bräutigam der Braut den Ring an den Finger steckt. Rechts zwei Trauzeugen, links ein Ministrant mit Gerät, von einem Älteren zur Ruhe ermahnt.

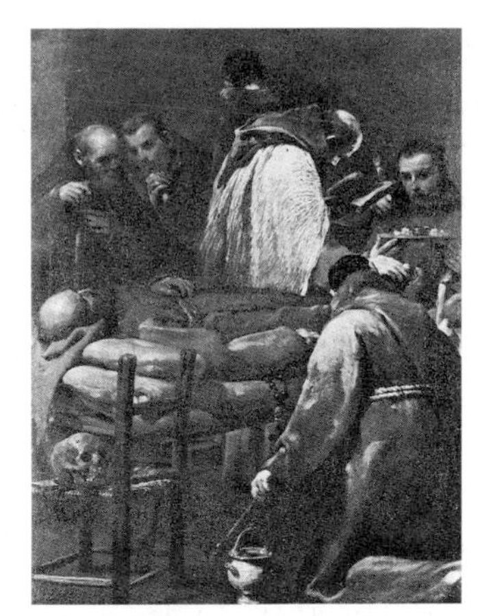

394 Crespi

393 Crespi

392 Crespi

399 *Der heilige Joseph.* Leinwand, oval, 87×70,5 cm. 1749 in Bologna vom Sohn des Malers, dem Kanonikus Luigi Crespi, erworben.

Joseph, der zum Nährvater Jesu ausersehen wurde, war nach der Bibel ein Zimmermann aus Nazareth in Galiläa. Unter allen unverheirateten Männern wurde er daran als der Auserwählte erkannt, daß sein Stab Blüten trieb. Der Blütenstab bildet wie auch hier allgemein sein Attribut, während das Buch ungewöhnlich für ihn ist.

Literatur: Pajes Merriman 1980, Nr. 87.

399 Crespi

400 *Die Anbetung der Hirten.* Um 1725–1730. Kupfer, 54×64,5 cm. Zuerst im Inventar Guarienti (1747–1750), Nr. 406; aus der Casa Bellucci in Bologna.

Crespi hat eine echt italienische, lebhafte Volksszene gemalt und seinen starken Wirklichkeitssinn bewiesen. Das religiöse Motiv wird zum figurenreichen Genrebild.

Literatur: Pajes Merriman 1980, Nr. 25.

400 Crespi

402 *Ecce homo.* 1730. Leinwand, 85,5×67 cm. 1749. Herkunft wohl wie Gal.-Nr. 399.

Mit den Worten «Ecce homo», «Siehe, welch ein Mensch», stellte der römische Statthalter Pilatus den gegeißelten, an den Händen gebundenen und nur mit der Dornenkrone und dem purpurnen Spottmantel bekleideten Jesus dem Volke vor (Johannes 19,5). In der Gegenüberstellung des gequälten Christus mit den beiden brutalen Bewaffneten gewinnt die Passionsdarstellung expressive Kraft.

Literatur: Pajes Merriman 1980, Nr. 52.

402 Crespi

403 *Bildnis des kaiserlichen Generals Pálffy.* Kurz vor 1744. Leinwand, 232,5×133,5 cm. «Abrégé» 1782, 1744 erworben.

Dargestellt ist (nach W. Wieser) wahrscheinlich Graf Leopold Pálffy (1716–1773). Er war 1742–1745 Generalmajor bei der Armee in Bayern, dann am Main, wurde im Juli 1751 Feldmarschalleutnant, 1754 Feldzeugmeister und 1760 Feldmarschall. Ist dieser wirklich dargestellt, wäre dies eine weitere Bestätigung, daß es sich hier um eines der spätesten Werke Crespis handelt. Crespis Bild geht in der starken persönlichen Durchdringung des Dargestellten weit über äußerliche Repräsentation hinaus. M. Pajes Merriman hält den Dargestellten für den General Johann Pálffy (1663–1751) und datiert um 1700–1705.

Literatur: Pajes Merriman 1980, Nr. 194.

Darbes, Joseph Friedrich August Geboren 1747 in Hamburg, gestorben 1810 in Berlin. Ausgebildet an der Kopenhagener Kunstakademie, wo J. M. Preisler und K. G. Pilo seine Lehrer waren. Anschließend Studienreisen durch Deutschland, Holland und Frankreich. Seit 1773 für mehr als ein Jahrzehnt in Kurland und in St. Petersburg tätig. 1785 und Ende 1790 Besuche Dresdens. Seit 1785 in Berlin, wo er 1796 Professor für Bildnismalerei und Akademiemitglied wurde. Er war ein merkwürdiger und nicht ganz einfacher Charakter. Stilistisch vermittelt Darbes zwischen Anton Graff und J. F. A. Tischbein, scheint aber auch Anregungen aus den Bildnissen von Jean-Baptiste Greuze aufgenommen zu haben.

3180 *Bildnis der Dorothea Herzogin von Kurland.* 1785. Bezeichnet rechts: Darbes: pinx. 1785. Leinwand, 61×46,5 cm. 1948 zur Gemäldegalerie aus dem Schloß Seifersdorf bei Dresden.

Anna Charlotte Dorothea Herzogin von Kurland, geborene Reichsgräfin von Medem (1761–1821) war seit 1779 verheiratet mit Peter, Reichsgraf von Biron, Herzog von Kurland (1724–1800), der von 1769 bis 1795 regierte, 1795 jedoch zugunsten von Zarin Katharina II. von Rußland abdanken mußte. (Vgl. Ch. A. Tiedge: Anna Charlotte Dorothea, letzte Herzogin von Kurland. 1823) Sie war die Stiefschwester der als Schriftstellerin bekannten Elisa von der Recke (1754–1833). Das Bild entspricht dem schlichten bürgerlichen Bildnisstil der zweiten Hälfte des 18. Jahrhunderts.

Dathan, Johann Georg Geboren 1701 in Speyer, dort gestorben 1749. Arbeitete in seiner Jugend vermutlich mit dem Vater zusammen, der in Speyer Stadtbaumeister war; malte 1725 die Decke der Ratsstube aus. 1736 in Amsterdam, um 1740 in Mannheim. Lebte vorwiegend in Speyer als Maler von Bildnissen, Genreszenen, Historien, Mythologien und Allegorien.

2101 *Allegorie auf die Vermählung der Prinzessin Maria Josepha von Sachsen mit dem Dauphin von Frankreich im Jahre 1747.* 1748. Bezeichnet unten in der Mitte: Georg Dathan 1748. Apfelbaumholz, 57×41,5 cm. Zuerst im Katalog 1835.

Eine kleine, kleinmeisterlich gemalte Ereignis-Allegorie, weit entfernt in Malweise und Format von den barocken Ereignis-Allegorien, die etwas früher in Dresden entstanden waren. Nichts spricht dafür, wie bisher anzunehmen, das Bild sei in Dresden entstanden: Maria Josepha hatte die Stadt nach ihrer am 10. Januar 1747 erfolgten Vermählung per procura bereits am 14. Januar verlassen und war nach Frankreich abgereist. Dathan zeigt sie auf einem erhöhten Sitz; sie hält verschiedene Kronen im Schoß, das Kerykeion des Götterboten Merkur in der Hand. Ein weiblicher Genius (dunkel vorn rechts) reicht ihr einen Schlüssel, ein jugendlicher Genius hält eine Girlande aus französischem und sächsisch-polnischem Wappen sowie Namensinitialien in der Hand: L für Louis Dauphin de France, MJ für Maria Josepha. Über der Prinzessin die Verkörperung der Gerechtigkeit mit Waage und Ölzweig, darüber Apoll als Beschützer der Künste. Minerva, als Sitzstatue auf einem Sockel, hält ein Doppelbildnis-Medaillon mit Profilköpfen der Eltern der Prinzessin. Zwei Putti unten auf der Treppe halten eine Girlande mit dem Datum MDCCXLVII.

Literatur: G. Biermann: Deutsches Barock und Rokoko. Leipzig 1914, Bd. 1, S. 71. – E. Emmerling, in: Pfälzer Heimat 1953, Jg. 4, Heft 2, S. 34f. – E. Emmerling, in: Mitt. des Hist. Vereins der Pfalz 67, Speyer 1969 (Festschr. Hundert Jahre Hist. Mus. der Pfalz), S. 359f. – Kunst der Bachzeit. Ausstellungskatalog. Leipzig 1985, S. 146.

403 Crespi

3180 Darbes

2101 Dathan

S 247 Demachy

Demachy, Pierre Antoine Geboren 1723 in Paris, dort gestorben 1807. Sohn eines Kunsttischlers. Lernte bei Giovanni Niccolò Servandoni, der als Architekt, Architektur- und Theatermaler und auch als Arrangeur großer Feste in der ersten Hälfte des 18. Jahrhunderts berühmt und gesucht war. Sein Schüler Demachy verstand sich also auf perspektivische Effekte und auf dekorative Wirkung. Mit Bildern römischer Tempelruinen und Veduten aus der französischen Hauptstadt errang er Erfolge. Bei der Figurenstaffage halfen ihm bisweilen befreundete Kollegen.

S 247 *Abbruch der Kirche Saint Sauveur in Paris.* 1777. Bezeichnet links unten: DEMACHY 1777. Leinwand, 39,5×58,5 cm.

Diese zuerst von Henner Menz publizierte Pariser Straßenansicht ist gleichermaßen Stadtvedute wie «Ereignisbild». Sie stellt die Rue Saint Denis im Jahre 1777 dar und schildert den Abbruch der Kirche Saint Sauveur: Mit der Treue des Stadtchronisten hat Demachy den Vorgang der Zerstörung erfaßt, hat ihn aber zwischen dunkle, rahmende Phantasie-Architekturen gestellt, eine Kirchenfassade am linken Bildrand und einen Brunnen ganz rechts. Damit gewinnt die sachliche Dokumentation nicht nur dekorative Reize – es werden auch Stimmungswerte betont, die das Gemälde in den Zusammenhang empfindsamer Ruinenbilder stellen, wie sie in dieser Zeit in ganz Europa beliebt waren. In Frankreich hat besonders Hubert Robert solche Werke geschaffen.

Literatur: H. Menz: Ein unbekanntes Pariser Ruinenbild von P. A. Demachy. In: Muzeum i twórca. Warszawa 1969, S. 131–140.

2067 Denner

Denner, Balthasar Geboren 1685 in Hamburg, gestorben 1749 in Rostock. Sein Vater war Mennonitenprediger. Anfangs Schüler des Niederländers Amana in Hamburg, dann bei unbekannten Lehrern in Danzig. Seit 1707 als Schüler an der Berliner Akademie, seit 1709 als Bildnismaler bekannt. Auf der erfolgreichen Suche nach Bildnisaufträgen machte er Reisen in verschiedene Orte Deutschlands, 1717 für zehn Monate nach Kopenhagen. 1721 Übersiedlung nach England, wo er bis 1728 lebte. Anschließend wieder in Hamburg, 1729 in Dresden, wo König August II. Bilder erwarb, 1730 in Berlin, dann wieder in Hamburg. Nach dreieinhalbjährigem Aufenthalt in Amsterdam 1740 erneut in Hamburg, aber oft auf Reisen. Ein Angebot der Zarin Elisabeth, nach St. Petersburg zu kommen, lehnte er 1742 ab. In seinen letzten Lebensjahren war Denner viel für den mecklenburgischen Hof tätig. Denners Charakterköpfe sind Extreme an ungeschminkter Naturwiedergabe, übertreiben allerdings charakteristische Züge, oft im Gegensatz zu auch heute noch verbindlichen Vorstellungen vom Schönen, und bilden einen Gegenpol zur idealisierenden Bildnismalerei der damaligen gefeierten Hofmaler.

2067 *Bildnis einer bejahrten Frau mit weißer Haube.* Leinwand, 74,5×62 cm. Inventar 1754, II 279.

Gekennzeichnet durch eine sehr lockere, vor allem im Gewand geradezu skizzenhafte Malweise, die es bei Denner neben den minutiös durchgeführten Kabinettstücken auch gibt.

3874 Denner

3874 *Alte Frau mit violettem Kopftuch.* Kupfer, 37×31 cm. 1973 Geschenk einer schottischen Familie: IN MEMORIAM 13. FEBRUAR 1945.

Kabinettstück von unnachahmlicher Feinheit der Ausführung. Eine von mehreren eigenhändigen Fassungen. Am berühmtesten ist das Exemplar in Wien, das Kaiser Karl VI. 1721 erwarb und wie ein Kleinod hütete. Während die Bilder in Dresden und Wien unbezeichnet sind, besitzt die Ermitage in St. Petersburg ein bezeichnetes und 1726 datiertes Stück.

Literatur: H. Marx: Neuerwerbungen deutscher Malerei. Ausstellungskatalog. Dresden 1974, Nr. 5. – Kunst der Bachzeit. Ausstellungskatalog. Leipzig 1985, S. 146.

2068 Denner

2068 *Alte Frau mit goldgelbem Kopftuch.* 1737. Bezeichnet rechts unten: Denner. 1737. Kupfer, 42×33 cm. Zuerst im Galeriekatalog 1815 nachweisbar.

Gemalt in Amsterdam, wo sich Denner 1737 aufgehalten hat. Stärker noch als in anderen Werken Denners spürt man bei diesem Bild den Einfluß der holländischen Malerei aus dem Rembrandt-Umkreis; anregend könnten die sogenannten Bildnisse von Rembrandts Mutter gewesen sein. Das kleine Gemälde gehörte zu den Kriegsverlusten der Dresdener Galerie und ist der Sammlung 1991 vom Auktionshaus Sotheby's übergeben worden, nachdem der Einlieferer von jedem Anspruch zurückgetreten war.

Literatur: H. Ebert: Kriegsverluste der Dresdener Gemäldegalerie. Dresden 1963, S. 90. – Sotheby's. Versteigerungskatalog. Old Master Paintings. London, 3. Juli 1991, Nr. 175.

Deutsch um 1785–1795

3898 Deutsch um 1785–1795

3898 *Junger Mann mit breitkrempigem Hut.* Leinwand, 61×47 cm. 1974 aus Dresdener Privatbesitz.

Das Bildnis ist von überraschender persönlicher Ausstrahlung. Man denkt an den Künstlerkreis, in den Goethe 1786/87 in Italien eintrat, man spürt etwas von dem Reiz und von dem Wert, den Italien damals für junge deutsche Künstler und Dichter hatte: Geniezeit, Sturm und Drang, Empfindsamkeit, Italiensehnsucht – von alledem klingt etwas an. Unbekannt bleiben weiterhin sowohl der Dargestellte als auch der Künstler. Gerade in diesen späten Jahren des 18. Jahrhunderts wurden Bildnisse mit breitkrempigem Hut wieder häufig. Ein Porträt des Fürsten Nikolai B. Jussupow von Heinrich Friedrich Füger (1751–1818) in der Ermitage in St. Petersburg und das Selbstbildnis von Philipp Friedrich Hetsch (1758–1839) in der Staatsgalerie Stuttgart bieten sich zum Vergleich an, ohne daß sich daraus zwingende Hinweise auf die Zuschreibung ergeben würden. Entfernte Anregung zu diesem Bildnistyp könnten Selbstdarstellungen von Rubens gewesen sein.

Literatur: H. Marx: Neuerwerbungen deutscher Malerei. Ausstellungskatalog. Dresden 1974, Nr. 38.

Dietrich, Christian Wilhelm Ernst Geboren 1712 in Weimar, gestorben 1774 in Dresden. Als Sohn des Weimarer Hofmalers Johann Georg Dietrich erhielt er seine erste Ausbildung durch den Vater und wurde 1725, 13jährig, Schüler des Johann Alexander Thiele in Dresden, bei dem er bis 1731 arbeitete. 1731 ernannte ihn August der Starke zu seinem Hofmaler. Bis 1741 wirkte Dietrich hauptsächlich in Weimar, wurde 1741 Hofmaler Augusts III. und übernahm 1748 das Amt des Inspektors der Dresdener Gemäldegalerie. 1764 wurde Dietrich Professor für Landschaftsmalerei an der Dresdener Akademie und gleichzeitig Direktor der Zeichenschule in Meißen. Er ist einer der bedeutendsten deutschen Maler des Spätbarocks, der Werke anderer Künstler wie Rembrandt, Griffier, van Goyen oder Watteau nachahmte und variierte, dabei aber zugleich seine unverwechselbare Eigenart entwickelte.

2103 Dietrich

2133 Dietrich

2103 *Die Anbetung der Könige.* 1731. Bezeichnet unten rechts: CWE Dietrich fec: 1731. Leinwand, 87,5×114 cm. Inventar 1754, II, 652.

Die Darstellung basiert inhaltlich auf dem Evangelium des Matthäus, 2, 9f. Die drei Weisen, Magier oder Könige aus dem Morgenland (so unterschiedlich werden sie in den alten Erzählungen genannt) gingen von Jerusalem nach Bethlehem, immer einem Stern nach, der ihnen die Geburt des «Königs der Juden» anzeigte, «bis daß er kam und stund oben über, wo das Kindlein war». Sie brachten Weihrauch, Myrrhe und Gold als Geschenke mit (vgl. Die Heiligen Drei Könige. Darstellung und Verehrung. Ausstellungskatalog. Köln 1982). Das Bild gehört zu den frühesten bekannten Arbeiten Dietrichs, ist fast monochrom aus dem Helldunkel heraus modelliert, akzentuiert mit wenigen leuchtenden Lokalfarben. Es scheint einerseits in Details auf Rembrandt-Radierungen zurückzugehen, und andererseits wirkt es in manchen Partien italienisch inspiriert. Besonders hingewiesen sei auf Luca Giordano, in dessen «Anbetung der Könige» in El Pardo, Casita, sich eine verblüffende Entsprechung zu dem knienden Mohrenkönig findet.

Literatur: O. H. von Bockelberg: Das Morgenländische in der Anbetung der Könige, ein Beitrag zu ihrer Ikonographie. In: Deutschland-Italien. Festschrift für Wilhelm Waetzold. Berlin 1941, S. 124. – P. Michel: Christian Wilhelm Ernst Dietrich (1712–1774) und die Problematik des Eklektizismus. München 1984, S. 310, Nr. 9. – Kunst der Bachzeit. Ausstellungskatalog. Leipzig 1985, S. 146. – E. Bagnol: Christian Wilhelm Ernst Dietrich, état des travaux et recensement de l'œuvre. Université Paul Valéry. Montpellier III. Mémoire D.E.A. 1988, S. 13, Nr. P 1.

2133 *Diana entdeckt den Fehltritt der Kallisto.* 1730 (?). Leinwand, 53,5×72 cm. Inventar «vor 1741» (Steinhäusers Inventar in 8°), Nr. 2144. Demnach 1731 vom Künstler selbst zur Galerie geliefert.

Die dargestellte Szene folgt inhaltlich den «Metamorphosen» des römischen Dichters Ovid, II, 442–453. Kallisto war eine Nymphe aus dem Gefolge der keuschen Göttin Diana, die hier die Schwangerschaft der von Jupiter getäuschten und verführten «Sünderin» entdeckt. Zur Entstehungsgeschichte des Bildes wissen wir durch Karl Heinrich von Heinecken, daß August der Starke, um Dietrichs Talent zu prüfen, ihn in seiner Gegenwart «zwei kleine Schildereien, eine in der Art von Ostade, und eine in dem Geschmacke nach Poelenburgh ... [habe] malen» lassen (K. H. von Heinecken: Neue Nachrichten von Künstlern und Kunstsachen. Dresden/Leipzig 1786, S. 11f.). Gerade «Diana und Kallisto» soll, nach alter Tradition, vor den Augen des Königs im Jahre 1730 entstanden sein, wenngleich es weder Ostade noch Poelenburgh zum Vorbild hat, sondern eher italienischen Mustern, wie Salvator Rosa, zu folgen scheint. Dietrich war, als er das Bild malte, 18 Jahre alt.

Literatur: Michel 1984, S. 103, 314, Nr. 41. – Bagnol 1988, S. 65, Nr. P 224. – H. Marx, in: Königliches Dresden. Ausstellungskatalog. München 1990, Nr. 21.

2107 Dietrich

2107 *Arkadisches Hirtenleben.* 1740. Bezeichnet unten rechts: CWE Dietricy: Pinx. Ao: 1740. Gegenstück zu Gal.-Nr. 2108. Leinwand, 53,5 × 72 cm. 1741 durch von Kaiserling zur Galerie.

Den «Raphael unserer und aller Zeiten in Landschaften» sah Johann Joachim Winckelmann in dem zu seiner Zeit hochberühmten Dresdener Galerie-Inspektor und Hofmaler Christian Wilhelm Ernst Dietrich, der aber auch auf anderen Gebieten brillierte. Sowohl als Historienmaler als auch mit Genrebildern trat er hervor. Bewundert wurde seine Virtuosität. In dem Gemälde «Arkadisches Hirtenleben» greift er unterschiedliche Vorbilder auf, von holländischen Italianisanten über Gerard de Lairesse bis zu Adriaen van der Werff und beweist die Fähigkeit, trotz aller Anlehnung an fremde Muster einen eigenen, wenn auch eklektischen Stil zu entwickeln.

Literatur: Michel 1984, S. 82, 316, Nr. 67. – Bagnol 1988, Nr. P 70.

2681 Dietrich

2681 *Bildnis eines älteren Mannes.* 1748 (?). Bezeichnet links in halber Höhe: Dietricy Pinx 174. (?). Rückseitig von fremder Hand: Dietricy px 1748. Holz, 32 × 24 cm. Erworben 1943 im Auktionshaus Hans W. Lange, Berlin. In den gedruckten Galeriekatalogen zuerst 1960.

2682 Dietrich

2682 *Bildnis einer älteren Dame.* 1748 (?). Rückseitig von fremder Hand: Dietricy px 1748. Holz, 32 × 24 cm. Herkunft wie Gal.-Nr. 2681.

Die beiden zusammengehörigen Bildnisse Gal.-Nr. 2681 und 2682 stehen für ein im Schaffen Dietrichs seltenes Genre: für die Porträtmalerei. Zwar verstand es der Künstler, mit Leichtigkeit erkennbare Bildnisse zu schaffen (so hat er in Johann Alexander Thieles Ansicht von Schloß Moritzburg 1736 als dessen Schüler und Mitarbeiter die Jagdgesellschaft mit August III. und dem Grafen Brühl bei aller Kleinheit der Köpfe deutlich porträtiert), doch wirkliche, nach dem Leben gemalte Bildnisse blieben in seinem Werk äußerst selten. Umso interessanter sind die beiden hier gezeigten, aus dem Helldunkel heraus entwickelten Porträts, anscheinend zusammengehörig und doch unterschiedlich charakterisiert: eine gewisse Pose des Sich-Zeigens bei dem Herrenbildnis, bei dem Damenbildnis stille Zurückhaltung, vornehme Würde und geistige Wachheit. Holländische Vorbilder des 17. und frühen 18. Jahrhunderts könnten anregend gewesen sein, trotz der modischen Zeittracht und des drapierten Mantels bei dem Bildnis des Herrn. Die Identität der beiden Dargestellten konnte nicht ermittelt werden.

Literatur: Michel 1984, S. 159f. – Bagnol 1988, S. 58, Nr. P 191, P 192.

3183 *Die Auferweckung des Lazarus.* 1751. Bezeichnet unten rechts: Dietricy fe. 1751. Leinwand, 85 × 105 cm. Nach 1945 zur Galerie.

Die Darstellung basiert inhaltlich auf dem Evangelium des Johannes, 11, 1, 45. Jesus erweckte Lazarus von Bethanien, der vier Tage zuvor gestorben und beigesetzt worden war, zum Leben. «Und der Verstorbene kam heraus, gebunden mit Grabtüchern an Füßen und Händen, und sein Angesicht verhüllt mit einem Schweißtuch ... Viele nun der Juden, die ... gekommen waren und sahen, was Jesus tat, glaubten an ihn.» Maria und Martha, die Schwestern des Lazarus (links neben dem Grab), begleiten den Vorgang mit großen Gesten. Dietrich hat das Thema auf unterschiedliche Weise und zu wiederholten Malen gezeichnet (Dresden, Kupferstich-Kabinett, Ca 49i, Blatt 23, 24; Wien, Albertina, Inv.-Nr. 3970, 3980; Paris, Louvre, Cabinet des Dessins, Inv.-Nr. 18.5669), gemalt (Leipzig, Museum der bildenden Künste; Epinal, Musée départemental des Vosges) und radiert (vgl. Linck: Monographie der von ... C. W. E. Dietrich radierten, geschabten und in Holz geschnittenen malerischen Vorstellungen ... Berlin 1846, Nr. 19; Exemplar im Kupferstich-Kabinett Dresden, A 15688). Der Künstler lehnte sich bei seiner Komposition an Rembrandts Radierung des gleichen Themas an (B 72), verstand sein Werk aber nicht als Kopie, sondern als variierende und verbessernde Interpretation der Vorlage.

Literatur: H. Marx: Neuerwerbungen deutscher Malerei. Ausstellungskatalog. Dresden 1974. – E. Foucart-Walter: Trois acquisitions de peinture germanique. In: La Revue du Louvre et des Musées de France 5–6. Paris 1983, S. 380. – Michel 1984, S. 91f. – Bagnol 1988, S. 17, Nr. P 18. – H. Marx, in: Ecclesia Triumphans Dresdensis. Ausstellungskatalog. Wien 1988, Nr. 13.

3183 Dietrich

2123 *Hirtinnen und Herden.* 1751. Leinwand, 54,5 × 73 cm. Vom Künstler selbst an die Galerie geliefert. Inventar 1754, II, 499.

Das Bild gehört nach Thema, Format und Malweise zusammen mit einem anderen Gemälde Dietrichs in der Dresdener Galerie (Gal.-Nr. 2122), das signiert und 1751 datiert ist. Es führt den Betrachter in eine bukolische Welt der Poesie und Phantasie, ist fern allem realistischen Anspruch: ein virtuos in Szene gesetzter Traum vom Eins-Sein des Menschen mit der Natur, außerhalb jeder Geschichte. Formale Vorbilder lieferten holländische Italianisanten wie Jan Both und Nicolas Pietersz. Berchem, aber auch Maler wie Cornelis van Poelenburgh, doch geht Dietrich über die Nachahmung weit hinaus und findet seine eigene unverwechselbare Ausdrucksweise.

Literatur: Michel 1984, S. 329. – Bagnol 1988, S. 36, Nr. P 97. – H. Marx, in: Königliches Dresden. Ausstellungskatalog. München 1990, Nr. 25.

2123 Dietrich

2127 *Venus und Aeneas.* 1766. Bezeichnet links unten: Dietricy 1766. Leinwand, 75,5 × 63 cm. 1855 aus dem «Vorrath» zur Galerie.

Das Gemälde «Venus und Aeneas» ist das Werk eines Eklektikers mit Sinn für wirkungsvolle Inszenierung. Es entstand als «Receptionsbild» für die Dresdener Kunstakademie. Die dargestellte Szene folgt inhaltlich dem achten Gesang der Aeneis des Vergil. Das Geschehen ist zugespitzt auf elegante, fast tänzerische Posen und erreicht seine theaterhafte Wirkung durch virtuoses Spiel mit dem Licht und den Farben. Mehr einem gefeierten Operntenor als einem antiken Helden gleicht Aeneas,

2127 Dietrich

dem seine Mutter, die Göttin Venus, die Waffen bringt, die Hephästos für ihn geschmiedet hatte. Schon im Entstehungsjahr 1766 ist Dietrichs Bild in der akademischen Kunstausstellung in Dresden gezeigt worden. Die «Neue Bibliothek der schönen Wissenschaften und freyen Künste» widmete dieser Ausstellung eine lange Rezension, erwähnte den «Besuch des Churfürsten, das Administrators ... und der sämtlichen höchstens Herrschaften» und besprach die Werke in der Aufeinanderfolge der Räume: «Das dritte Zimmer prangte mit einem durch alle Reizungen eines schönen Colorits und verschmolzener Tinten belebten Gemälde unseres Dietrichs, welches er der Akademie zum Andenken geschenkt, den Aeneas vorstellend, wie er von der Venus die Waffen empfängt ...»

Literatur: Neue Bibliothek der schönen Wissenschaften und freyen Künste 1766, II, I, S. 157. – Michel 1984, S. 103, 104, 327. – Bagnol 1988, S. 66, Nr. P 232. – H. Marx: Venus und Aeneas. Christian Wilhelm Ernst Dietrichs «Receptionsbild» für die Dresdener Kunstakademie. In: Dresdener Kunstblätter, 1990, H. 5, S. 153–156. – Marx, in: Königliches Dresden. 1990, Nr. 23.

Dietterlin, Bartholomäus Geboren um 1590 in Straßburg, nachweisbar bis 1638. Sohn des Hilarius und Enkel des Wendel Dietterlin. Malte auch Deckfarbenblätter, wovon in Straßburg Beispiele bewahrt sind.

862 *Waldlandschaft mit Diana und Aktäon.* Bezeichnet auf der Rückseite: Bartolomeo Dieterlin. Kupfer, 27×34 cm. 1861 aus dem «Vorrath» in die Galerie übernommen.

Dargestellt ist das in den Metamorphosen des Ovid, III, 131–255, geschilderte tragische Ende des thebanischen Jägers Aktäon, den Diana, weil er sie und ihre Nymphen im Bade überrascht hatte, in einen Hirsch verwandelte, den dann seine eigenen Hunde angefallen und zerrissen haben. In der Mitte der auf Diana zueilende Aktäon, links die beginnende Verwandlung und der Angriff der Hunde. Die farbig kühle und zeichnerisch bestimmte Art des Bildes, an Wasserfarbenmalerei geschult, unterscheidet Dietterlin deutlich von solchen Zeitgenossen wie Elsheimer und Rottenhammer; sie macht ältere Zuschreibungsversuche verständlich, 1862 an Paul Bril, 1873 an Matthäus Bril, durch die das Bild eine Generation früher datiert worden ist. Erst 1920 ist die rückseitige Bezeichnung entdeckt worden.

Literatur: H. Marx, in: Europäische Landschaftsmalerei 1550–1650. Ausstellungskatalog. Dresden 1972, Nr. 28.

862 Dietterlin

Dolci, Carlo Geboren 1616 in Florenz, dort gestorben 1686. Schüler des Jacopo Vignali. Tätig in Florenz, 1672 in Innsbruck, einer der letzten bedeutenden florentinischen Meister. Seine meist im Ausschnitt wiedergegebenen Gestalten sind vom Pathos gesteigerter Empfindsamkeit bestimmt.

508 *Die Tochter der Herodias.* Um 1665–1670. Leinwand, 95,5×80,5 cm. 1742 durch de Brais aus der Sammlung des Prinzen Carignan in Paris. Nach Baldinucci für den Marchese Rinuccini in Florenz gemalt.

508 Dolci

Die judäische Prinzessin Salome wurde von ihrer Mutter Herodias angestiftet, ihren Stiefvater, den König Herodes Antipas, um das Haupt des eingekerkerten Johannes des Täufers zu bitten (Markus 6, 17–28). Der Verkünder des anbrechenden Reiches Gottes und Vorläufer Jesu hatte Herodias des Ehebruchs angeklagt, und diese nahm nun Rache. In den Zügen Salomes scheinen sich Trauer und Reue über das Geschehene zu spiegeln, obwohl die Haltung auch Koketterie verrät. Weitere Fassungen des Bildes befinden sich u. a. im Museum Glasgow, in Windsor Castle und im Phoenix Art Museum (USA).

Literatur: M. Levey: The later Italian Pictures in the Collection of Her Majesty the Queen. London 1964, Nr. 464.

509 Dolci

509 *Die heilige Cäcilie.* 1671. Leinwand, 96,5×81 cm. Herkunft wie Gal.-Nr. 508. Für den Großherzog von Toskana, Cosimo III. von Medici, gemalt.

Cäcilie starb wahrscheinlich gegen 200 als christliche Märtyrerin. Seit dem 15. Jahrhundert wurde sie als Schutzheilige der Musik verehrt und zumeist mit der Orgel dargestellt. In einer Malweise von höchster Feinheit und Glätte hat Dolci den Ausdruck empfindungsvoller Versenkung wiedergegeben.

Literatur: K. Busse, in: Thieme-Becker-Künstlerlexikon. Leipzig 1913, Bd. 11, S. 386.

510 Dolci

510 *Christus, Brot und Wein segnend.* Gegen 1680. Leinwand, 87×75 cm. 1746 aus der Casa Rumieri in Venedig.

Das Bild reiht sich zu anderen Fassungen dieses Motivs von Dolci in Burghley House, Lincolnshire, und in der Methuen Collection, Corsham (Wiltshire); eine weitere wurde früher im Dom zu Pistoia genannt. Eine Wiederholung befindet sich im Statens Museum for Kunst Kopenhagen. Unüberbietbare Genauigkeit der Ausführung und höchste technische Perfektion in der porzellanhaften Glätte feinvertriebener Farben verbinden sich mit der für Dolci bezeichnenden schmerzlich süßen Empfindsamkeit. Der Christuskopf reiht sich zu seinen weiblichen «Sehnsuchtsköpfen».

Literatur: Ch. McCorquodale, in: Painting in Florence 1600–1700. A Royal Academy Exhibition presented by Colnaghi London. Cambridge 1979, S. 48–50, Nr. 17. – A. Walther, in: Dresda sull' Arno. Katalog der Ausstellung Florenz 1982/83. Milano 1982, III.10, S. 150.

Domenichino (?), eigentlich Domenico Zampieri, genannt Domenichino. Geboren 1581 in Bologna, gestorben 1641 in Neapel. Schüler des Denys Calvaert und des Ludovico Carracci in Bologna sowie des Annibale Carracci in Rom. Tätig in Bologna, seit 1602 in Rom, seit 1631 zumeist in Neapel. Er war neben Reni der bedeutendste direkte Nachfolger der Carracci. Bestimmend für ihn ist die klare, unpathetische Klassizität, die auf Poussin weiterwirkte.

319 Domenichino (?)

319 *Der heilige Sebastian.* Um 1605–1610 (?). Leinwand, 138,5× 94,5 cm. Um 1750 durch Le Leu aus Paris.

Sebastian, vordem Offizier der Leibgarde des römischen Kaisers Diokletian, mußte wegen seines christlichen Glaubens seinen ehemaligen Kameraden als lebende Zielscheibe dienen. Der plastisch-klar erfaßte Körper erhält seine Wirkung auch durch die weiträumige Landschaft. Das Bild steht wie eine ganz ähnliche Fassung in Quimper (Frankreich) in enger Beziehung zu Annibale Carracci, die Autorschaft Domenichinos ist umstritten.

Literatur: R. E. Spear: Domenichino. New Haven/Conn., London 1982, S. 315.

Dossi, Dosso, und **Dossi, Battista,** eigentlich Giovanni di Luteri, genannt Dosso Dossi, und Battista di Luteri, genannt Battista Dossi. Dosso Dossi, geboren um 1489 wahrscheinlich in Ferrara, dort gestorben wohl 1542. Tätig im Dienste der Herzöge d'Este in Ferrara. Beeinflußt von Giorgione, Tizian und Raffael. In seiner poesievollen Malerei sind die figürlichen Darstellungen im Sinne des Giorgionismus innig mit der Landschaft verbunden. – Battista Dossi, geboren um 1493–1495 wahrscheinlich in Ferrara, dort gestorben 1548. Mitarbeiter seines älteren Bruders und von ihm und von den gleichen Künstlern wie er beeinflußt, aber nicht völlig ebenbürtig.

124 Dossi, Dosso, und Dossi, Battista

124 *Der heilige Georg.* Um 1540. Gegenstück zu Gal.-Nr. 125. Leinwand, 206 × 121 cm. 1746 aus der herzoglichen Galerie in Modena. *Detail Umschlagbild*

Georg war nach der Überlieferung ein Offizier aus Kappadokien in römischem Dienst, der unter Kaiser Diokletian als Christ enthauptet wurde. Nach der Legende hat er einen Lindwurm getötet, dem die lybische Stadt Silene ständig Kinder und Tiere opfern mußte, gerade als die Reihe an die Königstochter kam. Georg wurde als Schutzheiliger der Soldaten verehrt. Die Darstellung folgt kompositionell bis in Details Raffaels Bild in der National Gallery Washington, ist aber malerisch besonders durch den romantisierenden Helldunkelkontrast ganz eigenständig behandelt.

Literatur: A. Mezzetti: Il Dosso e Battista Ferraresi. Ferrara 1965, Nr. 33. – F. Gibbons: Dosso and Battista Dossi, Court Painters at Ferrara. Princeton, N. J., 1968, Nr. 121. – C. H. Clough: Il 'San Giorgio' di Washington: Fonti e Fortuna. In: Studi su Raffaello. Atti del Congresso Internazionale di Studi. Urbino/Firenze 1984, S. 275–290.

125 Dossi, Dosso, und Dossi, Battista

125 *Der Erzengel Michael.* Um 1540. Gegenstück zu Gal.-Nr. 124. Leinwand, 205 × 119 cm. Herkunft wie Gal.-Nr. 124.

Michael gilt als Sieger über den Satan, Anführer der himmlischen Heerscharen gegen die Mächte der Finsternis wie als Patron der christlichen Kirche und der christlichen Heere. Wie ein römischer Legionär gekleidet, zwingt er hier den Teufel, in die Erde zu fahren. Die beiden kraftvollen Gestalten erscheinen stark von Michelangelo beeinflußt.

Literatur: Mezzetti 1965, Nr. 34. – Gibbons 1968, Nr. 122.

Dossi, Battista, eigentlich Battista di Luteri, genannt Battista Dossi (Biographie s. unter Dossi, Dosso ...)

126 *Allegorie der Gerechtigkeit.* 1544. Gegenstück zu Gal.-Nr. 127. Leinwand, 220 × 105,5 cm. 1746 aus der herzoglichen Galerie in Modena.

Höchstwahrscheinlich handelt es sich hier um das «Bild einer Justitia», für das Battista Dossi wie für noch andere Werke 1544

126 Dossi, Battista

eine Bezahlung erhielt. Die weibliche Gestalt trägt ebenso wie die des «Friedens» eine längere und eine kürzere Tunika und ein um die Schultern gelegtes Mäntelchen. Sie hält in der Linken eine zierliche Balkenwaage, Recht und Unrecht abzuwägen, und umfaßt mit dem anderen Arm das Liktorenbündel von Stäben und Beil als Zeichen des Rechtes zur körperlichen Züchtigung und Vollstreckung der Todesstrafe. Unbeachtet am Boden liegende Gefäße mit silbernen und goldenen Münzen bekunden Unbestechlichkeit. Der Weinstock als bekanntes Symbol Christi soll wohl auf die christlich-religiöse Grundlage hinweisen, auf der Herzog Ercole II. von Ferrara seine politischen Leitziele Gerechtigkeit und Frieden verwirklichen wollte.

Literatur: Mezzetti 1965, Nr. 35. – Gibbons 1968, Nr. 89.

127 Dossi, Battista

127 *Allegorie des Friedens.* 1544. Gegenstück zu Gal.-Nr. 126. Leinwand, 211 × 109 cm. Herkunft wie Gal.-Nr. 124.

Die mit einer Blumenkrone geschmückte allegorische Gestalt umfaßt ein Füllhorn und ein Bündel Ähren und entzündet mit einer Fackel die am Boden liegenden Rüstungsteile, auf die sie zum Zeichen für deren Überwindung zugleich den Fuß setzt. Das friedliche Lamm findet beim Frieden Schutz vor dem drohenden Eber. Wie beim Gegenstück läßt die hochgegürtete heroinenhafte Frauenfigur den Einfluß Michelangelos und des emilianischen Manierismus erkennen.

Literatur: Mezzetti 1965, Nr. 36. – Gibbons 1968, Nr. 90.

130 Dossi, Battista

130 *Eine Hore mit dem Gespann Apollos.* Nach 1540. Leinwand, 89 × 155 cm. Herkunft wie Gal.-Nr. 124; Inventar Guarienti (1747–1750), Nr. 238.

Das Bild gehörte wie Gal.-Nr. 131 wahrscheinlich zu einem allegorischen Zyklus der Tageszeiten für das Schloß zu Ferrara und veranschaulicht die Stunde der Morgendämmerung. Eine Hore, eine Stundengöttin, zieht die vier Pferde aus dem Stall, die den Wagen des Sonnengottes Apoll über den Himmel führen und der Erde den Tag bringen werden. Feine atmosphärische Wirkungen untermalen das figürliche Geschehen. Das Bild kam wie Gal.-Nr. 131 als Garofalo aus Modena, steht aber eher Girolamo da Carpi nahe.

Literatur: Mezzetti 1965, Nr. 39. – Gibbons 1968, Nr. 91.

131 Dossi, Battista

131 *Der Traum.* Nach 1540. Leinwand, 82 × 149,5 cm. Herkunft wie Gal.-Nr. 124; Inventar Guarienti (1747–1750), Nr. 143.

Im Zyklus der Tageszeiten (vgl. Gal.-Nr. 130) ist hier eine Nachtstunde gezeigt. Häßliche Traumgesichter ängstigen die schlafende Frau, hinter der Somnus als Verkörperung des Schlafes den Wedel mit dem die Erinnerungen auslöschenden Wasser schwingt. Der nächtliche Brand und die Spukgestalten weisen auf niederländischen Einfluß.

Literatur: Mezzetti 1965, Nr. 40. – Gibbons 1968, Nr. 92.

Dou, Gerard Geboren 1613 in Leiden, dort gestorben 1675. Seine erste Ausbildung erhielt er als Glasmaler in Leiden. 1628–1631 Schüler Rembrandts. 1631 in Amsterdam, danach wieder in Leiden tätig, wo er bis zu seinem Tode blieb. 1648 Eintritt in die Leidener Lukasgilde, zu deren Gründungsmitgliedern er gehörte. Er war Genre-, Bildnis- und Historienmaler und einer der führenden Vertreter der Leidener Feinmalerschule.

1704 *Der Maler in seiner Werkstatt.* 1647. Bezeichnet halblinks am Tisch: G Dov 1647. Eichenholz, 43×34,5 cm. Inventar 1722–1728, A 529; erworben durch Wackerbarth.

Durch das bewußte Arrangement verschiedener Gegenstände, es sind vor allem Atelierrequisiten, bekundet Dou bestimmte künstlerische Absichten. Man hat das Bild als Manifest gedeutet. Dou stellt sich selbst dar und ist dabei, in einem Buch zu zeichnen; dies bedeutet, daß das Zeichnen dem Malen vorangeht. Im Hintergrund eine Skulptur mit Herkules und Cacus. Sie ist von C. Theuerkauff (1973) identifiziert worden als Arbeit von Leonhard Kern und befindet sich heute im Besitz der Sammlung P. D. Guggenheim in New York. Herkules galt als Beschützer der Künste. Daneben ein Parasol, ein Sonnenschirm; er diente dazu, die Bilder vor Staub zu schützen. Im Vordergrund verschiedene Gegenstände: Der Globus ist Symbol der sichtbaren Welt, die der Künstler nachzuahmen versucht, die Laute gibt einen Hinweis auf genaue Proportionen, die Violine und das Notenbuch sind als Sinnbilder für die Harmonie zwischen Kunst und Natur zu betrachten. Weiter ein Gipsabguß und ein Leuchter mit Kerze, letzterer ist ein Vanitassymbol und weist hin auf die Vergänglichkeit des irdischen Lebens.

Literatur: De Schilder in zijn Wereld. Ausstellungskatalog. Delft/Antwerpen 1964/65, S. 51, Nr. 35. – W. Sumowski: Gemälde der Rembrandt-Schüler. Landau 1983, Bd. 1, S. 499, 501, 502, 531, Nr. 274. – P. Hecht: De Hollandse Fijn schilders. Ausstellungskatalog. Amsterdam 1989, S. 42.

1704 Dou

1707 Dou

1707 *Der Geiger am Fenster.* 1665. Bezeichnet halblinks an der Brüstung: GDOV 1665. Eichenholz, oben rund, 40×29 cm. 1751 durch Le Leu aus der Sammlung Araignon in Paris.

Die Darstellung eines Malers, der seine im Hintergrund dargestellte Staffelei verlassen hat, um stattdessen an einer steinernen Brüstung Geige zu spielen, hat zu vielerlei Interpretationen Anlaß gegeben. Unterhalb der Balustrade ist ein verlorenes Relief von François Duquesnoy zu sehen mit Kindern, die mit einem Bock spielen. Eines der Kinder hält eine Maske vor das Gesicht. Nach Raupp spielt der Maler hier die moralisch anrüchige Rolle des Musikanten und gibt sich Sinnenfreuden hin. Miedema interpretiert die Darstellung eines musizierenden Malers als eine Ausdrucksform des Begriffes Vergnügen. Nach Hecht geht es um die betrügerischen Eigenschaften der Malerei. Wie auf dem Fries das Kind mit der Maske den Bock betrügt, so wird der Betrachter mit einem gemalten Werk der Bildhauerei konfrontiert, das selbst die Kraft der Illusion darzustellen versuchte.

Literatur: H.-J. Raupp: Musik im Atelier. In: Oud Holland, 92, 1978, S. 110f. – Sumowski 1983, S. 499–501, 535, Nr. 292, Abb. – H. Miedema: Tekst en afbeelding als bronnen bij historisch onderzoek. In: Wort und Bild in der niederländischen und Literatur des 16. und 17. Jahrhunderts (Hrsg. von H. Vekeman/ J. Müller Hofstede). Erfstadt 1984, S. 11f. – Hecht 1989, S. 46ff., Anm. 2–4.

1708 Dou

1708 *Stilleben mit Leuchter und Taschenuhr.* Bezeichnet unten in der Mitte auf der Brüstung: GDOV. Eichenholz, 43×35,5 cm. Inventar 1754, II 572; bereits 1665 im Cabinet de Bye in Leiden.

Zu den ersten Sammlern des Künstlers gehörte Johan de Bye in Leiden, der sich, um Dous Bilder ausstellen zu können, eine sogenannte «Voorkammer» (ein zur Straßenseite liegendes Zimmer) mietete. Das «Stilleben mit Leuchter» gehörte zu den bei de Bye ausgestellten Bildern. Dou hatte zu diesem Zwecke kleine «kastjes» (Kästchen) angefertigt, um seine Werke vor Staub und Beschädigungen zu schützen. Sie waren mit Deckeln versehen, die er ebenfalls selbst bemalte. Und um den Deckel eines solchen «kastjes» handelt es sich bei dem «Stilleben mit Leuchter und Taschenuhr». Das darin damals gezeigte Bild «Im Weinkeller» gehörte früher ebenfalls zum Bestand der Galerie, ist aber seit 1945 verschollen. Sanduhr, Kerze und Buch begegnen wir auf einem Emblem des Hadrianus Iunius (Emblemata, Antwerpen 1659) unter dem Motto «Vita mortalium vigilia». Die Tonpfeife und der auf den «Neuesten Nachrichten» liegende Tabak haben Bezug auf ein niederländisches Sprichwort: «Veeltijds wat nieuws, selden wat goets» (Oft was Neues, selten was Gutes).

Literatur: Ausstellungskatalog Delft/Antwerpen 1964/65, S. 51 f., Nr. 36. – Sumowski 1983, S. 500, 538, Nr. 308. – A. Mayer-Meintschel, in: Das Stilleben und sein Gegenstand. Ausstellungskatalog. Dresden 1983, Nr. 46.

1709 Dou

1709 *Der alte Schulmeister.* 1671. Bezeichnet halblinks am Pult: GDOV 1671. Eichenholz, an den Rändern angestückt, 32 × 25 cm (ohne Anstückung 26 × 20,5 cm). Zuerst im Katalog 1817, nach Hofstede de Groot vielleicht das Bild, das sich auf der Versteigerung in Amsterdam am 26. Juli 1713, Nr. 32, befand (Lugt 242).

In einem verschollenen Triptychon nahm Dou auf die aristotelische Sittenlehre Bezug. Gemäß der Kopie von W. J. Laquy im Rijksmuseum Amsterdam stellte Dou im Mittelbild eine stillende Frau dar und im Hintergrund eine Zahnoperation. Auf dem linken Seitenflügel war eine Schulszene zu sehen, auf dem rechten ein Federschneider. Aristoteles zufolge sind für die Erziehung des Menschen zu vollkommener Tugend drei Dinge wesentlich: Natur, Ausbildung und Übung. Diese drei Voraussetzungen verbarg Dou hinter ganz alltäglichen Begebenheiten. Der Federschneider versinnbildlichte die Vervollständigung der Ausbildung durch wiederholte Übung. Vermutlich ist die Interpretation als Darstellung der Übung auch für das Dresdener Gemälde zutreffend. Eine Zeichnung zu dem Gemälde ist in der Albertina in Wien (Mitteilung von Otto Naumann 1975).

Literatur: Tot Lering en Vermaak. Ausstellungskatalog. Amsterdam 1976, S. 91 ff., Nr. 17 (zur Interpretation). – Sumowski 1983, S. 499, 500, 536, Nr. 295.

1710 Dou

1710 *Der Zahnarzt.* 1672. Bezeichnet in der Mitte, auf dem weißen Schriftstück: GDOV 1672. Eichenholz, 31 × 24 cm. Zuerst im Katalog 1817; nach Martin identisch mit dem Bild, das aus der Sammlung A. Bout am 11. August 1733 im Haag versteigert wurde (Lugt 427).

Wie bei den zuvor besprochenen Gemälden rahmte Dou auch hier die Szene durch eine steinerne Brüstung. Diese sogenannten Nischenstücke wurden durch Dou populär und waren ein beliebtes Kompositionsmittel. Möglicherweise trifft die Interpretation des bereits in Zusammenhang mit Dous Federschneider (Gal.-Nr. 1709) erwähnten Triptychons auch auf die Zahnoperation zu. Das Mittelbild des Triptychons verkörperte die Natur und zeigte eine ein Kind stillende Mutter und im Hintergrund eine Zahnoperation. Das aktive Leben, das begründet und erhält, ist dem passiven Leben, das vernichtet oder verändert, gegenübergestellt. So könnte auch das Dresdener

Gemälde als eine Wiedergabe der «Natura passiva» aufzufassen sein.

Literatur: Ausstellungskatalog. Amsterdam 1976, S. 92, Nr. 17. – Sumowski 1983, S. 499, 501, 536, Nr. 297.

1717 *Ein junges Mädchen am Tische.* Um 1635–1640. Eichenholz, oval, 14,5 × 12 cm. Inventar 1722–1728, A 615.

In den frühen Werken ist Dou der Porträtmalerei nach dem Wunsch des Vaters treu geblieben. Das Bildnis eines jungen Mädchens, von vorn gesehen, gibt er auf dunklem Grund wieder. Sparsam gebraucht er seine Mittel, und unzweifelhaft sind Reminiszenzen an seinen Lehrer Rembrandt erkennbar.

Literatur: W. Martin: Gerard Dou. Stuttgart/Berlin 1913, S. 54.

1717 Dou

1719 *Die zeitungslesende Alte mit der Brille (Rembrandts Mutter).* Um 1628–1631. Bezeichnet auf der Rückseite: gerart Douw. Eichenholz, oval, 12,5 × 9 cm. Inventar 1722–1728, A 330.

Von C. Hofstede de Groot (1891) ursprünglich als Rembrandt angesehen, jedoch später als Frühwerk von Dou erkannt. Rembrandts und Dous Eltern waren in Leiden Nachbarn, und der Künstler hat Rembrandts Mutter mehrfach porträtiert.

Literatur: Martin 1913, S. 40.

1719 Dou

Drost, Willem Lebensdaten unbekannt. Nach Arnold Houbraken (1719) wurde Drost von Rembrandt ausgebildet und ging dann nach Rom. Dort schloß er Freundschaft mit dem später in Venedig tätigen Münchner Maler Johann Carl Loth (1632–1698), genannt Carlotto. Datierte Gemälde des Künstlers lassen sich für den Zeitraum zwischen 1654 und 1663 nachweisen. Zuletzt wurde der Künstler 1680 erwähnt als Zeuge bei einer Nachlaßinventarisierung. Er malte biblische Historien, allegorische Einzelfiguren und Porträts.

1568 *Bildnis eines Herrn mit roter Pelzmütze im Lehnstuhle.* Um 1654. Leinwand, 89,5 × 68,5 cm. Catalogue 1765.

In der älteren Forschung galt das Bild als Rembrandt. Seidlitz (1893) schlug als erster Barent Fabritius als Urheber vor. Woermann ließ in seinem Katalog der Dresdener Gemäldegalerie die Zuschreibungsfrage offen, während Posse im Galeriekatalog 1930 das Gemälde Willem Drost zuschrieb. Nach einer Notiz im Rijksbureau voor kunsthistorische Documentatie, Den Haag (1960), ist Jacob van Drost der Autor. Sumowski (1983) sieht wie Posse hier ein Werk von Willem Drost.

Literatur: W. Sumowski: Die Gemälde der Rembrandt-Schüler. Landau 1983, Bd. 1, S. 609, 616, Nr. 329.

1568 Drost

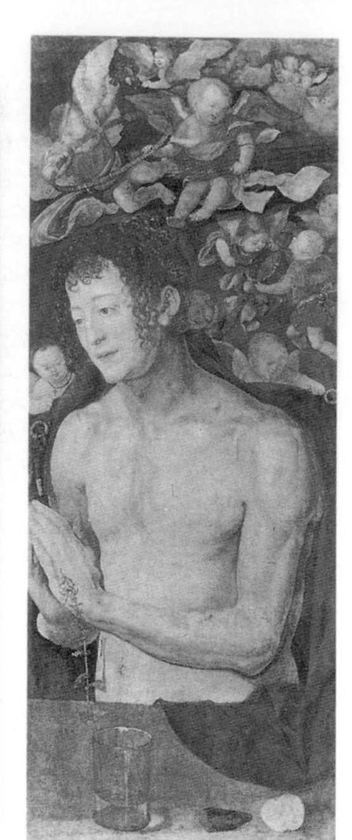

1869 Dürer

Dürer, Albrecht Geboren 1471 in Nürnberg, dort gestorben 1528. Erste Lehrzeit in der Goldschmiedewerkstatt seines Vaters. 1486–1490 Malerlehre bei Michael Wolgemut. 1490–1494 Wanderjahre am Oberrhein. 1494 Heirat und Niederlassung in Nürnberg. 1494/95 und 1505–1507 Reisen nach Italien, besonders Venedig. 1518 in Augsburg, 1520/21 in den Niederlanden. Bedeutendster deutscher Künstler der Epoche, gleichermaßen erstaunlich und neu in seinen Holzschnitten und Kupferstichen, seinen Zeichnungen und Aquarellen, seinen Gemälden und theoretischen Schriften. Er führte die deutsche Kunst aus der Spätgotik heraus und suchte in der Auseinandersetzung mit Italien Geist und Form der Renaissance in seinem Werk zu verkörpern.

1869 *Der Dresdener Altar.* Um 1496. Tempera auf Leinwand, Mittelbild 117×96,5 cm (nach der Anstückung), jeder Flügel 114×45 cm. 1687 durch den Oberhofmaler Samuel Bottschild aus der Schloßkirche in Wittenberg in die kurfürstliche Kunstkammer nach Dresden geliefert; 1835 aus dem «Vorrat» zur Galerie.

Dargestellt sind auf dem Mittelbild Maria, das Kind anbetend, auf dem linken Flügel der heilige Antonius, rechts der heilige Sebastian, beides Schutzheilige, die gegen die Pest angerufen wurden. In dem Altar stehen etwas unvermittelt nebeneinander Erinnerungen an die Spätgotik und Erfahrungen aus Italien, besonders aus dem Umkreis Bellinis und Mantegnas. Die Zuschreibung der Mitteltafel an Dürer war lange umstritten, wurde dann allgemein aktzeptiert, ist aber neuerdings wieder in Frage gestellt worden. Die deutlichen stilistischen Unterschiede zwischen Mitte und Flügeln wurden auch schon als zeitliche Differenz von etwa zehn Jahren gedeutet, um die die Flügel später entstanden wären. Gemalt im Auftrag Kurfürst Friedrichs des

1871 Dürer

Weisen von Sachsen. Fedja Anzelewsky, der alle zugänglichen Quellen ausgewertet und alle bisherigen Hypothesen kritisch verglichen hat, vertritt die Auffassung, Jan Joest van Kalkar habe die Mariendarstellung im Auftrag Kurfürst Friedrichs des Weisen gemalt und 1494 geliefert und Dürer habe zwei bis drei Jahre später die Flügelbilder geschaffen. Anzelewsky bezweifelt auch, daß der «Dresdener Altar» schon 1687 nach Dresden gelangt sei; er verweist auf eine Erwähnung in der Wittenberger Schloßkirche 1730.

Literatur: M. Faber: Kurzgefaßte historische Nachricht von der Schloß- und Akademischen Stiftskirche zu Aller Heiligen ... 2. Aufl. Wittenberg 1730, S. 236. – F. Anzelewsky: Albrecht Dürer. Das malerische Werk. Berlin 1991, 2. Aufl., Nr. 39, 40.

1871 *Bildnis des Bernhard von Reesen.* 1521. Bezeichnet mit dem Monogramm AD und 1521. Der Brief in der Hand des Dargestellten trägt die Aufschrift: Dem pernh ... zw ... Eichenholz, 45,5×31,5 cm. 1743 durch den sächsischen Beauftragten Le Leu aus Paris. *Farbtafel 47*

Das Bildnis, auf das eine Eintragung in Dürers Reisetagebuch vom 16. März 1521 Bezug nimmt, stellt Bernhard von Reesen (1491–1521) dar, der aus einer angesehenen Danziger Kaufmannsfamilie stammte und anscheinend 1520/21 in Antwerpen tätig war, wo er kurz nach Fertigstellung des Bildes gestorben sein muß. Er hat an Dürer 8 Gulden für das Bild bezahlt, wie das Reisetagebuch des Künstlers vermerkt. Dort ist auch der Name des Dargestellten überliefert, zu dessen Person Erna Brand die entscheidenden Angaben ermittelt hat.

Literatur: E. Brand, in: Jahrbuch der Staatlichen Kunstsammlungen Dresden 1970/71, S. 59ff. – Anzelewsky 1991, Nr. 163.

1875–1881 *Die Sieben Schmerzen der Maria.* 1495/96. Sieben Nadelholztafeln annähernd gleichen Formats. Nach bisheriger Annahme 1588 aus dem Nachlaß Lucas Cranachs d. J. in die kurfürstliche Kunstkammer; 1832 zur Galerie.

Ursprünglich, wie Paul Buchner 1934 als erster festgestellt hat, eine einzige große Nadelholztafel, mit der Figur der schmerzensreichen Maria in der Mitte, bilderbogenartig umgeben von sieben kleineren Feldern mit Darstellungen aus dem Leben Christi. Kam aus einer Wittenberger Kirche in die Cranach-Werkstatt und wurde dort in Einzelbilder zersägt. Das Mittelbild befindet sich in der Alten Pinakothek in München. Die Hängung der Dresdener Sieben-Schmerzen-Tafeln nimmt die ursprüngliche Anordnung auf, bei leerer Mitte. Galten bis 1837 als Werke Dürers, dann als Arbeiten aus dem Umkreis Dürers, ehe in den letzten zwanzig Jahren wieder die Zuschreibung an den Meister selbst, die einzelne Forscher auch früher schon vertreten hatten, erst vorsichtig vorgeschlagen, dann von allen Seiten akzeptiert wurde. Die Tafel gehörte vermutlich als Innenseite des linken Flügels zu einem Altar in der Wittenberger Schloßkirche, dessen rechter Flügel innen die «Sieben Freuden der Maria» zeigte. (Fünf von diesen Szenen sind aus Nachzeichnungen in der Universitätsbibliothek Erlangen bekannt.) Zu der seit Paul Buchners Veröffentlichung von 1934 wiederholten Annahme, die «Sieben Schmerzen der Maria» seien schon 1588 in die Dresdener Kunstkammer gelangt, steht die Erwähnung des ganzen Altars in der Wittenberger Schloßkirche durch Matthäus Faber 1717 im Widerspruch.

Es handelt sich um das erste große Malwerk, das Dürer nach seiner Niederlassung als Meister in Nürnberg geschaffen hat,

1875 Dürer

1876 Dürer

1877 Dürer

noch verbunden der spätgotischen Tradition, aber auch schon mit ersten Eindrücken aus Italien. Die oft gegenübergestellten Folgen von Darstellungen der Sieben Freuden und der Sieben Schmerzen der Maria, aus dem Marienkult des Hochmittelalters erwachsen, fanden im 15. Jahrhundert ihre bindende ikonographische Ausprägung. Dürer stand in dieser Tradition.

Literatur: Faber 1730, S. 238ff. – P. Buchner, in: Münchner Jahrbuch der bildenden Kunst, Neue Folge 11, 1934–1936, S. 250ff. – E. Brand, in: Deutsche Kunst der Dürer-Zeit. Ausstellungskatalog. Dresden 1971, Nr. 133–139. – E. Brand, in: Albrecht Dürer. Kunst im Aufbruch. Hrsg. von E. Ullmann. Leipzig 1972, S. 84ff. – Anzelewsky 1991, Nr. 21–27.

1875 *Die Beschneidung Christi.* Nadelholz, 63 × 45,5 cm.

Die Beschneidung – ein ritueller Akt der Reinigung von Sünden, mit dem die Aufnahme in das Volk Israels verbunden ist – wurde an dem Kinde Jesus, gemäß dem jüdischen Brauch, am achten Tag nach der Geburt vorgenommen. Bei den Christen ist an die Stelle der Beschneidung die Taufe getreten. Da bei der Beschneidung das erste Mal das Blut Christi floß, wird der Vorgang seit dem Mittelalter zu den Sieben Schmerzen der Maria gezählt.

1876 *Die Flucht nach Ägypten.* Bezeichnet nachträglich von fremder Hand unten rechts mit dem Dürermonogramm. Nadelholz, 63 × 46 cm.

Die in der bildenden Kunst sehr häufig dargestellte Szene ist im Evangelium des Matthäus nur kurz abgehandelt (2, 13–23), ausführlicher schildern sie apokryphe Schriften. Ein Engel hatte Joseph im Traum aufgefordert, mit Maria und dem Kinde aus Bethlehem nach Ägypten zu fliehen. Dadurch entging das Kind Jesus den Nachstellungen des Herodes, das heißt dem Bethlehemitischen Kindermord.

1877 *Der zwölfjährige Jesus im Tempel.* Nadelholz, 62,5 × 45 cm.

Der zwölfjährige Jesus hatte seine Eltern zum Passahfest nach Jerusalem begleitet und sich dort von ihnen getrennt, um am Gesetzesunterricht im Vorhof des Tempels teilzunehmen. Seine Fragen und Antworten erregten die Aufmerksamkeit der Schriftgelehrten. Die Eltern fanden ihn erst nach längerem Suchen wieder. So beschreibt es das Evangelium des Lukas (2, 41–52). In der Malerei ist die Szene oft so dargestellt, daß Jesus auf erhöhtem Platz als Lehrer gezeigt wird.

1878 *Die Kreuztragung Christi.* Nadelholz, 63 × 44,5 cm.

Christus mußte sein Kreuz selbst zur Richtstätte tragen. Als er unter der Last zusammenbrach – der Augenblick ist hier gezeigt –, wurde Simon von Kyrene gezwungen, das Kreuz aufzuheben und weiterzutragen.

1879 *Die Anheftung Christi ans Kreuz.* Nadelholz, 62 × 46,5 cm.

Die Evangelien beschreiben den Vorgang nicht. Bildliche Darstellungen erscheinen seit dem 11. Jahrhundert in der byzantinischen Buchmalerei, mindestens seit dem 13. Jahrhundert in Italien, dann auch im nördlichen Europa. Es gibt zwei Typen der Darstellung: die Anheftung an das noch liegende Kreuz, die Dürer zeigt und die in den Niederlanden und in Deutschland bevorzugt wurde, und die Anheftung an das schon aufgerichtete Kreuz, die in der italienischen Malerei üblich ist.

1878 Dürer

1879 Dürer

1880 Dürer

1880 *Christus am Kreuz.* Nadelholz, 63,5×45,5 cm.
Zentrales Thema der Passion. Alle Evangelisten beschreiben das Ereignis, am ausführlichsten Johannes (19, 17ff.). Ungewöhnlich die asymmetrische Komposition mit dem auf die Seite gerückten Kreuz. Die Kreuze der beiden Schächer fehlen. Bezeichnend für Dürers Malstil dieser Jahre ist die Hintergrundlandschaft.

1881 *Die Beweinung Christi.* Nadelholz, 63×46 cm.
Die Beweinung Christi, zeitlich nach der Kreuzabnahme und vor der Grablegung, ist in den Evangelien nicht erwähnt. Der Leichnam Christi ist halb sitzend gelagert, Maria hält seine linke Hand, der Lieblingsjünger Johannes stützt ihn, Maria Magdalena bringt ein Salbgefäß. Links am Bildrand Joseph von Arimathia und Nikodemus.

1881 Dürer

Dughet, Gaspard, genannt Gaspard Poussin oder Le Guaspre. Geboren in Rom 1615, dort gestorben 1675. Sohn französischer Eltern; verbrachte sein ganzes Leben in Rom. Schwager Nicolas Poussins, der eine Schwester Gaspard Dughets heiratete. Sehr produktiver Landschaftsmaler von großer Berühmtheit, schon zu seinen Lebzeiten viel imitiert, gebildet unter dem Einfluß von Nicolas Poussin, Claude Lorrain, Salvator Rosa und der niederländischen Landschaftsmaler, die in Italien arbeiteten.

733 *Am Bergsee.* Leinwand, 73×97 cm. Zuerst im Katalog 1833.
Dughets atmosphärisch bewegte Berglandschaften mit Hirtenstaffage, oft dunkel im Ton, haben einen wildromantischen Charakter und manchmal einen «ans Drohende streifenden Ernst» (K. Gerstenberg). Datierungen seiner Werke sind kaum möglich, da die innere Entwicklung seiner Kunst noch nicht genügend sicher erhellt ist.

733 Dughet

Dyck, Anton van Geboren 1599 in Antwerpen, gestorben 1641 in London. Schüler des Hendrick van Balen. 1618 Meister der Lukasgilde, gleichzeitig in der Rubens-Werkstatt tätig. 1621/22 als Hofmaler in London, danach mit Unterbrechungen in Italien, wo er sich u. a. in Venedig, Padua, Genua, Mailand und Rom aufhielt. 1627 wieder in Antwerpen. Hofmaler der Statthalterin Isabella. 1632 Berufung an den englischen Hof. Von England aus Reisen nach Antwerpen, Brüssel und Paris. Er malte vor allem Bildnisse sowie religiöse und mythologische Darstellungen. Van Dyck gehört neben Rubens zu den bedeutendsten Künstlern des flämischen Barocks.

960 *Bildnis eines Herrn neben einem Tische.* Um 1619/20. Eichenholz, 103×72,5 cm. Inventar 1754, II 172 als Rubens.
Während dieses Bildnis in der älteren Forschung eindeutig Rubens zugeschrieben wurde, neigt man heute allgemein dazu, es als Arbeit von van Dyck anzusprechen. Bemerkenswert, daß es im 18. Jahrhundert als Pendant zu dem damals ebenfalls Rubens zugeschriebenen «Bildnis der Marie Clarisse» (vgl. van Dyck, Gal.-Nr. 1023 B) galt.
Literatur: E. Schaeffer: Van Dyck. Klassiker der Kunst. Stuttgart/Leipzig 1909, S. 139 I. – H. Rosenbaum: Der junge Van

960 van Dyck

Dyck. München 1928, S. 16, 18. – E. Larsen: L'opera completa di Van Dyck. Milano 1980, Nr. 102. – E. Larsen: The paintings of van Dyck. Freren 1988, Bd. 2, Nr. 23.

1017 *Der trunkene Silen.* Um 1620. Bezeichnet oben in der Mitte am Krug: AVD. Leinwand, 107×91,5 cm. Inventar 1722–1728, A 79. *Farbtafel 33*

Silen, der Stumpfnasige, war der Erzieher des Dionysos. In der bildenden Kunst wird er meist alt und kahlköpfig dargestellt. Ob seiner Trunkenheit konnte Silen nicht laufen. Es wird berichtet, daß er auf einem Esel ritt, von dem er aber herunterfiel. Die Malerei des Barock wandelt das Thema, indem Silen von Bacchantinnen und Satyrn gestützt wird. In der nervösen Malweise, der bewegten Linienführung, dem leichten Spiel von hellen und dunklen Kontrasten kündigt sich van Dycks Meisterschaft an. Eine um 1615 entstandene Variante befindet sich im Königlichen Museum in Brüssel.

Literatur: Larsen 1988, Bd. 2, S. 126, Nr. 305, Abb. 52. – A. K. Wheelock/S. J. Barnes u. a.: Anthony van Dyck. Ausstellungskatalog. Washington 1990/91, S. 106ff., Nr. 12.

1017 van Dyck

1023 B *Bildnis der Marie Clarisse, Frau des Jan Woverius, mit ihrem Kinde.* Eichenholz, 105×76 cm. Inventar Guarienti (1747–1750), Nr. 19, als van Dyck (aus Paris); Inventar 1754, II 173, als Rubens.

Aufgrund des Wappens rechts, das als das der van de Wouwere (Woverius) identifiziert worden ist, gilt die Dargestellte als Frau des Jan Woverius. Von 1754 bis 1856 war das Bild Rubens zugeschrieben, heute ist es als Frühwerk van Dycks erkannt, das während dessen Antwerpener Periode, vor 1621, entstanden ist. Ob es sich bei dem im Louvre in Paris befindlichen Porträt des Jan Woverius um ein Gegenstück zum Dresdener Bildnis handelt, bleibt bisher hypothetisch, zumal das Kind auf dem Dresdener Bild anders plaziert sein müßte. Die Autorschaft van Dycks wurde von J. S. Gudlaugsson (mündlich 1960) in Frage gestellt, der glaubt, daß es sich um ein Spätwerk von Cornelis de Vos handelt. Diese Frage wurde auf dem Symposium über van Dyck (Ottawa/Kanada 1980) erneut erörtert.

Literatur: Larsen 1988, Bd. 2, S. 44, Nr. 78.

1023 B van Dyck

1023 C *Bildnis eines Herrn, der sich die Handschuhe anzieht.* 1618–1621. Gegenstück zu Gal.-Nr. 1023 D. Eichenholz, 107×74 cm. Inventar Guarienti (1747–1750), Nr. 18.

Das Porträt gehört wie sein Gegenstück der Antwerpener Jugendzeit des Künstlers an. Die Bilder lassen noch die strenge formale Tradition der Bildnisse solcher Maler wie Anthonis Mor und Frans Pourbus spüren, zeigen aber schon eine den Augenblick erfassende Lebendigkeit, etwa im Anziehen des Handschuhs.

Literatur: Larsen 1988, Bd. 2, S. 13f., Nr. 11. – Wheelock/Barnes u. a. 1990/1991, S. 92, Nr. 7.

1023 C van Dyck

1023 D *Bildnis einer Dame.* Zwischen 1618–1621. Gegenstück zu Gal.-Nr. 1023 C. Eichenholz, 103×73,5 cm. Inventar Guarienti (1747–1750), Nr. 17 (nach 1742 durch Le Leu aus Paris).

Ein in der Komposition ähnliches Bild befindet sich in der National Gallery of Art in Washington.

Literatur: Larsen 1988, Bd. 2, S. 14, Nr. 12.

1024 *Der heilige Hieronymus.* Um 1618. Leinwand, 195×215 cm. Inventar Guarienti (1747–1750), Nr. 112, als Rubens. Als van Dyck erstmals im Inventar 1754, II 19.

Das Bild, das sich ursprünglich im Besitz von Rubens befand, zeigt wie stark anfangs die Beeinflussung durch den fast eine Generation älteren Meister war (vgl. Gal.-Nr. 955). Daneben wird der Einfluß Tizians sichtbar in der knienden Pose, in der Kopfhaltung und dem Gesichtsausdruck des Heiligen. Frühere Versionen des Themas finden sich in Liechtenstein und Rotterdam.

Literatur: Larsen 1988, Bd. 2, S. 95, Nr. 218. – Wheelock/Barnes u. a. 1990/1991, S. 95, Nr. 8.

1026 *Bildnis eines Geharnischten mit roter Armbinde.* Um 1625–1627. Leinwand, 90×70 cm. 1741 aus der Sammlung Wallenstein in Dux.

Entstanden in der italienischen Periode, entweder während der letzten Jahre des italienischen Aufenthaltes oder kurz nach der Rückkehr van Dycks nach Antwerpen. Neuerdings hat man van Dycks Autorschaft in Frage gestellt und J. van Oost als Künstler genannt. Obwohl der Dargestellte einen Harnisch trägt – dieser gilt als Zeichen des Feldherrnstandes –, so fehlt ihm ein zugehöriges Attribut, die Kopfbedeckung, was darauf hindeutet, daß hier weitgehend künstlerische Phantasie mitspielte.

Literatur: Larsen 1988, Bd. 2, S. 215, Nr. 532.

1023 D van Dyck

1024 van Dyck

1026 van Dyck

1027 *Bildnis eines schwarzgekleideten Herrn vor einer Säule.* Um 1628–1630. Gegenstück zu Gal.-Nr. 1028. Leinwand, 127× 92 cm. 1741 durch von Heinecken aus Hamburg.

1627 kehrte van Dyck aus Italien nach Antwerpen zurück und wurde mit Bildnisaufträgen überhäuft. Das Bild ist wie sein Gegenstück streng im kompositionellen Aufbau und ohne die Begegnung mit der südlichen Kunst kaum denkbar.

Literatur: Larsen 1988, Bd. 2, S. 229, Nr. 568.

1028 *Bildnis einer schwarzgekleideten Dame vor rotem Vorhang.* Um 1628–1630. Gegenstück zu Gal.-Nr. 1027. Leinwand, 126×92 cm. 1741 durch von Heinecken aus Hamburg.

Stilistisch dem Bildnis der Anna Wake, Gemahlin des Pieter Stevens, von 1628 im Mauritshuis Den Haag verwandt, aber durch die skizzenhafte Andeutung des Landschaftshintergrundes gelöster in der malerischen Auffassung.

Literatur: Larsen 1988, Bd. 2, S. 230, Nr. 569.

1034 *Henriette Maria von Frankreich. Königin von England.* Um 1632–1635. Gegenstück zu Gal.-Nr. 1038. Leinwand, 123,5× 97 cm. 1749 aus dem Prager Hradschin zusammen mit Gal.-Nr. 1038. Inventar 1754, II 429 als Schule des van Dyck.

Dargestellt ist Henriette Maria (1609–1669), die Tochter Heinrichs IV. von Frankreich. 1625 heiratete sie König Karl I. von England (Gal.-Nr. 1038). Dem absolutistischen Regime Karls I. trat eine wachsende Opposition entgegen, bis schließlich 1642 der Bürgerkrieg ausbrach. Henriette Maria hielt zu ihrem Gatten, floh aber 1644 nach Frankreich. Erst 1660, als ihr Sohn den Thron bestieg, kehrte sie nach England zurück.

Literatur: Larsen 1988, Bd. 1, S. 299f., Bd. 2, S. 338f., Nr. 863.

1027 van Dyck

1028 van Dyck

1034 van Dyck

1038 *Karl I. von England.* 1632 oder 1635. Beschriftet rechts oben: C R (Carolus Rex) unter der Krone; darunter die Jahreszahl 163? (2 oder 5). Gegenstück zu Gal.-Nr. 1034. Leinwand, 123×96,5 cm. 1749 aus dem Prager Hradschin zusammen mit Gal.-Nr. 1034. Inventar 1754, II 428 als Schule des van Dyck.

Das Gemälde galt lange Zeit als ein Werk des van Dyck-Nachfolgers Sir Peter Lely, wird aber seit geraumer Zeit als eigenhändige Arbeit van Dycks anerkannt. Dargestellt ist der Gönner und Förderer van Dycks, König Karl I. von England (1600–1649). Die Komposition, zu der es kein Vorbild gibt, zeigt Karl I. als Träger des 1349 begründeten Hosenbandordens ohne königliche Insignien. Van Dyck porträtierte seinen königlichen Mäzen vielfach. Diese Porträts dienten häufig als Geschenke für königliche oder fürstliche Verbindungen nach Übersee und als Präsente für den Hochadel, der in seinen Diensten stand.

Literatur: Woermann 1908, S. 341. – Larsen 1988, Bd. 1, S. 299f., Bd. 2, S. 312, Nr. 788.

1038 van Dyck

Dyck, Anton van, Werkstatt

1033 *Bildnis der drei ältesten Kinder Karls I. von England.* Um 1635. Leinwand, 131×151 cm. 1744 durch Le Leu aus Paris.

Während seines Englandaufenthaltes hat van Dyck die Kinder Karls I. mehrmals gemalt. Bei dem Dresdener Bild handelt es sich um eine Werkstattwiederholung nach dem in Windsor Castle befindlichen Original, das um 1635 entstanden ist. Dargestellt sind die drei ältesten Kinder Karls I.: Karl (geboren 25. Mai 1630), Jacob (geboren 14. Oktober 1633) und Maria (geboren 4. November 1631). Im Vordergrund zwei Wachtelhunde, die am Hofe Karls I. besonders beliebt waren.

Literatur: Larsen 1988, Bd. 2, S. 479, A 203/2.

1033 van Dyck, Werkstatt

Dyck, Anton van (?)

1035 *Bildnis eines Herrn im Pelz, angeblich eines Fürsten Rhodokanakis-Giustiniani von Chios.* Leinwand, 117×97 cm. Inventar Guarienti (1747–1750), Nr. 1085.

Ob das Bild, wie ursprünglich angenommen wurde, aus dem Palast Giustiniani stammt, konnte bisher nicht nachgewiesen werden. Während Glück (1931) das Gemälde nicht mehr unter den authentischen Werken van Dycks aufführte und J. Held (mündlich 1966) frageweise Franchoys vorschlug, hält Larsen (1988) das Bild wiederum für ein Werk van Dycks. Als Entstehungszeit nennt er die zweite Antwerpener Periode 1628–1632.

Literatur: Larsen 1988, Bd. 2, Nr. 576.

1035 van Dyck (?)

Eeckhout, Gerbrand van den Geboren 1621 in Amsterdam, dort gestorben 1674. Seine religiösen Darstellungen der Frühzeit sind stark von Rembrandt beeinflußt. In der zweiten Hälfte der dreißiger Jahre war er in dessen Werkstatt. Tätig in Amsterdam als Historien-, Genre- und Bildnismaler.

1618 A Eeckhout

1618 A *Jacobs Traum von der Himmelsleiter.* 1669. Bezeichnet rechts auf dem Stein: G. v. Eeckhout. fecit. A° 1669'12/31 M. Leinwand, 128×104 cm. 1892 von der Versteigerung Habich in Kassel.

Während der Künstler in den fünfziger Jahren kleinfigurige Darstellungen bevorzugte, wandte er sich in den sechziger Jahren monumentaleren Kompositionen von erlesener Farbigkeit zu. Das Dresdener Gemälde gehört zu den Hauptwerken van den Eeckhouts. Eine andere, 1642 datierte Fassung des Themas befindet sich im Nationalmuseum in Warschau, eine weitere von 1672 im Besitz von Dr. Alfred Bader, Milwaukee/Wisc. Zum Inhalt der Darstellung vgl. die Gemälde von Hans Bol (Gal.-Nr. 828) und von Ferdinand Bol (Gal.-Nr. 1604).

Literatur: W. Sumowski: Die Gemälde der Rembrandt-Schüler. Landau 1983, Bd. 2, S. 722, 741, Nr. 469.

Eismann, Johann Anton Geboren 1604 in Salzburg, gestorben 1698 in Venedig. Nach anfänglichen naturwissenschaftlichen Studien wandte sich Eismann der Malerei zu und arbeitete bis 1644 in München für den bayrischen Kurfürsten. Nach 1644 lebte der Künstler in Venedig. In der Lagunenstadt war Carlo Brisighella sein Schüler, den er später adoptierte.

2014 Eismann

2014 *Ruinen am Fluß.* Gegenstück zu Gal.-Nr. 2015. Eichenholz, 26,5×30,5 cm. 1727 durch Le Plat zur Galerie. Inventar 1722–1728, A 1816.

2015 *Ein Denkmal unter Ruinen.* Gegenstück zu Gal.-Nr. 2014. Eichenholz, 26,5×31 cm. 1727 durch Le Plat zur Galerie. Inventar 1722–1728, A 1817.

2015 Eismann

Die beiden Eichenholztäfelchen fesseln den Blick jeweils in der Bildmitte durch ein beherrschendes, den Zugang zur Raumtiefe sperrendes Bauwerk, dem sich in beiden Fällen die Landschaft wie auch kleinere, heller beleuchtete Denkmäler unterordnen. Mit dieser beinahe emblematischen Zurschaustellung von monumentalen Zeugnissen des Altertums weicht Eismann von gängigen Schemen der Landschaftsdarstellung ab. Die scheinbar sachliche Schilderung erfundener und assoziationsbeladener Ruinenmotive mit entsprechender Figurenstaffage wirkt wie die verwandelnde Übertragung holländischer kleinmeisterlicher Architekturmalerei nach Italien. Götz Adriani hat eine Datierung «um 1670–1680» vorgeschlagen.

Literatur: G. Adriani: Deutsche Malerei im 17. Jahrhundert. Köln 1977, S. 101.

Elsheimer, Adam Geboren 1578 in Frankfurt/Main, gestorben 1610 in Rom. Schüler Philipp Uffenbachs, wurde aber auch von den in Frankenthal und Frankfurt tätigen flämischen Landschaftsmalern beeinflußt. Reiste 1598 über München nach Venedig, wo er bei Johann Rottenhammer arbeitete. Seit etwa

1600 in Rom. Dort mit Paul Bril befreundet. Lernte 1601 Rubens kennen, der nachhaltige Eindrücke von ihm empfing. In einer Reihe von Bildern Elsheimers wird die künstlerische Auseinandersetzung mit Caravaggio deutlich.

1977 *Jupiter und Merkur bei Philemon und Baucis.* Um 1608/09. Kupfer, 16,5 × 22,5 cm. Inventar 1754, II 679.

Die Geschichte von der Wanderung der beiden Götter, die, an vielen Türen abgewiesen, endlich bei Philemon und Baucis, einem alten Ehepaare, freundliche Aufnahme fanden, wird eindringlich geschildert in den Metamorphosen des Ovid, VIII, 618f. Das Bild, ein Kabinettstück nach dem Format, aber mit den schlagenden Helldunkelkontrasten großer Kompositionen, gehört zu Elsheimers Hauptwerken. Der unverkennbare Einfluß Caravaggios ist ganz zu eigener Ausdrucksweise umgeschmolzen. Rembrandt ist, wohl auf dem Umweg über Stiche, von dem Werk beeinflußt worden.

Literatur: K. Andrews: Adam Elsheimer. Werkverzeichnis. München 1985, S. 35, 189, Nr. 24.

1977 Elsheimer

1978 Elsheimer, Umkreis

Elsheimer, Adam, Umkreis

1978 *Landschaft mit der Flucht nach Ägypten.* Kupfer, 17,5 × 22 cm. Inventar 1722–1728, A 617.

Vorn in der Mitte nimmt Joseph der auf dem Esel reitenden Maria das Kind aus dem Arm. Die gegeneinander gekehrten Bewegungen der Figuren schließen die Gruppe in sich zusammen und geben ein Bild inniger Verbundenheit. Die langen tiefen Schatten und die grellen Lichter im Vordergrund heben die Verlassenheit der Flüchtlinge hervor, denen kein hilfreicher Engel die Bedeutsamkeit ihres persönlichen Opfers versichert. Die früher unbestrittene Zuschreibung an Elsheimer wird seit der Frankfurter Elsheimer-Ausstellung 1966/67 sehr in Frage gestellt und wird heute allgemein abgelehnt, ohne daß eine überzeugende Neuzuschreibung angeboten werden könnte.

Literatur: Adam Elsheimer. Ausstellungskatalog. Städelsches Kunstinstitut, Frankfurt 1966/67, Kat.-Nr. 48. – H. Marx, in: Europäische Landschaftsmalerei 1550–1650. Ausstellungskatalog. Dresden 1972, Nr. 30.

843 Engebrechtsz.

Engebrechtsz., Cornelis Geboren in den sechziger Jahren des 15. Jahrhunderts, wahrscheinlich in Leiden, dort gestorben 1527. Ausgehend von Altarwerken in Leiden, haben Dülberg und Friedländer zuerst versucht, das Werk des Künstlers zusammenzustellen. Engebrechtsz hatte in Leiden eine umfangreiche Werkstatt, aus der neben anderen Lucas van Leyden hervorging. Er gehört zu den wichtigsten Vertretern des spätgotischen Manierismus in den nördlichen Niederlanden.

843 *Die Versuchung des heiligen Antonius.* Eichenholz, rund, Durchmesser 24,5 cm. Zuerst im Katalog 1817 als Lucas van Leyden.

Der heilige Antonius (gestorben 356) gehört zu den in der bildenden Kunst sehr häufig dargestellten Heiligen. Er zog sich, ständig vom Teufel versucht, in die Einsamkeit zurück. Seine Attribute sind unter anderem die Bettlerglocke und auch das Antoniuskreuz. – Die Baumbehandlung des Dresdener Bildes mit den leicht tüpfelnden aufgesetzten Lichtern erinnert an diejenige auf einem Bild von Jan Wellensz. de Cock mit dem heiligen Antonius im Rathaus zu Thiel in Holland. Schon Friedländer hat darauf hingewiesen, daß zwischen Cock und Engebrechtsz. keine sichere Linie zu ziehen ist.

Literatur: Mayer-Meintschel 1966, S. 28. – W. S. Gibson: The Paintings of Cornelis Engebrechtsz. New York 1977, Kat.-Nr. 55.

Everdingen, Allaert van Geboren 1621 in Alkmaar, gestorben 1675 in Amsterdam. Jüngerer Bruder des Caesar Boëtius van Everdingen, Schüler von Roelant Savery und Pieter Molijn. Reisen nach Schweden und vielleicht auch nach Norwegen. 1645 Meister der Lukasgilde in Haarlem. Seit 1652 in Amsterdam tätig. Landschaftsmaler.

1835 *Hirschjagd am Bergsee.* 1649. Bezeichnet halbrechts in der Mitte: A. VAN EVERDINGEN 1649. Eichenholz, 45,5 × 64,5 cm. Inventar 1754, II 425.

Mit seinen Gebirgspanoramen, Wasserfällen und Mühlen gilt Everdingen als Vorläufer von Jacob van Ruisdael. Er bevorzugte ein warmes Kolorit mit rotbraunen Tönen, das sich durch äußerste Transparenz in der malerischen Wiedergabe auszeichnet.

Literatur: W. Stechow: Dutch Landscape Painting. Edinburgh 1966, S. 144.

1835 Everdingen, Allaert van

1836 *Der große Wasserfall.* Vor 1650. Bezeichnet links unten: Av: Everdingen. Leinwand, 143,5 × 172 cm. 1837 von Frau Heigendorf gekauft.

Das Motiv der skandinavischen Wasserfälle beginnt nach 1647 in van Everdingens Werk einen wichtigen Platz einzunehmen. Das einmal entwickelte Kompositionsschema behält der Künstler mit mehr oder weniger großen Variationen bei. So erscheint im Vordergrund meist ein Wasserfall mit reißendem Fluß, an dessen felsiger Uferböschung sich die Wellen brechen. Im Mittelgrund erhebt sich ein Blockhaus oder eine Mühle, im Hintergrund ist ein Fels zu sehen. Nach 1650 bevorzugte der Künstler für diese Darstellungen ein Hochformat.

1836 Everdingen, Allaert van

Everdingen, Caesar Boëtius van Geboren um 1617 in Alkmaar, dort gestorben 1678. Bruder des Landschaftsmalers Allaert van Everdingen. Tätig in Alkmaar, Haarlem, Den Haag (1648–1650 Ausstattung des Oraniersaales im Haus ten Bosch) und Amsterdam. Möglicherweise Schüler von Jan van Bronchorst. Gehört zum Kreis der Utrechter Caravaggisten.

1834 *Bacchus mit zwei Nymphen und Amor.* Um 1650–1660. Bezeichnet links unten mit dem Monogramm CVE. Leinwand, 147 × 161 cm. 1865 vom Konservator J. D. Dreyer in Bremen.

Unter den allegorisch-mythologischen Darstellungen von Everdingen gehört das Bild zu den bemerkenswertesten Leistungen, die der Künstler hervorgebracht hat. In seiner strahlenden Farbigkeit transponiert er heiter-südliche Elemente, die im Realismus Caravaggios begründet liegen, nach dem Norden.

1834 Everdingen, Caesar Boëtius van

799 van Eyck

Pigler (1956) deutet das Motiv als Bacchus, Venus und Ceres nach Terenz (Eunuch 732), vgl. Cornelis Cornelisz. van Haarlem (Gal.-Nr. 851).

Literatur: B. Haak: Das Goldene Zeitalter der holländischen Malerei. Köln 1984, S. 258.

Eyck, Jan van Geboren um 1390 vermutlich in Maaseyck bei Maastricht, gestorben 1441 in Brügge. Von 1422 bis 1424 stand er im Dienste von Johann von Bayern, Grafen von Holland. 1425 wurde er durch Philipp den Guten, Herzog von Burgund, zum Hofmaler ernannt, als der er auch diplomatische Aufträge erfüllte, 1427 Reisen nach Valencia und 1428 nach Portugal. Seit 1430 bis zu seinem Tode in Brügge tätig. Seine Werke waren von grundlegender Bedeutung für die Überwindung mittelalterlicher Traditionen in der europäischen Malerei.

799 *Flügelaltar.* 1437. Mittelbild: Maria mit dem Kind in einer Kirche thronend. Linker Flügel, Innenseite: Der Erzengel Michael mit dem Stifter. Rechter Flügel, Innenseite: Die heilige Katharina. Linker und rechter Flügel, Außenseiten: Verkündigung (Grisaille). Bezeichnet in der Hohlkehle des Rahmens der Mitteltafel: Johannes de Eyck me fecit et có(m)plevit Anno Domini MCCCC XXX VII (1437). Als ixh xan. – Eichenholz, 33,1×27,5 cm, die Flügel je 33,1×13,6 cm. 1696 im Inventar der Sammlung Jabach, Köln, als Hubert van Eyck. Im Desdener Inventar von 1754, II 39, als Albrecht Dürer. Seit 1846 richtig als Jan van Eyck erkannt. *Farbtafel 42*

Der Altar zeigt in geschlossenem Zustand auf den Flügeln die Verkündigung in sogenannter Grisaillemalerei. Auf dem Mittelbild thront in einer dreischiffigen Basilika Maria mit dem Kind. Auf dem linken Flügel kniet der Stifter, der zusammen mit dem Erzengel Michael dargestellt ist, während auf dem rechten Flügel die heilige Katharina mit ihren Attributen Rad, Schwert und Buch wiedergegeben ist. Die Signatur wurde 1958 auf Anregung von H. Krauth durch K. H. Weber freigelegt.

Mit der Frage der Identifizierung der Stifterfigur beschäftigten sich vor allem H. Krauth und E. Dhanens. Während Krauth Michel Lannoy oder Michel Ligne als Stifter vorschlägt, nennt

Dhanens einen aus Lucca stammenden Kaufmann namens Burlamachi, der mit einer Catharina verheiratet war. Burlamachi soll sich in Brügge mit Stoffhandel beschäftigt haben. Hieraus ergibt sich die Frage, in welcher Beziehung van Eyck zu dieser Familie gestanden hat. Der Dresdener Altar, der ein Reisealtar ist, könnte – wie Dhanens vermutet – ein Geschenk der Frau für ihren Mann gewesen sein, damit er auf Reisen an sie erinnert würde.

Literatur: H. Krauth: Von der Notwendigkeit kunstgeschichtlicher Forschungsarbeit. In: Dresdener Kunstblätter 2, 1958, S. 82–90. – E. Panofsky: Early Netherlandish Painting. Cambridge/Mass. 1958, S. 140f., 147f., 184f. – H. Menz: Zur Freilegung einer Inschrift auf dem Eyck-Altar der Dresdner Galerie. In: Jahrbuch der Staatlichen Kunstsammlungen Dresden 1959, S. 28/29. – Mayer-Meintschel 1966, S. 28–31. – M. J. Friedländer: Early Netherlandish Paintings. The van Eycks and Petrus Christus. New York/Washington 1967, I, S. 54f., S. 62. – E. Dhanens: Hubert et Jan van Eyck. Antwerpen 1980, S. 242–251, S. 385f. – C. J. Purtle: The Marian Paintings of Jan van Eyck. Princeton/N. J. 1982, S. 127–143. – O. Pächt: Van Eyck. München 1989, S. 83f.

Faccini, Pietro Geboren wohl 1562 in Bologna, dort gestorben 1602. Ausgebildet in der Schule der Carracci, beeinflußt durch die Venezianer, Barocci und die Schule von Parma. Bezeichnend für ihn ist die fast venezianisch anmutende weiche, malerische Auffassung, die mehr von der Oberfläche als vom Bau der Körper ausgeht, in Verbindung mit manieristischen Zügen.

320 *Die Verlobung der heiligen Katharina.* Pappelholz, 26×19,5 cm. Inventar 1722–1728, A 466, als Kopie nach Parmigianino, erworben durch Kindermann.

Zum Zeichen ihrer mystischen Verlobung wird der heiligen Katharina vom Jesuskind ein Ring an den Finger gesteckt. Der heilige Hieronymus, rechts hinter Maria, sowie drei als Heilige zu deutende Frauen und dazu kleine Engel umgeben die Gruppe. Die Zuschreibung an Faccini wurde von Voß (1915) abgelehnt.

Literatur: A. Emiliani: Appunti sulla Pittura Bolognese del Seicento. In: Arte figurativa 1959, Juli/August, S. 35.

320 Faccini

Faistenberger, Anton Geboren 1663 in Salzburg, gestorben 1708 in Wien. Als das bekannteste Mitglied der Malerfamilie Faistenberger erhielt er die erste Ausbildung bei seinem Vater Wilhelm, danach in Wien. Später, nach seinem 18. Lebensjahr, war er zeitweise in Venedig, wo er mit Johann Karl Loth zusammengearbeitet hat, vor allem aber in Rom; Pietro Montanini und Johannes Glauber könnten dort Einfluß auf ihn gehabt haben. Auseinandergesetzt hat er sich mit den Werken von Nicolas Poussin, Gaspard Dughet und Salvator Rosa, aber auch mit den Lichtwirkungen der Gemälde von Claude Lorrain. Um 1706 war er für das fürstliche Haus Liechtenstein tätig und hielt sich in und bei Prag auf. 1707 wird er in Wien erwähnt. Er hat sowohl «ideale» als auch «heroische» Landschaften geschaffen und nicht nur italienische, sondern auch niederländische Einflüsse verarbeitet.

2060 *Gebirgslandschaft mit Nymphen.* Bezeichnet links unten am Stein: Antoni Faistenberger. Leinwand, 122×219 cm. 1742 durch Riedel aus Prag; Inventar 1741, 3174.

Deutlich ist diese Landschaft in ihrem kompositorischen Aufbau von Werken Gaspard Dughets inspiriert, mehr vielleicht noch von Gemälden des Jan Frans van Bloemen, genannt Orizzonte. Mittelitalienische Phantasiemotive verbinden sich dekorativ mit Szenen einer erträumten ländlichen Welt der Hirten und Fischer. Tätigsein und Kontemplation stehen hier gleichermaßen im Einklang mit der Natur, die durch Monumentalbauten und Skulpturen zur Kulturlandschaft wird und geadelt ist durch dieses sichtbare Nachleben einer großen Vergangenheit.

Literatur: J. Strnadt (-Friesen): Anton und Josef Faistenberger. Phil. Diss. Innsbruck 1964 (Auszug in: Mitteilungen der Gesellschaft für vergleichende Kunstforschung, 20. Jg., Wien 1967/68, S. 38ff.).

2060 Faistenberger

Falbe, Joachim Martin Geboren 1709 in Berlin, dort gestorben 1782. Schüler der Hofmaler Johann Harper und Antoine Pesne, später Mitarbeiter Pesnes. 1739 Hofmaler des Fürsten August Ludwig von Anhalt-Köthen. 1764 Mitglied der Berliner Akademie.

778 A *Graf von Lüttichau.* Um 1745. Leinwand, 157×121 cm. Früher im Dresdener Residenzschloß, Königl. Garde-Meubles-Verwaltung. 1909 bei Lepke versteigert. Um 1940 von der Gemäldegalerie aus dem Kunsthandel erworben.

Als «Graf von Lüttichau» im Auktionskatalog Nr. 1564, 1909, Nr. 67, der Firma Lepke. Ein hervorragendes, im Blau-Rosa-Silber-Klang vornehm distanziertes Bildnis, das zu den besten Werken Falbes gehört. Aus der schönen, dekorativen Allgemeinheit des Bildes heraustretend ist der sehr wirklichkeitsnahe, persönlich-lebendige Kopf.

Literatur: Kunst der Bachzeit. Ausstellungskatalog. Leipzig 1985, S. 147.

778 A Falbe

Fehling, Heinrich Christoph Geboren 1654 in Sangerhausen, gestorben 1725 in Dresden. Vetter und Schüler des Dresdener Oberhofmalers Samuel Bottschild, mit dem er 1672 nach Italien reiste. Tätig in Dresden als Hofmaler, seit 1706, nach Bottschilds Tod, als Oberhofmaler und «Schilderey Inspector». Leiter der 1697 gegründeten Zeichenschule, die 1705 in eine Malerakademie umgewandelt wurde. In dieser Funktion Vorgänger Louis de Silvestres.

3582 *Bildnis des Oberlandbaumeisters Wolf Caspar von Klengel.* Um 1680. Inschrift auf der Rückseite: «Wolff Caspar von Klengel/ Churfürstl.: Sächs.: Generalwachtmeister Obercommand: der Residenz/Vestung Alt- und Neu-Dresden sowie der Veste Sonnenstein/Obrister der Artillerie auch Oberinspector der Fortificationen./geb: zu Dresden den 8. Juni 1630, † daselbst den 10. Januar 1691». Leinwand, 109×86 cm. 1964 aus dem Historischen Museum an die Galerie abgegeben.

Wolf Caspar von Klengel (1630–1691) spielte als Architekt in Sachsen eine hervorragende Rolle, bekleidete aber auch hohe militärische Ränge (er hatte als Hauptmann in Diensten der Re-

3582 Fehling

publik Venedig gestanden). Erhalten ist von seinen Werken die Kapelle des Schlosses Moritzburg, erbaut 1661–1665. Der Wiederaufbau von «Dresden-Neustadt» (zuvor «Altendresden» genannt) nach dem Brand von 1685 folgte weitgehend seinem barocken Plan mit breiter Mittelachse. Das Bildnis vergegenwärtigt den Offizier (im Hintergrund links unten die Andeutung einer Seeschlacht), es sagt nichts über den Architekten. Der Kopf des repräsentativen Bildnisses hat asketisch scharfe Züge, der Blick spricht von Durchsetzungskraft wie von nach innen gerichteter Geistigkeit. Durch einen Stich von Moritz Bodenehr von 1691 ist die Zuschreibung gesichert und für die Datierung ein terminus ante gegeben.

Literatur: Matthäus Daniel Pöppelmann. Ausstellungskatalog. Dresden 1987, Nr. 65. – H. Marx, in: Königliches Dresden. Ausstellungskatalog. München 1990, Nr. 1.

2082 Ferg

415 Fetti

416 Fetti

Ferg, Franz de Paula Geboren 1689 in Wien, gestorben um 1740 in London. Sohn des Malers Pankraz Ferg. Nach der ersten Ausbildung durch seinen Vater Schüler bei Josef Orient, Andreas Wasshuber und Hans Graf in Wien. 1718 über Bamberg und Leipzig nach Dresden, wo er bis 1720 mit Johann Alexander Thiele arbeitete und diesen im Staffieren von Gemälden unterwies. Nach 1720 über Braunschweig nach London, wo er um 1740 gestorben sein soll. Seltener malte er Bildnisse. Auch einige Radierungen hat er geschaffen.

2082 *Jahrmarkt vor dem Schlosse.* Vor 1720. Bezeichnet links unten auf dem Stein: F. Ferg f. Kupfer, 24,5 × 31 cm. 1727 durch Le Plat zur Galerie; Inventar 1722–1728, A 1849.

Niederländische kleinmeisterliche Malerei fand im 18. Jahrhundert nicht nur Sammler, sondern auch begabte Nachahmer, und auf dem Kunstmarkt waren solche «im gusto» älterer Meister geschaffenen Bilder sehr gefragt. Bei Franz de Paula Ferg hob Christian Ludwig von Hagedorn 1755 (Lettre à un Amateur de la Peinture ..., Dresde 1755, S. 180–188) den Einfallsreichtum hervor, mit dem er kleinfigurige «flämische» Volksszenen malte, als «Kabinettstücke» von äußerster Feinheit. Unser Bild mit dem Jahrmarktstreiben vor burgartigem Schloß ist bezeichnend für die Art des Künstlers.

Literatur: R. Eisen: Die deutsche Landschaftsmalerei des Spätbarock. Phil. Diss. Würzburg. Leipzig 1936, S. 61.

Fetti, Domenico Geboren wahrscheinlich 1589 in Rom, gestorben 1623 in Venedig. Schüler des Lodovico Cigoli in Rom, beeinflußt durch Caravaggio, Saraceni, Elsheimer und Rubens und seit 1613 als Hofmaler in Mantua durch die Venezianer; seit 1622 in Venedig tätig. Fetti verband den Realismus Caravaggios mit den Reizen der venezianischen Malkultur und trug wesentlich zur Weiterführung der großen venezianischen Traditionen bei.

415 *David mit dem Haupte Goliaths.* Um 1614/15. Leinwand, 160 × 111,5 cm. 1742 durch Riedel aus der kaiserlichen Galerie in Prag.

Der Hirtenknabe David, späterer König von Israel, tötete mit einem Stein seiner Schleuder den philistäischen Riesen Goliath und schlug ihm mit dessen eigenem Schwert den Kopf ab, worauf das Heer der Philister vor dem israelitischen Heer die Flucht ergriff (1. Buch Samuelis, 17). Der ebenso kraftvolle wie feinfühlige Duktus in Verbindung mit der Helldunkelwirkung verleiht der Darstellung zugleich Unmittelbarkeit und Monumentalität. Es gibt mehrere Fassungen, darunter in der Royal Collection London. P. Askew datiert um 1619–1622.

Literatur: E. A. Safarik: Fetti. Milano 1990, Nr. 7.

416 *Der junge Tobias mit dem Engel.* Um 1618–1622. Pappelholz, 66,5×84 cm. Herkunft wie Gal.-Nr. 415.

Auf Geheiß des Engels zieht der junge Tobias den großen Fisch aus dem Wasser, dessen Galle seinem erblindeten Vater die Sehkraft wiedergeben wird (Apokryphen, Tobias 6, 1–7). Die großzügig angedeutete, aber sehr stimmungsvolle Landschaft untermalt kompositionell durch Ähnlichkeit der Gruppierung unmerklich das Geschehen.

Literatur: Safarik 1990, Nr. 13.

420 *Die Hinrichtung der heiligen Agnes.* Um 1622. Pappelholz, 56×43 cm. Herkunft wie Gal.-Nr. 415.

Die vornehme römische Jungfrau Agnes starb unter Valerian oder Diokletian den Märtyrertod, weil sie als Christin keusch bleiben wollte. Nachdem das Feuer sie nicht berührt hatte, stieß ihr der Henker ein Schwert in die Kehle. Fetti hat den Augenblick der Tötung wiedergegeben. Agnes stirbt mit dem Blick auf eine tröstliche Vision von Engeln, die den Siegeskranz herbeibringen. Es handelt sich hier nicht um eine Enthauptung, wie der seit 1887 aufgekommene Titel angab. Das Lamm links ist Attribut der Agnes, die Fahne rechts mit den Buchstaben SPQR, abgekürzt Senat und Volk von Rom, weist den Schauplatz aus.

Literatur: Safarik 1990, Nr. 85.

417–419, 421–425 Serie von Bildern nach biblischen Gleichnissen. Die Serie der Gleichnis- oder Parabelbilder, von denen viele mehrfach wiederholt wurden, entstand in den Jahren 1618–1622, der späteren Mantuaner Zeit. Sie umfassen insgesamt vierzehn Motive, von denen in Dresden acht vorhanden sind, und illustrieren in sehr lebendiger und überzeugender Weise weltanschaulich-moralische Weisheiten aus dem Munde Jesu, die dieser durch Begebenheiten aus dem täglichen Leben bildhaft machte. Die Gemälde kamen 1742 durch Riedel aus der kaiserlichen Galerie in Prag.

417 *Das Gleichnis vom verlorenen Sohn.* Pappelholz, 60×45 cm.

Der Sohn, der in der Fremde gescheitert ist und reumütig zurückkehrt, wird vom Vater verzeihend wieder aufgenommen (Lukas 15, 11–24). Den Rahmen der Szene bildet eine kolossale Bogenarchitektur.

Literatur: P. Askew: The Parable Paintings of Domenico Fetti. In: The Art Bulletin XLIII. March 1961. 1, S. 29–31. – Safarik 1990, Nr. 29.

418 *Das Gleichnis vom verlorenen Groschen.* Pappelholz, 55×44 cm. *Farbtafel 15*

Die Frau, die von ihren zehn Groschen einen verloren hat, ruht nicht, ehe sie ihn findet (Lukas 15, 8–9). Durch das Helldunkel ist das schlichte Motiv ins Monumentale erhoben. Der verlorene Groschen liegt in der dunklen Bodenritze, die übrigen sind auf der umgestürzten Bank zu sehen.

Literatur: Askew 1961, S. 25/26. – Safarik 1990, Nr. 28.

420 Fetti

417 Fetti

418 Fetti

419 *Das Gleichnis vom bösen Knecht.* Pappelholz, 61×44,5 cm.
Der erbarmungslose Knecht würgt seinen Schuldner wegen der noch nicht zurückgezahlten 100 Groschen, obgleich ihm sein Gläubiger soeben die Schuld von zehntausend Pfund erlassen hat (Matthäus 18, 23–30).
Literatur: Askew 1961, S. 28. – Safarik 1990, Nr. 24.

419 Fetti

421 *Das Gleichnis vom verlorenen Schaf.* Pappelholz, 60,5× 44,5 cm.
Der Hirt hatte seine anderen 99 Schafe zurückgelassen, um das verlorene hundertste wiederzusuchen, das er nun auf den Achseln zurückbringt, von anderen Hirten freudig empfangen (Lukas 15, 3–6).
Literatur: Askew 1961, S. 27/28. – Safarik 1990, Nr. 27.

421 Fetti

422 *Das Gleichnis von den Blinden, die Blinde führen.* Pappelholz, 55×72 cm.
Der Bibeltext: «Wenn aber ein Blinder den anderen leitet, so fallen sie beide in die Grube» (Matthäus 15, 14) ist ergreifend illustriert. Die verkrüppelten Bäume sind gleichsam Sinnbild für die ebenso verkrümmten, armseligen Menschengestalten. Fetti hat sich bei der Komposition an Veroneses Landschaft mit dem barmherzigen Samariter, heute ebenfalls in Dresden (Gal.-Nr. 230), angelehnt.
Literatur: Askew 1961, S. 35–37. – Safarik 1990, Nr. 23.

422 Fetti

423 *Das Gleichnis von den Arbeitern im Weinberge.* Pappelholz, 61×45 cm.

Ein Weinbergsbesitzer warb im Laufe eines Tages nacheinander mehrere Arbeiter, denen er bis zum Abend allen den gleichen Lohn versprach und zahlte. Als sie dies erfuhren, entstand Unzufriedenheit unter denen, die länger gearbeitet hatten als andere: Gott fragt aber nicht danach, wann ein Mensch seinen Glauben gefunden hat (Matthäus 20, 1–16). Der Arbeiter im zerschlissenen Gewand schlägt die Augen nieder, während der Herr ihn belehrt. Nach Meinung von I. W. Linnik handelt es sich jedoch um eine Darstellung zum Gleichnis der anvertrauten Zentner (Matthäus 25, 14–30) mit dem faulen Knecht, der nicht mit dem ihm anvertrauten Gut gearbeitet hat. E. A. Safarik argumentiert, daß hier vielmehr der ungetreue Verwalter gemeint sei (Lukas 16, 1–8), der von seinem Herrn erst getadelt, dann aber belobigt wird.

Literatur: Askew 1961, S. 39. – Safarik 1990, Nr. 30.

423 Fetti

424 *Das Gleichnis vom Gastmahl ohne Gäste.* Pappelholz, 61×44,5 cm.

Da die geladenen Reichen die Einladung abgeschlagen haben, läßt der Hausherr die Armen von der Straße zum fertigen Mahle herbeirufen (Lukas 14, 12–23). Hier weist er seinen Diener dazu an.

Literatur: Askew 1961, S. 28/29. – Safarik 1990, Nr. 26.

424 Fetti

425 *Das Gleichnis vom barmherzigen Samariter.* Pappelholz, 68,5×82,5 cm.

Nachdem der Priester vorübergegangen ist und auch der berittene Levit schon in der Ferne verschwindet, nimmt endlich der Samariter sich des Überfallenen an und hilft ihm auf sein Reittier (Lukas 10, 30–34). So erweist er sich als der Nächste. Der Landschaftsdarstellung kommt auch hier große Bedeutung zu.

Literatur: Askew 1961, S. 37–40. – Safarik 1990, Nr. 25.

425 Fetti

Fetti, Domenico (?)

692 *Ein Gelehrter.* Leinwand, 98×73,5 cm. 1743 durch Ventura Rossi aus Italien.

Die Anstrengung geistiger Arbeit ist hier sichtbar gemacht. Stillebenhaft gruppierte Gegenstände, zu denen auch der Himmelsglobus und ein Blatt mit Diagrammen gehören, deuten den Forschungsbereich an, Sanduhr und Spiegel erinnern an die Vergänglichkeit alles Irdischen. Nach P. Askew ist nicht Archimedes dargestellt, wie Posse annahm, sondern der altgriechische Astronom Aristarchos von Samos, ein Vorläufer des Kopernikus. Anstelle der von Posse vertretenen Zuschreibung an Fetti sieht P. Askew hier ein Werk des römischen Caravaggio-Nachfolgers Serodine. Auch Safarik stellt Fettis Autorschaft in Frage.

Literatur: P. Askew: A Melancholy Astronomer by Giovanni Serodine. In: The Art Bulletin XLVII. 1965, S. 121–128. – Safarik 1990, Nr. A 29.

692 Fetti (?)

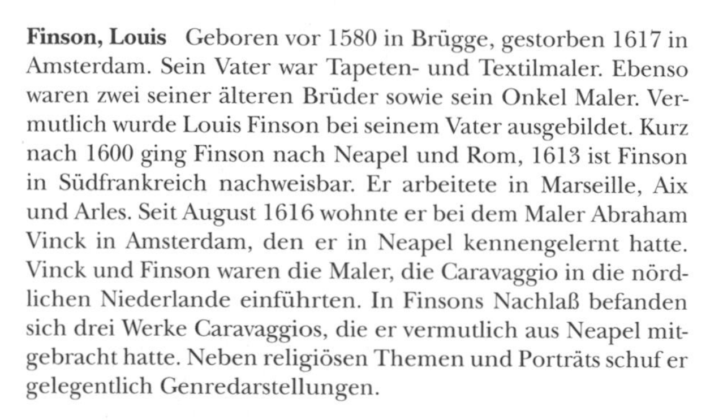

Finson, Louis Geboren vor 1580 in Brügge, gestorben 1617 in Amsterdam. Sein Vater war Tapeten- und Textilmaler. Ebenso waren zwei seiner älteren Brüder sowie sein Onkel Maler. Vermutlich wurde Louis Finson bei seinem Vater ausgebildet. Kurz nach 1600 ging Finson nach Neapel und Rom, 1613 ist Finson in Südfrankreich nachweisbar. Er arbeitete in Marseille, Aix und Arles. Seit August 1616 wohnte er bei dem Maler Abraham Vinck in Amsterdam, den er in Neapel kennengelernt hatte. Vinck und Finson waren die Maler, die Caravaggio in die nördlichen Niederlande einführten. In Finsons Nachlaß befanden sich drei Werke Caravaggios, die er vermutlich aus Neapel mitgebracht hatte. Neben religiösen Themen und Porträts schuf er gelegentlich Genredarstellungen.

1841 *Der Lautenspieler.* Leinwand, 105×77,5 cm. 1744 als Giov. Lys durch Rossi aus der Casa Grimani Caleri in Venedig. Im Inventar 1754, I 393 als «Art des Caravaggio».

Das Gemälde galt früher als eine Arbeit des Johann Liss. Seit Schneider (1933) wird das Bild Louis Finson zugeschrieben. Das Motiv des Lautenspielers, in Halbfigur abgebildet, war ein Motiv bei Caravaggio und seinen Nachfolgern. Dabei wurden die Musikanten immer in Phantasietrachten mit federgeschmückten Baretten und bunt gestreiften Wämsern mit geschlitzten Puffärmeln wiedergegeben.

Literatur: A. v. Schneider: Caravaggio und die Niederländer. Marburg/Lahn 1933, S. 49, 134. – D. Bodart: Louis Finson. Bruges, avant 1580 – Amsterdam, 1617. Brüssel 1970. S. 61, 163 f., Nr. 42.

1841 Finson

1573 Flinck

Flinck, Govaert Geboren 1615 in Cleve, gestorben 1660 in Amsterdam. Zuerst Schüler vom Lambert Jacobsz. in Leeuwarden. 1632/33 Übersiedlung nach Amsterdam, wo er in Rembrandts Werkstatt seine Ausbildung erhielt, später von Bartholomeus van der Helst beeinflußt. Früheste Werke aus der Zeit von 1636/37. Tätig hauptsächlich in Amsterdam. Holländischer Bildnis-, Historien- und Genremaler.

1573 *Bildnis Rembrandts in rotem Mantel.* Nach 1637. Eichenholz, 53,5×46 cm. Inventar 1722–1728, A 65; Inventar Guarienti (1747–1750), Nr. 1568.

Das Gemälde wurde früher der Rembrandt-Schule zugeschrieben. Auch Aert de Gelder und Jan Victors wurden als Schöpfer dieses Werkes in Betracht gezogen. Posse (1930) erkannte das Gemälde als eine Arbeit von Flinck. Die Frage, ob es sich bei dem Dargestellten um ein Bildnis Rembrandts handele, wurde eindeutig durch von Moltke (1965) entschieden. Er stellte fest, daß das Gemälde auf einem gezeichneten Selbstporträt von ca. 1637 basiert.

Literatur: Posse 1930, S. 77, Nr. 1573. – J. W. v. Moltke: Govaert Flinck. 1615–1660. Amsterdam 1965, S. 11, Nr. 221.

1602 Flinck

1602 *David überreicht Uria den Brief.* Um 1650. Leinwand, 151×219 cm. Inventar 1754, II 97, als «F. Bol».

Nach der alttestamentarischen Überlieferung hatte König David die schöne Bathseba, die Frau des Uria, verführt. Als sie schwanger wurde, bestellte David Uria zu sich. Er übergab ihm einen Brief für den Feldherrn Joab, worin er diesen aufforderte, Uria an den gefährlichsten Kampfplatz zu stellen und allein zu lassen, damit er fiele (2. Samuel 11, 14).

Literatur: Moltke 1965, S. 70, Nr. 28. – W. Sumowski: Gemälde der Rembrandt-Schüler. Landau 1983, Bd. 2, S. 1001, 1025, Nr. 632.

83 Florentinisch (?) um 1550

Florentinisch (?) um 1550

83 *Beweinung Christi.* Nußbaumholz, Medaillon Schiefer, 41×28,5 cm. 1749 durch Siegmund Striebel aus Rom.

Im Medaillon eine Pietà, der tote Christus im Schoß seiner Mutter Maria, davor Magdalena. Im äußeren Bildraum die vier Evangelisten: oben links Johannes mit dem Adler, rechts Matthäus mit dem Engel, unten links Lukas, rechts Markus. Das Bild galt früher als Giorgio Vasari und wird von einigen als dessen Schule, etwa als Jacopo Zucchi, von anderen als Werk aus dem Umkreis des Scarsellino, aber auch als venezianisch oder lombardisch angesehen.

Literatur: Posse 1929, S. 42/43.

115 Fontana

Fontana, Prospero Geboren 1513 in Bologna, dort gestorben 1597. Schüler des Innocenzo Francucci genannt Innocenzo da Imola, in Genua Gehilfe des Perino del Vaga, in Florenz und Rom tätig unter Vasari, besonders von diesem im Sinne des florentinisch-römischen Manierismus beeinflußt. Vorübergehend mit Primaticcio in Frankreich, später wieder in Bologna tätig.

115 *Die Heilige Familie mit zwei weiblichen Heiligen.* Pappelholz, 75×63 cm. Inventar 1754, I 177.

In unklassischer, für den Manierismus bezeichnender Weise sind die Figuren unter Anwendung starker, fast gewaltsamer Verkürzungen ins Bild gezwängt, wobei das vom antiken Relief abgeleitete Prinzip der Isokephalie, der gleichen Kopfhöhe, herrscht. In der vorderen Ebene befinden sich Maria mit dem säugenden Kind und die heilige Cäcilie (vgl. Dolci, Gal.-Nr. 509) mit Orgel und Palmzweig, eine Flöte zu Füßen, in der zweiten Ebene eine zweite, ebenfalls blumenbekränzte Heilige und Joseph. Die Autorschaft Fontanas war lange etwas umstritten, ist aber inzwischen mehrfach bestätigt worden, auch aufgrund starker Ähnlichkeiten mit einem signierten Bild in der National Gallery of Victoria in Melbourne, Australien. Ph. Pouncey hat auf den Einfluß des Antwerpener Malers Frans Floris hingewiesen.

Literatur: H. Voss, in: Thieme-Becker-Künstlerlexikon. Leipzig 1916, Bd. 12, S. 186.

Forabosco, Girolamo Geboren in Padua 1604 oder 1605, dort gestorben 1679. Ausgebildet unter Alessandro Varotari, beeinflußt von Bernardo Strozzi und dem in Venedig tätigen Florentiner Sebastiano Mazzoni. Seit 1654 in Venedig tätig. Er war vielleicht der größte venezianische Porträtmaler seines Jahrhunderts. Bezeichnend für ihn sind weiche, zarte und transparente Töne in bestimmtem Rot und Grau.

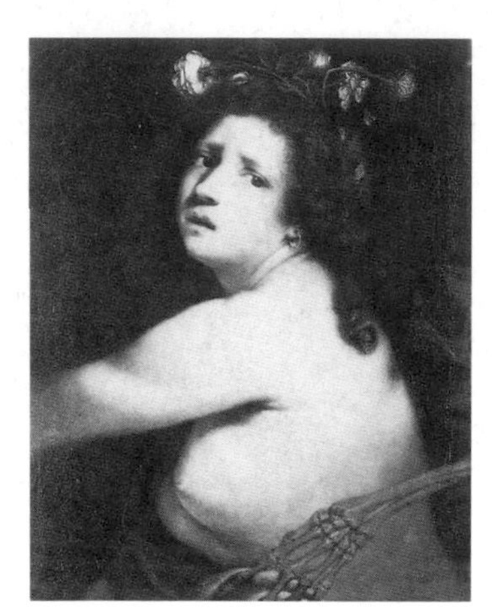

540 Forabosco

540 *Die Frau und der Tod.* Leinwand, 74,5×59,5 cm. 1746 aus der herzoglichen Galerie in Modena. Inventar 1754, I 335.

Das Bild wurde unter dem Namen von Guido Canlassi (Cagnacci) in Modena erworben, erscheint aber schon im Inventar von 1754 als Forabosco, von Guarienti diesem wieder richtig zugeordnet. Nach dem Abecedario (Venezia 1753, S. 304, Anmerkung) wurden von Guarienti (bis 1753) drei «pezzi istoriati» Foraboscos für die Dresdener Galerie gekauft, von denen nur noch das lebensgroße Halbfigurenbild vorhanden ist. Die blühende junge Frau, die in einem Totentanz hinterrücks vom Knochenmann ergriffen wird, verkörpert als Vanitasdarstellung, als Hinweis auf die Vergänglichkeit alles Irdischen, eine für die Barockkunst bezeichnende philosophische Tendenz. Mit der bei einer Aktdarstellung sehr ungewöhnlichen Individualisierung, dem Gegensatz zwischen dem sinnlich empfundenen üppigen weiblichen Körper und dem schmerzvollen, hoffnungslos hilfeflehenden zum Betrachter gewandten Blick der Frau macht das Bild ergreifend die Bedrohtheit des Lebens sichtbar. Der Blumenschmuck im Haar löst sich auf und welkt.

Literatur: Thieme-Becker-Künstlerlexikon. Leipzig 1916, Bd. 12, S. 198. – A. Walther, in: Dresdener Kunstblätter 24. Jg. 1980, S. 48, 49.

Francia, Francesco, eigentlich Francesco Raibolini, genannt Francesco Francia. Geboren um 1450 in Bologna, dort gestorben 1517 oder 1518. Zuerst Goldschmied, als Maler beeinflußt von den Ferraresen, besonders Lorenzo Costa, sowie von Lorenzo di Credi und Perugino. Seine Gestalten sind von einer empfindsamen, sanften Schönheit.

48 Francia

48 *Die Taufe Christi.* 1509. Bezeichnet links unten: FRANCIA AVRIFEX. BON./F.M.D. VIIII. Pappelholz, 208,5×169,5 cm. Inventar Guarienti (1747–1750), Nr. 449.

Christus steht auf der Wasseroberfläche des Jordans, ohne einzusinken, über ihm schwebt im goldenen Nimbus die Taube des Heiligen Geistes, während Johannes der Täufer mit der

49 Francia

Taufschale neben ihm am Ufer kniet (Matthäus 3,13–15). Die bedeutungsgemäß kleiner gemalten Engel sind bezeichnend für gewisse altertümliche Züge bei Francia.

Literatur: A. Venturi, in: Archivio Storico dell'Arte III. 1890, S. 293/94. – Posse 1929, S. 22.

49 *Die Anbetung der Könige.* Nach 1500. Pappelholz, 41 × 59 cm. Inventar 1754, I 74.

Die drei Könige oder Weisen aus dem Morgenlande, gedeutet als Vertreter Europas, Asiens und Afrikas, sind mit ihrem Gefolge gekommen, das neugeborene Jesuskind anzubeten und zu beschenken (Matthäus 2,11). Hinter der Heiligen Familie bei einer Palastarchitektur zwei Hirten sowie Ochs und Esel. In ungewöhnlicher Weise spielt sich die Szene völlig im Freien ab, vor der Kulisse einer weiträumigen Landschaft. Das Bild, eines der bedeutendsten Francias, galt nach der Erwerbung als Werk Peruginos, dem die schönlinigen, anmutigen Gestalten sehr nahe kommen.

Literatur: Venturi 1890, S. 292. – Posse 1929, S. 22/23.

Franceschini, Marcantonio Geboren 1648 in Bologna, dort gestorben 1729. Er war der bedeutendste Schüler des Carlo Cignani und schon zu Lebzeiten auch außerhalb Italiens sehr berühmt, Mitbegründer der Accademia Clementina in Bologna und seit 1721 deren Principe. In der sinnlich-dekorativen Leichtigkeit seiner Malweise wirkt der Klassizismus Albanis nach.

390 Franceschini

390 *Die Geburt des Adonis.* Gegen 1700. Kupfer, 48,5 × 69 cm. 1712 durch de Brais aus der Sammlung Carignan in Paris als Carlo Cignani.

Die Prinzessin Myrrha hatte an Schönheit selbst Aphrodite zu übertreffen gemeint, und die erzürnte Göttin ließ sie zur Strafe in Liebe zu ihrem eigenen Vater, dem König Thias von Assyrien, entflammen. Als Myrrha nun die Mutterschaft herannahen fühlte, bat sie voller Scham die Götter um Hilfe und wurde in einen Myrrhenbaum verwandelt. Dessen Rinde sprengend, kam der schöne Adonis zur Welt (Ovid, Metamorphosen, X, 502–513). Die Geburtsgöttin Diana Lucina mit dem Möndchen auf der Stirn hat Hilfe geleistet und reicht das neugeborene Knäblein an eine der Flußnymphen weiter. Auch Putti und Satyrn nehmen freundlich Anteil an dem Ereignis. – Andere Fassungen des Motivs befinden sich im Palazzo Durazzo Pallavicini in Genua und in der Sammlung Liechtenstein in Wien.

Literatur: Posse 1929, S. 177/78.

Franciabigio, eigentlich Francesco di Cristofano Bigi, genannt Franciabigio. Geboren 1482 oder 1483 vermutlich in Florenz, dort gestorben 1525. Schüler des Mariotto Albertinelli und des Piero di Cosimo, später Gehilfe des Andrea del Sarto, beeinflußt auch durch Michelangelo, Raffael und Leonardo da Vinci. Franciabigio war ein Eklektiker, der alle diese Einflüsse geschickt zu einem teils klassischen, teils schon etwas manieristischen Stil zu verbinden verstand.

75 *Der Uriasbrief.* 1523. Bezeichnet links unten an der Brüstung des Bades A.S.MDXXIII, dazu am Krug, den die Dienerin unter dem Wappen hält, mit dem Monogramm FRACR. Pappelholz, 85 × 172 cm. Inventar Guarienti (1747–1750), Nr. 95; 1750 aus der Sammlung des Marchese Suares in Florenz.

Um die schöne Bathseba freien zu können, ließ König David ihren Mann, seinen Heerführer Urias, heimtückisch ermorden. Er sandte durch Urias selbst den Brief an seinen Feldherren Joab mit dem Befehl, Urias im Kampfgetümmel zu verlassen (2. Samuelis, 11). Das Bild zeigt links Bathseba mit ihren Dienerinnen im Bade ihres Hauses, von David vom Söller des Königspalastes herab beobachtet. Urias schläft auf der Balustrade im Mittelgrunde und ist dann mit David und Gefolge an der Tafel zu sehen, ein weiteres Mal rechts von der Eingangshalle, den verderbenbringenden Brief empfangend. Franciabigio hat das alte Prinzip der Simultanëität, der gleichzeitigen Darstellung aufeinanderfolgender Szenen, angewandt.

Literatur: F. Sricchia Santoro: Per il Franciabigio. In: Paragone Nr. 163. 1963, S. 3–23. – S. R. McKillop: Franciabigio. Berkeley/Los Angeles/London 1974, S. 168/69, Nr. 35.

75 Franciabigio

Füssli, Johann Heinrich Geboren 1741 in Zürich, gestorben 1825 in Putney Hill bei London. Sohn des Züricher Malers, Kunstgelehrten und Ratsschreibers Johann Caspar Füssli des Älteren. Verdankte der künstlerischen Atmosphäre im Elternhaus viele Anregungen, schlug aber die geistliche Laufbahn ein. Ging 1763 nach Berlin, 1764 nach England, wo er ansässig wurde und 1765 eine englische Übersetzung von Winckelmanns «Gedanken über die Nachahmung der griechischen Werke ...» veröffentlichte. 1766 in Frankreich, 1768 Wendung zur Malerei. 1770–1778 in Italien. Seit 1779 wieder in London, dort 1790 Mitglied, 1799 Professor, 1804 Keeper der Royal Academy. 1816 Mitglied der Accademia di San Luca in Rom. Ausgehend von der Schweizer Aufklärung wurde Füssli zu einem Hauptvertreter des Sturm und Drang. Seine künstlerische Form verbindet eine von Michelangelo inspirierte Körperbildung und manieristisch beeinflußte Komposition mit der ihm eigenen, oft bedrückenden Phantastik

798 E Füssli

798 E *Hero, Ursula und Beatrice.* 1789. Leinwand, 222 × 159 cm. 1927 in Zürich erworben.

Ein Bild zu Shakespeares Komödie «Viel Lärm um nichts», III, 1. Beatrice (rechts) belauscht ein Gespräch zwischen Hero und Ursula, in welchem von Benedikts Verliebtheit in sie die Rede ist: Das Gespräch war aber von vornherein für die lauschende Beatrice bestimmt. Vorher schon hatte man auf gleiche Weise Benedikt hören lassen, daß Beatrice in ihn verliebt sei. Das Bild ist wohl dasjenige, das 1789 in der Royal Academy in London ausgestellt war. 1791 gestochen von John Jones. Eine kleine Fassung in Luzern, Kunstmuseum.

Literatur: Johann Heinrich Füßli. Ausstellungskatalog. Kunsthaus Zürich 1969, Nr. 21. – P. Viotto: L'opera completa di Füssli. Milano 1977, Nr. 73.

Fyt, Jan Geboren 1611 in Antwerpen, dort gestorben 1661. Ging bei Jan van den Berch und Frans Snyders in die Lehre. Wurde 1629 Meister in der Malergilde von Antwerpen. Hielt sich in den dreißiger Jahren längere Zeit in Paris und in Italien auf. Seit 1641 war er wieder in Antwerpen. Malte vorzugsweise Stilleben und Jagddarstellungen.

1211 Fyt

1211 *Hund, Zwerg und Knabe.* 1652. Bezeichnet in der Mitte unten: Joannes Fyt 1652. Leinwand, 138×204 cm. 1874 aus dem Kunsthandel in London.

Mit dieser Darstellung wandte sich Fyt einem für ihn weniger typischen Thema zu. Der elegant gekleidete Junge und der Zwerg sind im Begriff, dem Hund ein Geschirr anzulegen. Der Hund dominiert sowohl durch Größe als auch Farbe, wodurch die Figuren des Jungen und des Zwergs noch kleiner erscheinen. Möglicherweise stammen die beiden Figuren von der Hand des Erasmus Quellinus.

Literatur: G. Glück: Rubens, van Dyck und ihr Kreis. Wien 1933, S. 345.

Gambarini, Giuseppe Geboren 1680 in Bologna, gestorben 1725 in Casalecchio. Schüler des Girolamo Negri, des Lorenzo Pasinelli, des Benedetto Gennari und des M. A. Chiarini. Tätig zumeist in Bologna, außerdem in Wien, Bergamo, Rom und Ferrara. Bezeichnend für ihn sind seine frischen Genrebilder, besonders aus dem Mönchsleben.

763 A Gambarini

763 A *Mönchsbesuch.* Spätwerk. Gegenstück zu Gal.-Nr. 763 B. Leinwand, 62×77 cm. 1741 aus der Sammlung Wallenstein in Dux.

Das Bild ist wie sein Gegenstück typisch für Gambarinis genrehafte Mönchsdarstellungen, denen vielleicht volkstümliche Erzählungen oder Sprichwörter zugrunde liegen und die durch eine humorvolle, ja ironisierende Auffassung bestimmt sind. Wegen der etwas glatten Malweise wurden die Bilder seit 1835 C. W. E. Dietrich zugeschrieben, später galten sie als französische Schule vom Ende des 17. Jahrhunderts. – Der Prior der Kartäusereinsiedelei in seiner weißen Tracht liest soeben das Sendschreiben des zu Besuch gekommenen, neben ihm stehenden Franziskaners. Zwei ähnliche Bilder in der Staatsgalerie Stuttgart gehörten mit den Dresdenern wahrscheinlich zu einer Serie.

Literatur: R. Roli, in: Pittura Bolognese. Bologna 1977, S. 188. – G. Ewald, in: Das Jahrhundert Tiepolos. Katalog der Ausstellung Stuttgart 1977/78. Stuttgart 1977, S. 51–53.

763 B Gambarini

763 B *Ein Mönchsscherz.* Spätwerk. Gegenstück zu Gal.-Nr. 763 A. Leinwand, 62×78,5 cm. Herkunft wie Gal.-Nr. 763 A.

Vgl. die Bemerkungen zum Gegenstück. Ein alter Kapuzinermönch kitzelt einen schlafenden Kartäuser mit einem Strohhalm an der Nase, während er Schweigen gebietend den Finger an den Mund legt; bei den Kartäusereinsiedlermönchen herrscht bekanntlich ununterbrochenes Stillschweigen. Wie im Gegenstück sind auch hier weltliche Personen kontrastierend einbezogen.

Literatur: vgl. Gal.-Nr. 763 A.

Garofalo, eigentlich Benvenuto Tisi, genannt Garofalo. Geboren um 1481 wohl in Ferrara, dort gestorben 1559. Schüler des Domenico Panetti, des Boccaccio Boccaccino in Cremona und des Lorenzo Costa in Mantua, beeinflußt von Giorgione, Dosso Dossi und Raffael. Tätig meist in Ferrara, außerdem in Cremona, Rom und Mantua. Er wurde als der «ferraresische Raffael» bezeichnet, wobei seine Auffassung teils lebhaft und frisch, später aber zuweilen akademisch konventionell war.

132 Garofalo

135 Garofalo

132 *Poseidon und Athene.* 1512. Bezeichnet unten halbrechts: 1512 NOV. Leinwand, 211 × 140 cm. 1746 aus der herzoglichen Galerie in Modena.

Der Meeresgott Poseidon, erkenntlich an Dreizack und Delphin, wurde nach der jungfräulichen Stadtgöttin Athene, zugleich Göttin der Weisheit und der klugen Kriegführung, in Athen am meisten verehrt und soll mit Athene um den Besitz des attischen Landes gestritten haben. Mit der Stadt an der Meeresbucht ist vermutlich Athen gemeint. Die weibliche Gestalt hielt einen Kreuzstab aus Rohr – der erst nach 1838 in eine Lanze umgeändert wurde – und sollte die Religion verkörpern. Der Kopf Poseidons wurde für ein Porträt des Dogen Andrea Doria gehalten. In den Figuren ist der Einfluß Giorgiones erkannt worden, aber zugleich ist die Nähe Michelangelos spürbar. Das Bild galt früher als Werk des Francesco Francia.

Literatur: G. Mazzariol: Il Garofalo, Benvenuto Tisi. Venezia 1960, S. 16.

135 *Mars und Venus vor Troja.* Um 1524. Leinwand, 133,5 × 240 cm. 1746 aus der herzoglichen Galerie in Modena.

Nach der Schilderung in Homers Ilias (V, 330–364) wurde die Liebesgöttin Venus vor der von den Griechen belagerten Stadt Troja an der Hand verwundet, als sie ihren letzten Sohn Aeneas bergen wollte. Für die Rückkehr zum Olymp mußte sie den Kriegsgott Mars um seinen Wagen bitten; dieser ist mit zwei Pferden bespannt halbrechts im Hintergrund zu sehen. Die blonde Liebesgöttin erscheint als Halbakt, Mars in kunstvoller Rüstung mit prächtigem Federbarett und kostbaren Waffen ganz wie ein Ritter der Renaissancezeit. Seinen Helm versucht sich Amor aufzusetzen. Vor Troja tobt die Schlacht. – In den Gestalten zeigt sich der Einfluß Raffaels, die poesievolle Verbindung von Menschen und Landschaft folgt den von Giorgione ausgehenden venezianischen Traditionen. Das Bild entstand fraglos mit anderen mythologisch-allegorischen Darstellungen im Aufrag der Herzöge d'Este für deren Schloß in Ferrara. Es wurde in Dresden stets unter dem Namen Garofalos geführt. Nach A. Serafini (Girolamo da Carpi ..., Roma, 1915, S. 24–26, 423) hat es Girolamo da Carpi gemalt, unter dessen Namen es auch in einem von A. Venturi (1882) zitierten Inventar von Modena vom Anfang des 18. Jahrhunderts genannt ist. Die sinnlich-schöne, giorgionesk romantisierende Darstellungsweise ist dem Stil Girolamo da Carpis, Garofalos Schüler, tatsächlich sehr nahe.

Literatur: A. Mezzetti: Girolamo da Ferrara detto da Carpi. Milano 1977, S. 71/72, Nr. 29. – A. Walther, in: Barock in Dresden. Katalog der Ausstellung Essen 1986, Nr. 452.

1791 Gelder

Gelder, Aert de Geboren 1645 in Dordrecht, dort gestorben 1727. Schüler des Samuel van Hoogstraten in Dordrecht, zu Beginn der sechziger Jahre in der Werkstatt Rembrandts in Amsterdam. Später wieder in Dordrecht tätig, wo er bis zu seinem Tode blieb. Historien- und Bildnismaler.

1791 *Die Ausstellung Christi.* 1671. Bezeichnet in der Mitte: A d Gelder.f. 1671. Leinwand, 152×191 cm. Inventar 1754, II 360; 1743 aus der Sammlung Seger Tierens, Den Haag (Lugt 582).

Das Gemälde entstand in Anlehnung an Rembrandts Radierung gleichen Themas von 1656 (B. 76), wobei der 3. oder 4. Zustand vorgelegen haben muß, denn erst seit dem 3. Zustand ist auch die rechte Seite wie bei Gelders Bild im Schatten gezeigt, so daß der Vorbau mit der Hauptszene im Dunkel erscheint, während beim 5. Zustand das Volk vorn unten weggelassen ist. Nach mündlicher Mitteilung von C. Müller Hofstede (1964) wird in einem Gedicht von Vondel auf das Dresdener Gemälde Bezug genommen. Eine späte Fassung des Themas befindet sich in Aachen.

Literatur: W. Sumowski: Gemälde der Rembrandt-Schüler. Landau 1983. Bd. 2, S. 115, 1159, Nr. 723.

1792 *Der Mann mit der Partisane.* Nach 1690. Leinwand, 82,5 × 70,5 cm. Inventar 1722–1728, A 1772, als Rembrandt; 1727 von der Leipziger Ostermesse durch Königin Eberhardine.

Während das Bild noch im Inventar 1722 als Rembrandt und mit dem Titel «Ein Jäger mit der Flinte» vermerkt ist, erscheint es im Inventar 1754, II 382, zum ersten Mal als Arbeit von Aert de Gelder, betitelt «Portrait einer Manns-Person, in der Hand eine Hellebarde haltend». Die Stangenwaffe ist von D. Schaal (1970) als Partisane erkannt worden. Möglicherweise handelt es sich bei dem Dargestellten um ein Selbstbildnis des Künstlers. Physiognomische Ähnlichkeiten zu dem Maler in der Zeuxis-Szene in Frankfurt sowie zu dem Selbstbildnis in St. Petersburg sind zu erkennen.

Literatur: Sumowski 1983, S. 1178, Nr. 805.

1792 Gelder

1792 A *Esther und Mardochai.* Um 1685. Leinwand, 102 × 152 cm. Inventar 1722–1728, A 141 als unbekanntes Original unbekannter Herkunft. Spätere Provenienzangabe «aus Polen» irrtümlich angegeben. Inventar 1754, II 1 als Paudiß.

Die Geschichte Esthers, Heldin des nach ihr benannten Buches im Alten Testament, war in der holländischen Malerei, besonders im Rembrandtkreis weit verbreitet. König Ahasverus, der seine Gemahlin verstoßen hatte, wählte Esther, die jüdische Ziehtochter Mardochais, zur Frau. Aert de Gelder, der sich mehrfach der Geschichte Esthers widmete, zeigt hier Esther und Mardochai, der den ersten Purim-Brief schreibt (Esther 9, 20 und 21). Stilistisch steht dem Dresdener Gemälde das Bild in Budapest nahe.

Literatur: Sumowski 1983, S. 1165, Nr. 747.

1792 A Gelder

Giordano, Luca Geboren 1632 in Neapel, dort gestorben 1705. Schüler seines Vaters Antonio Giordano und Riberas, weitergebildet in Rom durch Pietro da Cortona, beeinflußt auch durch Raffael, Michelangelo, die Carracci und die Venezianer. Tätig hauptsächlich in Neapel, ferner in Rom, Florenz, Venedig und von 1692–1702 in Madrid. Er entwickelte ein ungewöhnliches Arbeitstempo, das ihm den Ruf eines Schnellmalers eintrug und das ihn im Verein mit seiner außerordentlichen Vorstellungs- und Schaffenskraft zu einem gewaltigen Œuvre befähigte. Besonders seine Dekorationszyklen wirkten weit über Italien hinaus als Vorbilder.

479 *Die heilige Irene pflegt den heiligen Sebastian.* Um 1650 bis 1654. Leinwand, 202 × 150 cm. Inventar 1722–1728, A 46; erworben durch Kindermann.

Wegen seines christlichen Glaubens mußte Sebastian, ein Offizier der Leibwache Diokletians, während der Christenverfolgung unter diesem Kaiser ein Martyrium erleiden: Die Soldaten machten ihn zur Zielscheibe für ihre Pfeile. Eine ebenfalls christliche römische Witwe namens Irene pflegte ihn gesund, wofür sie später heiliggesprochen wurde. Das Motiv lehnt sich eng an ein verlorenes Gemälde Riberas an. Veränderte spätere Fassungen von etwa 1660 befinden sich im Wallraf-Richartz-Museum Köln und im Museum of Fine Arts in Philadelphia. Durch das Helldunkel ist der geschundene, an den Armen aufgehängte Körper Sebastians dramatisch zur Wirkung gebracht.

Literatur: O. Ferrari/G. Scavizzi: Luca Giordano. Napoli 1966, II, S. 9. – B. Klesse, in: Katalog der italienischen, französischen

479 Giordano

und spanischen Gemälde bis 1800 im Wallraf-Richartz-Museum. Köln 1973, S. 54/55.

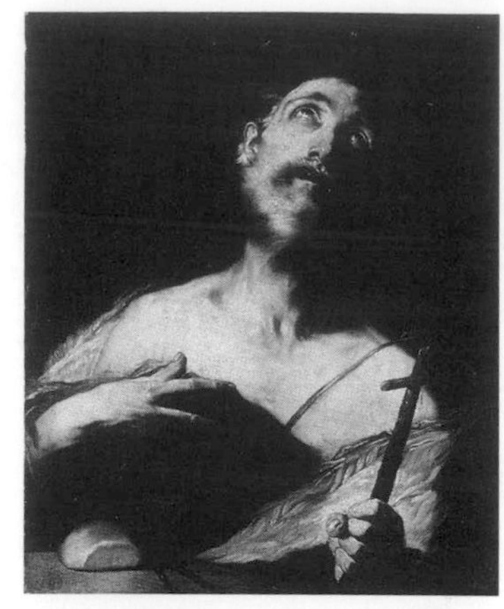
480 Giordano

480 *Der Einsiedler Paulus.* Um 1650. Gegenstück zu Gal.-Nr. 481. Leinwand, 76,5×62,5 cm. Inventar 1722–1728, A 6, als «St. Johannes von Ribera», erworben durch Kindermann.

Der Ägypter Paulus von Theben, Sohn reicher Eltern, mußte wegen seines Glaubens in die Thebäische Wüste fliehen und lebte dort bis zu seinem Tode 341 in völliger Abgeschiedenheit. Alexander der Große hat ihn schließlich aufgefunden und begraben. Paulus wurde schon früh als Begründer des christlichen Einsiedlerlebens verehrt. Dargestellt wird er auch hier mit dem Kreuz, dem er nachfolgte, und dem Brot, das ihm ein Rabe täglich gebracht haben soll. Das Bild zeigt wie sein Gegenstück mit dem ausgeprägten Helldunkel, der Tendenz zur Monochromie und dem inbrünstigen Pathos den neapolitanischen Maler noch völlig unter dem Einfluß des Spaniers Ribera.

Literatur: Ferrari/Scavizzi 1966, II, S. 18/19.

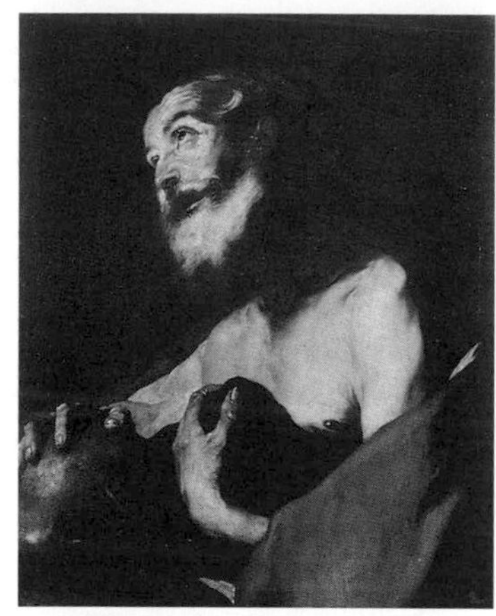
481 Giordano

481 *Der heilige Hieronymus.* Um 1650. Gegenstück zu Gal.-Nr. 480. Leinwand, 77×63 cm. Inventar 1722–1728, A 8, als Ribera, erworben durch Kindermann.

Hieronymus, um 340–347 im dalmatinisch-pannonischen Grenzort Stridone als Sohn christlicher Eltern geboren, zog sich nach dem Studium und Reisen in die Wüste bei Antiochia zurück, wurde zum Priester geweiht und von Papst Damasus I. als Berater nach Rom berufen. Später gründete er in Bethlehem eine Schule und ein Mönchskloster. Ihm wird die lateinische Bibelübersetzung, bekannt als Vulgata, zugeschrieben. Wegen seiner theologischen Verdienste wird er zu den vier frühchristlichen Kirchenvätern gerechnet. Als Biograph des Eremiten Paulus wird er wie auch hier in der Kunst neben diesem dargestellt. Der Totenschädel ist das Attribut der Einsiedler und symbolisiert die Vergänglichkeit alles Irdischen gemäß der christlichen Lehre.

Literatur: vgl. Gal.-Nr. 480.

490 Giordano

490 *Lot und seine Töchter.* Um 1650–1654. Leinwand, 152×204 cm. 1742 durch Johann Gottfried Riedel aus Prag.

Als einer der Gerechten des Alten Testamentes (1. Buch Mose, 18, 20–33) hatte Lot auf Weisung zweier Engel Gottes mit seiner Familie die zum Untergang bestimmte verderbte Stadt Sodom noch rechtzeitig verlassen. Seine Frau hatte sich jedoch unerlaubt nach dieser umgedreht und war zur Salzsäule erstarrt. In Ermangelung anderer Männer verführten die Töchter ihren eigenen Vater dazu, mit ihnen Stammesnachkommen zu zeugen, nachdem sie ihn betrunken gemacht hatten. Lot erscheint als Greis von hohem Alter, der in seiner Trunkenheit die erhobene Weinschale nicht mehr sicher zu fassen vermag und sich schon den beiden lüsternen jungen Frauen überläßt. Wir spüren, daß dem Maler solche Szenen vertraut waren. Das caravaggieske Helldunkel schafft mit kräftiger plastischer Modellierung höchste Wirklichkeitsillusion. Links hinten brennt die Stadt Sodom.

Literatur: Ferrari/Scavizzi 1966, II, S. 10.

Giorgione, eigentlich Giorgio da Castelfranco, genannt Giorgione, und Tizian, eigentlich Tiziano Vecellio, genannt Tizian (Biographie siehe Tizian). Giorgione, geboren 1477 oder 1478 in Castelfranco (Prov. Treviso), gestorben 1510 in Venedig. Beeinflußt von Giovanni Bellini, seit etwa 1506 in Venedig tätig. Mit Hilfe der Ölfarbentechnik entwickelte er einen malerischen Stil warmer toniger, weich modellierender Farben für die poesievolle, romantisierende Darstellung meist mythologisch-allegorischer Sujets in vollkommener Einheit von Mensch und Landschaft. Obwohl nur wenige Bilder von Giorgione bekannt sind, wurde der Giorgionismus zur Ausdrucksweise einer ganzen Künstlergeneration, zu der auch der junge Tizian gehörte.

185 Giorgione

185 *Schlummernde Venus.* Um 1508–1510. Leinwand, 108,5 × 175 cm. 1699 durch C. le Roy erworben; Inventar 1722–1728, A 49. *Farbtafel 6*

Es handelt sich zweifellos um das Bild, das Marc Antonio Michiel 1525 im Hause des Jeronimo Marcello in Venedig sah und in seinem Tagebuch notierte. Er überlieferte auch, daß Tizian, nach Giorgiones frühem Tod an der Pest, das unvollendete Gemälde fertiggestellt und die Landschaft hinzugefügt hat sowie zu Füßen der Göttin einen kleinen Amor, dessen Reste nach 1837 übermalt wurden, im Röntgenbild aber noch zu sehen sind. Tizian stand zu jener Zeit so stark im Banne Giorgiones, daß ihre Hände kaum zu scheiden sind. Die Venus verkörpert frei von aller Koketterie das Schönheitsideal der Hochrenaissance im Einklang mit der umgebenden Natur.

Literatur: H. Posse: Die Rekonstruktion der Venus mit dem Cupido von Giorgione. In: Jb. der Preußischen Kunstsammlungen 32. Berlin 1931, S. 29–35. – L. Baldass/G. Heinz: Giorgione. Wien/München 1964, S. 49/50, Nr. 27.

Girolamo da Carpi Geboren 1501 in Ferrara, dort gestorben 1556. Schüler Garofalos, beeinflußt von Raffael, Dosso Dossi, Correggio und Parmigianino wie von den Venezianern. Tätig zumeist in Ferrara sowie in Bologna, Rom und einigen anderen Orten. Er vereinigte poesievoll die Auffassung Raffaels mit dem Stil der Schule von Parma. Seine Gestalten haben oft antike Skulpturen zum Vorbild.

142 Girolamo da Carpi

142 *Die Gelegenheit und die Reue.* Wohl 1541. Leinwand, 211 × 110 cm. 1746 aus der herzoglichen Galerie in Modena; Inventar Guarienti (1747–1750), Nr. 85, als Girolamo Mazzola.

Kairos, der griechische Gott der günstigen Gelegenheit, im kurzen Chiton, rollt schnell auf einer Kugel dahin, ein Messer in der erhobenen Rechten. Die Reue dagegen, die den Menschen nach versäumter Gelegenheit ergreift, hat die Gestalt eines verhüllten blonden Mädchens, das mit Bedauern der rollenden Kugel nachschaut; sie wurde früher als «Geduld» interpretiert. Die düstere Naturstimmung verstärkt den Ausdruck von Melancholie.

Literatur: E. Mattaliano, in: The Age of Correggio and the Carracci. Katalog der Ausstellung in Bologna, Washington, New York 1986/87. Washington 1986, Nr. 23. – A. Mezzetti: Girolamo da Ferrara detto da Carpi. L'Opera Pittorica. Milano 1977, Nr. 32.

143 *Venus von Schwänen gezogen.* Gegen 1546. Leinwand, 144×267,5 cm. Herkunft wie Gal.-Nr. 142.

Die Liebesgöttin im Muschelwagen wird von Amor und drei Nymphen begleitet. Die Gestalt der Venus wurde wahrscheinlich von Battista Dossi ausgeführt, von dem wohl auch der Entwurf stammt; F. Gibbons schreibt ihm das Bild zu. Das Muschelboot sollte ursprünglich von Nereïden gezogen werden, die Schwäne wurden erst später gemalt. Die drei badenden Frauen in ihrer beglückenden Sinnlichkeit bilden den besten Teil des Bildes.

Literatur: F. Gibbons: Dosso and Battista Dossi, Court Painters at Ferrara. Princeton, N. J., 1968, Nr. 93. – Mezzetti 1977, Nr. 33.

143 Girolamo da Carpi

144 *Judith mit dem Haupte des Holofernes.* Zwischen 1540 und 1550. Leinwand, 134,5×107,5 cm. Herkunft wie Gal.-Nr. 142.

Die junge jüdische Witwe hatte den assyrischen Feldhauptmann Holofernes, der mit seinem Heer ihre Vaterstadt Bethulia belagerte, durch ihre Schönheit betört, den Trunkenen in seinem eigenen Zelt ermordet und sein Haupt in einem Sack aus dem feindlichen Lager gebracht. Das führerlose assyrische Heer floh dann vor dem israelitischen Angriff (Apokryphen, Judith, 10–15). Judiths schönes Bildnis erinnert an Parmigianino, dem das Gemälde früher zugeschrieben war.

Literatur: F. Antal: Observations on Girolamo da Carpi. In: The Art Bulletin XXX. 1948, S. 91. – Mezzetti 1977, Nr. 34.

144 Girolamo da Carpi

145 *Der Raub des Ganymed.* Gegen 1544. Leinwand, 80,5×145 cm. Herkunft wie Gal.-Nr. 142.

Durch seinen Adler läßt Zeus den schönen Knaben Ganymed zum Olymp entführen, wo er ihm als Mundschenk dienen soll. Der Knabenkörper, der in fast axialsymmetrischer Entsprechung den Raubvogel diagonal überschneidet, ist in seiner Schwerelosigkeit und Leichtigkeit der Bewegung von hoher Grazie. Auch dieses Bild galt bei der Erwerbung als Werk des Parmigianino.

Literatur: Mezzetti 1977, Nr. 35. – Mattaliano 1986, Nr. 22.

145 Girolamo da Carpi

Girolamo da Treviso der Jüngere Geboren 1497 in Treviso, gefallen 1544 als Militäringenieur Heinrichs VIII. von England vor Boulogne. Schüler seines Vaters, beeinflußt von Raffael, Francesco Francia, Bagnocavallo, Parmigianino und Giorgione. Tätig in Treviso sowie in Bologna. Seine delikate Kunst ist wesentlich von der emilianischen Schule bestimmt.

201 B *Die Anbetung der Hirten.* Nußbaumholz, 86×118 cm. 1744 durch Talon aus Madrid.

Der schönlinige Rhythmus wellenartig fließender Konturen, besonders in den Gestalten der Heiligen Familie und der Engel, verbindet sich mit dem Ausdruck von Gefühlsseligkeit und Eleganz. Die Stilmittel der venezianischen Schule, der Girolamo angehörte, treten gegenüber dem Einfluß Correggios und Parmigianinos zurück. Eine ähnliche Fassung im Ashmolean Museum Oxford war vielleicht das Vorbild für die Dresdener.

Literatur: Posse 1929, S. 99/100.

201 B Girolamo da Treviso d.J.

Giulio Romano, eigentlich Giulio Pippi, genannt Giulio Romano. Geboren um 1499 in Rom, gestorben 1546 in Mantua. Hauptschüler und bevorzugter Gehilfe Raffaels, beeinflußt von Bramante und Michelangelo. Bis 1524 in Rom tätig, danach als Hofmaler der Gonzaga in Mantua. Er trug wesentlich zur Ausbreitung der Formensprache Raffaels bei, entwickelte aber in Mantua eine an Kühnheit selbst weit über Michelangelo hinausgehende, stark vom Manierismus bestimmte Auffassung. Er war der einzige bedeutende Renaissancekünstler, der aus Rom selbst stammte.

103 *Die Madonna mit der Waschschüssel.* Um 1525. Pappelholz, 161 × 114,5 cm. 1746 aus der herzoglichen Galerie in Modena.

Giulio Romano hat in klassischer Formgebung die religiös symbolische Handlung in eine Genreszene zweier Mütter mit ihren Kindern gekleidet. Während die matronenhafte Elisabeth das Handtuch für den in der Waschschüssel stehenden, von seiner Mutter gehaltenen Jesusknaben bereit hat, gießt diesem ihr Söhnchen Johannes aus einem Krug Wasser über den Körper. Damit ist seine spätere Mission als Täufer Jesu angezeigt. Rechts im Hintergrund Joseph.

Literatur: Fr. Hartt: Giulio Romano. New Haven, Conn., 1958, I, S. 84.

103 Giulio Romano

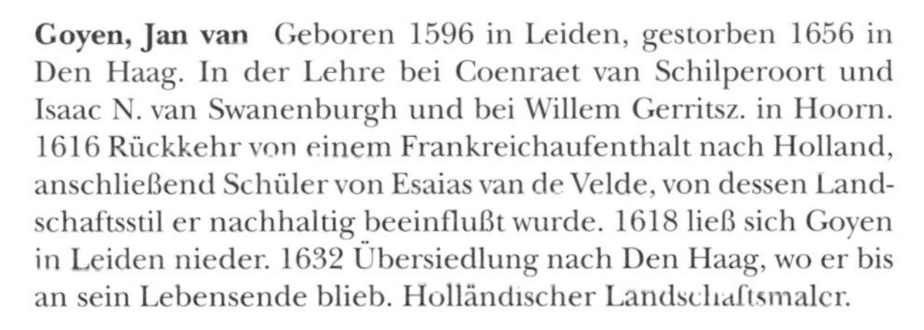

Goyen, Jan van Geboren 1596 in Leiden, gestorben 1656 in Den Haag. In der Lehre bei Coenraet van Schilperoort und Isaac N. van Swanenburgh und bei Willem Gerritsz. in Hoorn. 1616 Rückkehr von einem Frankreichaufenthalt nach Holland, anschließend Schüler von Esaias van de Velde, von dessen Landschaftsstil er nachhaltig beeinflußt wurde. 1618 ließ sich Goyen in Leiden nieder. 1632 Übersiedlung nach Den Haag, wo er bis an sein Lebensende blieb. Holländischer Landschaftsmaler.

1338 A *Ein Ziehbrunnen neben Bauernhütten.* 1633. Bezeichnet rechts unten: VG 1633. Eichenholz, 55 × 80 cm. Inventar 1754, II 76.

Das Gemälde zeigt eine Dorfstraße mit halbverfallenen Bauernhütten und einem Ziehbrunnen. Unter dem Einfluß von Esaias van de Velde entwickelte Goyen einen national-holländischen Landschaftsstil: Atmosphäre und Licht bestimmen das Kolorit, warme braune und gelbe Töne herrschen vor.

Literatur: H.-U. Beck: Jan van Goyen. 1596–1656. Amsterdam 1973. Bd. 1, S. 456, Nr. 1015.

1338 A van Goyen

1338 B *Winter am Flusse.* 1643. Bezeichnet rechts unten am Boot: VGOYEN 1643. Gegenstück zu Gal.-Nr. 1338 C. Eichenholz, 69 × 90,5 cm. Zuerst im Katalog 1812.

Im Werk des Jan van Goyen spielen Winterlandschaften eine große Rolle. Sie kamen in ihrer von der Natur bedingten Beschränkung auf wenige Farben der Tendenz zur monochromen Malerei entgegen, wie wir sie in der holländischen Kunst der ersten Hälfte des 17. Jahrhunderts an verschiedenen Orten finden. Thematisch läßt sich der Ursprung der Winterbilder in Kalenderillustrationen und Jahreszeitenzyklen sehen. Die Gegenüberstellung von Winter und Sommer auf den beiden Gemälden Gal.-Nr. 1338 B und 1338 C deutet solchen Zusammenhang an. – Nach dem Zweiten Weltkrieg war das Bild verschollen, gelangte jedoch 1974 in die Sammlung zurück.

Literatur: Beck 1973, S. 14, Nr. 26.

1338 B van Goyen

1338 C *Sommer am Flusse.* 1643. Bezeichnet links unten am Boot: VG 1643. Gegenstück zu Gal.-Nr. 1338 B. Eichenholz, oval, 68×90,5 cm. Zuerst im Katalog 1812.

Ende der dreißiger Jahre war Goyen zu einer fast monochromen Vereinheitlichung der Landschaft gekommen. Der Horizont liegt ganz tief, und mit einem feinen Gefühl für die Stimmungswerte erfaßt der Maler vor allem das Licht und die Luft in feinen Grautönen, die in ihrer Transparenz silbrig glänzen. Das reale Erlebnis der Natur fand in diesen Bildern eine klassische Prägung.

Literatur: Beck 1973, S. 71, Nr. 145.

1338 C van Goyen

Graff, Anton Geboren 1736 in Winterthur, gestorben 1813 in Dresden. Graff war das siebente Kind des Zinngießers Hans Ulrich Graff. Seine Ausbildung erhielt er bei Johann Ulrich Schellenberg in Winterthur, bei dem Kupferstecher Johann Jacob Haid in Augsburg und bei dem Hofmaler Leonhard Schneider in Ansbach. Bei Schneider kopierte Graff besonders Bildnisse und wurde dadurch an die Porträtmalerei herangeführt, die sein ganzes weiteres Leben bestimmte. 1766 erfolgte seine Berufung als Hofmaler und Mitglied der Kunstakademie nach Dresden, wo er 1788 zum Professor für Porträtmalerei ernannt wurde. Er porträtierte zahlreiche bedeutende Persönlichkeiten seiner Zeit, Dichter, Gelehrte, Politiker, Kaufleute und Angehörige des sächsischen Adels.

2166 Graff

2166 *Jugendliches Selbstbildnis.* 1765. Leinwand, 100×78,5 cm. 1855 aus dem Vorrat zur Galerie.

Gemalt 1765 in Winterthur, 1766 nach Dresden geschickt, wo es in der Ausstellung der Kunstakademie gezeigt wurde, Beifall fand, Graffs Berufung nach Dresden auslöste und als Rezeptionsbild für die Akademie diente. Die Haltung ist von repräsentativen Künstlerbildnissen des Barocks und Rokokos inspiriert.

Literatur: E. Brand: Anton Graff. Ausstellungskatalog. Dresden 1964, Nr. 33. – E. Berckenhagen: Anton Graff. Leben und Werk. Berlin 1967, Nr. 478.

2167 Graff

2167 *Selbstbildnis mit 58 Jahren.* 1794/1795. Leinwand, 168×105 cm. Zuerst im Katalog 1835; wahrscheinlich 1832 aus dem Nachlaß Carl Anton Graffs, des Sohnes des Künstlers.

Farbtafel 48

Graff demonstrierte mit diesem Bild die volle Entfaltung seiner künstlerischen Möglichkeiten: In der komplizierten Stellung des zum Betrachter gewendeten, malenden Künstlers sowie im Format erweist sich die Ausnahmestellung des Werkes, das sich deutlich absetzt von den sonst für Graff typischen Brustbildern oder Halbfiguren. Es spricht von berechtigtem Stolz auf erreichte Leistung und von einer aus verdienter Anerkennung resultierenden Sicherheit. 1809 entstand ein zweites ganzfiguriges Selbstbildnis (Leipzig).

Literatur: Brand 1964, Nr. 34. – Berckenhagen 1967, Nr. 551. – H. Marx, in: Dresdener Kunstblätter, 30. Jg., 1986, Heft 6, S. 170. – A. M. Kluxen: Das Ende des Standesporträts. Die Bedeutung der englischen Malerei für das deutsche Porträt 1760–1848. München 1989, S. 138f.

2168 *Selbstbildnis in hohem Alter.* 1805/06. Leinwand, 71×56,6 cm. 1806 erworben; zuerst im Inventar 1809, Nr. 1793.

Das Bild war 1806 auf der Ausstellung der Dresdener Kunstakademie und wurde dort vom sächsischen Kurfürsten für die Galerie erworben. Es ist von einer für Graff seltenen malerischen Auflösung in einzelne, nebeneinander gesetzte Farbwerte und spannungsvoll auch dadurch, daß die Figur aus der Mitte nach links gerückt ist. Es erscheint als realistische «Momentaufnahme», vielleicht nicht ganz unabhängig von Rembrandts Altersselbstbildnissen, gleichweit entfernt von barockem Pathos wie von klassizistischer Starre.

Literatur: Brand 1964, Nr. 35. – Berckenhagen 1967, Nr. 526. – Marx 1986, S. 170. – S. Heiland, in: Anton Graff. Selbstbildnis an der Staffelei. Meisterwerke aus dem Museum der bildenden Künste Leipzig. Dokumentation und Interpretation. Leipzig 1986, S. 13.

2168 Graff

3400 *Bildnis einer älteren Dame.* Nach 1770. Leinwand, 74×56 cm. 1947 von Dr. Weinkauff, Dresden.

Die Dargestellte bisher nicht ermittelt. Sehr gutes Beispiel für Graffs bürgerliche Bildnisse.

Literatur: Brand 1964, Nr. 18. – Berckenhagen 1967, Nr. 1486.

3400 Graff

3773 *Bildnis des Henri-Guillaume Bassenge.* Um 1780. Leinwand, 61,5×50,5 cm. 1970 Geschenk aus dem Nachlaß Dr. Dr. Friedrich Bassenge.

Dargestellt ist in karminrotem Rock mit geflecktem Pelzkragen vor grünlichem Grund Henri-Guillaume Bassenge, geboren am 25. 9. 1751 in Dresden, dort gestorben am 7. 3. 1822, vermählt mit Maria Anna Thieriot, Sohn des Kaufmanns Isaac Bassenge und Urenkel des 1657 aus Sedan nach Deutschland eingewanderten Jacques Bassenge, Bruder des Charles-Frédéric Bassenge. Übernahm 1774 das väterliche Geschäft, das er in ein Bankhaus umwandelte, war 1789–1822 im Vorstand der Reformierten Gemeinde in Dresden. E. Brand und danach E. Berckenhagen datieren das Bild um 1780, wobei Berckenhagen es nicht für das Original hält.

Literatur: Brand 1964, Nr. 5. – Berckenhagen 1967, Nr. 35. – H. Marx: Neuerwerbungen deutscher Malerei. Ausstellungskatalog. Dresden 1974, Nr. 18.

3773 Graff

3774 *Bildnis des Charles-Frédéric Bassenge.* 1791. Rückseitig bezeichnet: A. Graff pinx. 1791. Leinwand, 70×55,5 cm. 1970 Geschenk aus dem Nachlaß Dr. Dr. Friedrich Bassenge.

Dargestellt ist in tiefblauem Rock mit weißem Jabot vor dunklem, blaugrauem, nur über den Schultern aufgehelltem Grund Charles-Frédéric Bassenge, geboren am 5. 7. 1761 in Dresden, dort gestorben am 7. 3. 1808, Bruder des Henri-Guillaume Bassenge, Bankier, vermählt mit Henriette Sophie Lerch. Das Bildnis ist scharf modelliert in Licht und Schatten, dabei sprechend lebendig durch den leicht geöffneten Mund und durch die Glanzlichter in den Augen und auf der Unterlippe. Der Farbauftrag ist kräftig mit den für Graff typischen Wulstbildungen.

Literatur: Brand 1964, Nr. 4. – Berckenhagen 1967, Nr. 36. – Marx 1974, Nr. 19.

3774 Graff

88/28 *Bacchantin.* 1789. Rückseitig bezeichnet: A Graff pinxit 1789. Holz, 46×33,5 cm. 1988 als Vermächtnis von Frau Dr. Erna Brand.

Die «Bacchantin» ist ein Ausnahmewerk im Œuvre von Anton Graff: Tatsächlich scheint dem Bildnismaler der Aufklärung, für den «naturwahre» Porträts voll menschlicher Einfühlung bezeichnend waren, eigentlich als Grundstimmung seiner Gemälde nichts ferner gelegen zu haben als sinnenfroher Überschwang des Gefühls. So beschränkte er sich auch hier auf das «Bildnis», das durch den leicht geöffneten Mund und die heitere Zuwendung zum Betrachter ganz gelöst wirkt. Aus bürgerlichem oder sonst gesellschaftlich bedingtem Rahmen, dem seine Bildnisse sich gewöhnlich fügen, tritt diese Gestalt heraus und entfernt sich aus dem Wirklichen ins Mythische, wobei der sprechende Kopf sich abhebt von der beinahe abstrakt aufgefaßten Schulterpartie: Vielleicht ist dieses Bild Anton Graffs einziger künstlerischer Beitrag zum «Sturm und Drang». Anregungen könnte er für seine «Bacchantin» in älterer oder selbst in gleichzeitiger Malerei gefunden haben, so bei Angelica Kauffmann (Gemälde in Berlin) und bei Jean-Baptiste Greuze (Gemälde in der Wallace Collection, London). Das Bild kam 1988 in die Sammlung als Vermächtnis von Frau Dr. Erna Brand (1899–1988), die von 1953 bis 1969 an den Staatlichen Kunstsammlungen Dresden beschäftigt war und der Gemäldegalerie Alte Meister langjährig als wissenschaftliche Mitarbeiterin angehört hat.

Literatur: Berckenhagen 1967, Nr. 1491.

88/28 Graff

2179 A *Bildnis einer etwa 50jährigen Dame.* Um 1795. Leinwand, 51,5×40,5 cm. Erworben vor 1916.

Der Reiz des Bildnisses liegt im Kontrast zwischen dem durchgeistigten, vollendet gemalten Kopf und dem schemenhaften Dreieck der Schultern, das noch in der Untermalung steht. Man kann sich vor Bildern wie diesem, aber auch vor dem Selbstbildnis Gal.-Nr. 2167, an Jacques Louis David erinnert fühlen. Keiner der Versuche, die Dargestellte zu identifizieren, konnte überzeugen.

Literatur: Brand 1964, Nr. 19. – Berckenhagen 1967, Nr. 1496.

2179 A Graff

2165 *König Friedrich August der Gerechte.* 1795. Bezeichnet unten rechts: A. Graff pinx: 1795. Leinwand, 226×137 cm. Zuerst 1856 im Galeriekatalog.

Kurfürst Friedrich August III., später «der Gerechte» genannt (1750–1827), Sohn des 1763 verstorbenen Kurfürsten Friedrich Christian, übernahm die Regierung 1768 mit dem Erreichen der Volljährigkeit. Nach dem frühen Tode seines Vaters im Dezember 1763 (er hatte nur wenige Monate regiert) verwaltete Prinz Xaver (1730–1806), Sohn König Augusts III., Kursachsen bis 1768 als Administrator. 1806 wurde Kurfürst Friedrich August III. von Kaiser Napoleon zum König von Sachsen erhoben, ein Titel, der auch nach dem Sturz Napoleons bei den Wettinern verblieb. Das Porträt ist eines aus einer ganzen Reihe von Bildnissen des Kurfürsten, die Anton Graff gemalt hat. Er bediente sich hier auftragsbedingt des traditionellen Schemas barocker ganzfiguriger Repräsentationsporträts. Der Dargestellte trägt den polnischen Weißen-Adler-Orden und den sächsischen St. Heinrich-Orden.

Literatur: J.-L. Sponsel: Fürsten-Bildnisse aus dem Hause Wettin. Dresden 1906, Nr. 173. – Berckenhagen 1967, Nr. 362. – H. Marx, in: Königliches Dresden. Ausstellungskatalog. München 1990, Nr. 37. – R. D. Kirscher: Die besondere Trageweise des sächsischen Militär St. Heinrich-Ordens. In: Orden-Militaria-Magazin 44, 10. Jg., Okt. 1991, S. 1.

2165 Graff

2175 A *Bildnis des Karl Wilhelm Ferdinand von Funck.* 1804. Leinwand, 77,5×61 cm. 1901 Vermächtnis Therese von Witzleben.

Karl Wilhelm Ferdinand von Funck (1761–1828) war Offizier und Historiker. 1780 trat er in kursächsischen Militärdienst, nahm aber 1787 seinen Abschied, um in Göttingen historische Studien aufzunehmen, als deren Ergebnis 1792 seine «Geschichte Kaiser Friedrichs II.» erschien: später wurde er Ehrendoktor der Universität Marburg. Schon 1791 trat er jedoch erneut als Rittmeister in die militärische Laufbahn ein, ohne dabei allerdings seine wissenschaftlichen und literarischen Neigungen aufzugeben. Er arbeitete an der «allgemeinen Literaturzeitung» und an den «Horen» mit und war mit Novalis befreundet, den er – so schildert es Ludwig Tieck – zu seinem «Heinrich von Ofterdingen» anregte. Als Major im Rhein-Feldzug war Funck Adjutant des Oberbefehlshabers der sächsischen Truppen. 1806 geriet er in Gefangenschaft; als Verfechter einer sächsisch-französischen Annäherung sandte ihn Napoleon mit dem Auftrag nach Dresden, den Kurfürsten von einer Flucht aus der Residenz zurückzuhalten. Von nun an war er für Jahre Vertrauter von König Friedrich August dem «Gerechten». Als Offizier der «großen Armee» befehligte er sächsische Truppen im Feldzug der Jahre 1812/13 und war zuletzt Generalleutnant. Seine Lebenserinnerungen, erst 1928 herausgegeben in zwei Bänden («Im Banne Napoleons» und «In Rußland und Sachsen») entwerfen ein lebendiges, durch genaue Beobachtung interessantes Zeitbild.

Literatur: Berckenhagen 1967, Nr. 416. – Marx 1990, Nr. 38.

2175 A Graff

2180 J Graff

2180 J *Die Elbe bei Blasewitz oberhalb Dresdens am Morgen.* Um 1800. Gegenstück zu Gal.-Nr. 2180 K. Leinwand, 39,5×49,5 cm. 1935 als Geschenk aus der Sammlung Bienert, Dresden.

Landschafts- und Vedutenmalerei hatte in Dresden eine lange Tradition, die im 18. Jahrhundert durch so unterschiedliche Künstler wie Johann Alexander Thiele, Bernardo Bellotto,

Christian Wilhelm Ernst Dietrich und Johann Christian Klengel vertreten wurde. Als Zeichner und Stecher von Landschaften muß Graffs Schweizer Landsmann Adrian Zingg genannt werden. Der Bildnismaler Anton Graff kam unbefangen zur Landschaft, die bei ihm so persönlich ist, wie eine Tagebuchnotiz, eine spontane Erlebnis-Niederschrift. Schon aus den 80er Jahren des 18. Jahrhunderts hören wir von Freilichtmalerei in Dresden und davon, daß die «romantische», malerische und interessante Dresdener Umgebung zur Naturschilderung gereizt habe. Um 1800 hat Graff einige kleine Landschaften gemalt. Die Dresdener Galerie besitzt vier solche skizzenhafte Bilder, die als Darstellungen der Tageszeiten und der Nacht gelten und Motive der Dresdener Umgebung zeigen.

Literatur: Berckenhagen 1967, Nr. 1716.

2180 K Graff

2180 L Graff

2180 K *Die Elbe bei Blasewitz oberhalb Dresdens bei Nacht.* Um 1800. Gegenstück zu Gal.-Nr. 2180 J. Leinwand, 39×48 cm. 1935 als Geschenk aus der Sammlung Bienert, Dresden.

Von diesem Bild erzählt Gustav Parthey, Graff selbst habe dazu gesagt, daß er «vorher niemals Landschaften gemalt und sich bei einem Sommeraufenthalt in Loschwitz gelangweilt» habe; «da habe er gedacht, wer einen stets sich verändernden Kopf treffen könne, der werde auch eine stillstehende Landschaft treffen.» Aber war es wirklich nur Langeweile? Lag nicht Landschaftsmalerei damals in der Luft? Die Dresdener Romantik sollte wenig später gerade auf diesem Gebiet ganz neue Wege beschreiten. Eine Ahnung davon scheint Graff angewandelt zu haben, als er seine kleinen Bilder malte. Gezeigt wird eine nächtliche Ansicht der Elbe; rechts die Anlegestelle der Elbfähre Blasewitz–Loschwitz und das alte Fährhaus, links die Loschwitzhöhe. Im Bildaufbau mit der Spiegelung des Mondes im Fluß hat sich Graff möglicherweise von niederländischen Gemälden des 17. Jahrhunderts anregen lassen.

Literatur: G. Parthey: Jugenderinnerungen. I, 1871, S. 305. – Berckenhagen 1967, Nr. 1724. – H.-J. Neidhardt: Die Malerei der Romantik in Dresden. Leipzig 1976, S. 16. – H. Marx: «... die Natur auf der Tat zu ertappen». Zum 250. Geburtstag von Anton Graff. In: Dresdener Kunstblätter 1986, H. 6, S. 172. – Marx 1990, Nr. 39.

2180 L *Der Plauensche Grund bei Dresden am Abend.* Um 1800. Gegenstück zu Gal.-Nr. 2180 M. Leinwand, 39×48 cm. 1935 als Geschenk aus der Sammlung Bienert, Dresden.

Motivisch bietet sich der Vergleich mit Gemälden von Johann Alexander Thiele an, der dem Plauenschen Grund mehrere Darstellungen gewidmet hat. Andererseits dürfte die Anregung für Graff aus dem unmittelbaren Naturerlebnis gekommen sein; Daniel Chodowiecki gab 1789 folgende Schilderung: «Herr Graff schlug uns eine Promenade vor und wir gingen nach dem Plauenschen Grund ... Der Anblick der hohen, steilen, zuweilen ganz nackten, zuweilen mit Bäumen bewachsenen braunen Felsen, worauf hin und wieder Ziegen kletterten, der klare, rieselnde Bach, der immer über größere und kleinere Steinmassen zwischen den Felsen fortschlängelt, zuweilen ruhig zuweilen schäumend, die Häuser und Mühlen, die an seinen Ufern liegen und die vielen Menschen, die man hier antrifft, alles das macht einen unbeschreiblich schönen Anblick ... Nun stiegen wir noch höher hinauf und gingen auf der oberen Seite wieder zu Herrn Graffs (Garten-)Hause; von dieser Seite konnten wir nun das schöne, enge Tal beinahe ... ganz übersehen.»

(D. Chodowiecki: Journal gehalten auf einer Lustreise von Berlin nach Dresden, Leipzig, Halle, Dessau ... Anno 1789. Berlin 1961, S. 6f.) Das Bild zeigt den Eingang zum Plauenschen Grund mit dem Hegereiterhaus, der Hegereiterbrücke und dem Stauwehr der Hofemühle im Licht der untergehenden Sonne.

Literatur: Berckenhagen 1967, Nr. 1720.

2180 M Graff

2180 M *Der Plauensche Grund bei Dresden am Mittag.* Um 1800. Gegenstück zu Gal.-Nr. 2180 L. Leinwand, 39 × 48 cm. 1935 als Geschenk aus der Sammlung Bienert, Dresden.

Einen anderen Blick in den Plauenschen Grund zeigt dieses Bild, zu dem eine vorbereitende Zeichnung im Berliner Kupferstichkabinett existiert (vgl. Berckenhagen 1967, Nr. 1718). Am befestigten und bebauten Ufer links erkennen wir die «Kleine Walkmühle», rechts vermuten wir den Park des ehemaligen Herrenhauses Kielmansegge. Das strahlende Sonnenlicht, das einzelne Gebäude im Mittelgrund aus dem Schatten heraustreten läßt, akzentuiert die Darstellung.

Literatur: Berckenhagen 1967, Nr. 1719.

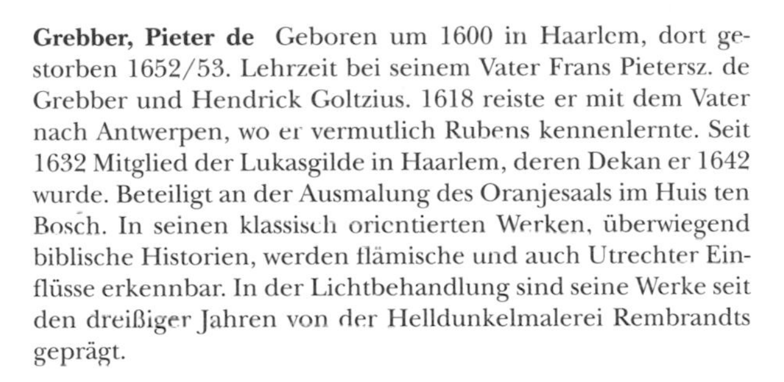

Grebber, Pieter de Geboren um 1600 in Haarlem, dort gestorben 1652/53. Lehrzeit bei seinem Vater Frans Pietersz. de Grebber und Hendrick Goltzius. 1618 reiste er mit dem Vater nach Antwerpen, wo er vermutlich Rubens kennenlernte. Seit 1632 Mitglied der Lukasgilde in Haarlem, deren Dekan er 1642 wurde. Beteiligt an der Ausmalung des Oranjesaals im Huis ten Bosch. In seinen klassisch orientierten Werken, überwiegend biblische Historien, werden flämische und auch Utrechter Einflüsse erkennbar. In der Lichtbehandlung sind seine Werke seit den dreißiger Jahren von der Helldunkelmalerei Rembrandts geprägt.

1372 Grebber

1372 *Die Findung Mosis.* 1634. Bezeichnet halbrechts unten: P DG (ligiert) 1634. Leinwand, 169,5 × 228,5 cm. Vor 1722 durch Grunberg aus Brüssel als Original Rembrandts. Inventar 1722, A 44.

Zur biblischen Erzählung vgl. das Gemälde von Victors (Gal.-Nr. 1615). Leicht erhöht sitzend und durch die gelungene Lichtführung noch betont erscheint gewissermaßen thronend die Tochter des Pharao mit dem Kind Moses auf dem Arm. Sie ist umgeben von Dienerinnen, die ihr nach dem Bad die Haare kämmen und beim Ankleiden behilflich sind. Kostbar und zart wirkt die stoffliche Wiedergabe der Gewänder.

276 Greco

Greco, El, eigentlich Domenikos Theotokopoulos, genannt El Greco. Geboren gegen 1545 auf Kreta, gestorben 1614 in Toledo. Wuchs in der Tradition byzantinischer Ikonenmaler auf, kam aber schon jung nach Venedig, wo er Tizians Schüler wurde. Beeinflußt auch von Tintoretto, Veronese und den Bassano. Seit 1570 in Rom und seit 1577 in Spanien, zuerst in Madrid, dann in Toledo. Sein Manierismus von visionärer Expressivität und flackerndem Licht, voll schwärzester Dunkelheit und leuchtendster Farbe, veränderte die spanische Malerei der zweiten Hälfte des 16. Jahrhunderts.

276 *Die Heilung des Blinden.* Um 1570. Pappelholz, 65,5×84 cm. 1741 durch Ventura Rossi aus Venedig.

Die «Heilung des Blinden» (Matthäus 9, 27–31) ist ein Jugendwerk, weit entfernt noch vom reifen Stil des Künstlers. Die Zuschreibung, zuerst von Carl Justi ausgesprochen, wird durch das Vorhandensein eines ähnlichen, vom Künstler signierten Bildes (mit Selbstbildnis) in der Galleria Nazionale in Parma bestätigt. Ein drittes Exemplar in einer New Yorker Privatsammlung. Die Datierung wird verschieden angegeben, entweder «um 1570» (H. E. Wethey), oder «zwischen 1572 und 1576» (T. Frati). Schließt man sich der späteren Datierung an, so müßte das Bild schon in Rom entstanden sein, wohin der Künstler sich 1570 gewandt hatte. Die Evangelien erzählen von mehreren Blindenheilungen. Wurde das im Zeitalter der Gegenreformation vielleicht als Gleichnis auf die Kraft der Kirche verstanden? Die Spannung der Szene verdeutlicht sich in einer Komposition, die selbst voller Spannung ist. Die Mitte des Bildes bleibt leer. Mehrere Pentimenti sind mit bloßem Auge sichtbar.

Literatur: C. Justi: Diego Velázquez und sein Jahrhundert. Bonn 1888, Bd. 2, S. 76. – C. Justi, in: Zeitschrift für bildende Kunst, Neue Folge, VIII, 1897, S. 177f., 257ff.; IX, 1899, S. 213ff. – H. E. Wethey: El Greco and his school. Princeton/New York 1962, Bd. 2, S. 42. – G. Manzini/T. Frati: L'opera completa del Greco. Milano 1969, Nr. 16b. – R. Pallucchini, in: Da Tiziano a El Greco. Katalog der Ausstellung Venedig. Milano 1981, erwähnt bei Nr. 103. – El Greco of Toledo. Katalog der Ausstellung Madrid/Washington, D. C./Toledo, Ohio/Dallas, Texas 1982/83. Boston, Massach., 1982, S. 88.

1678 Griffier

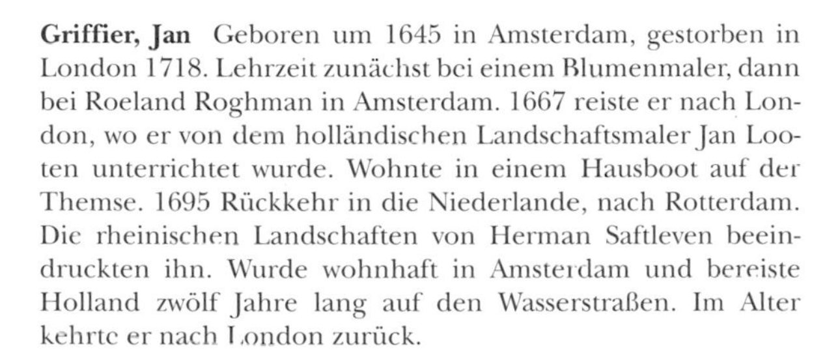

Griffier, Jan Geboren um 1645 in Amsterdam, gestorben in London 1718. Lehrzeit zunächst bei einem Blumenmaler, dann bei Roeland Roghman in Amsterdam. 1667 reiste er nach London, wo er von dem holländischen Landschaftsmaler Jan Looten unterrichtet wurde. Wohnte in einem Hausboot auf der Themse. 1695 Rückkehr in die Niederlande, nach Rotterdam. Die rheinischen Landschaften von Herman Saftleven beeindruckten ihn. Wurde wohnhaft in Amsterdam und bereiste Holland zwölf Jahre lang auf den Wasserstraßen. Im Alter kehrte er nach London zurück.

1678 *Flußtal mit Jahrmarktsbuden.* Nach 1700. Bezeichnet rechts unten: GRIFFIER. Kupfer, 52,5 × 66,5 cm. Inventar 1722–1728, A 554.

In seiner Frühzeit malte Griffier topographische Ansichten von London und Ruinenlandschaften italienischen Gepräges, später entstanden kleinformatige Rhein- und Mosellandschaften, die mit minutiöser Feinheit bis ins Detail wiedergegeben sind. Griffiers Bilder waren im 18. Jahrhundert besonders beliebt, und Dresden besitzt heute noch eine Kollektion von acht Werken.

Grimou, Alexis Geboren 1678 in Argenteuil, gestorben 1733 in Paris. Vermutlich Schüler von François de Troy dem Älteren, beeinflußt aber auch von Rigaud und Largillière sowie von Werken Rembrandts. Sein Antrag um Aufnahme in die Académie Royale wurde zwar 1705 angenommen, 1709 jedoch wegen Anstoß erregenden Lebenswandels annulliert. Mitglied der Pariser Académie Saint Luc.

772 *Der kleine Flötenbläser.* Leinwand, 65 × 54,5 cm. 1725 durch Le Plat.

Das Leben spielerisch zu nehmen, das war eine wesentliche Seite der französischen Kunst des 18. Jahrhunderts, während der Régence und im Rokoko. Dazu gehörte, spielende Kinder in Rollen zu zeigen, die ernsthafte Beschäftigungen hätten sein können, in Tätigkeiten der Erwachsenen, als Baumeister, als Astronomen, als Mediziner oder als Maler. Auch im Werk von Alexis Grimou finden wir diese Verniedlichung. Hier verbindet

772 Grimou

sich der kindlich-liebenswürdige Charakter der Darstellung mit konsequentem Helldunkel, mit formalen Anleihen bei Rembrandt. Dabei entwickelte Grimou in manchen Partien zart abgestimmten farbigen Reichtum, besonders in den geschlitzten Ärmeln.

Grund, Norbert Joseph Carl Geboren 1717 in Prag, dort gestorben 1767. Als Sohn des Malers Christian Grund erhielt er die erste Ausbildung durch seinen Vater, danach längerer Aufenthalt in Wien; sein Frühwerk zeigt Einflüsse von Bildern des Franz de Paula Ferg sowie von Landschaften solcher Maler wie Christian Hilfgott Brand, Joseph Orient und Maximilian Joseph Schinnagel. An den Wien-Aufenthalt schloß sich eine Venedig-Reise an. 1751 Heirat und Niederlassung in Prag, 1752 Mitglied der Kleinseitner Malerzunft und 1753 deren «Prinzipal». Zusammentreffen mit Tiepolo in Würzburg. Johann Balzer hat 228 seiner stets kleinformatigen Gemälde gestochen und den Kompositionen damit weite Verbreitung gesichert.

2156 Grund

2156 *Ländliche Volksbelustigung.* Gegenstück zu Gal.-Nr. 2157. Buchenholz, 24,5×36 cm. 1778 aus der Sammlung Spahn; zuerst im Katalog 1880, 2145.

Mit leichter Hand arrangiert, so erscheint dieses ländliche Fest; die lockere und skizzenhafte Malweise entspricht dem kleinen Format. Kaum spürt man noch das entfernte Vorbild flämischer Kirmes-Darstellungen, etwa von David Teniers. Alles ist Spiel in diesem Bild von Norbert Grund, entzieht sich dem Vergleich mit der Wirklichkeit.

2157 Grund

2157 *Gesellschaftsfreuden im Freien.* Gegenstück zu Gal.-Nr. 2156. Buchenholz, 24×36,6 cm. 1778 aus der Sammlung Spahn, zuerst im Katalog 1880, 2146.

Hinter dieser Komposition stehen als entferntes Vorbild die Kompositionen von Antoine Watteau: Doch nicht den französischen Meister selbst, sondern seine Nachahmer scheint sich Grund zum Muster genommen zu haben. Die Darstellung einer aristokratischen «fête champêtre» ist der verhaltenen Poesie der ländlichen Feste Watteaus fern – sie zeigt unverbindliches Amüsement.

Literatur: G. Biermann: Deutsches Barock und Rokoko. Leipzig 1914, Bd. I, S. 64, Bd. II, S. XVIII.

Guardi, Francesco Geboren 1712 in Venedig, dort gestorben 1793. Schüler seines älteren Bruders Giovanni Antonio, beeinflußt von Sebastiano und Marco Ricci, Pellegrini und in der Vedutenmalerei als seinem Hauptbetätigungsfeld von Canaletto. Seine sehr lyrische, locker bewegte und auf die Wiedergabe des Atmosphärischen gerichtete Malweise scheint zuweilen etwas vom Impressionismus vorwegzunehmen.

601 A Guardi

601 A *Papst Pius VI. segnet die Venezianer.* 1782. Leinwand, 51,5×68 cm. 1898 aus dem Londoner Kunsthandel; ehemals in der Sammlung George Salting.

Das Bild gehört zu einer Serie von vier Gemälden, mit denen Guardi im Auftrag des englischen Kunsthändlers Edwards den Besuch des Papstes in Venedig 1782 bei dessen Rückreise von

Wien nach Rom illustrierte. Die Stadtansicht ist hier mit dem Ereignisbild verbunden. Der wiedergegebene Platz ist der gleiche wie im Bilde Canalettos (Gal.-Nr. 582). Vor der Scuola di San Marco, links von der Kirche SS. Giovanni e Paolo, ist nun eine hohe Tribüne aufgebaut, von der herab Pius VI. das Volk segnet. Das Bild gilt als Replik eines Gemäldes im Ashmolean Museum Oxford; eine weitere Fassung befindet sich in der Staatsgalerie Stuttgart.

Literatur: Walther 1968, Nr. 47.

Guercino, eigentlich Giovanni Francesco Barbieri, genannt Guercino. Geboren 1591 in Cento bei Ferrara, gestorben 1666 in Bologna. Schüler des Benedetto Gennari in Cento, weiterentwickelt unter dem Einfluß Dosso Dossis, Scarsellinos, Schedonis, der Carracci und Renis. Tätig in Cento, 1621–1623 in Rom, 1626/27 in Piacenza, seit 1642 in Bologna. Als eine hohe malerische Begabung ging er von großgesehenen, klaren Motiven aus, denen er Lebensnähe und Poesie und besonders durch ein weiches Helldunkel ein ebenso monumentales wie natürliches Pathos verlieh. Seine malerische Frische und Unmittelbarkeit wichen in der Spätzeit einer an Guido Reni angenäherten, klassizistisch beruhigten Idealität. Sein Beiname «Guercino», «der Schieler», bezog sich auf seine Augenanomalie.

357 Guercino

358 Guercino

359 Guercino

357–360 Serie der vier Evangelisten. 1615.

Evangelisten werden die vier Verfasser von Evangelien genannt. Ihre Symbole leiten sich aus dem Alten und Neuen Testament her (Hesekiel 1, 4–10; Offenbarung Johannis 4, 6–7). Guercinos Evangelistendarstellungen gehören zu seinen hervorragenden Frühwerken. Durch einfache Gebärden ist den in Halbfigur gegebenen, nach Alter und Typus verschiedenen Männern der Ausdruck prophetischen Ernstes verliehen; die Symbole sind in wechselnder Weise organisch einbezogen. Die Gemälde kamen 1746 aus der herzoglichen Galerie in Modena.

Literatur: D. Mahon, in: Il Guercino. Dipinti. Ausstellungskatalog. Bologna 1968, Nr. 8–11. – L. Salerno/D. Mahon: I Dipinti del Guercino. Roma 1988, Nr. 12–15.

357 *Der Evangelist Matthäus.* Leinwand, 89 × 71 cm.

Der Engel als Symbol des Evangelisten hält diesem das Buch und schafft die Verbindung zum Betrachter.

358 *Der Evangelist Markus.* Leinwand, 87,5 × 70,5 cm.

Der Evangelist schneidet eine Schreibfeder zurecht. Der winzige Löwe neben dem Tintenfaß auf den Büchern oben wirkt halb wie eine Nachbildung, halb wie lebendig.

359 *Der Evangelist Lukas.* Leinwand, 87,5 × 71 cm.

Lukas war Arzt und nach der Legende auch Maler und wird häufig als Maler der Madonna dargestellt. Mit Palette und Pinseln in der Hand betrachtet er inbrünstig das selbstgemalte Bild, auf dem die Madonna zu denken ist. Der Lukas zugehörige Stier erscheint in einer Reliefkartusche.

356 Guercino

360 *Der Evangelist Johannes.* Leinwand, 87 × 69,5 cm.

Der Evangelist beugt sich über ein Buch und umfaßt sein Symbol, den Adler, der eine Schreibfeder in den Klauen hält.

360 Guercino

356 *Die Ekstase des heiligen Franziskus.* Um 1623. Leinwand, 162,5 × 127 cm. 1756 aus der Casa Ranuzzi in Bologna.

Der heilige Franziskus (1181–1226), Begründer des Franziskanerordens, hat in mystischer Verzückung die Vision, daß ein geigespielender Engel vom Himmel zu ihm herabkommt. Die Landschaft im fahlen Licht unter den Sturmwolken untermalt das Geschehen. Das Bild folgt einem ähnlichen im Louvre, Paris.

Literatur: L. Salerno/D. Mahon: I Dipinti del Guercino. Roma 1988, Nr. 98. – D. Mahon, in: Giovanni Francesco Barbieri – Il Guercino 1591–1660. Ausstellungskatalog Bologna 1991, Nr. 58.

367 *Dorinda, Silvio und Linco.* 1647. Leinwand, 224 × 291 cm. 1744 durch Talon aus Madrid als Correggio; Inventar Guarienti (1747–1750), Nr. 200, als Guercino.

Dargestellt ist eine Szene des Schäferstücks «Der treue Hirte» (1590) von Giambattista Guarini. Der alte Diener Linco stützt die von seinem jungen Herrn Silvio während der Jagd verwundete Hirtin Dorinda. Nun erst wird Silvio die Liebe Dorindas erwidern, wie Linco ihn schon immer beschworen hatte. Die schönen Farben, die glatte Malweise und das sentimentale Pathos weisen die Spätzeit Guercinos aus.

Literatur: Salerno/Mahon 1988, Nr. 240.

367 Guercino

371 *Die heilige Veronika.* Um 1618. Leinwand, 79 × 66,5 cm. Inventar 1754, I 145, als Cremonese da Ferrara.

Nach der Legende reichte Veronika dem mit seinem Kreuz beladenen Christus auf dem Wege zum Kalvarienberg ein Tuch zum Abtrocknen des Gesichtes und erhielt es nach Gebrauch mit dem Gesichtsabdruck Christi zurück. Wehmütig hält sie hier in der einen Hand das Schweißtuch, in der anderen die Dornenkrone. In der ausdrucksvollen Halbfigurenkomposition ähnelt das Bild den Evangelistendarstellungen. Die Eigenhändigkeit wird angezweifelt.

Literatur: Salerno/Mahon 1988, Nr. 367.

371 Guercino

Gysels, Pieter Geboren 1621 in Antwerpen, dort gestorben 1690/91. Beeinflußt von Jan Brueghel dem Älteren. Flämischer Landschaftsmaler.

1155 Gysels

1155 *Felsiges Flußtal mit Kirchdorf und Windmühle.* Bezeichnet rechts unten: Peeter Gysels. Kupfer, 20,5×26 cm. Inventar Guarienti (1747–1750), Nr. 1074.

Der weite Blick über Flußtäler mit Felsen und Bäumen, Städten und Dörfern unter wolkigem Himmel, die Landschaft in Licht- und Schattenpartien gegliedert, ist typisch für die Bilder von Gysels, der damit in einer langen Tradition steht, etwa in der Mitte zwischen solchen Malern wie Hermann Saftleven und Jan Griffier. Die zeichnerisch kleinteilige Manier von Gysels hat etwas Altertümliches: Er vollzieht nicht den Schritt zur entwickelten Barocklandschaft. Ein zweites Exemplar im Städelschen Kunstinstitut in Frankfurt/Main.

Literatur: E. Larsen: Seventeenth Century Flemish Painting. Freren 1985, S. 276.

Hackert, Jacob Philipp Geboren 1737 in Prenzlau (Uckermark), gestorben 1807 in San Piero di Caraggio bei Florenz. Als Sohn des Bildnismalers Philipp Hackert erhielt er die erste Ausbildung durch seinen Vater. 1753 kam er zu seinem Onkel Johann Gottlieb Hackert nach Berlin, wo er an der Kunstakademie Schüler des Blaise Nicolas Le Sueur wurde. 1762/63 reiste er nach Stralsund und Rügen, dann nach Stockholm. Zwischen 1765 und 1768 lebte er in Paris. Aus der französischen Hauptstadt ging er nach Rom, von wo ihn 1770 erstmals, seit 1782 häufiger, Reisen nach Neapel führten. 1786 siedelte er ganz nach Neapel über und wurde Hofmaler König Ferdinands IV. Die französische Besetzung der Stadt 1799 ließ ihn nach Florenz fliehen. Seine Landschaftsmalerei basiert auf Naturstudium und variiert gleichzeitig die klassischen Vorbilder des 17. Jahrhunderts, neigt entweder dem «Prospekt» zu, der erkennbaren Schilderung konkreter Gegenden, oder der frei komponierten «Ideallandschaft», in der bisweilen einzelne, bekannte Bauten versatzstückartig Verwendung finden.

2183 A Hackert

2183 A *Cività Castellana.* 1775. Bezeichnet rechts unten am Felsen: J. Ph. Hackert. 1775. Civitacastellana. Leinwand, 71,5×59 cm. 1928 aus der Kunsthandlung Kühl, Dresden, erworben; zuerst im Katalog 1930.

In seiner von J. W. von Goethe herausgegebenen Selbstbiographie hat Jacob Philipp Hackert betont, daß er sich die italienische Landschaft bei Fußwanderungen und Reisen zeichnend und malend erschlossen habe: «Ferner machte er im Jahre 1775 eine solche Tour nach Cività Castellana, Soracte, Poggio, Mirteto, Ponte Correse und anderen Gegenden um Rom, so daß beinahe im Umkreis von sechzig italienischen Meilen um diese Stadt kein beträchtlicher Ort, keine reizende Aussicht war, die der Künstler nicht gezeichnet und für seine Studiensammlung benutzt hätte.» Aus dem frischen Erlebnis dieser Begegnung mit der Landschaft um Cività Castellana ist das Gemälde entstanden. Der Blick wird aus dem Tibertal heraus, an zwei Anglern vorbei, über den Wasserfall auf das Castell geführt, das unter Papst Alexander VI. um 1500 nach Entwürfen von Antonio da Sangallo d. Ä. erbaut worden ist. Im Hintergrund rechts die Tiberbrücke, die Otricoli mit Cività Castellana verbindet.

Hals, Frans Geboren zwischen 1581 und 1585 wahrscheinlich in Antwerpen, gestorben 1666 in Haarlem. Von 1600 bis 1603 Schüler des Carel van Mander. 1610 Eintritt in die Lukasgilde in Haarlem. Bruder des Dirck Hals, Vater von Frans, Claes und Harmen Hals. Holländischer Bildnismaler.

1358 *Bildnis eines Mannes in gelbbraunem Rock.* Um 1633. Eichenholz, 24,5×19,5 cm. 1741 aus der Sammlung Wallenstein in Dux.

Möglicherweise wurden dieses Porträt und das Bildnis Gal.-Nr. 1359 als Gegenstücke konzipiert. Denkbar scheint auch, daß es sich um Vorstudien zu einem nicht ausgeführten Gruppenporträt handelt. Von William Baille (1723–1792) existiert eine Radierung nach dem Bildnis von Frans Hals in seitenverkehrter Darstellung des Porträtierten. Ferner lassen sich drei Kopien nach dem Bildnis nachweisen (vgl. S. Slive 1970–1974).

Literatur: S. Slive: Frans Hals. Kress Foundation Studies in the History of European Art. 3 Bde. London/New York 1970–1974. Bd. 1, S. 30, 124, 162, 203. Bd. 3, Nr. 90. – C. Grimm: Frans Hals. Stuttgart/Zürich 1986, Nr. 65.

1358 Hals

1359 *Bildnis eines jungen Mannes in schwarzem Rock.* Um 1633. Eichenholz, 24,5×20 cm. Herkunft wie Gal.-Nr. 1358.

Die beiden kleinen Bilder sind meisterhaft nuanciert in den Grautönen, die den farblichen Eindruck bestimmen, dabei von skizzenhaft freier Malweise. Ein Augenblickseindruck ist erfaßt, die momentane Wendung der Dargestellten zum Betrachter, das optische Erlebnis aber verbunden mit gültiger Charakterisierung der Personen. Von anfangs strahlender Farbigkeit kam der Künstler später – so bei den Dresdener Porträts – zu zurückhaltenderen, mehr Ton in Ton gehaltenen Werken.

Literatur: Slive 1970–1974. Bd. 1, S. 30, 124, 162, 203, Bd. 3, Nr. 91. – Grimm 1986, Nr. 66.

1359 Hals

Hamilton, Johann Georg de Geboren 1672 in Brüssel, gestorben 1737 in Wien. Sohn des aus Schottland nach Brüssel übergesiedelten Malers Jakob de Hamilton und vermutlich zuerst Schüler seines Vaters. Malte Tierbilder und Stilleben, vor allem aber Pferde «ins Kleine», wie Heinecken 1768 bemerkte. Arbeitete in Berlin, unterhielt jedoch schon seit 1698 enge Beziehungen nach Wien, wo sein Bruder Ferdinand de Hamilton lebte. Beschäftigung fand er vor allem durch Aufträge der fürstlichen Familien Schwarzenberg und Liechtenstein; lebte jahrelang mit seiner Familie auf Schwarzenbergschen Schlössern, mit Auftragsmalerei beschäftigt. 1709 Mitglied der Wiener Akademie. 1718 Hofmaler Kaiser Karls VI. Seine Kunst orientierte sich am Bedürfnis nach einer Feinmalerei, die alte Kunstkammer-Traditionen fürstlicher Sammler und Auftraggeber wachhielt.

2052 Hamilton

2052 *Ein Mohr mit einem Grauschimmel.* 1709. Bezeichnet unten rechts: J. G. De Hamilton fec: Ao 1709. Leinwand, 49,5×62,5 cm. 1836 aus der Kunstkammer zur Galerie, aber nicht ausgestellt und erst 1860 aus dem «Vorrat» übernommen (Notiz Hans Posse).

2053 *Ein Stallbursche mit einem Schimmel.* 1709. Bezeichnet unten rechts: J. G. De Hamilton fec: Ao 1709. Leinwand, 49,5×62 cm. 1836 aus der Kunstkammer zur Galerie, aber nicht ausgestellt und erst 1860 aus dem «Vorrat» übernommen (Notiz Hans Posse).

In der höfischen Malerei des Barocks spielten «Tierporträts» eine wichtige Rolle. Die Pferde und die Hunde des Fürsten wurden genauso zum «Bildnis»-Motiv wie die fürstliche Jagdbeute. Johann Georg de Hamilton verband brillante Feinmalerei mit genauer Beobachtungsgabe. Es entstanden Werke von geradezu stillebenhafter Sonderung der für den Auftraggeber wichtigen Einzelelemente, der Tiere und der Sättel nämlich, während die Landschaft Kulisse bleibt. Carl Heinrich von Heinecken bemerkte 1768 zur Begabung des Künstlers: «Er legte sich gänzlich auf Pferdemalen im Kleinen, wie er denn besonders geschickt war, die Nation eines Pferdes, mit allem, was davon zu bemerken, ungemein gut vorzustellen.» (Nachrichten von Künstlern und Kunstsachen. Leipzig 1768, S. 112f.)

2053 Hamilton

Heda, Willem Claesz. Geboren 1594 in Haarlem, dort gestorben zwischen 1680 und 1682. Seit 1631 Mitglied der Haarlemer St. Lukasgilde. Beschäftigte sich in der Frühzeit mit Figurenmalerei, widmete sich später ausschließlich der Stillebenmalerei. Schuf vor allem monochrome Frühstücksstilleben. Gehört zusammen mit Pieter Claesz. zu den wichtigsten Vertretern der Haarlemer Stillebenmalerei.

1371 *Ein Frühstückstisch mit einer Brombeerpastete.* 1631. Bezeichnet unten in der Mitte: HEDA. 1631. Eichenholz, 54×82 cm. 1875 aus dem Kunsthandel in Amsterdam.

Holland brachte im 17. Jahrhundert einen neuen Zweig der Malerei zur Blüte: das Stilleben. Allein von ihrem Inhalt her lassen sich diese Bilder genau lokalisieren. Die einzelnen Städte hatten bestimmte Motive, die die Künstler, die dort lebten, werkstattmäßig bevorzugten. In Leiden malte man Stilleben mit Büchern und Stundengläsern sowie zerbrochene Tonpfeifen, in Haag war das Fischstilleben zu Hause, und in Haarlem wurden Frühstücksstilleben mit Gläsern und Pokalen gemalt. Das zerbrochene Glas und die Uhr auf dem Bild weisen hin auf die Vergänglichkeit irdischen Lebens, sind also Vanitas-Symbole.

Literatur: N. R. A. Vroom: A Modest Message. Schiedam 1980, Bd. 1, S. 69, Bd. 2, S. 66, Nr. 331. – A. Mayer-Meintschel, in: Das Stilleben und sein Gegenstand. Ausstellungskatalog. Dresden 1983, S. 122, Nr. 71. – O. ter Kuile: Seventeenth-century North Netherlandish Still Life. Den Haag/Amsterdam 1985, S. 47.

1371 Heda

Heem, Cornelis de Geboren 1631 in Leiden, gestorben 1695 in Amsterdam. Sohn des Stillebenmalers Jan Davidsz. de Heem, bei dem er später wohl in die Lehre ging. Vor 1636 siedelte die Familie nach Antwerpen über. 1667 bis 1669 lebte er in Utrecht. 1676 bis 1687 ist der Künstler in Den Haag nachweisbar, wo er 1676 Haupt der Haager Künstlervereinigung Pictura wurde. Stilistisch ist sein Werk abhängig von dem seines Vaters und kommt diesem manchmal in der malerischen Qualität sehr nahe.

1222 Heem, Cornelis de

1222 *Ein Hummer, Früchte und Blumen.* Bezeichnet oben rechts: C. DE HEEM f. Leinwand, 40×52,5 cm. Inventar 1722–1728, A53.

Der Symbolgehalt des Hummers ist identisch mit dem des Krebses. Da beide auch rückwärts kriechen können und sich nicht in gleichmäßiger gerader Richtung vorwärtsbewegen, gelten Hummer und Krebs als Symbole für Unbeständigkeit. Ob die Früchte, Weintrauben, Brombeeren, Pflaumen und Nüsse, auf die Wiedergabe von Jahreszeiten hinweisen – hier könnte der Herbst gemeint sein –, bleibt ungewiß. Neben der tieferen Bedeutung haben Stilleben meist auch eine rein dekorative Aufgabe.

1224 Heem, Cornelis de

1224 *Stilleben mit einer Schachtel und einem Weinglase.* Bezeichnet links unten: C DE HEEM f. Gegenstück zu Gal.-Nr. 1225. Leinwand, 62,5×52,5 cm. Inventar 1722–1728, A 1828, durch Le Plat erworben.

Neben dem ästhetischen Reiz und der Freude an der wirklichkeitsgetreuen Wiedergabe der Früchte, der Blumen sowie des Weinglases und des kostbaren Tellers könnte hier auch an Vergänglichkeit und Mäßigung gemahnt werden. Die welkenden Blumen oder die zernagten Blätter sind Vanitassymbole, während die Zitrone in Verbindung mit einem Glas Wein ein Zeichen für Mäßigung ist. Wenn die Zitrone verwendet wird, um süßen Wein zu würzen, geht es um das rechte Verhältnis, das richtige Maß.

1225 Heem, Cornelis de

1225 *Stilleben mit Austern und einem Römer.* Bezeichnet rechts in der Mitte: C DE HEEM. Gegenstück zu Gal.-Nr. 1224. Leinwand, 63,5×56 cm. Inventar 1722–1728, A 1827, durch Le Plat erworben.

Die kalligraphische Verspieltheit der Ranken, Zweige und Halme, die sich oft hellaufleuchtend vom Grund abheben, kennzeichnet die Malweise Cornelis de Heems, die auch im effektvollen Kontrast zwischen strahlender Farbe und tiefer Dunkelheit feinen Sinn für Dekoration verrät.

Heem, Jan Davidsz. de Geboren 1606 in Utrecht, gestorben 1683 oder 1684 in Antwerpen. Studierte vermutlich bei Balthasar van der Ast, arbeitete zehn Jahre in Leiden und ging 1635 nach Antwerpen. Einer der bedeutendsten holländischen Stillebenmaler des 17. Jahrhunderts. Seine feinteiligen Kompositionen wurden zunehmend farbiger und barocker.

1259 *Früchte vor altem Mauerwerk.* Bezeichnet rechts oben: J. D. De Heem. Eichenholz, 41,5×54,4 cm. Inventar 1722 – 1728, A 143.

Literatur: E. Greindl: Les Peintres Flamands de Nature Morte au XVII Siècle. Brüssel 1956, S. 122.

1259 Heem, Jan Davidsz. de

1260 *Stilleben mit einem Hummer.* Bezeichnet links oben: J. D. De Heem R. Leinwand, 67×56 cm. Inventar 1722–1728, A 164.

Literatur: S. Segal: Jan Davidsz De Heem en zijn kring. Katalog der Ausstellung Utrecht. 's-Gravenhage 1991, S. 95, 176, Nr. 26.

1261 *Stilleben mit Vogelnest.* Um 1665. Bezeichnet rechts unten: J. D. De Heem fecit. Leinwand, 89×72 cm. 1709 durch Raschke aus Antwerpen.

Die Kombination einer grottenartigen Ruinendarstellung mit einem Stillebenarrangement aus Früchten, Pflanzen, Insekten und Vögeln kommt in de Heems Werk selten vor. Dieser neue Bildtypus entwickelte sich aus Stillebendarstellungen unter freiem Himmel, die erstmals in den fünfziger Jahren auftauchen, und erfreute sich großer Beliebtheit bis ins 18. Jahrhundert.

Literatur: Segal 1991, S. 87, 158f., Nr. 18.

1265 *Memento mori. Ein Totenkopf neben einem Blumenstrauß.* Bezeichnet rechts auf dem Zettel: Memento mori J. D. De Heem. Leinwand, 87,5×65 cm. Inventar 1722–1728, A 187.

Die Inschrift «Memento mori» (Gedenke des Todes) weist dieses Gemälde als Vanitasstilleben aus. Die Gemahnung an die Vergänglichkeit wird durch die verwelkten Blumen sowie das leere Schneckengehäuse unterstrichen. Gleichzeitig wird aber der Gedanke an die Ewigkeit versinnbildlicht. Der Efeu über der Muschel rechts im Bild symbolisiert die Ewigkeit, denn er bleibt auch im Winter grün. So ist er ein Symbol der Hoffnung auf das ewige Leben und auf unsterblichen Ruhm.

Literatur: A. Mayer-Meintschel, in: Das Stilleben und sein Gegenstand. Ausstellungskatalog. Dresden 1983, S. 123f., Nr. 75. – S. Segal: A Prosperous Past. Katalog der Ausstellung in Delft, Cambridge, Fort Worth. Den Haag 1988, S. 112. – Segal 1991, S. 101, 181–184, Nr. 28.

1260 Heem, Jan Davidsz. de

1261 Heem, Jan Davidsz. de

1265 Heem, Jan Davidsz. de

1266 *Ein Blumenstrauß mit dunkelroten Päonien in einem Glase.* Bezeichnet unten in der Mitte: J. D. De Heem R. Leinwand, 85,5×67,5 cm. Inventar 1722–1728, A 173.

Literatur: M.-L. Hair: Les Peintres Flamands De Fleurs Au XVIIe Siècle. Brüssel 1977, S. 393, 397.

1266 Heem, Jan Davidsz. de

1267 *Früchte neben einem Blumenglase.* Bezeichnet unten in der Mitte: J. D. De Heem. R. Leinwand, 100×75,5 cm. Inventar 1722–1728, A 370; 1709 durch Raschke aus Antwerpen.

Die Stilleben von Jan Davidsz. de Heem verbinden Einflüsse von Pieter Claesz. und Willem Claesz. Heda mit Schulung an den Blumenstücken des Daniel Seghers, bei einem wohl nicht ohne Rembrandts Vorbild denkbaren Helldunkel und farbiger Brillanz, sind also entstanden aus der Verschmelzung von Holländischem und Flämischem. Die barocke Freude an der Fülle der Dinge, die das Leben begleiten, fand im Stilleben – das in der Malerei des 17. Jahrhunderts einen gewichtigen Platz einnahm – eine Darstellung. Dabei haben die Bilder oft einen tieferen, auf den ersten Blick verborgenen Sinn, besonders als Vanitasstilleben, als Hinweis auf die Vergänglichkeit alles Irdischen. Es bleibt eine Frage, ob bei solchen Bildern die Lust an der Schönheit der dargestellten Dinge oder die Mahnung überwiegt, das Irdische nicht zu hoch zu schätzen.

Literatur: Segal 1991, S. 101, 188–190, Nr. 31.

1267 Heem, Jan Davidsz. de

Heinsius, Johann Ernst Geboren 1731 in Ilmenau, gestorben 1794 in Erfurt. Schüler seines Vaters Johann Christian Heinsius. Wurde um 1756 Hof- und Kabinettmaler der Fürsten von Sachsen-Hildburghausen. Für die Heidecksburg in Rudolstadt schuf er seit 1762 Wandbilder und Supraporten. Ging 1772 als Zeichenlehrer der Prinzen nach Weimar; dort entstanden Bildnisse bedeutender Zeitgenossen, so von Herzog Carl August und von Anna Amalie, von Wieland und Merck. 1781–1784 in Hamburg. Stellte 1788 in Berlin aus und nannte sich «Hofmaler zu Weimar». Wichtigster Bildnismaler der Goethezeit in Thüringen, dessen Malweise weiche Lichtreflexe und schimmernde Stofflichkeit auszeichneten.

3157 *Bildnis der Johanna Sophia Freifrau von Fritsch.* Nach 1772. Gegenstück zu Gal.-Nr. 3417 (Depot). Leinwand, 85,5×68 cm. 1948 zur Gemäldegalerie.

Die Dargestellte war eine geborene von Haeseler (1748–1836), vermählt 1767 mit Jakob Friedrich Freiherrn von Fritsch (1731–1814), dessen Porträt das Gegenstück bildet. Früher Anton Graff, dann Anna Rosina Lisiewska zugeschrieben, doch zweifellos von Heinsius, was Gerd Bartoschek zuerst gesehen hat (mündl. Mitteilung 1976) und was der Vergleich mit gesicherten Werken von Heinsius erweist. Eine andere Fassung des zugehörigen Gegenstücks, des Porträts des J. F. Freiherrn von Fritsch, von Heinsius signiert, in Weimar, Landesbibliothek.

3157 Heinsius

Heintz der Ältere, Joseph Geboren 1564 in Basel, gestorben 1609 in Prag. Vermutlich Schüler Hans Bocks des Älteren in Basel. Von 1584–1591 in Italien, wo er nachzeichnend die großen Vorbilder aus Antike (Skulpturen) und Renaissance studierte. Schloß sich in Rom an Hans von Aachen an. Verließ Italien 1591, um in die Dienste Kurfürst Christians I. von Sachsen zu treten, wurde aber auf dem Weg nach Dresden in Prag, wo er Aufenthalt machte, von Kaiser Rudolf II. als «Kammermaler» angestellt. (Kurfürst Christian I. war, während Heintz auf dem Wege nach Dresden war, 1591 gestorben.) Ging schon 1592 erneut nach Italien, diesmal in kaiserlichem Auftrag, um Antiken zu zeichnen, wenn möglich aber auch solche für die Kunstkammer zu erwerben. 1596 in Bern. 1597 in Augsburg, wo er 1598 heiratete und Bürger wurde, obwohl er seinen ständigen Aufenthalt in Prag nahm. Wichtiger Vertreter des «Rudolfinischen Manierismus» neben Spranger und Hans von Aachen.

1971 Heintz d.Ä.

1973 Heintz d.Ä.

1971 *Der Raub der Proserpina.* Um 1595. Kupfer, 63×94 cm. Aus der Kunstkammer Kaiser Rudolfs II. in Prag; von dort 1632 verkauft an den Frankfurter Kunsthändler Daniel de Brieß; in Dresden zuerst im Inventar Guarienti (1747–1750), Nr. 1197.

Ovid beschreibt die Szene in den Metamorphosen, V, 391ff. Pluto, der Gott der Unterwelt, raubte Proserpina, die Tochter der Vegetationsgöttin Demeter. Er machte sie später, gegen ihren Willen zu seiner Gattin, indem er sie von einem Granatapfel als Symbol der Ehe essen ließ. Ein Hauptwerk von Heintz, in schimmernder Feinmalerei. Hervorragendes Beispiel seines Manierismus, angeregt von italienischen Vorbildern, die aber nur noch entfernt spürbar sind. Gestochen 1605 von Lucas Kilian, besprochen von Joachim von Sandrart 1675 in seiner «Teutschen Academie ...».

Literatur: J. von Sandrart: Teutsche Academie ... Nürnberg und Frankfurt am Main 1675, Kapitel XV (Ausgabe München 1925, S. 150). – B. Steinborn: Der verspätete Widerhall der rudolfinischen Malerei in Schlesien: «Raub der Proserpina» von Heintz und Willmann. In: Uměni. Praha 1970, S. 199–206. – J. Zimmer: Joseph Heintz der Ältere als Maler. Weißenhorn 1971, Nr. A21.

1973 *Ecce homo.* Um 1590. Bezeichnet links unterhalb des Knies: HEinz. F. (H und E zusammengezogen); Inschrift an der Säulenbasis: ECCE HOMO. Leinwand, 114×74 cm. Nach dem Inventar 1722–1728, B 355, aus der Kunstkammer zur Galerie.

Ein Typus des Andachtsbildes, der um 1600 häufig war. In der Haltung der Figur ist Tintorettos Einfluß deutlich. Das anscheinend noch in Rom entstandene Bild könnte vom Künstler sogleich nach Dresden geschickt worden sein und die Berufung durch Kurfürst Christian I. ausgelöst haben, die sich nur durch den Tod des Kurfürsten 1591 zerschlug. Die frühe Datierung wird sowohl durch die Malweise nahegelegt als auch durch die ungewöhnliche Form der Signatur, worauf Jürgen Zimmer hingewiesen hat.

Literatur: Zimmer 1971, Nr. A 3.

646 *Venus und Amor.* Nach 1595 (?). Kupfer, 40×27 cm. Erworben 1741 als Giulio Cesare Procaccini; alte Inv.-Nr. 2528.

Die Darstellung ist inhaltlich schwer zu deuten. Die Angabe in den alten Katalogen, daß die bekränzte Gestalt im Fellumhang mit dem Bogen in der Hand Apoll wäre, ist abzulehnen, da bei genauer Betrachtung kleine Hörner am Kopf zu erkennen sind: Ein Satyr von apollinisch-edler Gesichtsbildung? Amor spielt auf der Lyra Apolls und Venus hält den Pfeil in der Hand, den man eigentlich, mitsamt dem Bogen, in Amors Hand vermuten würde. Venus ist der kauernden Aphrodite des Doidalsas nachgebildet, die in Repliken und Kopien verbreitet und besonders im 16. und 17. Jahrhundert beliebt war. Seit dem Katalog von 1765 hatte man das Bild Francesco del Cairo zugeschrieben. Günther Heinz, Wien, schlug 1968 (mündlich) die inzwischen allgemein akzeptierte Zuschreibung an Heintz vor.

Literatur: H. Marx: Die kauernde Aphrodite des Doidalsas – Ein antikes Motiv auf einem Gemälde der Dresdener Galerie. In: Dresdener Kunstblätter, 12, 1968, S. 38–41. – Zimmer 1971, Nr. A 25.

646 Heintz d.Ä.

Heiss, Johann Geboren 1640 in Memmingen, gestorben 1704 in Augsburg. Schüler des Johann Friedrich Sichelbein und des Johann Heinrich Schönfeld. 1663 in herzoglich württembergischem Dienst, seit 1677 in Augsburg ansässig. Vertritt eine ausgesprochen klassizistische Tendenz, die selten ist in der deutschen Malerei der zweiten Hälfte des 17. Jahrhunderts und die am ehesten eine Parallele hat im Werk des Gerard de Lairesse.

2016 Heiss

2016 *Der Auszug der Israeliten aus Ägypten.* 1677. Bezeichnet links am Sockel des Thrones: JHeiß, 1677. Leinwand, 111×214 cm. Inventar 1754, II 131.

Nach der Josephs-Erzählung des Alten Testamentes hatten sich Josephs Vater Jakob und die ganze Familie mit Erlaubnis des Pharao in Ägypten angesiedelt. Nach dem 2. Buch Mose mißtraute ein späterer ägyptischer Herrscher den eingewanderten Israeliten, die inzwischen sehr zahlreich geworden waren, und unterdrückte sie grausam. Daraufhin verlangte Moses vom Pharao, den Israeliten den Auszug nach Kanaan zu gestatten, was dieser anfangs ablehnte und erst aus Furcht bewilligte, nachdem Jahve, der Gott der Israeliten, zehn Plagen über Ägypten geschickt hatte, deren schrecklichste, der Würgeengel, «alle Erstgeburt in Ägyptenland» tötete. Das vielleicht schon in Augsburg entstandene, akademische, in bildparallelen Schichten komponierte Gemälde zeigt den Augenblick des Aufbruchs, ganz links der Pharao mit Gefolge, vor der Treppe Moses und Aaron, in der Luft den Würgeengel. Es «weist enge Beziehungen zu italienischen Bühnendekorationen des 16. Jahrhunderts ... auf», besonders zu Entwürfen von Sebastiano Serlio, worauf Peter Königfeld hingewiesen hat.

Literatur: P. Königfeld: Der Maler Johann Heiß. Memmingen und Augsburg 1640–1704. Phil. Diss. Tübingen 1982, S. 39f., Nr. 35.

Helst, Bartholomeus van der Geboren vermutlich 1613 in Haarlem, gestorben 1670 in Amsterdam. Wahrscheinlich Schüler des Amsterdamer Porträtmalers Nicolas Eliasz., genannt Pickenoy. Beeinflußt von den Werken des Frans Hals, Rembrandts und van Dycks. Malte vorwiegend Einzel- sowie Gruppenporträts.

1595 van der Helst

1595 *Bildnis der Gattin des Bürgermeisters Andries Bicker von Amsterdam.* 1642. Bezeichnet links oben: B. van der. Helst. 1642 aet. 49. Eichenholz, 92,5×70 cm. 1876 aus der Sammlung Rühl in Köln; zuvor in der Sammlung A. L. Tolling in Amsterdam (1768), danach in der Sammlung Elias in Amsterdam.

Catharina Gansneb, genannt Tengnagel (1595–1652), war die Gattin des Amsterdamer Bürgermeisters Andries Bicker (1586–1652), der als Kaufmann Handelsgeschäfte mit Rußland tätigte. Pastellkopien von Johannes van Vilsteren (1723–1763), sowohl nach dem Bildnis des Andries Bicker als auch nach dem seiner Frau, befinden sich im Rijksmuseum in Amsterdam.

Literatur: J. J. van Gelder: Bartholomeus van der Helst. Rotterdam 1921, Nr. 53. – B. Haak: Das Goldene Zeitalter der holländischen Malerei. Köln 1984, S. 291.

Heyden, Jan van der Geboren 1637 in Gorkum, gestorben 1712 in Amsterdam. Nach Houbraken soll er Schüler eines Glasmalers gewesen sein. Seit 1650 in Amsterdam tätig. Reisen in Holland, Flandern und in das Rheinland. Ende der sechziger Jahre befaßte er sich mit zahlreichen technischen Aufgaben, wie der Brandverhütung, indem er eine Schlauchspritze für die Feuerwehr erfand, und der Straßenbeleuchtung, die dank seiner Pläne in Amsterdam eingeführt werden konnte. Die Staffage in seinen Bildern malte häufig Adriaen van de Velde. Holländischer Maler von Stadtansichten, Landschaften und Stilleben.

1661 van der Heyden

1661 *Barockes Palais an einem Platz mit Kirche.* 1678. Bezeichnet rechts an dem Strebepfeiler neben der Leiter: JVH. 1678. Eichenholz, 20×27,5 cm. Zuerst im Katalog 1817.

Nach H. Gerson (1962) handelt es sich bei der Kirche rechts um die Groote Kerk von Veere in der niederländischen Provinz Seeland auf der Insel Walcheren. Das barocke Palais kommt in größerem Ausmaß ebenfalls auf einem Gemälde eines flämischen Meisters des 17. Jahrhunderts vor (1959 Kunsthandel Hoefner, Salzburg). Das gleiche Gebäude kehrt auf dem letzten Stich, den van der Heyden für die Neuausgabe seines Buches über die Feuerwehrspritzen vorbereitete, wieder.

Literatur: H. Wagner: Jan van der Heyden. 1637–1712. Amsterdam/Haarlem 1971, S. 94, Nr. 122.

1663 van der Heyden

1663 *Das alte Palais in Brüssel.* Um 1672. Bezeichnet unten in der Mitte: J. v. der Heyde. f. Eichenholz, 24×29 cm. Zuerst im Katalog 1817; möglicherweise identisch mit dem Bild, das sich im Nachlaßinventar der Witwe des Künstlers befand (18. Mai 1712, Nr. 9); danach Versteigerung D. N. A. Z. in Den Haag am 24. November 1744, Nr. 67 (Lugt 608); Versteigerung Graf Wassenaer d'Obdam in Den Haag am 19. August 1750, Nr. 96 (Lugt 736).

Dargestellt ist der Alte Hof, das Palais Coudenberg, in Brüssel von Nordwesten gesehen. Der Park davor ist der Tiergarten.

Das Palais wurde 1357–1379 als Sitz der Herzöge von Brabant eingerichtet und hat mehrfache Umbauten und Erweiterungen erfahren. 1791 ist es durch einen Brand zerstört worden. Das gleiche Motiv hat der Künstler mehrfach gemalt, unter anderem in Bildern in der Münchner Pinakothek (vor 1672), in der Sammlung Schloss in Paris sowie in der Wernher Collection in Luton Hoo (1673).

Literatur: Wagner 1971, S. 72, Nr. 26.

Hobbema, Meindert Geboren 1638 in Amsterdam, dort gestorben 1709. Vermutlich in der zweiten Hälfte der fünfziger Jahre Schüler von Jacob van Ruisdael. Tätig in Amsterdam, wo er seit 1668 das städtische Amt eines «wijnroeiers», eines Eichmeisters für Weine, innehatte. Holländischer Landschaftsmaler.

1664 A *Die Wassermühle.* Bezeichnet unten in der Mitte: M Hobbema. Eichenholz, 59,5×84,5 cm. 1899 von der Versteigerung Dr. M. Schubart in München; zuvor in der Sammlung des Herzogs von Curland und Sagan (1855) und beim Fürsten Hohenzollern-Hechingen in Löwenberg (1858).

Gegenüber seinem Lehrer Ruisdael, dem Klassiker der holländischen Landschaftsmalerei, vermochte Hobbema der Schilderung der Natur neue Aspekte abzugewinnen, indem er ihr eine geradezu prosaische Tiefe verlieh. Verborgen zwischen dichten Baumgruppen liegt die Wassermühle, ein Motiv, das Hobbema sehr häufig malte.

Literatur: G. Broulhiet: Meindert Hobbema. Paris 1938, Nr. 424.

1664 A Hobbema

1889 Holbein d.J.

Holbein der Jüngere, Hans Geboren 1497 oder 1498 in Augsburg, gestorben 1543 in London. Schüler seines Vaters Hans Holbein des Älteren. Seit 1515 in Basel ansässig. 1526–1528 erster Aufenthalt in England, wohin er 1532 endgültig übersiedelte. 1536 Hofmaler König Heinrichs VIII. in London. Hauptsächlich Bildnismaler. Neben Dürer und Cranach der dritte deutsche Künstler dieser Zeit von europäischem Rang. Verwirklichte rückhaltlos die Bestrebungen der Renaissance, ohne jedes Zugeständnis an die spätgotische Tradition.

1890 Holbein d.J.

1889 *Doppelbildnis des Thomas Godsalve und seines Sohnes Sir John.* 1528. Datiert oben links auf dem Zettel: Anno. Dni. M.D.XXVIII. Thomas Godsalve schreibt seinen Namen und sein Alter auf ein Blatt Papier: Thomas Godsalve de Norwico Etatis sue Anno quadragesimo septo. Eichenholz, 35 × 36 cm. 1749 durch den sächsischen Beauftragten Le Leu aus Paris.

Entstanden während Holbeins erstem Englandaufenthalt 1528. Dargestellt sind der Notar und Registerrichter Thomas Godsalve (1481–1542) aus Norwich in der Grafschaft Norfolk und sein Sohn Sir John (etwa 1510–1556), der seit 1532 als Sekretär und Siegelbewahrer im Dienst Thomas Cromwells, des Schatzkanzlers König Heinrichs VIII. von England, stand. 1547 wurde er geadelt. Familienähnlichkeit wie Unterschiedlichkeit der Charaktere sind mit sparsamsten künstlerischen Mitteln zur Anschauung gebracht.

Literatur: P. Ganz: Hans Holbein. Die Gemälde. Köln 1949, Nr. 49. – H. W. Grohn/R. Salvini: Das gemalte Gesamtwerk von Hans Holbein. Berlin 1974, Nr. 58. – J. Fletcher/M. Cholmondeley Tapper: Hans Holbein the Younger at Antwerp and in England 1526–28. In: Apollo, February 1983, S. 87–93.

1890 *Bildnis des Charles de Solier, Sieur de Morette.* 1534/35. Eichenholz, 92,5 × 75,5 cm. 1746 aus der herzoglichen Sammlung in Modena. *Farbtafel 46*

Charles de Solier, Sieur de Morette (1480/81–1564), stammte aus Asti in Piemont. Er diente als Soldat und Diplomat unter vier französischen Königen. Mehrmals war er als französischer Gesandter in England, so vom April 1534 bis zum Juli 1535, als das Bildnis entstand. Er ist in strenger Frontalität erfaßt, bei einer allen Details bis in Feinheiten nachgehenden Art der Darstellung. Das Dresdener Kupferstichkabinett besitzt Holbeins Vorzeichnung als Brustbild.

Literatur: S. Larpent: Sur le portrait de Morett dans la Galerie de Dresde. Christiania 1881. – P. Ganz: Das Bildnis des Sire de Morette. In: Mitteilungen aus den Sächsischen Kunstsammlungen, Jg. IV, 1913, S. 30–40. – Grohn/Salvini 1974, Nr. 94.

Holbein der Jüngere, Hans, Kopie nach

1892 Holbein d.J., Kopie nach

1892 *Die Madonna des Basler Bürgermeisters Jakob Meyer zum Hasen.* Original 1526–1530. Kopie um 1637. Eichenholz, 159 × 103 cm. 1743 durch Francesco Graf Algarotti aus dem Besitz des Zuan Delfino in Venedig als Original Holbeins für Dresden erworben.

Gemalt von Bartholomäus Sarburgh (1590–nach 1637) um 1637 in Amsterdam nach der «Darmstädter Madonna» Holbeins. Galt als Original, bis sich nach dem Bekanntwerden des Darmstädter Bildes und nach der Holbein-Ausstellung in Dresden 1871 langsam die Erkenntnis durchsetzte, daß in diesem bis dahin hochverehrten Bild nur eine Kopie vorliegt, deren Herkunft später noch genauer aufgeklärt werden konnte. Aus galeriegeschichtlichen Gründen in der Ausstellung belassen.

Literatur: G. Th. Fechner: Über die Aechtheitsfrage der Holbeinschen Madonna. (Discussion und Acten). Leipzig 1871. – C. von Lützow: Ergebnisse der Dresdener Holbein-Ausstellung. In: Zeitschrift f. bildende Kunst, 6. Jg. 1871, S. 349–355. – A. Bayersdorfer: Der Holbeinstreit. Geschichtliche Skizze der Madonnafrage und kritische Begründung der auf dem Holbeinkongreß in Dresden abgegebenen Erklärung der Kunstforscher. München/Berlin 1872. – Ph. Wey: Die Herkunft des Malers Bartholomäus Sarburgh. In: Neues Trierisches Jahrbuch 1972, S. 86–89. – Grohn/Salvini 1974, erwähnt bei Nr. 46.

Holbein, Sigmund Geboren um 1470, gestorben 1540 in Bern. Bruder Hans Holbeins des Älteren und zeitweise dessen Mitarbeiter. Tätig in Augsburg und Bern.

1888 A Holbein, Sigmund

1888 A *Das Martyrium des Apostels Bartholomäus.* Um 1504. Fichtenholz, 116 × 137 cm. 1917 aus der Sammlung von Kaufmann, Berlin.

Galt bisher als Arbeit Hans Holbeins des Älteren, wird aber neuerdings Sigmund Holbein zugeschrieben beziehungsweise dessen Werkstatt. Dargestellt ist das Martyrium des Apostels Bartholomäus, der nach der Legende in Armenien oder Indien am Hofe des Königs Astyages mit Knüppeln geschlagen, gekreuzigt (mit dem Kopf nach unten), geschunden und schließlich auch noch enthauptet wurde.

Literatur: A. Stange: Die deutschen Tafelbilder vor Dürer. Kritisches Verzeichnis. Bd. II. München 1970, Nr. 792.

Holländisch um 1500

840 *Heilige Familie im Gemach mit Anna und Joachim.* Bezeichnet links auf der Armlehne der Bank: A. Eichenholz, 65,5×48 cm. Inventar Guarienti (1747–1750), Nr. 1603; Inventar 1754, II 137, als Johann van Eyck.

Von Waagen (1858) ist das Bild Petrus Christus zugeschrieben worden, und erst L. Scheibler (1884) erkannte den nordniederländischen Ursprung. Neuerdings ermittelte C. F. Janssen (1963), daß das gemalte Gewölbe eine genaue Wiedergabe des Sterngewölbes in der Vierung der St. Bavo-Kerk in Haarlem sei. Da der Bau des Vierungsgewölbes festliegt – 1500 –, wären Entstehungsdatum und Ort, zumindest als terminus post quem, gesichert. Vorn sitzen Maria mit dem Kind, daneben Anna, ihre Mutter, und im Hintergrund Joachim, ihr Vater, und Joseph, ihr Mann.

Literatur: Mayer-Meintschel 1966, S. 28–31.

840 Holländisch um 1500

Hondecoeter, Melchior de Geboren 1636 in Utrecht, gestorben 1695 in Amsterdam. Schüler seines Vaters, des Landschafts- und Tiermalers Gysbert de Hondecoeter, und seines Oheims Jan Baptist Weenix. Tätig in Utrecht, von 1659–1663 in Den Haag, seit 1663 in Amsterdam, wo er bis zu seinem Tode verblieb. Maler von Tierstücken, die gelegentlich als Dekorationen für Innenräume bestimmt waren, auch Stilleben.

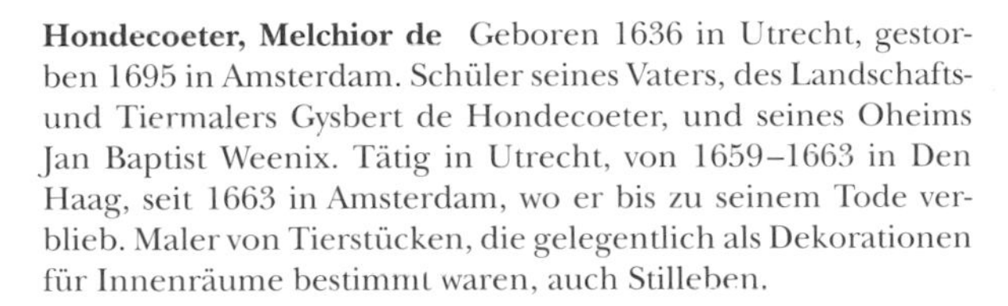

1305 *Vogelkonzert.* Leinwand, 164×214 cm. Inventar 1722–1728, B 990, damals in Moritzburg.

Auf dem Notenblatt, das die Eule im Schnabel hält, die Inschrift (nicht vollständig erhalten): Elck Voogel zingt, gelijk het gebect is (Jeder Vogel singt, wie ihm der Schnabel gewachsen ist). Die verschiedenen Tiere, in Gruppen zusammengefaßt, wie Enten, Pelikane, Wasservögel und Flamingos, werden von der Eule, die als Kapellmeister fungiert, beherrscht. Möglicherweise ist die Darstellung als Satire aufzufassen auf die in Holland neu errungenen bürgerlichen Freiheiten.

Literatur: E. Plietzsch: Holländische und flämische Maler des XVII. Jahrh. Leipzig 1960, S. 159.

1305 Hondecoeter

Honthorst, Gerard van Geboren 1590 in Utrecht, dort gestorben 1656. Schüler des Abraham Bloemaert in Utrecht. Ging zwischen 1610 und 1612 nach Italien. Geriet dort unter den Einfluß Caravaggios und der Carracci. 1620 ist er wieder in Utrecht. Seit 1622 Mitglied der Utrechter Malergilde. 1637–1652 als Hofmaler in Den Haag. Hauptmeister der «Utrechter Caravaggisten».

1251 *Der Zahnarzt.* 1622. Bezeichnet rechts in der Mitte: G. v: Hont Horst: fe. 1622. Leinwand, 147×219 cm. 1749 aus der kaiserlichen Galerie in Prag.

Die nächtliche Szene bildet den ikonographischen Rahmen für Handlungen der Torheit und der Nichtigkeit. Zahnarztdarstellungen haben satirischen Charakter, der sich hier gegen die Torheit der Bauern richtet. Honthorsts Bauern sind dumm genug, der vorgetäuschten Heilkunst des Quacksalbers zu glauben. Während sie staunend der Operation zusehen, stiehlt der

1251 Honthorst

Junge links im Bild dem Bauern neben ihm die Börse, gemäß dem Sprichwort «Gelegenheit macht Diebe». Der Junge wie der Quacksalber begehen beide einen Betrug am Publikum, das sich täuschen läßt. Sowohl die Licht- und Schattenmalerei als auch das Bildmotiv zeigen den Einfluß Caravaggios und seines Umkreises. Caravaggiesk muten auch die Figurentypen an, die in Halbfigur erscheinen. In den Beleuchtungseffekten und in der strahlenden Farbigkeit ging Honthorst noch über Caravaggio hinaus. Auf flämischen Einfluß weist die künstliche Beleuchtung hin. Honthorsts Komposition erweckt den Eindruck einer säkularisierten Anbetung der Könige.

Literatur: J. R. Judson: Gerrit van Honthorst. A Discussion of his Position in Dutch Art. The Hague 1959, S. 77–80. – J. Müller Hofstede: Artifical Light in Honthorst and Terbrugghen: Form and Iconography. In: Hendrick ter Brugghen und die Nachfolger Caravaggios in Holland. Braunschweig, Herzog Anton Ulrich-Museum 1987, S. 24f.

Jongh, Ludolf de Geboren 1616 in Overschie bei Rotterdam, gestorben 1679 in Hillegersberg. Um 1628–1630 Beginn der Lehre bei dem Rotterdamer Maler Cornelis Saftleven. Anschließend studierte de Jongh in Delft bei Anthonis Palamedesz. und bei Jan Bylert in Utrecht. 1635 reiste er nach Frankreich. 1642 kehrte de Jongh nach Rotterdam zurück, wo er 1646 Adriana Montagne heiratete. Durch Vermittlung des Schwiegervaters wurde er 1652 Major der Bürgerwehr. Außerdem war de Jongh Leiter des Altersheims. 1665 wurde er zum Stadthalter von Hillegersberg, einem Dorf bei Rotterdam, ernannt. De Jongh malte neben Porträts historische Themen, Genreszenen sowie Stadt- und Landschaftsdarstellungen.

1805 Jongh

1805 *Bildnis einer jungen Frau mit ihrem Töchterchen.* 1653. Bezeichnet und datiert links in der Mitte: L D Jongh f A 1653. Leinwand, 110×97 cm. 1751 durch von Heinecken erworben als «v. d. Helst». Inventar 1754, II 344.

Vor neutralem Hintergrund neben einem gerafften Vorhang sitzt würdevoll die vornehme holländische Bürgersfrau in einem Armstuhl. Die zwar nicht unfreundliche, aber doch ernste und fast reglose Strenge ihrer Erscheinung steht in spannungsvollem Gegensatz zu der anmutigen kindlichen Lebhaftigkeit des kleinen Mädchens, die den Betrachter für sich einnimmt.

Literatur: E. Plietzsch: Holländische und flämische Maler des XVII. Jahrh. Leipzig 1960, S. 55. – R. E. Fleischer: Ludolf de Jongh. Doornspijk 1989, S. 34.

Jordaens, Jacob Geboren 1593 in Antwerpen, dort gestorben 1678. Schüler des Adam van Noort, weitergebildet unter dem Einfluß von Rubens. 1615 Eintritt in die Lukasgilde, 1621 Dekan. Zusammen mit Rubens schuf er die Festdekoration zum Einzug des Kardinalinfanten Ferdinand in Antwerpen (vergleiche Rubens, Quos ego!, Gal.-Nr. 964 B), ebenso führte er Arbeiten nach Skizzen von Rubens aus, u. a. für das Jagdschloß Philipps IV. Nach dem Tode von Rubens (1640) und van Dyck (1641) erhielt er viele größere Aufträge. Mit Theodor van Thulden und Gonzalez Coques malte er 1651 das Huis ten Bosch in-

1010 Jordaens

Den Haag. In der Nachfolge von Rubens und van Dyck gehört Jordaens zu den repräsentativsten flämischen Malern des 17. Jahrhunderts.

1009 *Ariadne im Gefolge des Bacchus.* Ende der 1640er Jahre. Leinwand, 240×315 cm. Inventar 1722–1728, A 80, durch Raschke aus Antwerpen.

Ariadne war der griechischen Sage nach die Gattin des Dionysos (lat. Bacchus), der in Theben als Sohn des Zeus und der Prinzessin Semele geboren war. Theseus hatte Ariadne aus Kreta entführt, sie aber auf der Insel Naxos verlassen, wo ihr Bacchus erschienen war und sie zur Gattin nahm. Bacchus galt als Gott des Weines und des Lebens in der Natur, deren zeugende Kraft in ihm Gestalt gewinnt. Der Bacchus-Kult ist seit der Antike weit verbreitet, und die Maler des Barocks verhalfen ihm zu neuer Blüte. Ein in Idee und Konzeption analoges Bild «Fruchtbarkeit der Erde» von 1649 befindet sich im Statens Museum for Kunst in Kopenhagen, eine Zeichnung in der Ermitage in St. Petersburg (Inv. Nr. 15.240). Es handelt sich um eine «Weibliche Studie», die sich auf dem Dresdener Bild in eine dem Zuschauer den Rücken kehrende Nymphe verwandelt hat.

Literatur: L. van Puyvelde: Jordaens. Paris/Brüssel 1953, S. 44. – R. A. d'Hulst: Jacob Jordaens. Stuttgart 1982, S. 217.

1009 Jordaens

1010 *Diogenes mit der Laterne, auf dem Markte Menschen suchend.* 1642. Leinwand, 233×349 cm. 1742 durch de Brais aus dem Besitz des englischen Bankiers Lambert in Paris.

Diogenes war der bekannteste Vertreter der philosophischen Richtung des Kynismus. Es waren dies Moralisten, die das luxuriöse und oberflächliche Leben der Reichen kritisierten und unter dem Volk lehrten. Über Diogenes sind zu allen Zeiten zahlreiche Anekdoten im Umlauf gewesen. Eine der bekanntesten erzählt, daß er auch während des Tages mit einer brennenden Laterne umhergegangen sei. Befragt, was diese bedeute, antwortete Diogenes, er sei auf der Suche nach einem «Menschen». Es ist nicht zufällig, daß man die Figur des Diogenes im 17. Jahrhundert, in einer Zeit der Prachtentfaltung und des unbedenklichen Lebensgenusses, immer wieder antrifft. Das Dresdener Bild erscheint auf einem Gemälde von Hans Jordaens' «Bilderkabinett», das sich in der Nationalgalerie in London befindet. Eine Werkstattwiederholung 1967 im Londoner Kunsthandel.

Literatur: Puyvelde 1953, S. 40. – d'Hulst 1982, S. 230.

1011 Jordaens

1011 *Der verlorene Sohn.* Um 1640. Leinwand, 236×369 cm. Inventar Guarienti (1747–1750), Nr. 146.

Ganz anders als im Bilde Rembrandts (Gal.-Nr. 1559), wo der verlorene Sohn mit den Dirnen das väterliche Erbteil verpraßt (Lukas 15, 12–13), ist dieser hier schon zum Bettler geworden (Lukas 15, 15–16). So nähert er sich dem Bauern, der ihn zum Hüten der Schweine auf den Acker schickt; es wird ihm nicht erlaubt, mit ihrem Futter, den Trebern, seinen Hunger zu stillen. In der abweisenden Haltung des alten Bauern wie auch der beiden Frauen wird davon etwas sichtbar. Menschen- und Tierfiguren sind auf verschiedene Bildebenen verteilt. Das von rechts einfallende Licht konzentriert sich auf dem Rücken des verlorenen Sohnes und dramatisiert die Szene. Eine kleinere Variante des Motivs befand sich in der Sammlung Wauters in Gent.

Literatur: Puyvelde 1953, S. 133f.

1012 Jordaens

1012 *Die Darstellung im Tempel.* Um 1650–1660. Leinwand, 395×305 cm. Inventar 1754, II 199.

Wie bekannt, ist Jordaens in seinem Schaffen nicht nur von Rubens unmittelbar beeinflußt worden, sondern es sind bei ihm direkte Entlehnungen nachzuweisen. So hat bereits M. Rooses auf den Zusammenhang zwischen dem Dresdener Bild von Jordaens und den Stich von Pontius nach Rubens (Voorhelm-Schneevogt S. 18, Nr. 48) hingewiesen. Verwandte Zeichnungen zum Dresdener Bild besitzen das Landesmuseum Hannover (d'Hulst 281) und die Albertina Wien (d'Hulst 282). Eine um 1640–1645 entstandene Fassung befindet sich in der Sammlung der Bob Jones University Greenville/South Carolina, USA (Kat. 1962, II, Nr. 178), eine weitere im Rubens-Haus in Antwerpen.

Literatur: C. G. Voorhelm-Schneevogt: Catalogue des estampes gravées d'après Rubens. Haarlem 1873, S. 18, Nr. 48. – d'Hulst 1982, S. 262.

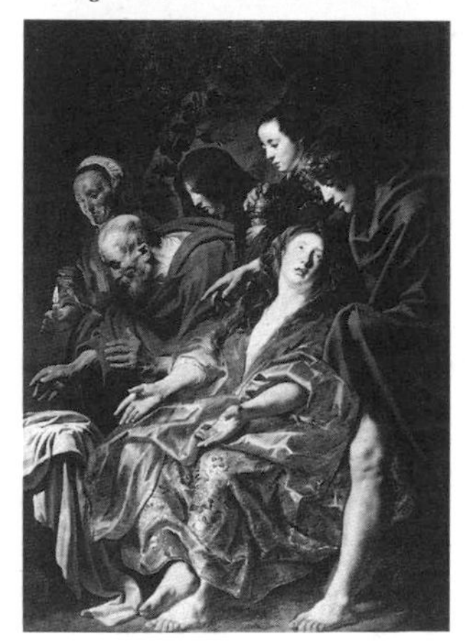
1013 Jordaens

1013 *Die Angehörigen Christi am Grabe.* Um 1617–1620. Leinwand, 215×146 cm. Inventar Guarienti (1747–1750), Nr. 209. Wahrscheinlich identisch mit dem Gemälde, das beim Verkauf der Sammlung des Jacques Jordaans am 22. März 1743 in Den Haag (Lugt 436) versteigert wurde. *Farbtafel 34*

Dieses für Jordaens typische Frühwerk, etwa um 1617–1620 entstanden, wurde bis auf das Gewand der trauernden Maria einige Jahre später vom Künstler verändert und übermalt. Es zeigt im Aufbau und in der Komposition völlige Geschlossenheit. Inspiriert wurde Jordaens durch Caravaggios Grablegung (1604) in Rom, auf der ebenso wie bei dem Dresdener Bild die Figuren, Joseph von Arimathia, Johannes, Christi Mutter und Maria Magdalena, nach links gewandt in das Grab blicken. Eine Nachzeichnung zum Dresdener Bild in den Staatlichen Museen Berlin-Dahlem.

Literatur: Puyvelde 1953, S. 89. – d'Hulst 1982, S. 91, 92, 111.

Jordaens, Jacob, Werkstatt

1014 *Wie die Alten sungen, so pfeifen die Jungen.* Leinwand, 168,5×205 cm. Inventar 1722–1728, B259, als Jordaens.

Jordaens hatte mehrere Gemälde mit der Darstellung dieses flämischen Sprichwortes geschaffen. Die früheste von 1638 befindet sich im Königlichen Museum in Antwerpen. Das Dresdener Gemälde ist eine Wiederholung des Werkes von Jordaens im Schloß Charlottenburg, Berlin, das nach 1640 entstand. Die sprichwörtliche Darstellung ist leicht abgewandelt, denn die Jungen pfeifen nicht, sondern spielen auf Blasinstrumenten wie Flöte und Dudelsack. Das Sprichwort selbst ist in einer Kartusche am oberen Bildrand zu lesen. Rechts in der Nische mit einem Totenschädel erscheint die Inschrift: «Cogita mori».

Literatur: Puyvelde 1953, S. 155. – M. Jaffé: Jacob Jordaens. 1593–1678. Ausstellungskatalog. Ottawa 1968/69, S. 109. – E. Larsen: Seventeenth Century Flemish Painting. Freren 1985, S. 219.

1014 Jordaens

Kauffmann, Angelica Geboren 1741 in Chur, gestorben 1807 in Rom. Schülerin ihres Vaters Johann Joseph Kauffmann. Tätig hauptsächlich in Italien, wo sie 1764 Winckelmanns Bildnis malte, und von 1766–1781 in England, wo sie in Sir Joshua Reynolds einen Gönner fand und künstlerisch zu voller Entfaltung reifte. Heiratete 1781 in London den venezianischen Maler Francesco Zucchi. Von 1781 an wieder in Italien. Porträtierte Goethe 1787/88. Beeinflußt von Mengs und Batoni sowie von den englischen Bildnismalern des 18. Jahrhunderts.

2182 Kauffmann

2182 *Bildnis einer Dame als Vestalin.* Bezeichnet rechts an der Brüstung: Angelica Kauff ... Pinx. Leinwand, 91,5×71,5 cm. 1782 erworben.

Vestalinnen waren die Priesterinnen der römischen Göttin Vesta, Bewahrerinnen des heiligen Feuers, die Keuschheit gelobt hatten und hoch geehrt wurden. Bildnisse «als Vestalin» sind im 18. Jahrhundert sehr beliebt gewesen. Hier hält die weißgekleidete Vestalin eine Öllampe aus Ton in der Hand. Klassizismus und gefühlvolle Eleganz englischer Bildnisse werden gleichermaßen spürbar. Deutliche Pentimenti im Gewand lassen auf eine Modifizierung der ursprünglichen Bildidee im Verlauf der Ausführung schließen, die das Röntgenbild erweist: Der erhobene Arm hing herab, die Hände berührten sich.

Literatur: K. W. Daßdorf: Beschreibung der vorzüglichsten Merkwürdigkeiten der Churfürstlichen Residenzstadt Dresden. Dresden 1782, S. 466. – V. Manners/G. C. Williamsson: Angelica Kauffmann. London 1924. – Sklavin oder Bürgerin? Französische Revolution und neue Weiblichkeit 1780–1830. Katalog der Ausstellung in Frankfurt/Main 1989. Marburg 1989, Nr. 14. 1.

2183 *Die verlassene Ariadne.* Leinwand, 88×70,5 cm. 1782 erworben.

Ariadne, die Tochter des Königs Minos von Kreta, hatte dem griechischen Helden Theseus geholfen, den menschenverschlingenden Minotauros in seinem Labyrinth zu besiegen, wie es Ovid (Metamorphosen VIII, 174–182) schildert. Theseus hielt sein Versprechen nicht, Ariadne mit nach Athen zu nehmen, sondern verließ sie auf Naxos, wo sie später mit Dionysos zusammentreffen sollte. Dargestellt ist der Augenblick, in dem Ariadne in der Ferne das Schiff des treulosen Theseus bemerkt. Das antike Thema ist – ganz im Sinne des «sentimentalen Zeitalters» – von der Seite des Gefühls her begriffen.

Literatur: Daßdorf 1782, S. 466. – J. A. Lehninger: Description de la ville de Dresde ... Dresden 1782, S. 397. – V. Manners/G. C. Williamsson 1924, S. 215. – Il Settecento a Roma. Ausstellungskatalog. Rom 1959, Nr. 315. – St. Röttgen, in: Guido Reni. Ruhm und Nachruhm. Ausstellungskatalog. Frankfurt/M. 1988, Nr. D 42.

2183 Kauffmann

Keirincx, Alexander Geboren 1600 in Antwerpen, gestorben 1652 in Amsterdam. 1619 Mitglied der Antwerpener Lukasgilde. 1626 noch in Antwerpen nachweisbar. Seit 1636 bis zu seinem Tode in Amsterdam tätig. 1625 und 1640/41 in London im Dienste Karls I. von England. Landschaftsmaler. Seine Bilder ließ er von Cornelis van Poelenburgh in Utrecht mit Figuren ausstaffieren.

1146 *Flußdurchströmte Waldlandschaft.* Spätwerk. Eichenholz, 44,5×70,5 cm. 1751 von der Leipziger Ostermesse als Geschenk der Königin Maria Josepha an König August III.

Im Duktus der Baumbehandlung, vor allem der leicht tüpfelnden Manier, in der die Blätter an den knorrigen Bäumen gemalt sind, wird der Einfluß der Frankenthaler Malerschule, der hier noch ganz lebendig ist, deutlich. Gillis van Coninxloo war auch für Keirincx vorbildlich. Indem dieser es jedoch verstand, seinen Bildern eine warme Tonigkeit zu verleihen, geht er über das Vorbild hinaus und wird zum Mittler zwischen der flämischen und der holländischen Landschaftsmalerei im 17. Jahrhundert.

1146 Keirincx

Kern, Anton Geboren 1710 in Tetschen (Děčín) in Böhmen, gestorben 1747 in Dresden. Besuch der Lateinschule im Kloster Mariaschein, wo ihn der Maler Lorenzo Rossi kennenlernte und mit nach Dresden nahm. Dessen Schüler zuerst in Dresden, dann mit diesem nach Venedig, wo er sieben Jahre blieb und Schüler Giovanni Battista Pittonis wurde. Anschließend tätig in Böhmen. Seit 1738 wieder in Dresden, mit Entwürfen für Altar- und Deckengemälde in der Katholischen Hofkirche beauftragt. Ging mit einem Stipendium des Königs erneut nach Rom, von wo er 1741 nach Dresden zurückkehrte und Hofmaler wurde.

2102 Kern

2102 *Der Bethlehemitische Kindermord.* Um 1738/39. Leinwand, 73×96,5 cm. Vom Künstler aus Rom an König August III. geschickt; zuerst im Dresdener Residenzschloß, königliches Schlafgemach; 1740 in die Galerie. Alte Inv.-Nr. 2492.

Die Darstellung basiert inhaltlich auf dem Evangelium des Matthäus, 2, 16. König Herodes veranlaßte den Bethlehemitischen Kindermord, um den neugeborenen vermeintlichen König der Juden töten zu lassen, von dem er durch die drei Weisen aus dem Morgenland erfahren hatte. Maria mit dem Jesuskind und Joseph aber waren auf Geheiß des Engels schon nach Ägypten geflohen. Das Geschehen ist in eine bühnenähnliche Architekturkulisse gefaßt. Um 1738/39 in Rom entstanden, wurde das virtuos gemalte Bild vom Künstler nach Dresden geschickt und fand das besondere Interesse des Königs. Venezianische Vorbilder werden deutlich, so Gaspare Diziani, der selbst eine Zeitlang in Dresden tätig war. Pavel Preiss betont den Einfluß Sebastiano Riccis und Spuren des vor allem von Francesco Trevisani vertretenen römischen Akademismus. Die Graphische Sammlung der Prager Nationalgalerie besitzt eine Federzeichnung zu diesem Bild mit Bister und schwarzer Kreide.

Literatur: K. Garas: Anton Kern (1710–1747). In: Muzeum in twórza ..., Museum and Artist. Studies in the History of Art and Civilisation in Honor of Professor Dr. Stanislaw Lorentz, Warszawa 1969, S. 65–90, 82. – P. Preiss: Barockzeichnungen. Meisterwerke des Böhmischen Barocks. Prag 1979, S. 140. – H. Marx, in: Ecclesia Triumphans Dresdensis. Ausstellungskatalog. Wien 1988, Nr. 23. – H. Marx, in: Königliches Dresden. Ausstellungskatalog. München 1990, Nr. 20.

Keyser, Thomas de Geboren 1596 oder 1597 in Amsterdam, dort gestorben 1667. Schüler seines Vaters, des Architekten und Bildhauers Hendrick de Keyser. Beeinflußt von Nicolaes Eliasz, Cornelis Ketel und Frans Hals. Neben Frans Hals und Rembrandt bedeutender holländischer Bildnismaler.

1543 Keyser

1543 *Zwei Reiter.* 1661. Bezeichnet am Sattel des Reiters rechts: TDK F. 1661. Leinwand, 98×92,5 cm. 1880 aus dem Wiener Kunsthandel.

Während sich Thomas de Keyser in seinem Frühwerk bei den Reiterbildnissen den flämischen Meistern van Dyck und Rubens anschloß, kam er in seinen späten Schaffensjahren zu neuen Lösungen. Er verkleinerte das Format und erreichte damit eine Einheit zwischen Mensch und Natur. Maltechnische Untersuchungen haben ergeben, daß der Reiter rechts ursprünglich einen Falken getragen hat, der später übermalt worden ist.

Literatur: R. Oldenbourg: Thomas de Keysers Tätigkeit als Maler. Phil. Diss. Halle 1911, S. 63.

Klengel, Johann Christian Geboren 1751 in Kesselsdorf bei Dresden, gestorben 1824 in Dresden. Zuerst bei einem Buchbinder in der Lehre. Gleichzeitig Besuch von Akademiekursen bei Charles Hutin und Bernardo Bellotto. Seit 1765 Schüler Christian Wilhelm Ernst Dietrichs, der ihn 1768 in sein Haus aufnahm, wo Klengel bis zu Dietrichs Tode 1774 blieb. 1777 Mitglied der Dresdener Kunstakademie, an der er 1800 eine außerordentliche Professur für Landschaftsmalerei erhielt. 1790 bis 1792 in Italien. Klengel stand unter dem Eindruck der Landschaften seines Lehrers Dietrich und der Werke der Niederländer des 17. Jahrhunderts sowie Gaspard Dughets und später vor allem Claude Lorrains. Sein Schaffen zeigt dabei von Anfang an realistische Züge.

2186 Klengel

2186 *Arkadische Landschaft.* Um 1804. Bezeichnet links unten auf dem Stein: Klengel. Leinwand, 115×168 cm. 1855 als Geschenk der Tochter des Künstlers; zuerst im Katalog 1860, Nr. 1898.

Einige Jahre nach dem Italienaufenthalt von 1790–1792 verbanden sich bei Klengel das Erlebnis des Südens (mehr noch die Erinnerung an den Süden) und die Auseinandersetzung mit den Werken Claude Lorrains, sowohl im Hinblick auf manche Eigenheiten der Komposition als auch mit Bezug auf Lichtwirkungen. So entstanden um 1800 eine Reihe von Werken, bei denen die Landschaft im Sinne der Hirtendichtung des 18. Jahrhunderts (als Beispiel sei Salomon Gessner genannt) poetisch aufgefaßt ist, verzaubert und aus der Realität entrückt.

Literatur: Meisterwerke des 18. und 19. Jahrhunderts aus der Gemäldegalerie Dresden. Katalog. Kunstverein für die Rheinlande und Westfalen. Düsseldorf 1958, Nr. 30.

2186 B Klengel

2186 B *Landschaft im Sturm.* 1777. Leinwand, 99×146 cm. 1920 von der Akademie der bildenden Künste Dresden übernommen; zuerst im Katalog 1930.

Das Bild ist ein bezeichnendes Beispiel für Klengels Auseinandersetzung mit dem Werk von Gaspard Dughet. Der sächsische Maler stand mit einem solchen Rückgriff nicht allein, sondern folgte einer (besonders in England) weit verbreiteten Vorliebe für die dramatischen Naturinszenierungen des französischen Künstlers, der sein ganzes Leben in Rom verbracht hat. Die Bewegtheit des Empfindens, die sich in der «Landschaft im Sturm» ausspricht, ist nicht nur stilistischer Rückgriff, sondern, in einem übertragenen Sinne, auch Merkmal des «Sturm-und-Drang». Weit ins 19. Jahrhundert hinein sind Kompositionen wie diese entstanden; hier konnten Maler der Romantik einer bestimmten Tendenz anknüpfen.

Literatur: H.-J. Neidhardt: Die Malerei der Romantik in Dresden. Leipzig 1976, S. 18f. – H. Marx, in: La peinture allemande à l'époque du Romantisme. Ausstellungskatalog. Paris 1976, Nr. 117. – H. Marx, in: Königliches Dresden. Ausstellungskatalog. München 1990, Nr. 35.

3796 Klengel

3796 *Landschaft mit der Ruine des sogenannten Tempels der Minerva Medica.* Um 1791. Bezeichnet links unten auf dem Stein: Klengel f. à Rome. Leinwand, 57×78,5 cm. 1972 aus Privatbesitz erworben.

Das Bild stellt die Ruine des sogenannten Tempels der Minerva Medica in Rom in hügeliger ländlicher Gegend dar. Tatsächlich handelt es sich aber bei dem kuppelüberwölbten Bau aus dem 3. Jahrhundert n. Chr., einem klassischen Antikenzitat in der europäischen Malerei und Graphik, um ein Nymphäum, das zu den Palastbauten des Kaisers P. Licinius Gallienus gehörte. Mit minutiösem Realismus sind alle Einzelheiten der antiken Ruine sowie der Vordergrund mit dem Hirtenknaben und der Herde gemalt, während hinten links die Ferne zart verblaßt. Das Licht ist kühl und klar. Der Eindruck wird beherrscht von der strahlenden Tiefe eines blauen Himmels, der in seiner Intensität alles andere übertönt. Sieht man die zurückhaltend rötlichen, grauen und bräunlichen Töne der Ruine, das Grün der Weide und der Bäume vor diesem Himmel, so wird das künstlich Kombinierte, das Zusammengesetzte des Bildes klar. Die überwältigende Schönheit der antiken Bauten, ihre stete Erinnerung an eine vergangene große Zeit, die italienische Landschaft und das südliche Licht sind noch nicht zu einer voll empfundenen Einheit verschmolzen. Noch fordert jeder Teilbereich für sich Interesse, werden die Ergebnisse der getrennten Studien erst nachträglich wieder im Bilde vereint und mit Elementen der niederländischen Landschaft mit Viehstaffage verbunden.

Literatur: H. Marx: Landschaft mit der Ruine des sogenannten Tempels der Minerva Medica. In: Dresdener Kunstblätter, 1972, H. 6, S. 185–189. – H. Marx: Neuerwerbungen deutscher Malerei. Ausstellungskatalog. Dresden 1974, Nr. 21.

Knüpfer, Nikolaus Geboren 1603 (?) vermutlich in Leipzig, gestorben 1655 in Utrecht. In Leipzig in der Lehre bei Emmanuel Nysen, danach in Magdeburg. Seit 1630 bei Abraham Bloemaert in Utrecht; 1637 Aufnahme in die Utrechter St. Lukasgilde. Gemeinsam mit Gerard van Honthorst erhielt er den Auftrag von Christian IV. von Dänemark, das nach dem Brand wieder aufgebaute Schloß Kronburg mit Gemälden auszustatten. 1637 heiratete er Cornelia Back, Tochter eines Kornhändlers. Hauptsächlich tätig in Utrecht, wahrscheinlich Ende der vierziger Jahre in Den Haag, ab 1649/50 wieder in Utrecht, wo er bis zu seinem Lebensende blieb. Maler von biblischen und mythologischen Themen, Historien- und Genreszenen.

1258 Knüpfer

1258 *Gruppenbildnis mit fünf Personen.* Um 1650. Bezeichnet unten halblinks: NKnupfer. Eichenholz, 50 × 55 cm. Inventar Guarienti (1747–1750), Nr. 1602.

Auf dem Notenblatt, das der Mann in der Linken hält, das Sprichwort: Zo als de ouden zongen, Piepen de jongen ... (Wie die Alten sungen, so pfeifen die Jungen). Dies deutet auf den genreartigen Inhalt des Bildes, bei dem es sich nicht, wie man ursprünglich annahm, um ein Selbstbildnis des Künstlers mit seiner Familie handelt, was von Juri Kusnetzow (1964) widerlegt werden konnte, da Knüpfer nur zwei Kinder besaß. Eine Tochter starb im Alter von sieben Monaten, seine Frau starb 1643, sein einziger Sohn 1660. Auf dem Bild sind aber drei Kinder wiedergegeben.

Literatur: De schilder in zijn wereld. Ausstellungskatalog. Delft/Antwerpen 1964/65, Nr. 68. – G. Eckardt: Selbstbildnisse niederländischer Maler des 17. Jahrhunderts. Berlin 1971, S. 194f. – J. I. Kusnetzow: Nikolaus Knüpfer (1603?–1655). In: Oud Holland, 88, 1974, S. 180, 205, Nr. 143.

Koninck, Philips Geboren 1619 in Amsterdam, dort gestorben 1688. Sohn des Goldschmiedes Aert de Koninck, Schüler seines Bruders Jacob, von dem er in Rotterdam Ende der dreißiger Jahre ausgebildet wurde. Seit 1641 in Amsterdam tätig, wo er bis zu seinem Tode blieb. Holländischer Landschafts-, Genre-, Porträt- und Historienmaler. Beeinflußt von Rembrandt und Hercules Seghers.

1612 A Koninck, Philips

1612 A *Holländische Landschaft mit dem Blick von den Dünen in die Ebene.* Um 1664. Leinwand, 122 × 165 cm. 1905 aus dem Kunsthandel in London.

Während zu Lebzeiten des Künstlers vor allem seine Bildnismalerei hohe Wertschätzung erfuhr, hat sich heute das Urteil zugunsten seiner Schöpfungen auf dem Gebiete der Landschaftsmalerei gewandelt. Nach der Mitte der fünfziger Jahre findet sich Konincks Stil völlig ausgeprägt: er malt panoramaartige Flachlandschaften, die Weite der holländischen Ebene und hat die traditionelle Diagonalkomposition aufgegeben, Himmel und Erde sind gleichermaßen von Atmosphäre durchflutet, Sonnenlichter und Wolkenschatten motivieren den Kontrast zwischen Helldunkelerscheinungen, vermitteln räumliche Tiefe bei malerisch subtilster Behandlung des Details.

Literatur: W. Sumowski: Die Gemälde der Rembrandt-Schüler. Landau 1983, Bd. 3, S. 1534, 1548, Nr. 1064.

Koninck, Salomon Geboren 1609 in Amsterdam, dort gestorben 1656. Sohn des Goldschmieds Pieter de Koninck und vermutlich Vetter des Landschaftsmalers Philips Koninck (vgl. Gal.-Nr. 1612 A). In Amsterdam Schüler des David Colijns, François Venant und Claes Moeyaert. 1630 Mitglied der Lukasgilde in Amsterdam. Beeinflußt von Rembrandt. Malte vorzugsweise biblische und mythologische Historien.

1589 Koninck, Salomon

1589 *Der Eremit.* 1643. Bezeichnet rechts unten: S. Koninck Ao 1643. Leinwand, 121 × 93,5 cm. Inventar 1722–1728, A 1380, als unbekannt.

Bei Einzelfiguren mit religiöser oder allegorischer Bedeutung beschränkte Koninck sich auf wenige Themen. Lesende und Schreibende malte er bevorzugt, wie hier, als unbestimmbare Einsiedler oder Kirchenväter. Die Darstellung steht unter dem Einfluß von Jan Lievens und erinnert an dessen Darmstädter Zeichnung «Bärtiger Greis mit Buch». Bis in das 19. Jahrhundert galt das Gemälde als eine Arbeit von Ferdinand Bol. Seit J. Hübner 1862 die Signatur entdeckte, wird das Bild als Werk Konincks anerkannt.

Literatur: J. Hübner: Verzeichnis der Königlichen Gemälde-Gallerie. Dresden 1862, S. 304, Nr. 1319. – W. Sumowski: Die Gemälde der Rembrandt-Schüler. Landau 1983, Bd. 3, S. 1629, 1646, Nr. 1108.

1589 A *Der Astronom.* Um 1640–1645. Bezeichnet rechts oben: Daniel Co … A° 16 .. (die letzten beiden Zahlen nicht mehr lesbar). Leinwand, 108,5×87 cm. Inventar 1722–1728, A 31, als «Manier von Rembrandt».

Die Zuschreibung kann nicht als zweifelsfrei gelten. Schon in älteren Katalogen wurden neben Salomon Koninck auch Jakob und Daniel Koninck als Maler genannt. Sumowski schreibt das Gemälde Daniel de Koninck zu. Die Prüfung der Signatur hat ergeben, daß nur der Name «Daniel» authentisch ist. Die weiteren Angaben scheinen spätere Hinzufügungen zu sein. Deutliche Übermalungen und Retuschen sind zu erkennen.

Literatur: Hübner 1862, S. 305, Nr. 1320. – Woermann 1908, S. 513; Nr. 1589 A. – Sumowski 1983, Bd. 1, S. 85.

1589 A Koninck, Salomon

Kupezký, Jan Geboren 1667, gestorben 1740 in Nürnberg. Verlebte seine Kindheit in Ungarn. 1684–1686 Schüler von Benedikt Klaus in Wien, dessen Tochter er später heiratete. Lebte von 1686–1709 in Italien, vor allem in Rom, seit 1709 in Wien und seit 1723 in Nürnberg, wohin er fluchtartig übersiedelte, als er sich in Österreich wegen seiner Zugehörigkeit zur Sekte der «Böhmischen Brüder» nicht mehr sicher fühlte. Einer der gesuchtesten Porträtmaler der Epoche. Schuf vor allem Bildnisse mit realistischer Tendenz, von schwerem barockem Helldunkel und lebhafter Farbigkeit.

2055 *Selbstbildnis.* Leinwand, 93×73 cm. 1741 aus der Sammlung Wallenstein in Dux.

Ein sehr kraftvolles, auf feinere farbliche Abstufungen verzichtendes, stark pastoses Bild, das für die Malweise Kupezkýs im allgemeinen durchaus nicht typisch ist. In der Komposition wohl beeinflußt von dem Selbstbildnis des Venezianers Giuseppe Ghislandi (1655–1743) in der Accademia Carrara in Bergamo.

Literatur: F. Dvořák: Jan Kupecký. Der große Porträtmaler des Barocks. Prag 1956, S. 26, 29.

2055 Kupezký

Lancret, Nicolas Geboren 1690 in Paris, dort gestorben 1743. Lernte anfangs bei Pierre Dulin, dann in den Kursen der Académie Royale, wo er mit François Lemoine Freundschaft schloß, der dort sein Mitschüler war. Ein Versuch, sich auf dem Gebiet der Historienmalerei auszuzeichnen, mißlang, und so ging Lancret etwa 1711 zu Claude Gillot, bei dem damals auch Watteau arbeitete, der seiner weiteren Entwicklung die Richtung gab. 1719 wurde er Mitglied der Académie Royale.

784 *Tanzbelustigung im Schloßpark.* 1725 (?). Leinwand, 207×207 cm. Inventar 1754, II 723.

Lancret war neben Pater der berühmteste Nachfolger Watteaus, dessen Vorbild in seinen Werken immer spürbar bleibt, bei ihm aber oft eine Wandlung ins Dekorative erfährt. Große Formate und seine Vorliebe für Darstellungsfolgen – Jahreszeiten, Elemente, Lebensalter –, die ihren festen Platz in der Raumdekoration hatten, zeugen davon. Durch die mit Brüstung und Stufen verdeutlichte Abgrenzung der vordersten Handlungsebene vom Mittel- und Hintergrund wie auch vom Standort des Betrachters und durch perspektivisch nicht zu er-

784 Lancret

klärende Unterschiede im Figurenmaßstab kommt ein bühnenhaft-unwirkliches Element in die Darstellung. Vielleicht ist das Bild identisch mit dem «Bal dans un paysage orné d'architecture», ausgestellt im «Salon» 1725. Eine Rötelstudie zu den beiden Mädchen vorn in der Mitte ist seit 1971 im Art Institute, Chicago. Der Hund kommt zuerst bei Rubens in dieser Form vor und ist von Watteau übernommen worden beim «Firmenschild für Gersaint» – ein eigenartiges Beispiel für Detail-Übernahme.

Literatur: G. Wildenstein: Lancret. Paris 1924, Nr. 143. – H. Joachim: The Helen Regenstein Collection. Ausstellungskatalog. Chicago 1974, Nr. 39. – Nicolas Lancret. Ausstellungskatalog. New York 1991, Nr. 8, S. 74.

785 Lancret

786 Lancret

785 *Ein Contretanz unter Bäumen.* Leinwand, 42×56,5 cm. Inventar Guarienti (1747–1750), Nr. 1749. (Alte Inv.-Nr. 2068 links oben, die aber nicht mit einem Dresdener Inventar in Verbindung gebracht werden kann.)

Das Bild steht Watteau nahe. Die Tanzszene ist durch Helldunkel-Wirkungen rhythmisch akzentuiert. In der Mitte ein Drehleierspieler, eine «Vielleur». Das vornehme Paar tanzt zu den Klängen dieses volkstümlichen Instruments, Drehleier, Bauernleier, auch Bettlerleier genannt (Lyra rustica, Lyra pagana), von großer Beliebtheit schon im frühen Mittelalter, mit dem Resonanzkörper der Streichinstrumente, einer Klaviatur und einigen freiliegenden Saiten. Eine Kurbel bewegt ein Rad, das gleichzeitig alle Saiten anreißt. In der Renaissance sehr abgewertet, ist die «Vielle» im 18. Jahrhundert in Frankreich wieder in Mode gekommen, als eine Reihe namhafter Komponisten für das Instrument geschrieben haben.

In den Maßen, in Technik wie Komposition ist das Gemälde so verschieden von Gal.-Nr. 786, daß die frühere Annahme, es handle sich um Gegenstücke, nicht aufrechterhalten werden kann.

Literatur: Wildenstein 1924, S. 80, Nr. 134.

786 *Der Tanz um den Baum.* Nußbaumholz, 43×53 cm. Inventar Guarienti (1747–1750), Nr. 1750. (Alte Inventarnummer 2067 oben links, die aber nicht mit einem Dresdener Inventar in Verbindung gebracht werden kann.)

Der Charakter des Bildes läßt das Vorbild der flämischen Malerei des 17. Jahrhunderts ahnen, mit der sich Lancret nachweislich auseinandergesetzt hat. Vgl. die Bemerkungen zu Gal.-Nr. 785.

Literatur: Wildenstein 1924, S. 81, Nr. 150.

Largillierre, Nicolas de Geboren 1656 in Paris, dort gestorben 1746. Kam als Kind mit den Eltern nach Antwerpen, wo er als Zwölfjähriger Schüler von Anthonis Goubau wurde. Besonders beeindruckten ihn die Werke von Rubens und van Dyck. 1672 Mitglied der Malergilde in Antwerpen. Von 1674–1682 in London; arbeitete dort im Atelier von Sir Peter Lely. Von 1682 an in Paris. 1686 Mitglied der Académie Royale, mit einem Bildnis von Charles Le Brun als Aufnahmebild. Er war der bevorzugte Maler des Pariser Magistrats und des Großbürgertums.

758 Largillierre

758 *Bildnis des Kammerherrn von Montargu.* Leinwand, 80×63,5 cm. 1778 aus der Sammlung Spahn.

Traditionelle Benennung, ohne sicheren Grund; die Person des Dargestellten ist nicht genauer faßbar. Bezeichnendes Beispiel für Largillierres Bildnisstil bei Arbeiten kleineren Formates. Im Hintergrund Wolkenhimmel und Andeutung von Landschaft.

Literatur: G. Pascal: Largillierre. Paris 1928, Nr. 94.

3821 Largillierre

3821 *Doppelbildnis einer Dame und eines Herrn in den Rollen von Pomona und Vertumnus.* Leinwand, 146,5×105 cm. 1972 zur Galerie.

Das farbig sehr frische Doppelbildnis ist, der barocken Freude an mythologischer Verkleidung folgend, in einen szenischen Zusammenhang gestellt: Pomona, die Göttin der Gärten, wird von Vertumnus geliebt, dem Gott der Jahreszeiten. Er nähert sich in Gestalt einer alten Frau und preist die Vorzüge des Vertumnus, das heißt, seine eigenen. Schließlich läßt er die Maske fallen und gibt sich zu erkennen. Inhaltliche Quelle dieser häufig gemalten Szene sind die Metamorphosen des Ovid (XIV, 623–771).

Literatur: Pascal 1928, Nr. 105. – M. N. Rosenfeld: Largillierre and the Eighteenth-Century Portrait. Ausstellungskatalog. Montreal 1981, S. 216.

Liss, Johann Geboren um 1597 in der Grafschaft Oldenburg nördlich von Lübeck, gestorben 1629 oder 1630 in Venedig. Vielleicht Sohn des Malers Johann Liss, der im Dienst der Herzöge von Holstein stand und bei dem er seine erste Ausbildung erhalten haben könnte. Etwa 1615–1619 in Haarlem, Amsterdam und Antwerpen. Ging über Paris nach Venedig, wo er spätestens 1621 eintraf. Schon 1622 in Rom, wo er einige Jahre blieb, dort auch in die «Schilderbent» aufgenommen wurde, ehe er sich wieder nach Venedig wandte; starb in Venedig an der Pest. Ausgehend vom Stil der Niederländer, deren Werke er am Ort studiert hatte, tief beeindruckt von den Venezianern der Renaissance, Tizian und Veronese, entwickelte er einen reifen und gelösten, farbig reichen, manchmal an Domenico Fetti gemahnenden Stil; seine Werke gehören zu den Spitzenleistungen europäischer Barockmalerei.

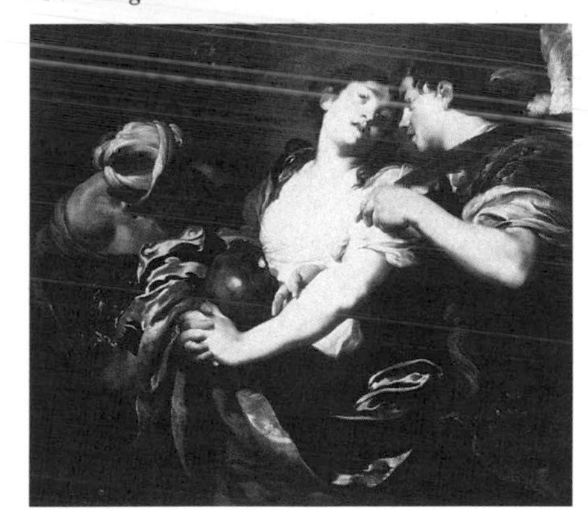

1840 Liss

1840 *Die reuige Magdalena.* 1623/24. Leinwand, 114×131 cm. 1660 wohl im Palazzo Fondadini in Venedig; in Dresden zuerst im Catalogue 1765.

Der Totenschädel in der Hand der Magdalena symbolisiert Reue, der Palmzweig in der Hand des Engels den himmlischen Lohn für die reuige Sünderin, die Orientalin mit den goldenen Gefäßen die Versuchung. Das Thema ist ungewöhnlich und läßt an niederländische moralisierende Bilder als Quelle denken; die Malweise erinnert am ehesten an Jordaens, der 1616 auch ein Bild gleichen Themas gemalt hat.

Literatur: K. Steinbart: Johann Liss. Der Maler aus Holstein. Berlin 1940, S. 129 ff. – R. Klessmann: Johann Liss. Ausstellungskatalog. Augsburg 1975, Nr. A 17.

1841 A Liss

1841 A *Herkules am Scheidewege.* Um 1625. Leinwand, 61×75 cm. 1925 von Dr. Karl Lilienfeld, Dresden-Loschwitz. *Farbtafel 26*

Die Entscheidung des jugendlichen Herkules zwischen Tugend und Laster schildert Philostrates der Ältere in seiner Vita Apolloni Tyanei. Eine lateinische Übersetzung von Alemanus Riniccinus ist 1501 in Venedig und Florenz erschienen. Mit dem Thema und seinen Darstellungen hat sich Erwin Panofsky eingehend beschäftigt. Als künstlerische Vorbilder sind vor allem Annibale Carraccis Gemälde gleichen Themas von 1595, für Einzelzüge wohl auch Werke Simon Vouets anzusprechen. Die Malweise deutet aber auch auf «engen Kontakt mit Nachfolgern Elsheimers und Poelenburghs» sowie auf seine «Begeisterung für venezianische Malart und Farben ... Sicherlich malte er das Bild kurz nach seiner Rückkehr von Rom nach erneutem Kontakt mit Venedig». (Ann Tzeutschler Lurie im Katalog Augsburg 1975)

Literatur: H. Posse: Ein unbekanntes Gemälde des deutsch-venezianischen Malers Johann Liss in der Dresdener Gemäldegalerie. In: Zeitschrift für bildende Kunst, Neue Folge, LIX, 1925/26, S. 24–27. – E. Panofsky: Herkules am Scheidewege. Leipzig/Berlin 1930, S. 122, Anm. 2, S. 130, Anm. 3–5, S. 131. – Steinbart 1940, S. 85ff. – A. Walther, in: Venezianische Malerei. Ausstellungskatalog. Dresden 1968, S. 54. – R. Klessmann: Johann Liss. Ausstellungskatalog. Augsburg 1975, Nr. A 32.

Locatelli, Andrea Geboren 1695 in Rom, dort gestorben wohl 1741. In seiner Entwicklung zum Maler idealer Landschaften wesentlich beeinflußt durch den Flamen Jan Frans van Bloemen, genannt Orizzonte, und über diesen durch Gaspard Dughet und mittelbar Nicolas Poussin und Claude Lorrain sowie durch Salvator Rosa. Er hat duftig aufgelöste, silbrigtonige arkadische Landschaften mit eleganten mythologischen oder biblischen Staffagefigürchen gemalt.

739 Locatelli

739 *Flußlandschaft bei Tivoli.* Leinwand, 48,5×64 cm. Inventar 1754, I 478.

Mit den kulissenartig rahmenden Bäumen, dem Durchblick auf eine halbverfallene Mühle am Wasser, einen Wehrturm und ein fernes Gebirge, den in die Tiefe gestaffelten Staffagefiguren und dem Helligkeitskontrast von Vorder- und Hintergrund erscheint das Bild als eine typische Ideallandschaft mit idyllischen Zügen. Nach A. Busiri Vici (1976) ist aber eine Gegend in Latium am Fluß Aniene dargestellt, der bei Tivoli einen hohen Wasserfall bildet und oberhalb Roms in den Tiber mündet.

Literatur: A. Busiri Vici: Andrea Locatelli. Roma 1976, Nr. 38.

Lorrain, Claude, eigentlich Claude Gellée, genannt Claude Lorrain. Geboren 1600 in Chamagne bei Mirecourt (Lothringen), gestorben 1682 in Rom. Nach seiner lothringischen Heimat gewöhnlich Claude Lorrain genannt. Verbrachte fast sein ganzes Leben in Rom, wohin er schon in jungen Jahren kam. 1618–1620 in Neapel, dann wieder in Rom, wo er in das Atelier des Landschaftsmalers Agostino Tassi eintrat. 1625–1627 Reise in die Heimat, dann wieder in Rom. Führte von 1634 an ein Buch mit Zeichnungen zu seinen Gemälden, den Liber Veritatis. Claude Lorrain war der bedeutendste französische Landschaftsmaler des 17. Jahrhunderts und wesentlich beteiligt an der Herausbildung der Landschaft als selbständiger Bildgattung.

730 Lorrain

731 Lorrain

730 *Landschaft mit der Flucht nach Ägypten.* 1647. Bezeichnet unten links: CLAVDE IVEF ROMA 1647. Leinwand, 102×134 cm. Inventar 1754, II 110. *Farbtafel 29*

Liber Veritatis 110. Das biblische Thema ist ganz an den Rand gerückt, die kleinen Figuren von Maria mit dem Kinde, Joseph und einem Engel verschwinden fast im Waldesdunkel links. Die Landschaft, in klarer Morgenstimmung, ist überschaubar in die Tiefe gestaffelt, die Details sind mit Präzision gemalt. Antike Bauten, eine Brücke und ein Viadukt und die ferne Silhouette einer Stadt, die Schönheit der Natur und das Hirten-Idyll im Vordergrund verbinden sich in der für Claudes Werke dieser Jahre bezeichnenden Weise zur Ideallandschaft.

Literatur: C. G. Carus: Betrachtungen und Gedanken vor ausgewählten Bildern der Dresdner Galerie. Dresden 1867, S. 74ff. – Th. Hetzer: Claude Lorrain. Frankfurt a. M. 1947, S. 11f. – R. Zürcher: Der barocke Raum in der Malerei. In: Die Kunstformen des Barockzeitalters. Bern 1956, S. 185. – M. Röthlisberger: Claude Lorrain. New Haven 1961, S. 274 (LV 110). – M. Röthlisberger/D. Cecchi: L'opera completa di Claude Lorrain. Milano 1975, Nr. 175.

731 *Küstenlandschaft mit Acis und Galatea.* 1657. Bezeichnet unten rechts: CLAUDE GELLEE IVEF ROMA 1657. Leinwand, 100×135 cm. Inventar 1754, II 109.

Als Nr. 141 im Liber Veritatis. Inhaltlich liegt dem Gemälde eine Szene aus den Metamorphosen des Ovid, XIII, 738–897, zugrunde. Acis und Galatea, der flötespielende einäugige Riese Polyphem rechts auf dem Berg, die Gefährtinnen der Galatea links im Muschelwagen bleiben Staffage. Ganz oben rechts stößt ein Vulkankrater rötlich-bläuliche Rauchwolken aus: Es ist, nach Ovid, der Ätna, der sich wegen des eifersüchtigen Tobens des Riesen Polyphem entsetzt. Auf dem Gemälde allerdings hat der Zyklop die Liebenden noch nicht entdeckt; noch hat er den Felsblock nicht geschleudert, der Acis zerschmettern sollte. Vielmehr erscheint das Bild als Erinnerung an die Harmonie eines verlorenen «Goldenen Zeitalters». Die Figuren des Acis und der Galatea sowie und vor allem der Putto mit den Tauben sind im späten 17. Jahrhundert von Pierre Mignard übermalt worden, wie im Inventar des sächsischen Gesandten am französischen Hof, Karl Heinrich Graf Hoym, 1727 vermerkt ist: «... une marine dont les figures sont de Mignard, représentant Acis & Galatée avec Polyphème dans l'éloignement.» 1720 wurde im (zweiten) Index des Liber Veritatis noch der Künstlername Boullogne für diese Übermalungen genannt, worauf Marcel Röthlisberger hingewiesen hat, der damit die in Dresden tradierte Nennung Mignards in Frage stellte. Neuerdings fand

Jean-Claude Boyer überzeugende stilistische Gründe für Mignard (briefl. 1991).

Literatur: J. Pichon: Vie de Charles-Henry Comte de Hoym Ambassadeur de Saxe-Pologne en France. Paris 1880, Bd. 2, S. 60. – Röthlisberger 1961, S. 336ff. (LV 141), Tafelband Nr. 236. – H. Marx, in: Europäische Landschaftsmalerei. Ausstellungskatalog. Dresden 1972, Nr. 55. – Röthlisberger/Cecchi 1975, Nr. 211.

Lotto, Lorenzo Geboren um 1480 in Venedig, nach einem Wanderleben gestorben 1556 als Laienbruder in Loreto. Beeinflußt durch Antonello da Messina, Alvise Vivarini, Giovanni Bellini, Melozzo da Forli und Luca Signorelli, Raffael und Correggio. Tätig in Venedig, Treviso, Rom, Bergamo und in den Marken, wo er überall, wie auch von der Kunst nördlich der Alpen, Einflüsse aufnahm. Seine delikaten kühlen Farben, die ihn von der venezianischen Schule Tizians völlig unterscheiden, verbinden sich mit starker Gefühlsbetontheit.

194 A Lotto

194 A *Maria mit dem Kind und dem kleinen Johannes.* 1518. Bezeichnet links am Mauerrande: Laurentius Lotus 15.8 (1518). Pappelholz, 52×39 cm. Catalogue 1765 G. I. Nr. 27.

Mit der Entdeckung der Signatur durch Loeser 1891 fand die Diskussion um die Autorschaft ihr Ende. Bezeichnend für Lottos Auffassung ist die Innigkeit, wie sie sich bei Maria und im Motiv der sich liebkosenden Kinder ausdrückt. Darin und in der sanften Eleganz ist der Einfluß der Mailänder Leonardoschule zu erkennen.

Literatur: B. Berenson: Lorenzo Lotto. Köln 1957, S. 48. – Walther 1968, Nr. 57. – R. Pallucchini/G. Mariani Canova: L'opera completa del Lotto. Milano 1975, Nr. 54.

Maestro del Bambino Vispo Der mit dem Notnamen «Meister des lebhaften Jesuskindes» bezeichnete anonyme Maler ist im ersten Viertel des 15. Jahrhunderts in Florenz ausgewiesen durch den wohl 1422/23 für den dortigen Dom geschaffenen, nur in verstreuten Bruchstücken erhaltenen Laurentiusaltar. Vorher war er vielleicht in Spanien tätig. Er war ein dem Lorenzo Monaco ähnlicher und vielleicht von ihm geschulter führender Meister des weichen Stils in der Toskana, dem auch die von ihm gemalten munteren Jesuskinder entsprechen.

30 Maestro del Bambino Vispo

30 *Maria.* 1422/23. Pappelholz, 35×29 cm. 1857 aus der Sammlung Steinla.

Das auf Goldgrund gemalte, mit eingeprägten Verzierungen versehene Marienbild ist ein Fragment der Mitteltafel des oben erwähnten Laurentiusaltars. Der fast höfisch anmutende Frauentypus ist bezeichnend für die internationale Gotik. Von Cornelia Syre (1979) wird der Altar dem Gherardo Starnina (nach 1360–um 1409–1413) zugeschrieben und um 1404–1407 datiert.

Literatur: R. Oertel: Der Laurentius-Altar aus dem Florentiner Dom. Zu einem Werk des Maestro del Bambino Vispo. In: Studien zur toskanischen Kunst. Fs. für Ludwig Heinrich Heydenreich. München 1964, S. 205–220. – C. Syre: Studien zum Maestro del Bambino Vispo und Starnina. Bonn 1979, S. 26/27.

Magnasco, Alessandro Geboren 1667 in Genua, dort gestorben 1749. Schüler seines Vaters Stefano Magnasco, später in Mailand des Venezianers Filippo Abbiati, beeinflußt von Valerio Castello. Tätig in der Frühzeit in Genua und Mailand, zwischen 1703 und 1711 mehrere Jahre in Florenz, in der Toskana und Emilia, 1711–1735 in Mailand, danach bis zu seinem Tode in Genua. Seine in düsteren Farben flott gemalten, von bleichem Licht durchzuckten Darstellungen von Zigeunern, Soldaten und Mönchen haben oft phantastischen oder visionären Charakter und zeigen noch den Geist der Gegenreformation.

649 Magnasco

649 *Nonnen im Chor.* Leinwand, 91,5×71,5 cm. 1741 aus der Sammlung Wallenstein in Dux.

Fanatische Frömmigkeit äußert sich in den ekstatischen Gebärden der im Gebet um die vor dem Altar sitzende und vorlesende Oberin versammelten Nonnen. Eine in den Boden eingelassene Tafel mit der Inschrift Memento mori erinnert ans Sterben und verstärkt den düsteren Charakter der Szene.

Literatur: A. Ferri: Alessandro Magnasco. Roma 1922, S. 18.

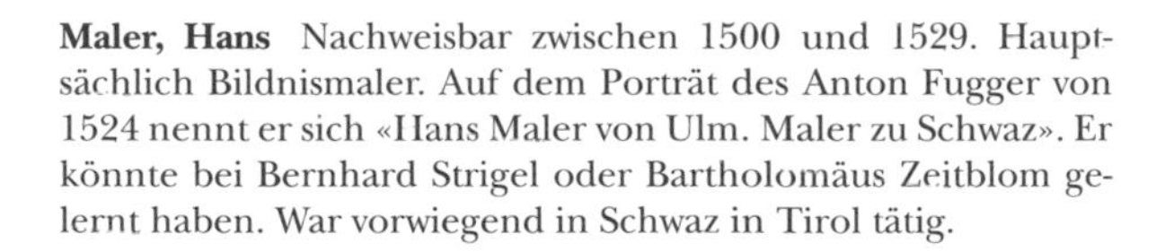

Maler, Hans Nachweisbar zwischen 1500 und 1529. Hauptsächlich Bildnismaler. Auf dem Porträt des Anton Fugger von 1524 nennt er sich «Hans Maler von Ulm. Maler zu Schwaz». Er könnte bei Bernhard Strigel oder Bartholomäus Zeitblom gelernt haben. War vorwiegend in Schwaz in Tirol tätig.

1901 Maler

1901 *Bildnis eines Mannes in brauner Pelzmütze.* 1519. Inschrift unten in der Mitte: Do man 1519 zalt / do was ich 31 jar alt. Fichtenholz, 36×29,5 cm. Specificatio 1707; Inventar 1722–1728, A 286; geliefert durch Le Plat.

Das sachlich-klar aufgefaßte Porträt, wie stets bei Hans Maler mit zeichnerischen Elementen in Haar, Bart, Brauen und Pelz, ordnet sich Diagonallinien unter und steht vor neutralem Grund. Einflüsse von Strigel und Albrecht Dürer haben den Künstler geformt.

Manfredi, Bartolomeo (?) Geboren um 1587 in Ostiano bei Mantua, gestorben 1620 oder 1621 in Rom, wohin er schon vor 1606 kam. Schüler des Cristoforo Roncalli in Rom, beeinflußt durch Caravaggio. Als typischer Caravaggist malte er in der neuen naturalistischen Weise unter Verwendung eines dramatisierenden Helldunkels genrehafte Szenen biblischen und mythologischen wie auch profanen Inhalts.

411 Manfredi

411 *Die Wachstube.* Leinwand, 169×239 cm. Inventar 1754, I 328.

Für ihr Karten- und Würfelspiel, das Zuschauer anlockt, dient den Soldaten ein antiker Reliefsockel, der auf die großen Kunsttraditionen Roms hinweist, wo das Bild entstand. Das typisch caravaggieske Konversationsstück mit den teils abenteuerlich, teils verträumt wirkenden Gestalten wird von einigen Forschern dem französischen Caravaggionachfolger Tournier zugeschrieben.

Literatur: Valentin et les Caravaggesques Français. Ausstellungskatalog Paris 1974, Nr. 31.

Mantegna, Andrea Geboren um 1431 in Isola di Cartura bei Padua, gestorben 1506 in Mantua. 1441–1448 in Padua Schüler des Francesco Squarcione, weitergebildet unter dem Einfluß der Florentiner Paolo Uccello, Fra Filippo Lippi und Donatello, des Venezianers Jacopo Bellini und des Piero della Francesca in Ferrara. Tätig zunächst vor allem in Padua und seit 1459 in Mantua als Hofmaler der Gonzaga. Mit seiner plastisch strengen, kraftvollen Kunst, in der sich die gestalterischen Errungenschaften der Renaissance in Perspektive und Anatomie mit dem Geist des Humanismus und dem Erbe der Antike verbinden, war er einer der bedeutendsten oberitalienischen Maler an der Grenze der Früh- zur Hochrenaissance, der für die Entwicklung der Malerei in Venedig, Padua und Ferrara ganz entscheidende Voraussetzungen schuf und auch Dürer beeinflußte.

51 Mantegna

51 *Die Heilige Familie.* Um 1495–1500. Tempera, Leinwand, 75×61,5 cm. 1876 aus dem Nachlaß Sir Charles Eastlake in London. *Farbtafel 2*

Zu Maria mit dem Jesusknaben und dessen Nährvater Joseph gesellt sich die schon bejahrte Elisabeth mit ihrem Sohn Johannes, der später den gleichaltrigen Jesus taufte und hier schon auf diesen hinweist. Auf diese Berufung deuten auch der kreuzförmige Zweig und das Spruchband mit der Aufschrift ECCE AGNUS DEI, Siehe das Lamm Gottes. Die Nebeneinanderreihung der Personen in gleicher Kopfhöhe ist ein antikes Kompositionsprinzip. Die verwitterten, herben Gesichter Josephs und Elisabeths dürften durch realistische römische Porträtplastiken beeinflußt sein und beweisen ebenfalls Mantegnas enges Verhältnis zur Antike, auch als Sammler.

Literatur: M. Bellonci/N. Garavaglia: L'opera completa del Mantegna. Milano 1967, Nr. 84.

Maratti, Carlo Geboren 1625 in Camerano (Marken), gestorben 1713 in Rom. Schüler des Andrea Sacchi in Rom, beeinflußt durch Raffael, Correggio, Annibale Carracci und dessen Schule. Als Hauptmeister des spätbarocken Klassizismus in Rom blieb er für die römische Kirchenmalerei lange bestimmend.

436 Maratti

436 *Die Heilige Nacht.* Nach 1652. Leinwand, 99×75 cm. 1744 durch Le Leu und Rigaud aus der Succession Polignac in Paris.

Das Bild ist eine wenig veränderte Teilwiederholung eines 1652 vollendeten (halbrunden) Lünettenfreskos Marattis mit der Geburt Christi in der Kirche San Isidoro in Rom. Die Innigkeit der Auffassung wird vor allem durch die ausgeprägte Helldunkelwirkung erzielt, die ebenso wie das ganze Motiv fast genau von Correggios Gemälde «Die Heilige Nacht», jetzt auch in Dresden (Gal.-Nr. 152), übernommen wurde.

Literatur: H. Voss, in: Die Malerei des Barock in Rom. Berlin 1924, S. 600.

Marées, George de Geboren 1697 auf Österby in Schweden, gestorben 1776 in München. Schüler seines Onkels Martin van Meytens des Älteren in Stockholm bis 1724. 1725 in Amsterdam, 1725–1727 in Venedig bei Piazzetta und in Rom. 1728/29 in Augsburg und Nürnberg tätig, seit 1730 als Hofmaler in München. 1745–1749 und 1753/54 in Bonn. Zeitweise auch an den Höfen in Kassel und Würzburg tätig.

2096 C *Markgräfin Maria Josepha von Baden-Baden.* 1755. Leinwand, 121 × 103 cm. 1925 aus ehemals königlich-sächsischem Besitz.

Maria Josepha (1734–1776), Tochter des Kurfürsten Karl Albert von Bayern, 1755 vermählt mit dem Markgrafen Ludwig von Baden-Baden. Die Identifizierung der Dargestellten, zuerst vorgeschlagen von Erna Brand, ergibt sich aus dem Vergleich mit dem Bildnis in Baden-Baden, Neues Schloß, das Helmut Börsch-Supan abbildet und bespricht im Katalog «Höfische Bildnisse des Spätbarock», Berlin 1966.

2096 C Marées

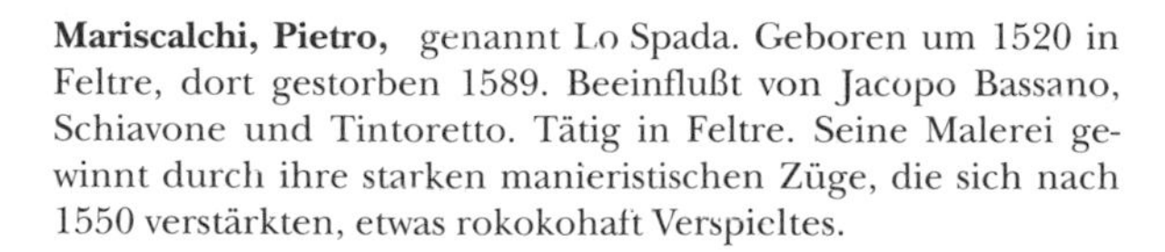

Mariscalchi, Pietro, genannt Lo Spada. Geboren um 1520 in Feltre, dort gestorben 1589. Beeinflußt von Jacopo Bassano, Schiavone und Tintoretto. Tätig in Feltre. Seine Malerei gewinnt durch ihre starken manieristischen Züge, die sich nach 1550 verstärkten, etwas rokokohaft Verspieltes.

284 *Salome.* 1576. Bezeichnet an den Säulensockeln: (links) PETRVS./M.D. (rechts) DE. MARISCHAL.^{IS} P./LXXVI. Leinwand, 89,5 × 88,5 cm. 1748 durch Benzoni aus Venedig.

In die Darstellung der Salomegeschichte (Markus 6, 17–28) sind hier auch Salomes Mutter Herodias sowie deren Mann, der König Herodes Antipas, einbezogen. Herodias war vorher mit Herodes Bruder verheiratet gewesen, aber der König hatte sie für sich begehrt. Weil der christliche Bußprediger Johannes der Täufer dies als Ehebruch bezeichnete, zog er sich Herodias' Haß zu, und diese führte seine Ermordung herbei (vgl. Dolci, Gal.-Nr. 508). Hier wird ihr von Salome sein Haupt auf einer Schüssel dargeboten. Die marionettenhaften Gestalten in ihrem makabren Treiben, die verschnörkelten Formen und die verblasene Farbigkeit zeigen den Höhepunkt der manieristischen Entwicklung bei Mariscalchi.

Literatur: Walther 1968, Nr. 64. – V. Sgarbi, in: Da Tiziano a El Greco. Katalog der Ausstellung Venedig 1981. Milano 1981, Nr. 78.

284 Mariscalchi

804 Massys

Massys, Jan Geboren um 1509 in Antwerpen, dort gestorben um 1575. Sohn des Antwerpener Malers Quentin Massys. 1531 Freimeister in der St.-Lukasgilde in Antwerpen. 1538 heiratete er Anna Tuylt. Von 1544–1558 des Landes verwiesen, danach wieder in Antwerpen bis zu seinem Tode tätig.

804 *Beim Steuereinnehmer.* 1539. Halbfiguren; Eichenholz, 85×115 cm. 1749 aus der kaiserlichen Galerie in Prag; Inventar 1754, B 83, als Quentin Massys.

Der Text in dem aufgeschlagenen Buch, das auf dem Tisch liegt, konnte identifiziert werden. Es handelt sich dabei um einen Pachtvertrag, aus dem sich auch für das Bild ein genaues Datum ergibt. Dieser Pachtvertrag lautet in deutscher Übersetzung: «Heute, den 16. Tag des Augusts des Jahres 15 Hundert und 39 empfangen v(on) Janne aus V(oder N?)eersen (?), den man im Umgang Hafersack nennt, die Summe von 14 Karolusgulden, 15 Stuvers und ein halb, 20 Viertel Weizen, 6 Viertel Roggen, dr(ei?) Viertel Gerste, ein fettes Kalb, ein fettes Lamm, zwei Bund fette Kapaunen, sechs Viertel Äpfel, die man ... heißt, neun Viertel Birnen, die man (stopconten) heißt und dies für ein Jahr pachten oder mieten bei mir erschienen Mitte März im Jahr Fünfzehnhundert und achtundreißig in der Angelegenheit von dem gleichen 14 Karolus gulden etc., die er mir jährlich Mitte März geben muß von meinem Bauernhof, Intteghem geheißen, zu Lilloo gelegen, die er in Pacht hat und gebraucht.»

Literatur: Mayer-Meintschel 1966, S. 39, 40. – M. J. Friedländer: Early Netherlandish Painting. New York/Washington 1971, Bd. VII, Nr. 79.

Matthisen, Broder Vielleicht aus Flensburg stammend, gestorben 1666 in Husum. Malte Bildnisse, Stilleben und Miniaturen. In Flensburg 1637 nachgewiesen. Seit 1642 Bürger in Husum. Ging 1646 unter dem kunstliebenden Herzog Friedrich II. nach Schleswig als Maler. 1651 Hofmaler. 1661 Bauinspektor am Hof der Herzöge von Schleswig-Holstein, Gottorper Linie. Trat 1659, nach dem Tode des Gottorper Herzogs Friedrich III. als Hofmaler in den Dienst des Kurfürsten Friedrich Wilhelm von Brandenburg, des «Großen Kurfürsten», und siedelte nach Berlin über. Seit 1661 wieder in Husum, doch wurde er noch 1665 als kurfürstlich brandenburgischer Hofmaler bestätigt.

1996 A Matthisen

1996 A *Vanitas.* Bezeichnet unten links: Mathisen fecit. Bezeichnet außerdem in der Mitte des Buches mit dem Titel «Astrologisches Jahr Buch ...»: Broder Matthisen fecit Anno 16..U?). Leinwand, 138×119 cm. 1741 durch von Kaiserling; alte Inventarnummer 2663.

Auf dem Tisch in dunklem Raum, wie in einer unterirdischen Schatzkammer, liegen auf kostbarer Decke Bücher, ein Buckelpokal und ein kleiner Pokal in Schneckenform, ein Totenschädel, ein Himmelsglobus, eine Laute und eine Flöte, ein rotes Samtbarett mit kostbarem Federschmuck, eine geöffnete Taschenuhr mit Schlüssel am blauen Band, eine blaue Schärpe mit goldener Schließe. Unter den Büchern sind ein Kommentarband zu den Komödien des Terenz auszumachen und ein astrologisches Jahrbuch. Hier mischt sich der Glaube an den Einfluß der Gestirne auf das Menschenleben mit religiösen Gedanken, wenn wir annehmen, daß der Terenz-Kommentar christlich-moralisierenden Inhalt hatte. Den Menschen des 17. Jahrhunderts war die Vergänglichkeit des Lebens und alles Irdischen sehr bewußt. Ruhm und Reichtum, Wissenschaft und Kunst wurden durch den Gedanken an den Tod relativiert. Jedes Tun und Streben, das nur auf diese Welt gerichtet blieb, erschien als vergeblich: «Vanitas», die Eitelkeit der Welt, war ein Grunderlebnis auch der Maler.

Literatur: H. Marx, in: Das Stilleben und sein Gegenstand. Ausstellungskatalog. Dresden 1983, Nr. 109.

Mazzolino, Ludovico Geboren um 1480 in Ferrara, dort gestorben zwischen 1528 und 1530. Beeinflußt durch Cosimo Tura, Ercole de'Roberti, Francesco Francia und Lorenzo Costa wie auch Dosso Dossi. Tätig hauptsächlich in Ferrara, 1523/24 in Bologna. In der Überfülle der Figuren und der Einbeziehung von oft reliefgeschmückten Architekturen zeigt er sich stark der altferraresischen Tradition verpflichtet.

123 Mazzolino

123 *Ecce Homo (Die Ausstellung Christi).* Spätwerk, um 1525. Pappelholz, oben rund, 66×43,5 cm. 1876 aus der Kunsthandlung Kox in London.

Die Ausstellung des mit Dornenkrone und Purpurmantel bekleideten Christus vor dem Volk trägt nach den von Pilatus dabei gesprochenen Worten auch den Titel «Ecce homo» (Johannes 19, 5. Vgl. Crespi, Gal.-Nr. 401). In zeichnerischer Härte und strenger Bildparallelität ist eine Vielzahl von Figuren mit teils grimassierenden Gesichtern in die gliedernde Architektur eingefügt. Mazzolino hat dieses Prinzip auch im großen Format angewandt. Das Bild ist stilistisch einer Zurschaustellung Christi im Musée Condé in Chantilly sehr nahe. Nach Zamboni ist hier nicht Christus vor Pilatus, sondern Christus vor dem Hohenpriester Kaiphas gemeint, worauf auch die hebräische Inschrift oben hinweise.

Literatur: S. Zamboni: Ludovico Mazzolino. Milano 1968, Nr. 18.

Mechau, Jacob Wilhelm Geboren 1745 in Leipzig, gestorben 1808 in Dresden. Nach seiner Ausbildung als Zeichner, Maler und Radierer bei Adam Friedrich Oeser in Leipzig ging er als Schüler für drei Jahre zu Bernhard Rode nach Berlin, wurde dort jedoch stärker als von diesem durch Blaise Nicolas Le Sueur und J. Bardou beeinflußt. 1770–1773 lebte er in Dresden und gewann die Anerkennung von Christian Ludwig von Hagedorn. 1775 wurde er Mitglied der Leipziger Akademie. Zusammen mit Heinrich Friedrich Füger hielt er sich von 1776 an in Rom auf. 1780 kehrte er nach Dresden zurück und lebte hier als Landschaftsmaler und Radierer. 1790–1798 erneut in Rom, wo er im Freundeskreis um Johann Christian Reinhard verkehrte. Danach wieder in Dresden.

3150 Mechau

3150 *Wasserfall bei Tivoli.* 1785. Leinwand, 130×188 cm. 1948 aus Privatbesitz erworben; zuerst im Katalog 1960.

Die immer wieder dargestellten Wasserfälle bei Tivoli gewinnen in der Sicht von Mechau eine völlig neue Seite: Das im Fallen auf den Felsen zerstäubende Wasser wird zum Hauptmotiv, nicht die Landschaft. Der Wassernebel läßt Konturen verschwimmen und sammelt alles Licht. «... Noch aus dem elementaren Pathos des Sturm und Drang heraus konzipiert», so charakterisierte Hans Joachim Neidhardt dieses großartige Erinnerungsbild, das Mechau in Dresden nach mitgebrachten Studien gemalt hat und das vielleicht gerade durch diesen zeitlichen und räumlichen Abstand eine solche überzeugende Verallgemeinerung der Form erfahren hat.

Literatur: Deutsche Landschaftsmalerei 1800–1914. Ausstellungskatalog. Berlin 1957, Nr. 202. – 500 Jahre Kunst in Leipzig. Ausstellungskatalog. Leipzig 1965, Nr. 361. – H. J. Neidhardt: Die Malerei der Romantik in Dresden. Leipzig 1976, S. 23.

Meister mit dem gestickten Laub Hauptwirkungsstätte Brüssel um 1500. Wegen seiner wie gestickt wirkenden Behandlung des Laubwerkes so benannt. Eines seiner bedeutendsten Werke ist der Flügelaltar in der Kirche S. M. degli Polizza Generosa, Sizilien. Der Künstler gehört zum Kreis der Brüsseler Rogier-Nachfolger.

802 Meister mit dem gestickten Laub

802 *Der heilige Christophorus.* Um 1500. Eichenholz, oben rund, 41×24 cm. 1876 aus der Sammlung Ch. Rh. Ruhl in Köln als Memling in die Galerie; vorher 1850 Versteigerung der Sammlung König Wilhelms II. von Holland; danach in die Sammlung Ch. Rh. Ruhl in Köln, von wo es 1876 erworben wurde.

Von H. Posse (1930) richtig als Meister mit dem gestickten Laub erkannt. Der heilige Christophorus war einer der vierzehn Nothelfer der katholischen Kirche und wird in der bildenden Kunst meist als riesiger Mann dargestellt, der sich auf einen Baumstamm stützt und das Jesuskind auf der Schulter durch einen Fluß trägt. Obwohl die Komposition vom Künstler mehrfach gestaltet worden ist, zeichnet sich das Dresdener Bild durch eine äußerst subtile Wiedergabe der Landschaft aus.

Literatur: M. J. Friedländer: Die altniederländische Malerei. Leiden 1937, Bd. XIV, S. 95f. – F. Winkler: Das Werk des Hugo van der Goes. Berlin 1964, S. 223ff. – Mayer-Meintschel 1966, S. 41.

Meister des Hausbuches Der Name des Künstlers, der nach dem «Hausbuch» im Besitz des Fürsten Waldburg-Wolfegg auf Schloß Wolfegg mit einem Notnamen belegt wird, ist unbekannt geblieben. Keiner der vielen Versuche, ihn mit einem namentlich faßbaren Künstler zu identifizieren, konnte überzeugen. Geboren vielleicht gegen 1445, gestorben gegen 1505. Folgen wir der von Alfred Stange angenommenen Biographie (die nicht von allen akzeptiert wird), so müßte er Ende der fünfziger, Anfang der sechziger Jahre in Straßburg gelernt haben. Die anschließende Wanderschaft führte ihn an den Oberrhein. Beeinflußt von Schongauer und in geringerem Maße vom Meister E.S. Nach Stanges Meinung müßte er in den Niederlanden gewesen sein. Etwa seit den siebziger Jahren tätig hauptsächlich am Mittelrhein. Um 1480 vermutlich in Heidelberg. Einer der bedeutendsten Wegbereiter der deutschen Kunst der Dürerzeit. Seine Graphik ist ungewöhnlich reich an profanen Motiven.

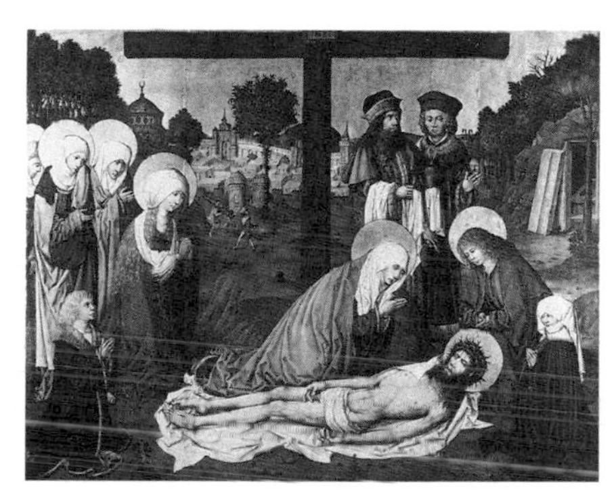
1868 A Meister des Hausbuches

1868 A *Die Beweinung Christi.* Nach 1480. Fichtenholz, 131×171 cm. Erworben 1903 von Joseph Lamberti aus Aachen.
Farbtafel 43

Die Beweinung Christi, zeitlich nach der Kreuzabnahme und vor der Grablegung, ist zwar seit dem Mittelalter häufig dargestellt worden, kommt jedoch im Bericht der Evangelien nicht vor (vgl. Lexikon der christlichen Ikonographie. Freiburg/Breisgau 1968/1990, Bd. 1, S. 278ff.). Erinnerungen an Schongauer und niederländische Einflüsse wirken in diesem Gemälde zusammen. Links und rechts klein die Stifterfiguren, die nicht identifiziert sind. Im Leichnam Christi ist mit bestürzender Eindringlichkeit Leiden anschaulich gemacht; man kann sich an realistisch gefaßte spätgotische Holzplastik erinnert fühlen. Die Feierlichkeit der Szene wird durch den Goldgrund an Stelle des Himmels unterstrichen. Das Bild ist nach Meinung von Alfred

Stange in den frühen achtziger Jahren entstanden und ein Dokument der höfischen Zeit des Meisters, «wie zumal die beiden vornehmen Männer rechts vom Kreuz ... bezeugen».

Literatur: A. Stange: Der Hausbuchmeister. Straßburg 1958. (Studien zur deutschen Kunstgeschichte 316). – A. Stange: Kritisches Verzeichnis der deutschen Tafelbilder vor Dürer. München 1970, Bd. 2, Nr. 473. – H. Marx, in: Deutsche Kunst der Dürer-Zeit. Ausstellungskatalog. Dresden 1971, Nr. 443.

Meloni, Altobello Tätig um 1497–1518 in Cremona als Maler von Fresken, Altarbildern und Bildnissen. Vielleicht Schüler von Boccaccio Boccaccino und jedenfalls von diesem beeinflußt sowie auch von Lorenzo Costa, Mazzolino und Romanino. Zur Schule von Cremona gehörig, ist Meloni in der lyrischen Verhaltenheit seiner Auffassung als ein Vertreter des Giorgionismus zu werten.

221 Meloni

221 *Ein Liebespaar.* Vor 1520. Pappelholz, 52×71,5 cm. 1746 aus der herzoglichen Galerie in Modena.

Der bärtige Mann und die üppige junge Frau bilden mit dem Ausdruck einer gewissen Verwahrlosung ein ungewöhnliches Doppelbildnis von psychologischem Interesse. Der wappenartige geflügelte Widderkopf unter dem Fenster rechts und die Buchstaben FIN.CHE (?) mit der Darstellung eines Hahnes auf der Agraffe am Federbarett des Mannes erhärten den Bildnischarakter. Ebenso wie ein ganz ähnliches, aber weniger qualitätvolles Bild im Museum der bildenden Künste Budapest wurde auch dieses früher mit dem Namen Giorgiones in Verbindung gebracht (das Budapester sogar als Bildnis Giorgiones mit seiner Geliebten angesehen), später dem Rocco Marconi, dem Domenico Mancini, dem Romanino aus Brescia, dessen Nachfolger Callisto Piazza da Lodi oder dem Francesco Bembo zugeschrieben. Die jetzige überzeugende Zuschreibung an Altobello Meloni erfolgte durch Mina Gregori (1957).

Literatur: M. Gregori: Altobello e G. Francesco Bembo. In: Paragone Nr. 93. 1957, S. 22/23.

2163 Mengs, Anton

Mengs, Anton Raphael Geboren 1728 in Aussig, gestorben 1779 in Rom. Erste Ausbildung durch seinen Vater, den Miniatur- und Emailminiaturmaler Ismael Mengs, der nachhaltig den künstlerischen Weg des Sohnes prägte. Seine Kindheit verbrachte Anton Raphael Mengs in Dresden, ging mit dem Vater 1741 bis 1744 erstmals nach Rom, wo er bei Marco Benefial und Sebastiano Conca Unterricht nahm, vor allem aber die Werke der italienischen Renaissance kopierte und studierte. 1744 kehrte er nach Dresden zurück und erregte mit Pastellbildnissen Bewunderung. 1746 wurde er zum Hofmaler ernannt, ging jedoch in demselben Jahre erneut nach Rom, von wo er 1749 nach Sachsen zurückkehrte, um 1751, nach seiner Ernennung zum Oberhofmaler, wiederum nach Italien zu reisen, diesmal mit dem Auftrag, in Rom das Hochaltarbild für die Dresdener Katholischen Hofkirche zu malen. 1752 wurde er Mitglied der Accademia di San Luca in Rom, und 1770–1773 war er deren Direktor. Durch den Siebenjährigen Krieg lockerten sich die Bindungen nach Dresden, 1760 wurde er zum Hofmaler König Karls III. von Spanien ernannt; 1762–1769 und 1774–1777 hielt er sich in Madrid auf. Mengs war sowohl in seinen Werken als auch in seiner Theorie ein Vertreter des europäischen Klassizismus und gehörte zu den gefeiertsten Künstlern seiner Zeit. In Spanien traf er rivalisierend auf Tiepolo, und nichts bezeichnet besser den Gegensatz der Stile als der Vergleich mit diesem spätbarock orientierten Venezianer.

2163 *Kurfürstin Maria Antonia, Gemahlin von Kurfürst Friedrich Christian.* 1751. Leinwand, 155,5 × 112,5 cm. Zuerst im Katalog 1765.

Maria Antonia Walpurgis (1724–1780), Tochter Kaiser Karls VII. aus dem Hause Wittelsbach, des Kurfürsten von Bayern, heiratete 1747 den sächsischen Kurprinzen Friedrich Christian (1722–1763), der 1763 seinem Vater, König August III., in der Regierung folgte und noch im Dezember desselben Jahres starb. Kurfürstin Maria Antonia trägt an der Brust den österreichischen Sternkreuz-Orden, darunter den gestickten Stern des russischen Katharinen-Ordens und diesen Orden selbst am roten Band über ihrer linken Hüfte. Mit ihrer rechten Hand greift sie nach der polnischen Krone (die für ihren Gatten unerreichbar blieb). Das Bildnis der Kurfürstin Maria Antonia ist Gegenstück zum Porträt des Kurprinzen Friedrich Christian (nicht in Dresden). Anton Raphael Mengs schließt hier deutlich an ältere Vorbilder des «portrait d'apparat» an, besonders an das Porträt der Königin Maria Josepha von Louis de Silvestre aus dem Jahre 1719 (Gal.-Nr. 771). Die Dresdener Galerie besitzt eine reduzierte Replik des Gemäldes im Oval (Inv.-Nr. S 512) und ein 1751 entstandenes Brustbild in Pastell, das der aufwendigeren Gemäldefassung ansonsten völlig entspricht (Gal.-Nr. P 175). Durch seine klassizistisch orientierte Auffassung erfüllt Mengs mit realistischer Treffsicherheit und vollendetem Formgefühl überkommene Darstellungstypen mit neuem Leben: Er erweist sich so als Porträtist von hohem Rang.

Literatur: D. Honisch: Anton Raphael Mengs und die Bildform des Frühklassizismus. Phil. Diss. Münster 1960, Recklinghausen 1965, Nr. 25. – S. Röttgen: Anton Raphael Mengs. Sein Leben und seine Werke von den Anfängen bis zum Jahre 1761. Phil. Diss. Bonn 1974. – H. Marx, in: Königliches Dresden. Ausstellungskatalog. München 1990, Nr. 28.

2162 *Die büßende Magdalena.* 1752. Leinwand, 47,5×63,5 cm. Zuerst im Katalog 1765.

Die Darstellung der Maria Magdalena als Büßerin läßt sich nicht aus der Bibel erklären. Nach der seit dem 10. Jahrhundert verbreiteten Legende zog sie sich nach Christi Tod in die Einsamkeit zurück, um Buße zu tun. Auf dem Gemälde von Mengs ist sie, der Anfang des 16. Jahrhunderts entwickelten Tradition folgend, als junge, schöne Frau dargestellt, deren körperliche Reize durch Haar und Gewandung eher betont als verhüllt werden. Ihre Attribute sind langes, offenes Haar, Kruzifixus, Totenkopf und Schriftrolle.

Anton Raphael Mengs malte das hier ausgestellte Bild 1752 in Rom. Er verdankte ihm seine Aufnahme in die Accademia di San Luca. Ausdruck zarter Empfindung und Eleganz verbinden sich mit Erinnerungen an Malerei des 16. und 17. Jahrhunderts, mit klassizistischen Zügen sowohl in der Behandlung des Faltenwurfs wie der Landschaft. Besonders auf Tizian ist hingewiesen worden, vor allem im Hinblick auf den Landschaftsausblick rechts. So ist dieses kleine Gemälde gut geeignet, die Stileigentümlichkeiten von Mengs erkennen zu lassen, der von seinem Vater, Ismael Mengs, von Kind auf zum Maler erzogen und zur «verbessernden» Nachahmung großer Meister angehalten worden war. Schon seine Vornamen bedeuten ein Programm: Anton, von Antonio Allegri, genannt Correggio, sollte zarten Schmelz der Farbe bedeuten, Raphael dagegen die klassisch-korrekte Zeichnung.

Literatur: H. Marx, in: Ecclesia Triumphans Dresdensis. Ausstellungskatalog. Wien 1988, S. 54, Nr. 25. – Marx 1990, Nr. 29.

2162 Mengs, Anton

Mengs, Ismael Geboren 1688 in Kopenhagen, gestorben 1764 in Dresden. Schüler des Peter Jochumsen und des B. Coffre in Kopenhagen. 1712 in Hamburg, 1713 in Schwerin, seit 1714 in Dresden, wo er den Titel eines Hofminiaturmalers führte. 1718/19 und 1741–1744 sowie 1746–1749 und 1763/64 in Rom. Hauptsächlich Miniaturist. Vater des Anton Raphael Mengs und der Theresia Concordia, verehelichte Maron.

2083 *Selbstbildnis.* Um 1714. Leinwand, 85,5×71 cm. 1741 durch von Kaiserling, Inventar 1754, II 385.

Ein kraftvoll-barockes Selbstbildnis, dunkel im Ton, mit sprechend lebendig modelliertem Gesicht. Wohl unter dem Eindruck von Werken Kupezkýs entstanden. Haltung und Gestus der Hand, die auf eine Landschaft im Hintergrund rechts weist, sind bei Künstlerbildnissen des 17. und frühen 18. Jahrhunderts häufig. Es existieren eine Zeichnung zu dem Bild im Berliner Kupferstichkabinett (Inv.-Nr. 4765) und eine Miniatur in der Dresdener Galerie, die bisher als «junger Pole» geführt wurde (Gal.-Nr. M 73; mündliche Mitteilung von Steffi Röttgen). Die Datierung ist unsicher. Horster datiert es unerklärlich spät; nach dem auf etwa 25 Jahre geschätzten Alter des Dargestellten wird es jedoch entstanden sein, als Mengs nach Dresden kam.

Literatur: H. Marx, in: Königliches Dresden. Ausstellungskatalog. München 1990, Nr. 3.

2083 Mengs, Ismael

Metsu, Gabriel Geboren 1629 in Leiden, gestorben 1667 in Amsterdam. Bis etwa 1657 in Leiden tätig, danach in Amsterdam, wo er bis zu seinem Tode blieb. In seiner Frühzeit beeinflußt von Gerard Dou, Nikolaus Knüpfer, Jan Baptist Weenix und Jan Steen. Später zeigen seine Bilder Anklänge an Pieter de Hooch und Gerard Terborch.

1732 Metsu

1732 *Selbstbildnis des Künstlers mit seiner Frau Isabella de Wolff im Wirtshaus.* 1661. Bezeichnet links oben: G. Metsú 1661. Eichenholz, 35,5×30,5 cm. Inventar 1722–1728, A 551 (1700 zur Kunstkammer). *Farbtafel 41*

Im Inventar von 1722–1728 ist das Bild beschrieben als «Ein Holländisch Mägden und Kerl ...». Lange Zeit galten die Dargestellten als «Liebespaar beim Frühstück». W. Schäfer (1860) nennt das Gemälde erstmals «Der Künstler frühstückt mit seiner Frau in einem Weinhause». Diese wichtige Deutung geriet in Vergessenheit, bis B. J. A. Renckens 1959 in der Darstellung den Künstler mit seiner Frau Isabella de Wolff wiedererkannte. Metsus Gemälde spielt – wie auch Rembrandts berühmtes Dresdener Selbstporträt mit Saskia (Gal.-Nr. 1559) – auf das Gleichnis vom verlorenen Sohn an. Ähnlichkeiten in der Kleidung zu Metsus Dresdener Gemälde weist das «Junge Paar beim Frühstück» in der Staatlichen Kunsthalle Karlsruhe (Nr. 261) auf. In beiden Gemälden tragen die Frauen eine westfriesische Tracht. In feinen Tönen und Farben schildert Metsu ausführlich und detailliert den die Figuren umgebenden Raum. Mit Bildern wie diesem reiht sich Metsu in die vordere Reihe der Maler ein, die sich mit dem Sittenbild beschäftigen.

Literatur: W. Schäfer: Die Königliche Gemäldegalerie im Neuen Museum zu Dresden. Dresden 1860, Bd. 2, S. 757, Nr. 1244. – B. J. A. Renckens/J. Duyvetter: De vrouw van Gabriel Metsu, Isabella de Wolff, geboortig van Enkhuizen. In: Oud Holland, 74, 1959, S. 179–182. – F. W. Robinson: Gabriel Metsu (1629–1667). New York 1974, S. 29, 32, 64, 78, 79, 118.

1733 Metsu

1733 *Der Geflügelverkäufer.* 1662. Bezeichnet links in der Mitte: G. Metsu 1662. Gegenstück zu Gal.-Nr. 1734. Eichenholz, 61,5×45,5 cm. Inventar 1722–1728, A 588 (1709 auf der Versteigerung Jacob Cromhout und Jasper Loskart in Amsterdam).

Ein alter Mann sitzt links vor einem entlaubten Baum und bietet einer jungen Frau einen lebenden Hahn zum Kauf an. Dieses auf den ersten Blick genreartige Bild hatte aber im 17. Jahrhundert für die Zeitgenossen eine andere Bedeutung, als wir es heute erkennen: Der Hahn ist Sinnbild für männliche Potenz, die entlaubten Bäume gemahnen an Alter und Tod.

Literatur: E. de Jongh: Erotica in vogelperspektief. De dubbelzinnigheid van een reeks 17de eeuwse genrevoorstellingen. In: Simiolus, 3, 1968–69, S. 22–52. – Tot lering en vermaak. Ausstellungskatalog. Amsterdam 1976, S. 166–169, Nr. 40. – Robinson 1974, S. 13, 44, 46, 53/54, 83, 176.

1734 *Die Geflügelverkäuferin.* 1662. Bezeichnet rechts auf dem weißen Zettel: 1662 Wilge verkoping HOFSTEDE MAERSEN, G Metsú 1662. Gegenstück zu Gal.-Nr. 1733. Eichenholz, 60,5×45 cm. Inventar 1722–1728, A 696; geliefert von Wackerbarth.

Einzelne Motive verwendete der Künstler in dem Bild der Galerie in Kassel (Katalog 1958, Nr. 299). Die Inschrift deutet daraufhin, daß etwas «billig zu verkaufen» sei; Hofstede ist der Name des Verkäufers, Maersen ist ein Dorf in der Nähe von Utrecht. (Vgl. auch die Bemerkungen zum Gegenstück). Eine Kopie befindet sich in Privatbesitz in Florida.

Literatur: Robinson 1974, S. 40, 46, 53, 83, 177.

1734 Metsu

1736 *Die Dame mit dem Klöppelkissen.* Bezeichnet oben in der Mitte: G. Metsú. Eichenholz, 35×26,5 cm. Inventar 1722–1728, A 531; geliefert von Wackerbarth.

Mit Gerard Dou gehört Metsu zu den bedeutendsten Künstlern der Leidener Malerschule. Auf zumeist kleinen Holztafeln beobachtet er einzelne Personen bei stillen Beschäftigungen, beim Briefeschreiben, beim Rauchen an einem Kamin oder bei Handarbeiten, hier dem Klöppeln von Spitzen. Die Wiedergabe des Stofflichen ist von höchster Brillanz.

Literatur: Robinson 1974, S. 69, 85, 216.

1736 Metsu

Mieris der Ältere, Frans van Geboren 1635 in Leiden, dort gestorben 1681. Schüler des Leidener Feinmalers Gerard Dou. Ferner beeindruckt von der Delfter Schule und von Jan Steen. Seit 1658 Mitglied der St. Lukasgilde in Leiden. Malte neben Alltagsszenen allegorische und arkadische Themen sowie Bildnisse. Vater der Maler Jan und Willem van Mieris.

1742 *Die Liebesbotschaft.* 1671. Bezeichnet links unten: F.van Mieris fecit Anno 1671. Eichenholz, 29,5×24 cm. Inventar 1722–1728, A 700; 1710 aus Antwerpen erworben.

Mieris' Gemälde ist als eine Bathseba-Darstellung zu deuten. Formale und ikonographische Beziehungen zu Jan Steens «Bathseba» (Privatsammlung Holland, Abb. Naumann 1981, Bd. 1, fig. 125) sind zu erkennen. Nach der biblischen Überlieferung (2 Samuel, 11) hatte König David vom Dach seines Palastes Bathseba, der Frau des Uria, beim Bade zugeschaut und war von ihrer Schönheit so verzaubert, daß er Boten zu ihr schickte, um sie zu sich zu bitten. Als Bathseba schwanger wurde, ließ er ihren Mann Uria zu sich kommen und übergab ihm einen Brief für Joab, seinen Feldhauptmann. Darin bat er Joab, Uria an die gefährlichste Stelle des Kriegsschauplatzes zu schicken. Uria starb im Kampf, und David sandte ein zweites Mal nach Bathseba und holte sie in sein Haus. Mieris wählte den Moment kurz nach Erhalt des Briefes. Bathseba stützt mit der linken Hand den Kopf, eine Haltung der Kontemplation, in der rechten hält sie einen versiegelten Brief. Als Bote erscheint eine alte Frau, offenbar die Kupplerin. Charakteristisch für Mieris sind die wohldurchdachte Komposition, die interessante Lichtbehandlung sowie die überzeugende Wiedergabe kostbarer Stoffe.

Literatur: O. Naumann: Frans van Mieris The Elder (1635 bis 1681). 2 Bde. Doornspijk 1981, Bd. 1, S. 82/83, 116, Bd. 2, Kat.-Nr. 87.

1742 Mieris d.Ä.

1743 *Die Musikstunde.* 1672. Bezeichnet links oben: F. van Mieris fc Anno 1672. Eichenholz, oben rund, 41×31 cm. Inventar 1722–1728, A 523.

Die Figur des Mannes wurde als Porträt des Leidener Professors für Medizin François le Boe Sylvius (1614–1672) erkannt, der ein Förderer und Gönner des Frans van Mieris war. Die Malweise wirkt etwas emailleartig, und die Figuren sind durch die Beleuchtung vor dem dunklen Hintergrund hervorgehoben. Naumann (1981) nennt fünf Kopien.

Literatur: Naumann 1981, Bd. 1, S. 138, Bd. 2, Nr. 89.

1743 Mieris d.Ä.

1745 *Die Alte mit dem Blumentopf.* Bezeichnet unten rechts: F. van Mieris. Eichenholz, oben rund, 29×22 cm. Inventar 1722–1728, A 720.

Ähnlich wie Dou gibt auch Mieris Personen bei einfachen Beschäftigungen wieder, hier eine Frau, die eine Blume in den Topf gepflanzt hat. Sie sitzt vorm Haus an einem Tisch und ist in sich versunken.

Literatur: Naumann 1981, Bd. 1, S. 38–41, 43, Bd. 2, Nr. 5.

1745 Mieris d.Ä.

Migliori, Francesco Geboren 1684 in Venedig, dort tätig gewesen und 1734 gestorben. Seine zumeist auf wenige Figuren beschränkten Kompositionen zeigen in der plastischen Festigkeit der Formen und den kräftigen Helldunkelgegensätzen die Nähe zu Zeitgenossen wie Piazzetta und Bencovich, in der leuchtenden Farbgebung den Einfluß Sebastiano Riccis. Sie sind aber auch noch dem caravaggiesken Naturalismus und der venezianischen Helldunkelmalerei des 17. Jahrhunderts und Künstlern wie Luca Giordano und Cignani verpflichtet.

572 *Bacchus und Ariadne.* Vor 1722. Gegenstück zu Gal.-Nr. 573. Leinwand, 300×402 cm. Inventar 1722–1728, A 1297, damals im Prinzenpalais, erworben durch Kindermann.

Die beiden mythologischen Darstellungen zeigen in großzügigen Kompositionen Liebesabenteuer von Göttern. Hier ist es Bacchus, griechisch Dionysos, Gott des Weines und der Fruchtbarkeit, der sich zu der von Theseus auf Naxos verlassenen kretischen Königstochter Ariadne gesellt hat. Als die Hauptperson thront sie auf einem Faß als Symbol für den tiefer stehenden Bacchus, der mit dem Weinkelch in der Hand werbend zu ihr aufschaut. Schon hält ihr ein herabfliegender Putto den Sternenkranz als das Brautgeschenk des Gottes über das Haupt. Zu dessen Gefolge gehören auch Bacchantinnen, einige davon mit Musikinstrumenten, ein Bärtiger mit einem Weinkrug und noch weitere Putti: einer zügelt den Panther, das Begleittier des Weingottes, ein anderer reitet auf einem Widder, dem Sinnbild für Fruchtbarkeit, und einer entleert unbekümmert um Zuschauer seine Blase.

Literatur: R. Pallucchini: Die venezianische Malerei des 18. Jahrhunderts. München 1960, S. 148.

572 Migliori

573 *Die Entführung der Europa.* Vor 1722. Gegenstück zu Gal.-Nr. 572. Leinwand, 300 × 404 cm. Inventar 1722–1728, A 1298. Ort und Herkunft wie Gal.-Nr. 572.

Die phönikische Königstochter sitzt auf dem Rücken des weiß-braunen Stiers und krault ihm die Stirn. Ebensowenig wie ihre Gefährtinnen ahnt sie, daß sich hinter solcher Tiergestalt der liebeshungrige Götterkönig Zeus (oder Jupiter) verbirgt, der sie gleich schwimmend über das Meer nach Kreta entführen, sich dort – zurückverwandelt – mit ihr vermählen und drei Söhne zeugen wird. Der listige Merkur im Hintergrund hat das Abenteuer vorbereitet, indem er auf Zeus' Befehl die Rinder zur Küste trieb, wo der Stier sich unter sie mischte. Der Ziegenbock, den die Putten herbeizerren, ist Symbol der Wollust.

Literatur: vgl. Gal.-Nr. 572.

573 Migliori

Mignon, Abraham Geboren 1640 in Frankfurt am Main, gestorben 1679 in Utrecht. Schüler des Jacob Marrel, der seinerseits Schüler des Georg Flegel gewesen war, in Frankfurt. Reisen mit seinem Lehrer Marrel nach Holland, wo er sich schließlich in Utrecht niederließ. Beeinflußt von Jan Davidsz. de Heem, in dessen Atelier er 1669–1672 arbeitete.

2020 *Ein Blumen- und Früchtekranz.* Bezeichnet unten links: Ab. Mignon. fec. Leinwand, 91 × 74 cm. Inventar 1722–1728, A 209.

Mignons Bilder stehen ganz in der Tradition holländischer und flämischer Stillebenmalerei. Manche seiner Arbeiten sind als variierende Kopien nach Gemälden von Jan Davidsz. de Heem anzusprechen, manche stehen den Blumenkränzen des Daniel Seghers nahe, denen auch de Heem verpflichtet ist. Unser Bild läßt sich gut vergleichen mit de Heems «Weinglas mit umkränzter Steinnische» (Gal.-Nr. 1268). Es ist aber von dem niederländischen Vorbild durch seine kühle Präzision unterschieden, verzichtet auf jedes malerische Angleichen der Töne und auf Atmosphäre. Entstanden sein dürfte diese Arbeit Mignons in den 1660er Jahren, wahrscheinlich in Utrecht, wo auch de Heem sich häufig aufhielt und wo Mignon 1669 Mitglied der Lukasgilde wurde.

Literatur: M. Noble: Abraham Mignon 1640–1679. Beiträge zur Stillebenmalerei im 17. Jahrhundert. Phil. Diss. München 1970. Stuttgart 1972 (englisch: Leigh-on-Sea 1973).

2020 Mignon

Millet, François, genannt Francisque Millet. Geboren 1642 in Antwerpen, gestorben 1679 in Paris. Hauptsächlich Landschaftsmaler. Lernte bei Laurent Francken, mit dem er 1659 nach Paris ging. 1660 heiratete er die Tochter seines Lehrers. 1673 wurde er in die Königliche Akademie aufgenommen. Millet ist viel gereist, vorzugsweise in die Niederlande und nach England. Keines seiner ihm zugeschriebenen Werke ist signiert oder durch Schriftquellen beglaubigt. Die Kenntnis seines Stils stützt sich auf Radierungen, die ein gewisser Theodore nach Bildern von ihm geschaffen hat. Er schloß sich eng an die heroischen Landschaften Poussins an.

754 Millet

754 *Römische Landschaft mit Bogenbrücke.* Leinwand, auf Eichenholz übertragen, 54,5 × 66 cm. 1862 als «Gaspard Poussin» von A. Allen in London erworben.

Millets Gemälde sind durchdacht komponiert. Oft wird der Blick, wie auch hier, zwischen seitlichen Baumgruppen hindurch schrittweise in die Tiefe gelenkt, durch Brücken oder Gebäude aufgehalten und durch schräg ins Bild führende Wege oder Wasserläufe weitergeführt. In dieser Kompositionsweise lassen sich Parallelen zu einer Reihe von Werken Claude Lorrains aus der zweiten Hälfte der vierziger Jahre erkennen, unter denen das Dresdener Bild «Landschaft mit der Flucht nach Ägypten» (Gal.-Nr. 730) einen gewichtigen Platz einnimmt.

Literatur: K. Gerstenberg: Die ideale Landschaftsmalerei. Halle 1923, S. 136. – W. Waetzold: Das klassische Land. Leipzig 1927, S. 271.

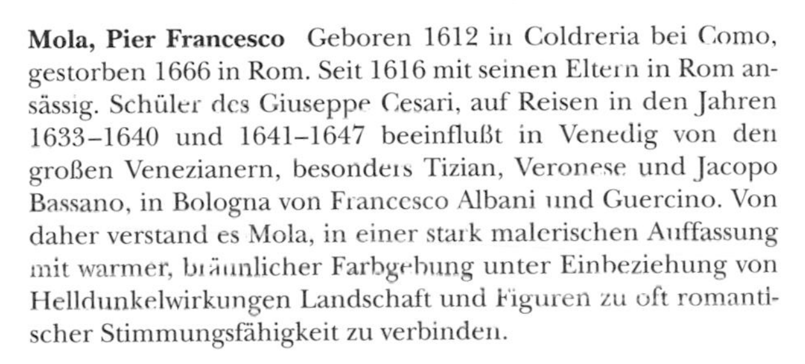

Mola, Pier Francesco Geboren 1612 in Coldreria bei Como, gestorben 1666 in Rom. Seit 1616 mit seinen Eltern in Rom ansässig. Schüler des Giuseppe Cesari, auf Reisen in den Jahren 1633–1640 und 1641–1647 beeinflußt in Venedig von den großen Venezianern, besonders Tizian, Veronese und Jacopo Bassano, in Bologna von Francesco Albani und Guercino. Von daher verstand es Mola, in einer stark malerischen Auffassung mit warmer, bräunlicher Farbgebung unter Einbeziehung von Helldunkelwirkungen Landschaft und Figuren zu oft romantischer Stimmungsfähigkeit zu verbinden.

715 Mola

715 *Homer.* Um 1663–1666. Leinwand, 95 × 131 cm. Inventar 1754, II 430, als Valentin de Boulogne.

Der legendäre Dichter Homer gilt als Verfasser der beiden großen griechischen Heldenepen Ilias und Odyssee, obgleich diese wahrscheinlich das Ergebnis einer längeren Entwicklung sind. Homer soll blind gewesen sein, doch wird seine Blindheit zuweilen derart symbolisch gedeutet, daß er die von ihm beschriebene Welt nicht mit irdischen Augen erschaut, sondern nach seinen göttlichen Eingebungen beschrieben habe. Mola zeigt ihn mit einer Lyra da Gamba, die in Italien zur Gesangsbegleitung in Akkorden gespielt wurde. Ein Jüngling schreibt nieder, was Homer zu Gehör bringt. Das lyrisch gestimmte Bild ist die Replik der Fassung in der Galleria Nazionale in Rom, die als eines der letzten Werke Molas angesehen wird.

Literatur: H. Voss, in: Die Malerei des Barock in Rom. Berlin 1924, S. 561. – L. Laureati, in: Pier Francesco Mola 1612–1666. Katalog der Ausstellung in Lugano und Rom. Milano 1989, Nr. I. 37, S. 195.

Momper, Joos de Geboren 1564 in Antwerpen, dort gestorben 1635. Schüler seines Vaters Bartholomeus de Momper und in Italien vielleicht des Lodewijk Toeput-Pozzoserrato. 1581 Freimeister der Antwerpener Gilde. In seinem Schaffen ausschließlich als Landschaftsmaler bekannt, bildet Momper ein Bindeglied zwischen spätmanieristischer und frühbarocker Landschaftsauffassung: die Komposition mit den drei Gründen geht auf manieristische Tradition zurück, während seine skizzenhafte und lebhafte Malweise der Kunst des Barock angehört. Spätwerke Mompers weisen auf den Einfluß von Paul Bril.

869 Momper

869 *Berglandschaft mit Wassermühle.* Kurz vor 1600. Gegenstück zu Gal.-Nr. 870. Eichenholz, 53×71,5 cm. Inventar 1754, II 520, als Brueghel; im Abrégé 1782 richtig als Momper.

Momper baut seine Bilder auf einer Diagonalkomposition auf und gliedert sie optisch in drei Gründe: in lasierenden Sepiatönen erscheint der Vordergrund, grün der Mittelgrund, blau der Hintergrund. Eine dem Dresdener Bild stilistisch nahestehende «Gebirgslandschaft mit Brücken» befindet sich im Wallraf-Richartz-Museum in Köln (Kat. 1976, Nr. 1019).

Literatur: K. Ertz: Josse de Momper d.J. Freren 1986, Nr. 132.

870 Momper

870 *Berglandschaft mit geknickten Tannenstämmen im Strome.* Kurz vor 1600. Gegenstück zu Gal.-Nr. 869. Eichenholz, 53×71,5 cm. Inventar 1754, II 519, als Brueghel, jedoch schon im Abrégé 1782 richtig als Momper erkannt.

Das Bild entstand nach seiner Italienreise, von welcher Momper 1591 wieder nach Antwerpen zurückgekehrt war (vgl. Bemerkungen zu Gal.-Nr. 869).

Literatur: Ertz 1986, Nr. 131.

874 Momper

874 *Die Stadt im Tale.* Um 1600–1610. Reste der Bezeichnung links unten: M ... Eichenholz, 83×125 cm. 1875 von Herrn La Vière.

Mompers Bilder erfreuten sich schon zu Lebzeiten des Künstlers besonderer Beliebtheit, denn sie erscheinen immer wieder auf Bilderkabinetten seiner Zeitgenossen. Dresden besitzt neun Werke, ein Zeichen dafür, daß man ihn auch noch im 18. Jahrhundert sehr schätzte. Seine Bilder sind selten bezeichnet, kaum datiert, was eine zeitliche Einordnung schwierig macht. Bei der «Stadt im Tale» sind jedoch Reminiszenzen an die Flußlandschaften von Jan Brueghel dem Älteren unverkennbar. Jede Einzelheit ist bis in die Tiefe des Hintergrundes ausgeführt: Reiter, Wegelagerer, Bauern mit Lastkarren, Zuschauer; nichts scheint er vergessen zu haben. Ein Bilderbogen voller Poesie läßt den Beschauer immer Neues entdecken.

Literatur: Ertz 1986, Nr. 150.

875 Momper

875 *Winterlandschaft.* Um 1615–1625. Eichenholz, 48,5×66 cm. Inventar 1754, II 168; angeblich 1708 durch Lemmers aus Antwerpen.

Das Bild galt bis 1880 (Katalog Hübner) als Werk von Jan Brueghel und ist von Karl Woermann zuerst richtig als Momper erkannt worden. Ein verwandtes Exemplar in der Sammlung Wetzlar in Amsterdam. Die Topographie ist auf beiden Bildern die gleiche, nur der Hintergrund ist bei dem Bild in der Sammlung Wetzlar verändert: die Kirche befindet sich weiter zur Mitte hin, rechts vorn sind zwei Staffagefiguren. Vorn links ein Mann mit einem Hund.

Literatur: Ertz 1986, Nr. 438.

Monogrammist JS vom Ende des 16. Jahrhunderts

852 *Adam und Eva.* Bezeichnet links am Stein, auf den Adam seine Hand stützt: JS (oder IS, verschlungen) F. Kupfer, 13,8 × 9,7 cm. 1700 in die Kunstkammer.

Bisher als Art des Cornelis Cornelisz. van Haarlem benannt. Nach K. Oberhuber (1968) von derselben Hand wie ein Bild mit «Venus und Adonis» in der Nationalgalerie in Prag und einer «Ruhenden Venus» – Rottenhammer zugeschrieben – im Budapester Museum. Oberhuber hält es für möglich, daß das Dresdener Bild von dem bisher nur als Radierer bekannten Hans Strohmayer (1583?–1610) stammen könnte.

852 Monogrammist JS vom Ende des 16. Jahrhunderts

Montemezzano, Francesco Geboren um 1540 in Verona, gestorben nach 1602 in Venedig. Schüler des Paolo Veronese. Tätig in Verona und Venedig sowie in Sacile bei Pordenone. Er war ein unmittelbarer Nachfolger des dekorativ-festlichen Stils Veroneses, in der Spätzeit auch durch den Manierismus Tintorettos beeinflußt.

248 A *Empfangsszene.* 1581. Fresko, auf Leinwand übertragen, 560 × 415 cm. Aus dem Palazzo Ragazzoni in Sacile bei Pordenone, 1913 aus dem venezianischen Kunsthandel in den Besitz Otto Lingners und von da durch Vermächtnis 1916 an die Galerie.

Die dunkelgewandete Frau, früher für eine Äbtissin gehalten, ist die Witwe Kaiser Maximilians II., Kaiserin Maria von Österreich, die sich im September 1581 auf die Reise von Deutschland nach Spanien begab und in Sacile von Jacomo Regazzoni, seiner Frau Piccabella (neben ihm) und ihren zwölf Töchtern sowie den zwei Brüdern des Hausherrn – Placico hinter ihm und Monsignore Gerolamo neben ihm – empfangen (und beherbergt) wurde. Es ist überliefert, daß die Töchter alle in reines Weiß mit goldenen Verzierungen gekleidet waren, wie der Maler es auch dargestellt hat. Die Rahmung durch die prachtvolle Architektur, zu der noch eine jetzt nicht aufgestellte Balustrade gehört, verleiht der Szene noch eine besondere Würde. Das Bild war Teil eines Zyklus von Fresken, die teilweise noch im Salon des Palastes vorhanden sind.

Literatur: G. Gallucci: Vita del Chiarissimo Signor Jacopo Regazzoni. Venezia MDCX, S. 103. – L. Larcher Crosato: Proposte per Francesco Montemezzano. In: Arte Veneta XXVI. 1972, S. 81–83.

248 A Montemezzano

Morales, Luis de Geboren 1509 in Badajoz (Estremadura), dort gestorben 1586. Stand unter dem Einfluß von Werken der niederländischen Romanisten und der Mailänder Schule. Vertreter einer herben und asketischen, dem Wesen nach ganz und gar spanischen Spielart des Manierismus. Schon zu Lebzeiten hoch verehrt und «El Divino» genannt.

673 Morales

673 *Der Schmerzensmann.* Eichenholz, 39,5×32,2 cm (einschließlich der späteren Anstückelungen). 1744 aus der Sammlung Encenada in Madrid.

Der «Schmerzensmann» war als Thema in der Malerei und Plastik des späten Mittelalters weit verbreitet, wurde jedoch nach der Mitte des 16. Jahrhunderts selten. Die Passion Christi fand in solchen Darstellungen sinnbildhaften, menschlich aufrüttelnden und zum persönlichen Mitleiden auffordernden Ausdruck. Das Gemälde, zu dem Ingjald Bäcksbacka ein Marienbild als Gegenstück vermutet, kommt in vielen Wiederholungen vor. Der Maler beschränkte sich in seinem Schaffen insgesamt auf wenige Motive, die Jungfrau mit dem Kinde und den gegeißelten Christus vor allem. Er bediente sich minutiöser Technik, modellierte porzellanhaft und gab seinen Bildern schimmernd glatte Oberflächen.

Literatur: A. L. Mayer: Geschichte der spanischen Malerei. Leipzig 1913, Bd. I, S. 221. – I. Bäcksbacka: Luis de Morales. Helsinki/Helsingfors 1962, Nr. 16.

Morazzone, Pier Francesco, eigentlich Pier Francesco Mazzucchelli, genannt Pier Francesco Morazzone. Geboren wohl 1573 in Morazzone (bei Varese), gestorben 1626 in Piacenza. In Rom um 1600 Schüler des Sienesen Ventura Salimbeni. Er war ein Hauptmeister der lombardischen Malerei des ausgehenden 16. und beginnenden 17. Jahrhunderts, dessen anmutiger, so schlichter wie schöner Stil ebenso den Einfluß älterer Vorbilder wie auch Caravaggios und der Venezianer erkennen läßt.

647 Morazzone

647 *Der heilige Antonius mit dem Jesuskind.* Leinwand, 87,5×76,5 cm. 1746 aus der herzoglichen Galerie in Modena als «uno dei due Fratelli Danedi». Inventar 1754, I 384, als Montalto, seit dem «Catalogue» 1765 als Giuseppe Danedi.

In einer überaus gefühlvollen Darstellung ist der Franziskanermönch Antonius von Padua mit dem Jesuskind wiedergegeben, das ihm beim Studieren auf dem Buch erschienen sein soll. Wie er sich liebevoll zu ihm niederbeugt und sein Gesicht an das des Kindes drückt, hat er selbst etwas rührend Kindliches an sich. Die weißen Lilien als Symbol der Keuschheit sind mit dem Buch sein Attribut. Das Bild galt früher als Werk eines der Brüder Giovanni Stefano und Giuseppe Danedi genannt Montalto. Nach einhelliger Meinung von Ph. Pouncey, P. Rosenberg und Kennedy darf es aber für deren Lehrer Morazzone in Anspruch genommen werden. P. Tirloni gibt es noch dem Giovanni Stefano Montalto, aber die entschiedenere Formgebung spricht doch für Morazzone.

Literatur: M. Gregori: Il Morazzone. Ausstellungskatalog. Milano 1962, S. 516. – P. Tirloni: I Danedi detti Montalto. In: I Pittori Bergamaschi dal XIII als XIX Secolo. Il Seicento – Vol. III. Bergamo (1988), S. 439/40.

Moroni, Giovanni Battista (?) Geboren gegen 1525 in Albino (nordöstlich von Bergamo), gestorben 1578. Schüler des Alessandro Moretto in Brescia, beeinflußt auch von Savoldo, Lotto und Tizian. Bei starker stilistischer Abhängigkeit von Moretto im Bereich der religiösen Bilder war er ein Porträtmaler von höchster Originalität und gilt als Vorläufer der lombardischen realistischen Tradition. Seine meist sehr fein gemalten Bildnisse weisen in ihrer sprechenden Beziehung zum Betrachter ungewöhnliche suggestive, zum Manierismus tendierende Züge und hohe Eleganz auf.

176 Moroni

176 *Eine Dame in rotem Kleid.* Wohl um 1550. Leinwand, 135×89,5 cm. 1746 aus der herzoglichen Galerie in Modena.

Dieses überaus qualitätvolle Porträt kam aus Modena unter dem Namen Tizians, doch entspricht die sorgfältige, feinzeichnerische Behandlung aller Details nicht dessen malerisch lockerem Duktus. Crowe und Cavalcaselle (1877) brachten Bernardino Licinio in Vorschlag, Wickhoff (1913) einen florentinischen Maler. Eine gewisse Strenge und Kühle, die Spannung zwischen musterndem Herausblicken und Distanziertheit scheinen eher auf diese lombardische Richtung und Moroni als den vielleicht bedeutendsten, auch von Tizian hochgeschätzten Spezialisten des 16. Jahrhunderts hinzuweisen. Der große Anteil der kostbaren Kostümierung nimmt der Physiognomie nichts von ihrer Wirkung. Das Marderpelzchen, das die Dargestellte in der Hand hält, war der Schmuck vornehmer Frauen. Die Dargestellte ist als Maria Stuart wie auch als Caterina Cornaro, die spätere Königin von Cypern, angesehen worden, was zeitlich unmöglich wäre.

Literatur: Crowe und Cavalcaselle: Tizian, Leben und Werk. Leipzig 1877, II, S. 716. – Posse 1929, S. 88/89.

703 B Murillo

Murillo, Bartolomé Esteban Getauft am 1. Januar 1618 in Sevilla, dort gestorben 1682. Schüler des Juan del Castillo in Sevilla. Tätig vor allem in Sevilla, dort seit 1660 Präsident der Malerakademie. Bedeutendster Vertreter der Malerschule dieser Stadt mit Werken von religiöser Innigkeit, volkstümlicher Einfachheit und visionärer Schönheit.

703 B *Der Tod der heiligen Clara.* 1645. Unten Inschrift: Entre los singulares favores q la Gloriosa Sta. Clara Recivio en su vida, de Xpto N. S^{or} fue hallarse a su Dhossa muerte con su Madre SS^{a} acompañada de Virgines con sus coronas de oro, Bestiduras blancas y palmas en las manos. Y cubrieron su sagrado cuerpo con un manto traido del cielo (Prodigo q solo sus ojos y los de una Religiosa compañera suya fueron mercedores de Gozarle). Links auf dem Zettel Anfang eines Gebetes: Ruegen a dios ... Leinwand, 190×446 cm. 1894 vom Earl of Dudley in London.

Murillo malte 1645 elf Gemälde für den Kreuzgang des Franziskanerklosters in Sevilla, zu denen die Darstellung gehört. Das Kloster wurde 1810 zerstört, die Bilder wurden zerstreut. – Die heilige Clara (1193–1243) war Mitbegründerin des Klarissinnenordens. Als sie starb, hatte eine Klarissinnenschwester die dargestellte Vision, während für die anderen Klarissinnen und Franziskaner, die die Sterbende umgaben, nichts Übernatürliches geschah. Die Inschrift unten beschreibt die Szene: Christus und Maria, umgeben von gekrönten Jungfrauen in weißen Gewändern, sind erschienen, die Seele der heiligen Clara in Empfang zu nehmen. Zur gleichen Serie gehört die sogenannte «Engelsküche» im Louvre, Paris. Juan de Valdés Leal hat die Komposition für seine Darstellung des gleichen Themas von 1653 für das Kloster Santa Clara in Carmona bei Córdoba übernommen.

Literatur: E. du Gué Trapier: Valdés Leal. Spanish baroque painter. New York 1960, S. 7. – J. A. Gaya Nuño: L'opera completa di Murillo. Milano 1978, Nr. 12. – Bartolomé Esteban Murillo. Ausstellungskatalog. Madrid 1982 (spanisch)/London 1983 (englisch), S. 57, 112.

704 *Der heilige Rodriguez.* Leinwand, 205,5 × 123,5 cm. 1853 aus der Sammlung Louis-Philipp in London. Angeblich ehemals im Kloster Santa Clara in Sevilla.

Der heilige Rodriguez hat nach der Legende 857 in Córdoba das Martyrium erlitten. Unser Bild ist die bedeutendste Darstellung dieses Heiligen. Der Kopf scheint Bildniszüge zu tragen, vielleicht von einem Kleriker, der den Auftrag erteilt haben könnte, um seinen Namenspatron zu ehren. Das Vorbild zu dem Priestergewand, das er trägt, soll sich nach alter Überlieferung in der Kathedrale von Sevilla erhalten haben. Entstanden etwa zwischen 1645 und 1655. Mit Nachdruck ist durch die Madrid/Londoner Ausstellung 1982/83 auf die Qualität des früher wenig beachteten Gemäldes hingewiesen worden, zu dem eine Darstellung des heiligen Rodriguez von Juan Roelas aus dem Jahre um 1609 die Anregung gewesen sein dürfte.

Literatur: Bartolomé Esteban Murillo. Ausstellungskatalog, 1982/1983, Nr. 15. – J. Baticle/C. Marinas: La Galerie espagnole de Louis-Philippe au Louvre 1838–1848. Paris 1981, Nr. 180. – H. Marx: Das Entstehen der Sammlung spanischer Gemälde in der Dresdener Gemäldegalerie. Ludwig Gruner zum 100. Todestag. In: Dresdener Kunstblätter, 1982, H. 2, S. 50.

704 Murillo

705 *Maria mit dem Kind.* Um 1670. Leinwand, 166 × 115 cm. 1755 aus dem Nachlaß M. Pasquier in Paris. *Farbtafel 24*

Murillo ist berühmt für seine mädchenhaften Madonnen, die ganz unmittelbar zum Gefühl sprechen und in denen man deutlich den Typus der jungen Frauen Andalusiens zu erkennen gemeint hat. Sein Schaffen umfaßt aber auch realistische Genrebilder, die – nicht weniger gefühlsbetont – genauso zu Lieblingen des Publikums geworden waren, ehe in unserem Jahrhundert Murillo in der Gunst des Publikums von weniger «schön» malenden Künstlern überholt wurde. Unser mit feinem Sinn für kultivierte Farbigkeit gemaltes Bild ist auch bekannt als «Madonna Leganés», der Annahme folgend, daß die Maria dieses Andachtsbildes Porträtzüge der Doña Maria de Leganés zeigt, einer Vorfahrin der Grafen von Altamira.

Literatur: A. L. Mayer: Murillo. Des Meisters Gemälde. Stuttgart/Berlin 1913, Nr. 66. – M. Haraszti-Takácz: Murillo. Budapest 1977, Nr. 11. – Gaya Nuño 1978, Nr. 175.

705 Murillo

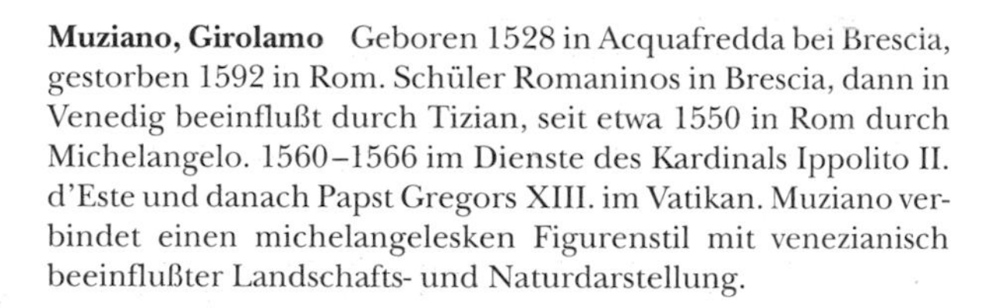

Muziano, Girolamo Geboren 1528 in Acquafredda bei Brescia, gestorben 1592 in Rom. Schüler Romaninos in Brescia, dann in Venedig beeinflußt durch Tizian, seit etwa 1550 in Rom durch Michelangelo. 1560–1566 im Dienste des Kardinals Ippolito II. d'Este und danach Papst Gregors XIII. im Vatikan. Muziano verbindet einen michelangelesken Figurenstil mit venezianisch beeinflußter Landschafts- und Naturdarstellung.

91 *Die Heilige Familie.* Leinwand, 125,5 × 104,5 cm. Inventar Guarienti (1747–1750), Nr. 67.

In einer Familienidylle führt die schon betagte Elisabeth ihren Sohn Johannes, den späteren Täufer, dem auf dem Schoße Marias sitzenden gleichaltrigen Jesusknaben zu, für den er später Vorbote sein wird. Die Landschaft links hinter Joseph und das spezifisch geschilderte Laub- und Pflanzenwerk verraten ein ungewöhnliches Naturgefühl.

Literatur: A. Walther, in: Europäische Landschaftsmalerei 1550–1650. Ausstellungskatalog. Dresden 1972, Nr. 72.

91 Muziano

Naldini, Battista Geboren 1537 in Florenz, dort gestorben 1591. Schüler Pontormos, entscheidend beeinflußt durch Giorgio Vasari als dessen vielleicht bedeutendster Nachfolger. Tätig in Florenz und Rom. Außer dem ausgeprägten manieristischen schlanken Figurentypus sind besonders die lebhaft bunten, zuweilen fast stechenden und changierenden Farben für ihn bezeichnend.

88 *Die Anbetung der Könige.* Pappelholz, 81×63,5 cm. 1741 durch Ventura Rossi aus Italien.

Die gelängten kleinköpfigen Gestalten mit den überbetonten Gebärden lassen deutlich die akademisch-eklektizistische Manier des florentinischen Manierismus der 2. Hälfte des 16. Jahrhunderts erkennen. Die geborstene Säule und das am Boden liegende korinthische Kapitell als Überreste antiker Architektur symbolisieren die Überwindung des heidnischen Altertums durch die Geburt Christi. Das Gegenstück mit der «Anbetung der Hirten» (Gal.-Nr. 87) ist Kriegsverlust. V. Tatrai hat als drittes Bild eine für das Museum der bildenden Künste Budapest 1974 erworbene «Kreuzigung Christi» zugeordnet. Ph. Pouncey (mündlich 1986) stellte Naldinis Autorschaft für das Dresdener dagegen in Frage.

Literatur: V. Tatrai: Œuvre inconnue de Giovanbattista Naldini au Musée des Beaux-Arts Budapest. In: Bulletin du Musée Hongrois des Beaux-Arts. Budapest 1977, Nr. 48/49, S. 87–104.

88 Naldini

Nattier, Jean-Marc Geboren 1685 in Paris, dort gestorben 1766. Sohn des Malers Marc Nattier, Bruder des Malers Jean-Baptiste Nattier. Schüler seines Vaters und vermutlich des Jean Jouvenet. 1715 Agréé, 1718 Mitglied der Académie Royale in Paris. Berühmt wurde Nattier «le jeune» durch seine Damenbildnisse, deren elegante Zartheit und Entrücktheit durch mythologische Verkleidung dem Zeitgeschmack entsprachen.

783 *Moritz Graf von Sachsen, Marschall von Frankreich.* 1720. Bezeichnet unten links: peint a paris par Nattier le jeune en 1720. Darunter am Sockel Inschrift: MAVRICE DE SAXE, MARECHAL DE CAMP AV SERVICE DE FRANCE. AGE DE XXXII ANS. Leinwand, 257×172 cm. Inventar 1722–1728, A 1665. Vom Dargestellten selbst nach Dresden geschickt und 1726 in Pillnitz befindlich. Verzeichnet in den gedruckten Galeriekatalogen zuerst 1835.

Moritz Graf von Sachsen (1696–1750) war der natürliche Sohn König Augusts II., des Starken, und der Maria Aurora Gräfin von Königsmark. Er stand seit 1720 in französischen Diensten, wurde 1744 Marschall von Frankreich und war einer der berühmtesten Feldherren seiner Zeit. Kunst- und theaterinteressiert, vermittelte er zwischen Paris und Dresden. Die Hochzeit der sächsischen Prinzessin Maria Josepha, Tochter König Augusts III. von Polen, Kurfürsten von Sachsen, mit Louis, Dauphin von Frankreich, 1747 dürfte durch seinen Einfluß zustandegekommen sein. In der Dresdener Galerie weitere Bildnisse von ihm von Maurice Quentin de La Tour (Gal.-Nr. P 164) und Jean-Etienne Liotard (P 160). Der «Maréchal de Saxe», wie er in Frankreich genannt wurde, ist im Harnisch dargestellt, dekoriert mit dem Orden Saint-Esprit, am blauen Band, die helle Feldbinde um die Hüfte gelegt; den rechten Ellenbogen stützt er auf Bücher und einen Lageplan. Die rahmende Prunkarchi-

783 Nattier

tektur ist teilweise von Nebel verhüllt, aus dem ein geflügelter Greis, als Personifikation der Zeit, hervortritt und den abgelegten Helm mit Lorbeer bekränzt. Das Relief des Sockels, auf dem der Helm und die Bücher ruhen, zeigt ein antik-inspiriertes Reiterkampf-Motiv. Jean-Marc Nattier war spezialisiert auf Bildnisse französischer Prinzessinnen und Damen aus der Zeit König Ludwigs XV., doch hatte er bereits 1717 Zar Peter den Großen von Rußland porträtiert. Wirklicher Erfolg bei Hof stellte sich jedoch erst 1737 ein; so ist dieses relativ frühe «portrait d'apparat», als aufwendiges Feldherrenbildnis, eine gewisse Ausnahme in seinem Werk.

Literatur: E. Hildebrandt: Malerei und Plastik des 18. Jahrhunderts in Frankreich. Wildpark-Potsdam 1924, S. 196. – P. de Nolhac: Nattier. Paris 1925, S. 3. – G. Huard: Nattier 1685 à 1766. In: L. Dimier: Les peintres français du XVIIIe siècle. Paris/Bruxelles 1930, Bd. II, S. 261–266.

Nazari, Bartolomeo Geboren 1699 in Clusone bei Bergamo, gestorben 1758 in Mailand. Schüler Ghislandis in Bergamo, weitergebildet in Venedig durch Angelo Trevisani und in Rom durch Luti und Francesco Trevisani, beeinflußt durch Tizian, Amigoni und Zuccarelli. Tätig meist in Venedig, außerdem in Bergamo, Rom, Frankfurt/Main, Genua und Mailand. Seine Malweise ist durch warme bräunliche Töne und starke Helldunkelwirkungen bestimmt. Er war der beste italienische Bildnismaler seiner Zeit und offizieller Porträtist der Regierung Venedigs.

587 Nazari

587 *Bildnis eines alten Mannes mit schwarzer Kappe.* Um 1730 bis 1735. Gegenstück zu Gal.-Nr. 588. Leinwand, 49,5×38,5 cm. 1743 durch Algarotti aus Venedig; Inventar 1754, I 10.

Wie im Gegenstück ist im Ausschnitt des Brustbildes ohne Hände vor neutralem dunklem Grund eine Charakterstudie gegeben, die in ihrer ausgeprägten Mimik mit dem anekdotischen Akzent Material für physiognomische Studien bietet und dabei zu menschlicher Verinnerlichung gelangt. Es zeigt sich, daß auch die Kunst nördlich der Alpen, besonders Rembrandts, auf Nazari eingewirkt hat.

Literatur: F. Noris: Bartolomeo Nazari. In: I Pittori Bergamaschi dal XIII al XIX Secolo. Il Settecento I. Bergamo 1982, Nr. 19.

588 Nazari

588 *Bildnis einer alten Frau mit schwarzgestreiftem Tuch.* Um 1730 bis 1735. Gegenstück zu Gal.-Nr. 587 (vgl. die Bemerkungen dort). Leinwand, 49×37,5 cm. Herkunft wie Gal.-Nr. 587; Inventar 1754, I 11.

Literatur: vgl. Gal.-Nr. 587.

Neer, Aert van der Geboren 1603 in Amsterdam, dort gestorben 1677. In seinen Frühwerken von Rafael Camphuysen beeinflußt. Von etwa 1634 bis zu seinem Tode in Amsterdam als Maler und Gastwirt tätig. Lehrer seiner Söhne Eglon van der Neer und Jan van der Neer. Bekannt vor allem durch die Darstellung von Mondschein- und Winterlandschaften, auch von Feuersbrünsten und Sonnenuntergängen.

1552 van der Neer

1552 *Mondschein am Flusse vor der Stadt.* Um 1650. Bezeichnet mit dem Monogramm links unten: AV DN (paarweise ligiert). Gegenstück zu Gal.-Nr. 1553 (nicht ausgestellt). Holz, 46×70 cm. Inventar 1754, II 432 (angeblich 1708 aus Antwerpen).

Neer erfaßt die Landschaft von ihrem Stimmungsgehalt her. Mit größter Sensibilität beobachtet er die verschiedenen Tages- und Jahreszeiten und bevorzugt die Wiedergabe konträrer Lichtwirkungen, den fließenden Übergang zwischen Hell und Dunkel erhebt er zum malerischen Prinzip. Nach F. Bachmann (1978) aufgrund der vorzüglichen Behandlung der Lichtperspektive etwa 1650 entstanden, ebenso das Gegenstück Gal.-Nr. 1553.

Literatur: F. Bachmann: Die Landschaften des Aert van der Neer. Neustadt a. d. Aisch 1966, S. 16, 61.

1554 van der Neer

1554 *Kanal im Dorfe bei Tagesbeleuchtung.* Um 1642. Bezeichnet mit dem Monogramm rechts unten: AV DN (paarweise ligiert). Eichenholz, 31,5×36 cm. Inventar Guarienti (1747–1750), Nr. 1558.

Nach Fredo Bachmann stammt das Bild aus der Zeit um 1642, in der eine freundschaftliche Verbindung zu Rafael Camphuysen vermutet werden darf, das Interesse an der Tiefenwirkung mit zentralperspektivischen Mitteln noch vorsichtig auftritt und eine kräftig-satte Farbgebung vorherrscht. Stilistisch dem Bild mit dem Gutshof in Frankfurt/Main nahestehend, das 1642 datiert ist.

Literatur: B. Haak: Das Goldene Zeitalter der holländischen Malerei. Köln 1984, S. 142.

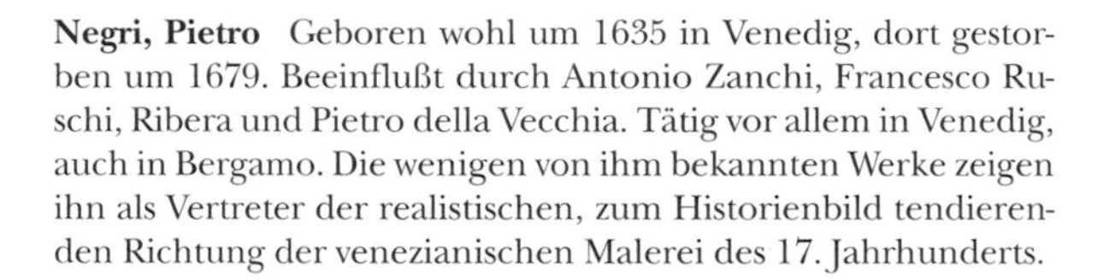

Negri, Pietro Geboren wohl um 1635 in Venedig, dort gestorben um 1679. Beeinflußt durch Antonio Zanchi, Francesco Ruschi, Ribera und Pietro della Vecchia. Tätig vor allem in Venedig, auch in Bergamo. Die wenigen von ihm bekannten Werke zeigen ihn als Vertreter der realistischen, zum Historienbild tendierenden Richtung der venezianischen Malerei des 17. Jahrhunderts.

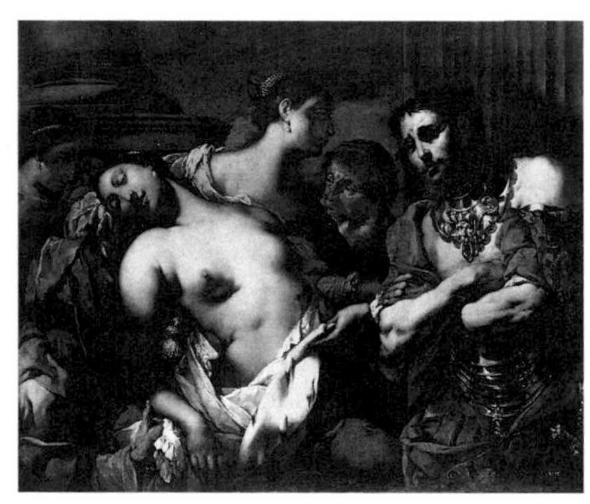

580 Negri

580 *Kaiser Nero an der Leiche seiner Mutter Agrippina.* Zwischen 1674–1679. Leinwand, 137×165 cm. Inventar Guarienti (1747 bis 1750), Nr. 237; 1731 durch Ventura Rossi aus Venedig als Jordan (Luca Giordano?).

Der berüchtigte römische Kaiser Nero (37–68, Kaiser seit 54) ließ neben zahlreichen anderen Personen auch seine Mutter Agrippina, die ihm an Herrschsucht nicht nachstand, im Jahre 59 ermorden (Tacitus, Annales XIV 9). Sterbend wird sie vor ihren Sohn gebracht, der sich brutal ungerührt zeigt. Nach Tacitus soll er ihre Leiche schön gefunden haben. Das Anekdotische verbindet sich mit barocker Monumentalität. – Safarik datiert das Bild in die letzten fünf Lebensjahre Negris.

Literatur: E. A. Safarik: Pietro Negri. In: Saggi e Memorie di Storia dell'Arte, 11. Firenze 1978, S. 83, 89. – R. Pallucchini, in: La Pittura Veneziana del Seicento. Milano 1981, I, S. 259.

Netscher, Caspar Geboren 1635 oder 1636 in Heidelberg, gestorben 1684 in Den Haag. Schüler des Hendrick Coster in Arnheim und um 1654 des Gerard Terborch in Deventer. Eine beabsichtigte Italienreise endete 1659 in Bordeaux. Ließ sich 1662 in Den Haag nieder. Genre- und Bildnismaler.

1346 *Der Briefschreiber.* 1665. Bezeichnet auf der Landkarte an der Wand: C. Netscher. Fecit. 1665. Eichenholz, oben rund, 27×18,5 cm. Inventar 1722–1728, A 508.

Das Motiv des Briefschreibers war in Holland vor allem bei den Leidener Feinmalern, wie Gerard Dou und Frans Mieris, sehr beliebt, aber auch Gerard Terborch erwies sich als Meister in diesem Fach, von dem Netscher seine künstlerischen Anregungen empfangen hat. Möglicherweise ein Selbstbildnis (vgl. Selbstbildnis im Rijksmuseum in Amsterdam [Kat. Nr. 1723 A].)

Literatur: E. Plietzsch: Holländische und flämische Maler des 17. Jahrh. Leipzig 1960, S. 61. – P. Hecht: De Hollandse Fijnschilders. Ausstellungskatalog. Amsterdam 1989, S. 156ff., Nr. 31.

1347 *Selbstbildnis mit seiner Frau hinter steinerner Fensterbrüstung.* 1665. Bezeichnet rechts unten: C Netscher Ao 1665. Eichenholz, oben rund, 43,5×34 cm. 1754 durch Le Leu aus der Sammlung de la Bouexière in Paris; am 13. Mai 1716 auf der Versteigerung Jan van Beuningen in Amsterdam (Lugt 257).

Dieses ursprünglich als «Singende Dame und Lautenspieler» benannte Bild ist neuerdings als Selbstbildnis des Künstlers mit seiner Frau erkannt worden. Eine Entwurfszeichnung im Landesmuseum in Darmstadt. Eine Wiederholung des Dresdener Bildes befand sich auf der Versteigerung in Amsterdam am 20. Januar 1772 (an Van der Dussen; Lugt 1984).

Literatur: Plietzsch 1960, S. 62. – F. W. Robinson: Gabriel Metsu (1629–1667). New York 1974, S. 93.

1346 Netscher

1347 Netscher

Niccolò di Buonaccorso (?) Seit 1348 nachweisbar in Siena, dort gestorben 1388. Er war als Nachfolger von Simone Martini und Bartolo di Fredi ein liebenswürdiger Kleinmeister, der besonders durch die von Simone Martini übernommene Vorliebe für reich ornamentierte Gewänder charakterisiert ist.

32 Niccolò di Buonaccorso (?)

32 *Thronende Madonna mit zwei weiblichen Heiligen.* Tempera auf reliefiertem Goldgrund mit eingeprägten Ornamenten, Pappelholz mit rahmenartig profiliertem Rand, am Giebel außen mit (nur teilweise erhaltenen) Kriechblumen besetzt, 53×24 cm. 1846 aus dem Nachlaß Rumohr.

Vermutlich Mittelteil eines Triptychons. Die Madonna, die mit beiden Händen das segnende Jesuskind auf dem Schoß hält, wird flankiert von der heiligen Katharina mit Buch und Palmzweig links und einer zweiten Heiligen rechts, die nach der brennenden Ampel und dem langen Dolch als die heilige Lucia angesehen werden könnte, eine unter Diokletian in Syrakus getötete christliche Jungfrau. Nach Schäfer (1860) ist es die heilige Johanna. In der Giebelspitze in einem Medaillon der segnende Christus in Halbfigur. Das Bild galt seit Crowe und Cavalcaselle (1869) als Schule des Lippo Memmi, und auch Paolo di Giovanni Fei wurde in Vorschlag gebracht (Previtali 1964), während Laclotte (1966), Pouncey, Y. de Botton und M. Lonjou die Autorschaft des Niccolò di Buonaccorso annehmen. Boskovits schreibt das Bild dem Gregorio di Ceco zu. An das Vorbild des Simone Martini erinnern die Anmut der Gestalten und der ornamentale Reichtum.

Literatur: M. Boskovits: Su Niccolo di Buonaccorso ... In: Paragone 359–361. 1980, S. 20/21, Anm. 36.

Nogari, Giuseppe Geboren 1699 in Venedig, dort gestorben 1763. Schüler des Antonio Balestra, beeinflußt durch Piazzetta, Amigoni und auch Rembrandt, in gewisser Weise Nazari verwandt. Tätig vor allem in Venedig und zeitweilig im Dienste des Turiner Hofes. Außer Bildnissen malte er vor allem genrehafte Halbfiguren und typisierte Charakterköpfe in warmen, an Piazzetta erinnernden Farbtönen mit weichen, fast pastellartigen Übergängen.

589 Nogari

589 *Der Geizige.* Gegenstück zu Gal.-Nr. 590. Leinwand, 74,5×59 cm. 1743 durch Francesco Algarotti aus Venedig vom Maler selbst; Inventar Guarienti (1747–1750), Nr. 226.

Der Beutel mit Goldstücken, den der grauhaarige Alte in eine Schüssel entleert, der Schlüssel in seiner Hand und die zur Schau gestellte Gier sind Symbole des Geizes, der den Mann beherrscht. Das Physiognomische bleibt dabei im Allgemeinen, im Gegensatz zu verwandten Darstellungen Rembrandts, der als Vorbild wirksam ist.

Literatur: vgl. Gal.-Nr. 590.

590 *Der Gelehrte.* Gegenstück zu Gal.-Nr. 589. Leinwand, 75,5×59,5 cm. Herkunft wie Gal.-Nr. 589.

Zwei Bücher, ein beschriebener Zettel, der Klemmer und die Pose der Nachdenklichkeit sollen die Vorstellung von Gelehrsamkeit erwecken (vgl. auch die Bemerkungen zum Gegenstück). Von der Serie von vier Gemälden ist in Dresden noch «Die Alte mit dem Kohlenbecken» (Gal.-Nr. 592) vorhanden; «Der Sparsame» ist Kriegsverlust (vermißt).

Literatur: R. Pallucchini: Die venezianische Malerei des 18. Jahrhunderts. München 1961, S. 129/30.

590 Nogari

Nuvolone, Carlo Francesco, genannt Panfilo. Geboren 1608 in Cremona, gestorben wohl 1661 in Mailand. Schüler seines Vaters Panfilo Nuvolone, beeinflußt durch G. C. Procaccini, Guido Reni und Murillo. Tätig vor allem in Mailand, aber auch in Como, Piacenza und anderen Orten der Lombardei. Er pflegte eine weich verfließende, fein abgestufte und von zarten, süßen Tönungen bestimmte Malweise.

381 *Der Tod der Dido.* Pappelholz, 47,5×66 cm. Zuerst im Katalog 1812, S. 136, Nr. 27.

Die Darstellung wurde früher als Werk Molas und als Tod der von Tarquinius entehrten Lucretia gedeutet, doch gilt die Sterbende jetzt als Königin Dido, die sagenhafte Gründerin Karthagos, die sich, wie der römische Dichter Vergil (Aeneis IV) schreibt, aus Schmerz über den Weggang des Aeneas selbst ein Schwert in die Brust stieß. Während sie im Sterben beklagt und von einer alten Dienerin gestützt wird, fährt das Schiff des Geliebten schon weit draußen auf dem Meer nach Italien. Ein ähnliches Bild befindet sich im Herzog Anton Ulrich-Museum in Braunschweig.

Literatur: H. Voss, in: Münchener Jahrbuch der bildenden Kunst 6. 1911, S. 248.

381 Nuvolone

Oberdeutsch (?) um 1520

1905 *Bildnis eines Mannes mit schwarzer Kappe in der Hand.* Lindenholz, 61,5×45,5 cm (einschließlich einer 13 mm breiten Leiste, die an allen vier Seiten angesetzt ist). Inventar 1722 bis 1728, A 99.

Das Bild war ursprünglich in der Kunstkammer und galt dort als ein Werk Hans Holbeins des Jüngeren, der Dargestellte als Vater Martin Luthers. Zuschreibung und Benennung mußten aber schon 1817 aufgegeben werden. Keiner der verschiedenen, auch in jüngster Zeit fortgesetzten neuen Zuschreibungsversuche konnte überzeugen; das überaus qualitätvolle, vor Wolkenhimmel gesetzte, lebensvoll modellierte Bildnis ist anscheinend ohne Parallele in der altdeutschen Malerei.

Literatur: G. van der Osten, in: Wallraf-Richartz-Jahrbuch, Bd. XXX. Köln 1973. – H. Marx, in: The Splendor of Dresden. Ausstellungskatalog. Washington 1978, Nr. 536.

1905 Oberdeutsch (?) um 1520

Oberitalienisch (?) um 1530

155 *Bildnis eines Gelehrten.* Pappelholz, 82,5×69 cm. 1746 aus der herzoglichen Galerie in Modena.

Der alten Zuschreibung gemäß trug das Bild früher die Bezeichnung «Der Arzt des Correggio». 1880 wurde von Morelli der Ferrarese Dosso Dossi in Vorschlag gebracht, in jüngerer Zeit auch Lorenzo Lotto. Manches scheint für die Autorschaft eines Mitglieds der Malerfamilie Campi aus Cremona zu sprechen. Die Bestimmung wird durch Übermalungen erschwert, aber die starke Persönlichkeitswirkung des Dargestellten ist erhalten geblieben.

Literatur: A. Mezzetti: Il Dosso e Battista Ferraresi. Ferrara 1965, Nr. 41. – F. Gibbons: Dosso and Battista Dossi, Court Painters at Ferrara. Princeton/N. J. 1968, Nr. 147.

155 Oberitalienisch (?) um 1530

Ochtervelt, Jacob Geboren 1634 in Rotterdam, gestorben 1682 in Amsterdam. Ging um 1650 zusammen mit Pieter de Hooch in die Lehre bei Nicolaes Berchem in Haarlem. Nach 1655 war er wieder in Rotterdam und siedelte 1674 nach Amsterdam über. Malte vorzugsweise häusliche Interieurs wohlhabender Bürger, daneben auch Verkaufsszenen am Hauseingang sowie einige Porträts. Die Figuren in seinen Gemälden nehmen elegante, oft affektierte Posen ein. Sein Malstil ist gekonnt. In der Farbenwahl bevorzugte er helles Blau und Rot sowie Rosa in Verbindung mit Braun und Schwarz.

1811 *Der galante Herr.* 1669. Bezeichnet rechts oben über der Tür: J. Ochtervelt f 1669. Leinwand, 81,5×60,5 cm. Inventar 1722–1728, A 321, als Gerhard auf der Feld.

Das Gemälde entstand in einer Phase, in der der Künstler den stärksten elegant verfeinerten Ausdruck in seiner Malweise erreicht hatte. Die Figurentypen des Kavaliers wie der Dame tauchen in dieser Zeit verschiedentlich wieder auf. Möglicherweise soll die Kombination von Zitrone und Wein auf die «süßen und sauren» Aspekte der Liebe hindeuten.

Literatur: S. D. Kuretsky: The paintings of Jacob Ochtervelt (1634–1682). Oxford 1979, Nr. 53.

1811 Ochtervelt

Oeser, Adam Friedrich Geboren 1717 in Preßburg (Bratislava), gestorben 1799 in Leipzig. Ersten Unterricht ab 1728 bei dem Maler Kamauf in der Vaterstadt, seit 1730 Schüler der Wiener Akademie, besonders beeinflußt durch van Schuppen, Daniel Gran und Martin van Meytens; Raphael Donner lehrte ihn modellieren. Kam 1739 nach Dresden, wo er sich an Silvestre angeschlossen haben soll und wo er mit Winckelmann in freundschaftlichen Verkehr trat. Malte 1756–1759 im Schloß Dahlen bei Oschatz Wand- und Deckenbilder und war auch sonst viel als Monumentalmaler tätig. Seit 1759 in Leipzig, dort seit 1764 Direktor der Akademie, die eine Zweigstelle der Dresdener Akademie war. 1764 zum kurfürstlich-sächsischen Hofmaler ernannt. Goethe war in Leipzig Oesers Schüler. Versuchte in seinen großen Dekorationen spätbarocken Illusionismus mit Aufklärungs-Allegorien in Einklang zu bringen. Bedeutend auch als Anreger und Lehrer.

2158 *Die Kinder des Malers.* 1766. Leinwand, 140×100 cm. Von der Kunstakademie an die Galerie überwiesen und zuerst im Katalog 1880.

Adam Friedrich Oeser malte dieses Gruppenbildnis seiner Kinder 1766 als Aufnahmebild für die Dresdener Kunstakademie, der er seit ihrer Gründung 1764 als Professor und Direktor der Außenstelle in Leipzig angehörte. Dargestellt sind die beiden jüngeren Kinder, Karl und Wilhelmine, nach dem Gipsabguß eines antiken (?) Marmorkopfes zeichnend, während die beiden älteren, Friederike und Johann Friedrich, ihnen zusehen. Johann Friedrich wurde Landschaftsmaler; er starb früh. Der jüngere Sohn Karl, das Sorgenkind der Familie, war zuletzt Fecht- und Zeichenmeister in St. Petersburg. Die jüngere Tochter Wilhelmine heiratete den Leipziger Kupferstecher Geyser; in ihrer Jugend bestand ein vertraulicher Briefkontakt mit dem jungen Goethe. In der Liste der «Receptionsgemälde» (Akten der Kunstakademie) führt das Bild den Titel: «Oeser: Die Familie des Künstlers, Allegorie auf die bildenden Künste.»

Literatur: H. Marx, in: Königliches Dresden. Ausstellungskatalog. München 1990, Nr. 35.

2158 Oeser

Onghers, Jan Geboren um 1656 in Mecheln, gestorben 1735 in Prag. Tätig seit 1691 in Prag.

1992 *Musikalische Unterhaltung am Tisch.* Nach 1691. Beschriftet von fremder Hand in der Mitte: Johann Heinrich Schönfelt aus der Venetianischen Schule. Gegenstück zu Schönfeld, Gal.-Nr. 1991. Leinwand, 124×91 cm. 1741 aus der Sammlung Wallenstein in Dux.

Barocken Gepflogenheiten der dekorativen Hängung von Gemälden entsprechend, wie sie der dargestellte Innenraum selbst zeigt, malte Jan Onghers dieses Bild nach 1691 in Prag für die Sammlung Vršovec als Gegenstück zu dem Gemälde von Schönfeld, Gal.-Nr. 1991. Unsicher ist, ob Onghers die Komposition als Gegenstück zu dem vorliegenden Bild von Schönfeld selbst entwarf oder ob er nur, wie Bruno Bushart im Gespräch vermutete, ein heute verlorenes Werk von Schönfeld kopiert hat. Die gemalten Bilder an den Wänden beider Räume folgen jeweils einem Leitmotiv, das bei Schönfeld in der Lünette auf einer Inschrifttafel angegeben ist: VIRTUTIS DOCUMENTO. Die entsprechende Inschrifttafel bleibt leer bei Onghers, der im Gegensatz zu den antiken Motiven auf Gal.-Nr. 1991 religiöse Bilder an den Wänden zeigt, so, wie Herbert Pée erkannt hat, von Pasquale Rossi die «Predigt Johannes des Täufers», die ebenfalls in der Sammlung Vršovec war.

Literatur: Johann Heinrich Schönfeld. Ausstellungskatalog. Ulm 1967, erwähnt bei Nr. 79. – H. Pée: Johann Heinrich Schönfeld. Die Gemälde. Berlin 1971, erwähnt bei Nr. 117.

1992 Onghers

Oosterwyck, Maria van Geboren 1630 in Nootdorp bei Delft, gestorben 1693 in Uitdam. Schülerin des Jan Davidsz. de Heem, beeinflußt von Willem van Aelst. Tätig in Delft und Amsterdam als Stillebenmalerin.

1334 *Blumen und Muscheln.* Bezeichnet rechts unten: MARIA VAN OOSTERWYCK. Leinwand, 72×56 cm. 1740 durch Morel.

Die holländische Blumenzucht war ein Stolz des Landes. Zwiebeln von schönen und seltenen Züchtungen gingen als Handelsware in viele Länder. Deshalb ist es auch zu verstehen, wenn die Maler prächtiger Sträuße ein gutes Publikum fanden. Stilistisch folgt Maria van Oosterwyck ihrem Lehrer und Vorbild Jan Davidsz. de Heem, in der Komposition schließt sie sich Willem van Aelst an, indem sie die üppige Blumenvase auf einem Marmortisch aufbaut. Die Schneckengehäuse bedeuten leeren Schall.

Literatur: A. Mayer-Meintschel, in: Das Stilleben und sein Gegenstand. Ausstellungskatalog. Dresden 1983, Nr. 117.

1334 Oosterwyck

Orley, Bernaert (Barend) van Geboren vermutlich um 1488 in Brüssel, dort gestorben 1541. Seit 1518 Hofmaler der Statthalterin Margarethe von Österreich in Brüssel. Um 1520 Reise nach Italien.

811 *Bildnis eines Mannes mit schwarzer Mütze.* 1522 (1527?). Datiert auf dem Zettel: 1522 (1527?). Eichenholz, 37,5×29 cm. Inventar 1722–1728, A 1194, als Hans Holbein, geliefert von Rechenberg.

Im 15. und 16. Jahrhundert gelangte die Bildnismalerei in den Niederlanden zu neuer Blüte. Man studierte nicht nur die Anatomie und die Proportion des Menschen, sondern sein unverwechselbares Antlitz, wie es hier in äußerster Beschränkung der Mittel und Konzentration auf Wesenhaftes ausgedrückt ist. Das Datum auf dem Zettel, den der Dargestellte in der linken Hand hält, ist nicht eindeutig zu lesen, entweder 1522 oder 1527.

Literatur: Mayer-Meintschel 1966, S. 48. – M. J. Friedländer: Early Netherlandish Painting, Bd. VIII. New York/Washington 1972, Nr. 148.

811 Orley

Orrente, Pedro Geboren 1588 in Murcia, gestorben 1645 in Valencia. Arbeitete in verschiedenen spanischen Städten, so in Toledo, Madrid, Valencia und Murcia.

677 Orrente

677 *Jakob und Rahel.* Leinwand, 175,5×222 cm. 1853 aus der Sammlung Louis-Philippe in London.

Orrente hat unter dem Einfluß der Venezianer, besonders im Anschluß an die Werke der Malerfamilie Bassano, die Landschaftsmalerei in einer für Spanien seltenen Weise gepflegt. Ein derb-volkstümliches Moment unterscheidet ihn aber von den genannten Vorbildern und trägt zu dem echt spanischen Charakter unseres Gemäldes bei. Das Thema ist dem Alten Testament entnommen (1. Buch Mose, 29, 1–12): Jakob, der auf Anstiftung seiner Mutter Rebekka seinem Bruder Esau das Erstgeburtsrecht abgekauft und dann den Segen des Vaters erschlichen hatte, wird von Esau zur Flucht nach Mesopotamien gezwungen. Dort trifft er Rahel, die Tochter Labans, seine spätere Frau, die mit den Herden ihres Vaters an den Brunnen kommt, von dem Jakob den steinernen Deckel herabwälzt. Das Bild wird seit der Veröffentlichung von Angulo Iñiguez und Perez Sanchez 1972 von der Forschung nicht mehr als eigenhändiges Werk anerkannt, sondern einem Schüler zugeschrieben, der in Valencia bei Orrente gelernt haben könnte und dessen Stil an Jeronimo Jacinto de Espinosa erinnert.

Literatur: J. A. Gaya Nuño: La pinture espagñola fuera de España. Madrid 1958, Nr. 2060. – D. Angulo Iñiguez/A. E. Perez Sanchez: Pintura toledana de la primera midad del siglo XVII. Madrid 1972, Nr. 163, S. 287. – M. Haraszti-Takacz: Die Anfänge der spanischen Landschaftsmalerei. 1550–1650. In: Bulletin du Musée National de Varsovie, XIV, 1973, Nr. 1–4, S. 88. – J. Baticle/C. Marinas: La Galerie espagñole de Louis-Philippe au Louvre 1838–1848. Paris 1981, Nr. 192.

Ostade, Adriaen van Geboren 1610 in Haarlem, dort gestorben 1685. Bruder des Isaack van Ostade, Schüler des Frans Hals. In seiner Frühzeit beeinflußt von Adriaen Brouwer, später auch von Rembrandt. 1634 Eintritt in die Lukasgilde in Haarlem, deren Dekan er 1662 wurde. Bis zu seinem Lebensende in Haarlem als Maler und Radierer von Genreszenen aus dem bäuerlichen Leben tätig.

1395 Ostade, Adriaen van

1395 *Ausgelassene Bauern in der Schenke.* Um 1632–1635. Bezeichnet halblinks am Sitz: A. v. Ostade. Eichenholz, 39×56 cm. Inventar 1722–1728, A 413, als Isaac van Ostade, später als Brouwer, 1876 als Isaack van Ostade, seit 1880 als Adriaen van Ostade.

In den frühen Bildern bis Mitte der dreißiger Jahre schildert Ostade in derb-drastischen Szenen das Leben der Ärmsten in Holland. Sie waren es auch, die durch Krieg und Not am meisten zu leiden hatten. Karg ist die Scheune, in der sie sich raufen, vergnügen, karg ist auch ihre Kleidung. Die Farben sind in hellen Tönen gehalten, Hellblau und Hellrosa dominieren. Die Lichtführung, die Herausarbeitung des Helldunkelkontrastes, ist ohne Rembrandts Vorbild kaum denkbar.

Literatur: A. Rosenberg: Adriaen und Isack van Ostade. Bielefeld/Leipzig 1900, S. 5. – W. v. Bode: Die Meister der holländischen und vlämischen Malerschulen. Leipzig 1919, 2. Aufl., S. 129.

1396 *In der Dorfschenke.* 1660. Bezeichnet halbrechts am Malkasten: Av Ostade 1660. Eichenholz, 45,5×39 cm. 1754 durch Le Leu aus der Sammlung de la Bouexière in Paris.

Links im Vordergrund sitzen sechs Bauern, von denen drei eine Tonpfeife rauchen. Vor dem Holztisch liegt ein Hund. Im Hintergrund rechts ist die Wirtin mit Gästen beschäftigt. Alles ist ruhig und behaglich geworden. Auch die Farben sind wärmer. Sonnenlicht strömt zum Fenster herein. In der Schilderung verhaltener Stimmungen zeigt sich Ostades Meisterschaft.

Literatur: Rosenberg 1900, S. 50. – W. v. Bode/E. Plietzsch: Die Meister der holländischen und flämischen Malerschulen. Leipzig 1953, S. 169, 179. – B. Haak: Das Goldene Zeitalter der holländischen Malerei. Köln 1984, S. 97.

1396 Ostade, Adriaen van

1397 *Der Maler in seiner Werkstatt.* 1663. Bezeichnet rechts unten: Av. Ostade. 1663. Eichenholz, 38×35,5 cm. 1754 durch Le Leu aus der Sammlung de la Bouexière in Paris, vorher in der Sammlung Crozat.

Der Künstler sitzt malend vor seiner Staffelei, rücklings zum Betrachter. Die Unordnung im Raume, die vor allem auffällt, ist nicht wörtlich zu nehmen, aber in solch einer Umgebung haben die Maler im 17. Jahrhundert in Holland ihre Werke geschaffen. Rechts ein Gliedermann, der dem Maler als Modell diente, im Hintergrund ein Diener, der die Farben anreibt. Die Gipsabgüsse dienten dem Studium der Proportionen des Kopfes, und die verstreut im Raume liegenden Efeuranken weisen auf die Vergänglichkeit irdischen Lebens hin. Eine dem Dresdener Bild verwandte Darstellung im Rijksmuseum in Amsterdam.

Literatur: K. Badt: «Modell und Maler» von Vermeer. Köln 1961. – G. Th. M. Lemmens: De schilder in zijn atelier. In: Het schildersatelier in de Nederlanden 1500–1800. Nijmegen 1964, S. 6ff., Nr. 26. – Haak 1984, S. 388. – A. Mayer-Meintschel, in: Weltschätze der Kunst – der Menschheit bewahrt. Ausstellungskatalog. Berlin 1985, Nr. 287.

1398 Ostade, Adriaen van

1398 *Zwei schmausende Bauern.* 1663. Bezeichnet rechts unten: Av. Ostade 1663. Gegenstück zu Gal.-Nr. 1399. Eichenholz, 30,5×25,5 cm. Inventar 1722–1728, A 717; durch Raschke erworben.

Bei Ostades Bildern könnte man fast vergessen, daß diese Welt vor 300 Jahren gemalt wurde, so ungezwungen und glaubwürdig bietet sie sich dar. Die Bilder entstanden, als Holland das fortgeschrittenste europäische Land war.

Literatur: Rosenberg 1900, S. 64.

1399 *Zwei rauchende Bauern.* 1664. Bezeichnet in der Mitte am Tische: Av. Ostade 1664. Gegenstück zu Gal.-Nr. 1398. Eichenholz, 30,5×25,5 cm. Inventar 1722–1728, A 712; durch Raschke erworben.

Gelegentlich zeigt Ostade seine Bauern im Freien, in Wirtshausgärten unter schattigen Bäumen. Hier erweist er sich als guter Schilderer der Landschaft. Von Hofstede de Groot wird das Bild als Darstellung des Geruches angesehen.

Literatur: Rosenberg 1900, S. 65.

1399 Ostade, Adriaen van

1397 Ostade, Adriaen van

1400 *Männer und Frauen im Bauernwirtshause.* 1674. Bezeichnet rechts unten: Av. Ostade 1674 (früher irrtümlich 1679 gelesen). Eichenholz, 49,5×62,5 cm. 1751 durch Le Leu aus Paris, im August 1751 in Dresden angekommen; zuerst im Katalog von 1817.

Welche sozialen Wandlungen die Bauern im 17. Jahrhundert in Holland durchlebt haben, läßt sich in der Gegenüberstellung dieses späten Bildes aus den siebziger Jahren mit dem Werk aus der Mitte der dreißiger Jahre (Gal.-Nr. 1395) ablesen. Während dort alles noch bewegt zugeht, die Bauern fast karikiert mit breiten Nasen wiedergegeben sind, ist hier Stille und Behaglichkeit eingezogen. Die Mutter mit dem Kind zeigt ähnliche Züge wie die Frau auf der Bauerngesellschaft von 1661 im Rijksmuseum in Amsterdam.

Literatur: Rosenberg 1900, S. 86. – Bode 1919, S. 133. – Haak 1984, S. 389.

1400 Ostade, Adriaen van

Ostade, Isaack van Geboren 1621 in Haarlem, dort gestorben 1649. Schüler seines älteren Bruders Adriaen van Ostade. 1643 Mitglied der Haarlemer Lukasgilde. Tätig in Haarlem.

1491 *Belustigung auf dem Eise.* Um 1645. Bezeichnet links unten: Isack van Ostade. Eichenholz, 35,5×40 cm. 1754 aus der Sammlung de la Bouexière in Paris.

Mehr noch als auf dem Gebiet der Darstellung des bäuerlichen Genres kam Isaack van Ostade mit seinen Winterlandschaften zu neuen Lösungen. Das Haarlemer Meer, verschneit und zugefroren, bot vielfältige Motive. Der Maler verband die Schilderung solcher Wintervergnügen wie Schlittenfahrt und Schlittschuhlauf, die den Menschen in lebendiges Verhältnis zur Landschaft setzen, mit Naturschilderungen, in denen es ihm gelang, die lichte, silbrig-vibrierende Atmosphäre des Wintertages einzufangen.

Literatur: A. Rosenberg: Adriaen und Isack van Ostade. Bielefeld/Leipzig 1900, S. 102. – W. Martin: De Hollandse schilderkunst in de seventiende eeuw. Bd. 1. Frans Hals en zijn tijd. Amsterdam 1935, S. 242.

1491 Ostade, Isaack van

Padovano, Gualtiero (?) Geboren in Padua, dort gestorben wohl 1560 (1553?). Schüler Tizians, tätig in Padua zusammen mit Domenico Campagnola, Stefano dell'Arzere, Zelotti und anderen, manieristisch beeinflußt auch von Schiavone, Parmigianino und Niccolò dell'Abate. Seine dekorativen, weitgehend monochromen Fresken in Villen und Palästen Paduas weisen starke emilianische Züge auf.

217 Padovano

217 *Allegorie der Freigebigkeit.* Leinwand, 127,5 × 106 cm. Nach dem Inventar Guarienti (1747–1750), Nr. 434, aus der Sammlung des Marchese Mantova in Padua als Domenico Carpioni.

Das Bild gibt sowohl hinsichtlich seines Motivs wie der Autorschaft bis heute Rätsel auf. Die thronende weibliche Gestalt reicht aus einer ihr dargebotenen Schüssel Münzen an eine andere Frau weiter, die ein fäustelähnliches Werkzeug in der Hand hält. Der Pelikan, mit dem das Kind vorn spielt, kann als Symbol für den Opfertod Christi – weil er sich selbst die Brust aufhackt, um mit seinem Blut seine Jungen zu nähren – eine Aussage im Sinne caritativer Handlungsweise bestätigen, aber nicht ohne Grund war im Inventar Guarienti von einem «geroglifico a chiaroscuro», einer «rätselhaften Darstellung in Helldunkel», die Rede. Mit Carpioni im Inventar war wohl Campagnola gemeint. Lermolieff (1880) vermutete ein Atelierbild des Bonifazio Veronese. Berenson (1957), Ph. Pouncey (1986) und M. Taboga (1990) nannten Girolamo da Treviso, R. Pallucchini, A. Ballarin und L. Crosato (1975) Gualtiero Padovano, was wohl am wahrscheinlichsten ist. Nach M. Taboga war der Vorbesitzer des Bildes der Marchese Francesco Paolo Gonzaga di Mantova.

Literatur: M. Taboga: Girolamo da Treviso. Phil. Diss. (ungedruckt) Udine 1992.

Pagani, Paolo Geboren 1661 in Valsolda (Lombardei), gestorben 1716 in Mailand. Schüler des Pietro Liberi, Mitarbeiter des Giovanni Antonio Pellegrini in Venedig. Er kam schon zeitig nach Venedig und kehrte später nach Mailand zurück, war außerdem in Mähren (Kremsier) und in Deutschland tätig. Er überwand die Erstarrung der venezianischen Malerei seiner Zeit durch monumentale Gestaltung kraftvoller, bewegter Körperlichkeit im Raum und wirkte damit auf die venezianische Malerei des 18. Jahrhunderts, etwa auf Piazzetta, ein.

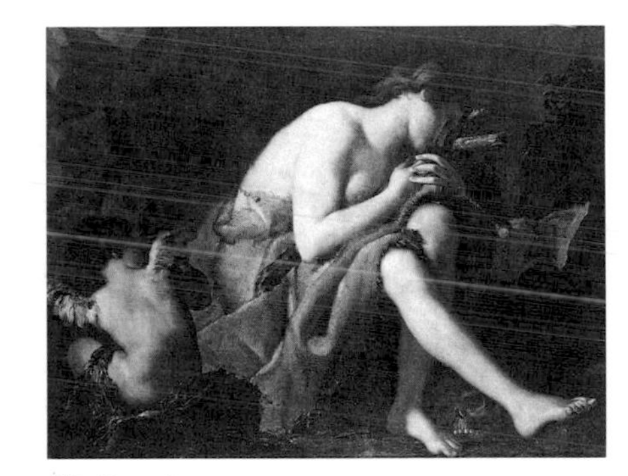
648 Pagani

648 *Die büßende Magdalena.* Leinwand, 115 × 149 cm. 1725 durch Le Plat erworben.

Maria Magdalena gilt nach der biblischen Geschichte als Sünderin (Lukas 7, 37–50), der von Jesus vergeben wurde. In der Kunst erscheint sie als schöne junge Büßerin, die der Welt absagt, sich in die Einöde zurückgezogen hat und die Zeit mit Gebet verbringt. Pagani zeigt sie als ein kräftiges Mädchen, dessen anziehende Körperformen nur teilweise durch zerschlissenes Sackleinen verhüllt sind. Sie drückt die Wange an ein hölzernes Kreuz und vertieft sich, einen Totenkopf zu Füßen, in das Gebetbuch. Der kleine Engel links mit den Geißeln wirkt wie ein Amor und hilft den stark sinnlichen Charakter der Darstellung verstärken.

Literatur: R. Pallucchini, in: La Pittura Veneziana del Seicento. Milano 1981, I, S. 381.

Palma Vecchio, eigentlich Jacopo d'Antonio Negreti, genannt Palma Vecchio. Geboren um 1480 in Serinalta bei Bergamo, gestorben 1528 in Venedig. Schüler des Bergamasken Francesco di Simone da Santacroce, beeinflußt von Giovanni Bellini, Giorgione, Tizian und Lorenzo Lotto. Seit den neunziger Jahren in Venedig tätig. Er war einer der hervorragendsten Vertreter des Giorgionismus und der klassischen venezianischen Hochrenaissancemalerei. Seine Kunst spiegelt die Harmonie eines poesievollen, kontemplativen Seins in der Einheit von Mensch und Natur. Die Datierung seiner Bilder ist wegen ihrer weitgehenden stilistischen Einheitlichkeit sehr schwierig.

188 Palma Vecchio

188 *Maria mit dem Kinde, Johannes dem Täufer und der heiligen Katharina.* Wohl um 1520. Pappelholz, 67×97,5 cm. 1749 durch Guarienti aus der Casa Pisano di San Stefano in Venedig.

Die Madonna tauscht den Blick mit dem bärtigen, am Kreuzstab erkenntlichen Täufer Johannes, der ihr ein Schriftband überreicht hat. Katharina, auf ein Fragment ihres Marterrades gestützt, nimmt die Mitte ein.

Literatur: Ph. Rylands: Palma il Vecchio. Milano 1988, Nr. 20.

189 Palma Vecchio

189 *Die drei Schwestern.* Um 1520–1525. Pappelholz, 88×123 cm. 1743 durch Algarotti von der Familie Cornaro della Cà grande in Venedig.

Die drei jungen Frauen galten bei Erwerbung des Bildes als die drei Grazien, dann als die drei Töchter des Malers (der aber unverheiratet war) und auch als die um den Erisapfel, den Preis der Schönheit, rivalisierenden Göttinnen Hera, Athena und Aphrodite. Sie repräsentieren den für Palma Vecchio bezeichnenden weichen, der Mode entsprechenden blonden Frauentypus und sind vielleicht um ihrer selbst willen dargestellt.

Literatur: Rylands 1988, Nr. 44.

190 Palma Vecchio

190 *Ruhende Venus.* Um 1520. Leinwand, 112,5×186 cm. 1728 durch Lorenzo Rossi aus Italien; Inventar 1722–1728, A 1916.

Die Darstellung ist zweifellos angeregt durch Giorgiones Schlummernde Venus (vgl. Gal.-Nr. 185), doch ist der mythologische Charakter der liegenden nackten Frau als Liebesgöttin zurückgedrängt, indem auch der Amorknabe nicht beigefügt und andererseits weibliche Schönheit ganz bewußt zur Schau gestellt ist. Die Verbindung mit der Landschaft verstärkt die elementare Bedeutung des Aktes.

Literatur: Walther 1968, Nr. 69. – Rylands 1988, Nr. 43.

191 Palma Vecchio

191 *Die Heilige Familie mit der heiligen Katharina.* Gegen 1525. Pappelholz, 75,5×106 cm. 1725 durch Le Plat erworben; Inventar 1722–1728, A 1611.

Der Heiligen Familie ist als Begleiterin die an ihrem Rad erkenntliche heilige Katharina (vgl. Barbari Gal.-Nr. 58) zugesellt. Das Jesuskind schaut sich nach ihr um, während es den an Kreuzstab und Lamm erkenntlichen Knaben Johannes, den späteren Täufer, umhalst. Rechts sitzt Joseph, dessen Gesicht gewisse porträthafte Züge aufweist, so daß hier auch ein Stifterbildnis vermutet werden könnte. Die Landschaft untermalt die Idyllik der als Pastorale aufgefaßten Familienszene.

Literatur: Rylands 1988, Nr. 6.

192 Palma Vecchio

192 *Jakob und Rahel.* Um 1520–1525. Bezeichnet halblinks vorn auf dem Reisesack: G. B. F. Leinwand, 146,5 × 250,5 cm. Inventar Guarienti (1747–1750), Nr. 438, als Giorgione; aus der Casa Malipiero in Venedig.

Dargestellt ist, wie Jakob, Stammvater der Israeliten, nach langer Wanderung von Kanaan nach Mesopotamien inmitten der Herden ihres Vaters bei einer Viehtränke der schönen Rahel, seiner späteren Frau, begegnet und sie mit einem Kuß begrüßt (1. Buch Mose, 29, 1–12). Die biblische Szene wurde zum Anlaß der Darstellung eines typisch venezianischen Hirtenstückes, ganz im Sinne Giorgiones, dem das Bild früher auch zugeschrieben war. Die Landschaft erinnert an die bergamaskische Heimat des Malers. Die falsche Signatur bezieht sich vielleicht auf die irrtümliche Zuschreibung an Giorgione: G.B.F. = Giorgione Barbarella fecit.

Literatur: Walther 1968, Nr. 70. – Rylands 1988, Nr. 74.

Paltronieri, Pietro Geboren 1673 in Mirandola (Modena), gestorben 1741 in Bologna. Schüler des ligurischen Malers G. F. Cassana in Mirandola und in der Quadraturmalerei des Marcantonio Chiarini in Bologna. Seit 1705 in Wien, seit 1710 in Rom tätig und danach bis zu seinem Tode in Bologna. Er malte Ruinenveduten von romantischem, meditativem Charakter.

405 Paltronieri

405 *Architekturstück.* Leinwand, 93,5×77,5 cm. 1741 durch Ventura Rossi aus Venedig.

Links ein hohes gotisches Gebäude mit Verkaufsständen neben einem kolossalen Arkadenbogen, vielleicht ein Rathaus, rechts eine gewaltige Ruine mit Tonnengewölben über korinthischen Pilastern und korinthischer Säule. Staffagefiguren in Gestalt der Käufer an den Ständen, eines Mönchs vor einem Maueranschlag, der Schmiede rechts bei Amboß und Feuer und Bettler vorn auf den Stufen schaffen Maßstab und Belebung. Das Bild verrät genaue Kenntnis der architektonischen Formen, wie die Vertreter der sogenannten Quadraturmalerei, der perspektivischen Wiedergabe von Architektur, sie besaßen.

Literatur: M. Cr. Bandera: Pietro Paltronieri, il Mirandolese. Mirandola 1990, Nr. 15.

462 Paltronieri

462 *Ruine eines Palastes.* Leinwand, 136×99,5 cm. Inventar 1754, I 405, als «autore moderno».

Das Bild galt immer als Giovanni Antonio Buti und Gegenstück zu dessen signiertem Architekturcapriccio (Gal.-Nr. 461), zumal es mit diesem zusammen erworben und im «Catalogue» von 1765 ebenso als Pannini geführt worden war. Der intakten Monumentalarchitektur im vermuteten Pendant sind hier ruinöse Baulichkeiten gegenübergestellt: ein Palast mit aufgebrochenen Wänden und zerstörten Fenstern, flankiert von den Resten eines Torbogens, stilistisch ebenso uneinheitlich wie das hohe Gebäude an der anderen Seite des Hofes. In der unteren Halle hat sich ein Bootsbauer eingerichtet, eine andere ist mit alten Kanonen und Trophäen angefüllt. Mit den pittoresken Ruinenmotiven verbinden sich die Vorstellungen von der Vergänglichkeit der Dinge und romantische Stimmungswerte. Wegen der barock dramatisierenden anstatt der klassizistisch schematisierten Gestaltungsweise des Vergleichsbildes kamen in jüngerer Zeit an der Autorschaft Butis Zweifel auf. Inzwischen wurde ein weitgehend mit Gal.-Nr. 462 übereinstimmendes Bild im Museum Fesh in Ajaccio (Korsika) nach M. C. Bandera von F. Arisi entsprechend der Signatur als Paltronieri erkannt, womit hier auch das Dresdener Bild neu benannt werden kann.

Literatur: Posse 1929, S. 203. – Bandera 1990, Nr. 3.

Parmigianino, eigentlich Francesco Mazzola, genannt Parmigianino. Geboren 1503 in Parma, gestorben 1540 in Casalmaggiore bei Parma. Beeinflußt vor allem durch Correggio, aber auch durch Raffael und Michelangelo. Tätig in Parma, etwa 1524–1527 in Rom, bis 1531 in Bologna, danach wieder in Parma und zuletzt in Casalmaggiore. Er war ein Wegbereiter des Manierismus, entwickelte einen manieristischen Stil eigener Prägung von höchster Eleganz, der besonders auf die französische Malerei einwirkte, und gilt als der bedeutendste Maler des 16. Jahrhunderts in der Emilia nach Correggio.

160 Parmigianino

160 *Die Madonna mit zwei Heiligen und dem Stifter.* 1539/40. Pappelholz, 253 × 161 cm. 1746 aus der herzoglichen Galerie in Modena.

Maria mit dem Kind auf dem Arm erscheint in einer Glorie imaginären Lichtes über zwei Heiligen. Vor einer Balustrade sitzt links der heilige Stephanus. Er war im 1. Jahrhundert Diakon in Jerusalem und wurde wegen seiner evangelisatorischen Tätigkeit gesteinigt (Apostelgeschichte, Kapitel 6 und 7). Der Stein, den er mit der linken Hand vorweist, ist neben der Märtyrerpalme sein Attribut. Zu seinen Füßen, ganz untergeordnet, kniet der Stifter des Bildes. Rechts Johannes der Täufer mit Taufschale und Kreuzstab. Die pyramidale Komposition folgt Raffaels Gemälde der Sixtinischen Madonna (Gal.-Nr. 93), doch ist die Madonna hier als eine Vision aufgefaßt und in eine überirdische Sphäre entrückt. Die gelängten Proportionen und die changierenden, teilweise grellen Farben sind Merkmale des Manierismus, der den religiösen Mystizismus der beginnenden Gegenreformationsepoche spürbar macht. Das Bild ist Parmigianinos letztes Werk und eines seiner bedeutendsten.

Literatur: S. J. Freedberg: Parmigianino. His Works in Painting. Westport/Conn. 1971, S. 86, 98–101, 121, 145, 198/99.

161 Parmigianino

161 *Die Madonna mit der Rose.* Zwischen 1527–1531. Pappelholz, 109 × 88,5 cm. 1752 durch den Kanonikus Luigi Crespi aus der Casa Zani in Bologna. *Farbtafel 8*

Der im Schoße Marias ruhende, bedeutungsvoll für seine zukünftige Wirksamkeit auf die Weltkugel gestützte Jesusknabe reicht seiner Mutter eine rote Rose dar. Da diese Symbol nicht nur für seinen späteren Opfertod, sondern auch für körperliche Liebe ist, wird die Darstellung zweideutig. Die koketten Posen und die raffiniert sinnliche Auffassung tragen dazu wesentlich bei, so daß vermutet wurde, Parmigianino habe hier ursprünglich eine Venus mit Amor malen wollen.

Literatur: Freedberg 1971, S. 80/81, 89, 140/41.

Pater, Jean-Baptiste Geboren 1695 in Valenciennes (Nord), gestorben 1736 in Paris. Sohn des Bildhauers Pater. Seit 1706 Schüler des Malers J.-B. Guidé in Valenciennes, dann in Paris unter dem Einfluß Watteaus, 1716–1718 wieder in Valenciennes, seit 1718 endgültig in der französischen Hauptstadt. 1728 wurde er Mitglied der Académie Royale. Watteau, der ihn 1721 noch einmal zu sich nach Nogent-sur-Marne rief, war sein Vorbild und eigentlicher Lehrer.

787 Pater

788 Pater

787 *Der Brautzug.* Nußbaumholz, 25×38 cm. Inventar Guarienti (1747–1750), Nr. 1745. (Alte Inv.-Nr. 2066 oben links, die aber nicht mit einem Dresdener Inventar in Verbindung gebracht werden kann.)

Fast wie die Aufführung eines Kindertheaters mutet die Szene an. An der Spitze ein Geiger und ein Drehleierspieler, dann ein «älteres» Paar, zwei Knaben am Rand stehend und schließlich das «Brautpaar». Kein Gegenstück zu Gal.-Nr. 788, wie früher angenommen. Dazu waren die Maße ursprünglich zu verschieden; auch nehmen die Kompositionen keinen Bezug aufeinander und ist die Technik ganz abweichend.

788 *Tanz unter Bäumen.* Nußbaumholz, 25,5×38,5 cm (mit den nachträglichen Anstückungen links und oben gemessen). Inventar Guarienti (1747–1750), Nr. 1746. (Alte Inv.-Nr. 2065 links oben, die aber nicht mit einem Dresdener Inventar in Verbindung gebracht werden kann). Vgl. die Bemerkungen zu Gal.-Nr. 787.

Wie bei Pater häufig, ist der von Watteau entlehnte Gedanke des ländlichen Festes dadurch ins Spielerische verwandelt, daß Kinder die Rollen der Erwachsenen übernommen haben. Zu den Klängen eines Dudelsacks tanzt ein sehr junges Paar; der Knabe hat ein Tamburin, eine Schellentrommel, in der Hand, ein Volksinstrument zur Tanzbegleitung.

Paudiss, Christoph Geboren um 1625, vielleicht in Hamburg, gestorben 1666 in Freising. Ging früh nach Holland, wo er in Amsterdam um 1642 in die Werkstatt Rembrandts eintrat. Verließ Amsterdam Ende der vierziger Jahre. Tätig in Ungarn, Ende der fünfziger Jahre in Dresden, 1660–1662 in Wien, dann in Freising. Paudiss verarbeitete Anregungen aus dem Werk Rembrandts, fand dabei aber eine unverwechselbare, eigene Sprache. Malte Historien und Genreszenen sowie Tierstücke, Bildnisse und Stilleben.

1993 Bildnis eines alten Mannes mit Pelzmütze. 1654. Bezeichnet unten links: Christoffer Paudiß. 1654. Lindenholz, 51,5 × 42 cm. Inventar 1722–1728, A 257.

Im Inventar 1722–1728 als «ein alter Manns Kopf» verzeichnet, ohne Angabe der Herkunft. Entstanden vielleicht in Ungarn. Das stark plastische, dabei diffus in graubraunen Tönen gemalte Bildnis mit dem fest auf den Betrachter gerichteten Blick steht in der Tradition von Studienköpfen alter Männer, oft Juden oder Orientalen, die im Rembrandtkreis so häufig vorkommen. Eigenartig das Licht: Es ist hell und weich, fällt von oben auf die Gestalt, hebt sie aus tiefem Dunkel und kann doch die nächtliche Atmosphäre nicht klar durchdringen. Das «Ungreifbare» der Erscheinung hängt wesentlich von diesem «nächtlichen» Charakter der Beleuchtung ab.

Literatur: R. A. Peltzer: Christoph Paudiss und seine Tätigkeit in Freising. In: Münchner Jahrbuch der bildenden Kunst, Neue Folge XII, 1937/38, S. 254, 274, Nr. 7. – W. Sumowski: Die Gemälde der Rembrandt-Schüler. Landau 1983, Bd. 4, S. 2313, 2320, Nr. 1571. – Kunst der Bachzeit. Ausstellungskatalog. Leipzig 1985, S. 153f

1993 Paudiss

1996 *Junger Mann mit grauem Hut.* Leinwand, 75,5 × 60 cm. Inventar 1722–1728, A 12, als «des Meisters Selbstbildnis».

Die alte Identifizierung als Selbstbildnis des Künstlers scheint glaubhaft. Dafür spricht auch die Blickrichtung des Dargestellten, dessen jugendliches Aussehen als Entstehungszeit die fünfziger Jahre vermuten läßt. (Im Inventar 1722–1728 ist unter der Nr. B 953 eine Kopie aufgeführt: Paudiss-Selbstbildnis.) Deutlich tritt die Eigenart der Malweise von Paudiss zutage. Die Farbe wird dünn aufgesetzt, und das Helldunkel wirkt weniger kontrastreich als bei Rembrandt. Insgesamt entsteht der Eindruck einer gewissen Unschärfe, und die Darstellung scheint vor den Augen des Betrachters zu verschwimmen.

Literatur: Peltzer 1937/38, S. 254, 274, Nr. 6. – Deutsche Bildnisse 1500–1800. Ausstellungskatalog. Halle/Saale 1961, Nr. 147. – A. N. Isergina, in: Dresdener Kunstblätter, 6. Jg., 1962, H. 9, S. 132. – Sumowski 1983, S. 2314, 2321, Nr. 1572.

1996 Paudiss

Pencz, Georg (Jörg) Geboren um 1500, gestorben 1550 in Leipzig. Tätig in Nürnberg, wo er seit 1523 nachweisbar ist. Ausgebildet unter dem Einfluß Dürers oder sogar in dessen Werkstatt. Eine Italienreise wird angenommen. 1525 wegen Atheismus aus Nürnberg ausgewiesen, zusammen mit Sebald und Barthel Beham, doch Rückkehr noch im gleichen Jahre. Ab 1532 Stadtmaler in Nürnberg. Im Todesjahr Ernennung zum Hofmaler Herzog Albrechts von Preußen; starb auf der Reise nach Königsberg in Leipzig. Auch als Stecher tätig. Malte neben einigen religiösen, mythologischen und allegorischen Kompositionen vor allem Bildnisse, deren stilistische Eigenart und ausgeprägter Renaissance-Charakter auf eine gute Kenntnis oberitalienischer Porträtkunst hindeuten.

1883–1885 *Drei Bruchstücke einer Anbetung der Könige.* Um 1530/31. Zuerst im Katalog 1835.

1883 *Erstes Bruchstück mit einem König und Begleitung.* Bezeichnet unten auf dem Futteral mit dem Monogramm GP (ligiert). Lindenholz, 181,5×44 cm.

1884 *Zweites Bruchstück mit dem heiligen Joseph.* Lindenholz, 58×28 cm.

1885 *Drittes Bruchstück mit einem Hirten.* Lindenholz, 31,5 mal 20,5 cm.

Die Darstellung basiert inhaltlich auf dem Evangelium des Matthäus, 2,1–12. Die Könige (auch als Weise oder Magier betrachtet) sind aus dem Morgenland gekommen «und gingen in das Haus und fanden das Kindlein mit Maria, seiner Mutter, und fielen nieder und beteten es an und taten ihre Schätze auf und schenkten ihm Gold, Weihrauch und Myrrhe.» (Vgl. Die Heiligen Drei Könige. Darstellung und Verehrung. Ausstellungskatalog. Köln 1982). Hans Georg Gmelin hat festgestellt, daß sich eine heute verschollene Kopie des ganzen Bildes (ohne Monogramm) aus dem 16. Jahrhundert in Lemberg, in der Sammlung Lubomirski, befand. Im Nürnberger Katalog der Ausstellung «Meister um Albrecht Dürer» wurde 1961 daraufhingewiesen, daß Dürers Paumgartner-Altar «in der Wiedergabe der Lichterscheinung und in der Architektur» anregend gewirkt hat. Auf dem Bruchstück mit dem Mohrenkönig (Gal.-Nr. 1883) bemerken wir ganz links am Bildrand ein Selbstbildnis des jugendlichen Künstlers mit flacher schwarzer Kappe. Der Maler geht wie ein heimlicher Beobachter durch die Szene: Sein flüchtig verstohlener Blick deutet auf das Gefühl eines Nicht-am-Platze-Seins, läßt uns spüren, daß die scheinbare «Realität» der Szene doch außerhalb profaner Erfahrung liegt. Auf dem Bruchstück mit dem Hirten (Gal.-Nr. 1885), neben dem auf dem Fenstersims die Pfeifen seines Dudelsackes liegen, bemerken wir links in der Ecke Teile vom Haar und vom Mantel der Maria. Neben dem heiligen Joseph (Gal.-Nr. 1884), der die Hand auf einen kostbaren Krug stützt, liegt auf dem Boden sein Zimmermannswerkzeug.

Literatur: H. G. Gmelin: Georg Pencz als Maler. Phil. Diss. Freiburg 1961, S. 25f., Nr. 5. – Meister um Albrecht Dürer. Ausstellungskatalog. Nürnberg 1961, S. 32, 152, Nr. 256. – H. Marx, in: Deutsche Kunst der Dürer-Zeit. Ausstellungskatalog. Dresden 1971, Nr. 465–467.

1883 Pencz

1884 Pencz

Pereira (Peyrera), Vasco Geboren um 1535 (?) in Evora (Portugal), gestorben 1618 in Sevilla. Vermutlich Schüler des Luis de Vargas in Sevilla; dort seit 1572 als «Bürger» nachweisbar. Seine Bilder, fast durchweg religiöser Thematik, sind kaum in Museen gelangt und befinden sich zumeist in spanischen Kirchen.

675 *Der heilige Onuphrius.* Bezeichnet auf dem Zettel unter dem Knie des Heiligen: VASCO PREIRA PICTTOR 1583. Inschrift links unten: BEATE HONOFRI IN HORA MORTIS MEÆ MIHI TVRRIS FORTITVDINIS A FACIE INIMICI: ET INTERCEDE PRO NOBIS AD EVM QVI TE ELEGIT, VT.NON CONFVNDAT IN AETERNUM. SOLI DEO HONOR ET GLORIA. Eichenholz, 109×81,5 cm. 1853 aus der Sammlung Louis Philippe in London.

Dargestellt ist der heilige Onuphrius, nach der Legende Sohn eines abessinischen Fürsten (worauf Krone und Zepter links hinweisen), der im Kloster Hermopolis erzogen worden war, dann aber 60 Jahre lang als Einsiedler in der Wüste gelebt hatte. An allen Sonn- und Feiertagen empfing er von einem Engel die Kommunion, wie es unser Bild zeigt. Im Hintergrund noch zwei Szenen, unten das Zusammentreffen des heiligen Onuphrius mit dem heiligen Paphnutius (der später die Vita des heiligen Onuphrius verfaßte), oben Onuphrius und Paphnutius mit einem Engel. Eine Wiederholung des Bildes befindet sich in der Sakramentskapelle der Kathedrale von Sevilla. In die Publikation von J. Baticle/C. Marinas: La Galerie espagnole de Louis-Philippe au Louvre. Paris 1983, ist das Gemälde nicht aufgenommen worden.

Literatur: A. L. Mayer: Geschichte der spanischen Malerei. Leipzig 1913, Bd. I, S. 202.

Pesellino, Richtung, eigentlich Francesco di Stefano, genannt Pesellino. Geboren in Florenz um 1422, dort gestorben 1457. Schüler seines Großvaters Giuliano Pesello, Gehilfe des Fra Filippo Lippi, beeinflußt auch durch Masaccio, Fra Angelico und Domenico Veneziano. Pesellino pflegte eine auf Fra Filippo Lippi aufbauende und noch der Gotik zugehörige anmutige und elegante, gefühlsbetonte Kunst von reicher malerischer Wirkung.

7 A *Thronende Maria mit dem Kind.* Pappelholz, 69×47,5 cm. 1874 aus der Sammlung Barker in London.

Maria sitzt in einer marmornen Nische, deren muschelartiger Abschluß zweifellos Bezug auf die Muschel als Symbol Marias hat, die ebenfalls eine köstliche Perle birgt. Der Granatapfel in der Hand des Jesuskindes ist ein Auferstehungssymbol. Die Frucht wiederholt sich auch im Muster des Vorhangs. Die stilisierten Lilien an den Pilastern rechts und links sind Sinnbild der Reinheit und Keuschheit Marias. Das Gold der Nimben und Brokatvorhänge steigert die reiche Farbigkeit. Wahrscheinlich darf Pesellino selbst als Autor in Anspruch genommen werden.

Literatur: P. Schubring: Die primitiven Italiener in der Dresdener Galerie. In: Kunstchronik N. F. XIII. 1901, S. 56/57.

1885 Pencz

675 Pereira

7 A Pesellino

Pesne, Antoine Geboren 1683 in Paris, gestorben 1757 in Berlin. Schüler seines Vaters Thomas Pesne und seines Oheims Charles de Lafosse in Paris. 1705–1710 Studienaufenthalt in Italien, besonders in Venedig, wo er sich vor allem Andrea Celesti anschloß. 1710 Übersiedlung nach Berlin und dort seit 1711 Hofmaler. 1718 und 1728/29 jeweils einige Wochen in Dresden für August den Starken tätig. 1720 Mitglied der Académie Royale in Paris. Vermittler französischer Kunst nach Brandenburg-Preußen und als solcher von großer Wichtigkeit für die Malerei in Berlin. Bildnisse der Hofgesellschaft und Dekoration für die Schlösser waren Hauptfelder seiner Tätigkeit.

773 Pesne

773 *Das Mädchen mit den Tauben.* 1728. Bezeichnet unten links: Pesne fecit 1728. Leinwand, 76×61 cm. 1728 von Pesne geliefert. Inventar 1722–1728, A 1975.

Mit bloßem Auge sichtbare Pentimenti über den Tauben deuten auf Veränderungen des Bildgedankens während der Ausführung. Das von der Hutkrempe halb beschattete Gesicht läßt an Rembrandts Bildnis der Saskia als Mädchen denken (Gal.-Nr. 1556), wobei aber auch die Unterschiede sehr deutlich werden. Vielleicht ist Pesnes Tochter Hélène Elisabeth dargestellt, wie Gerd Bartoschek vermutet hat. Durch die Tauben, die Attribute der Venus, wird «das Bauernmädchen zu einer Liebesgöttin. Die frische Natürlichkeit dieses Wesens in Verbindung mit der kräftigen Handschrift des Malers entfernen dieses Bild von den als Schäferinnen verkleideten Damen der Aristokratie, denen man in der Kunst dieser Zeit so oft begegnet», stellte Helmut Börsch-Supan fest.

Literatur: E. Berckenhagen, in: Antoine Pesne. Berlin 1958, Nr. 477a. – G. Bartoschek: Antoine Pesne. 1683–1757. Ausstellungskatalog. Potsdam-Sanssouçi 1983, Nr. 32. – H. Börsch-Supan: Der Maler Antoine Pesne. Franzose und Preuße. Friedberg/Hessen 1986, S. 17.

775 Pesne

775 *Selbstbildnis.* 1728. Bezeichnet rechts am Zeichenbuch: Ant. Pesne peint par luy mesme 1728. Leinwand, 81,5×66 cm. 1728 von Pesne geliefert. Inventar 1722–1728, A 1974.

Diffuses Licht hebt die Gestalt des Künstlers aus dem dunklen Grund. Malerische Qualitäten, lebendiges Schimmern der Haut und matter, samtener Glanz des Gewandes machen den Reiz des Bildes aus.

Literatur: Berckenhagen 1958, Nr. 244d. – Bartoschek 1983, Nr. 31.

777 Pesne

777 *Bildnis einer Dame im Turban.* Um 1710. Leinwand, 72×54,5 cm, hochoval. Inventar 1722–1728, A 96.

Beispiel für Pesnes Rembrandt-Rezeption, doch wird bei ihm spielerische Verkleidung, was in den Werken des Vorbildes sich mit innerer Notwendigkeit ergab. Gleichzeitig Ausdruck der Türkenmode des 18. Jahrhunderts und im Inventar 1722–1728 ausdrücklich bezeichnet als «ein Weibskopf mit türkischem Turband». Gerd Bartoschek datiert das Bild «um 1710» und rechnet es «unbedingt der ersten Schaffensperiode des Meisters» zu; er sieht es «entweder noch in Italien oder kurz nach der Übersiedlung nach Berlin» entstanden.

Literatur: Berckenhagen 1958, Nr. 396. – Bartoschek 1983, Nr. 10.

Piazzetta, Giovanni Battista Geboren 1683 in Venedig, dort gestorben 1754. Schüler des Antonio Molinari in Venedig und seit 1703 des Giuseppe Maria Crespi in Bologna, beeinflußt durch Guercino. Seine großfigurigen, kraftvoll modellierten Genreszenen aus dem venezianischen Leben sind von großer Lebendigkeit und Frische. Mit den starken Helldunkelkontrasten und den schweren, leuchtenden Farben ist Piazzetta teilweise noch dem 17. Jahrhundert verhaftet, wirkte aber zugleich stark auf Tiepolo ein.

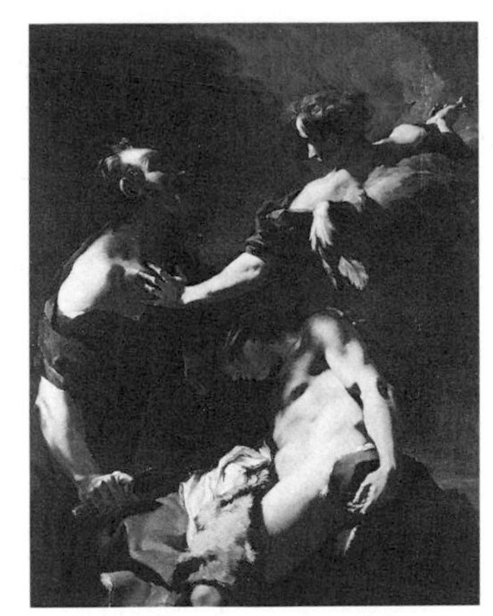

569 Piazzetta

569 *Das Opfer Abrahams.* Um 1725–1727. Leinwand, 152,5 × 114,5 cm. 1741 aus der Sammlung Wallenstein in Dux.

Gott Jahve wollte die Frömmigkeit Abrahams, des Stammvaters der Israeliten und verwandter Völker, auf die Probe stellen, indem er ihn seinen eigenen Sohn Isaak opfern ließ (1. Buch Mose, 22, 1–13). Erst im letzten Augenblick ließ er das Opfer durch den Engel verhindern. In einer von sich kreuzenden Diagonalen und Licht-Schatten-Gegensätzen beherrschten Komposition ist der dramatische Höhepunkt gestaltet. Das Bild, das stark an ein Gemälde gleichen Themas von Johann Liss in den Uffizien, Florenz, angelehnt ist, wird von manchen auch als Frühwerk Tiepolos angesehen, von P. O. Krückmann als Francesco Cappella. Eine dem Dresdener Bild sehr verwandte Fassung befindet sich in der Sammlung Owen Fenwich, London.

Literatur: R. Pallucchini/A. Mariuz: L'opera completa di Giovanni Battista Piazzetta. Milano 1982, Nr. 26. – P. O. Krückmann: Federico Bencovich. Hildesheim 1988, S. 332/33, VI–9.

570 Piazzetta

570 *David mit dem Haupte Goliaths.* Um 1735. Leinwand, 84,5 × 90 cm. 1743 durch Francesco Algarotti aus Venedig.

Der Hirtenknabe David hat den philistäischen Riesen Goliath mit einem Stein seiner Schleuder getötet und ihm dann mit Goliaths eigenem Schwert den Kopf abgeschlagen, den er hier birgt, um ihn als Trophäe zu König Saul nach Jerusalem zu bringen (1. Buch Samuelis, 17). Piazzetta hat das Motiv aus einem ungewöhnlichen Blickwinkel gestaltet und durch helles Licht vor allem den fast von oben gesehenen muskulösen Jünglingskörper herausgearbeitet. Rätselhaft bleibt noch die bedrohlich wirkende Gestalt des von hinten auftauchenden Schwertträgers, der mit der linken Hand eine an Verständigungsformen der Unterwelt erinnernde Geste vollführt.

Literatur: Pallucchini/Mariuz 1982, Nr. 30.

571 Piazzetta

571 *Ein junger Fahnenträger.* Um 1725–1730 (?). Leinwand, 87 × 71,5 cm. Herkunft wie Gal.-Nr. 570.

Bei einer für Piazzetta bezeichnenden Verknappung des Motivs und Unmittelbarkeit der Auffassung werden in der Gestalt des erschöpft aussehenden Knaben vor allem koloristische Feinheiten wirksam. Die monumentale Halbfigur ist ein Erbe Caravaggios. Über die Datierung gehen die Meinungen auseinander.

Literatur: Walther 1968, Nr. 78. – Pallucchini/Mariuz 1982, Nr. 87.

Piero di Cosimo, eigentlich Piero di Lorenzo, genannt Piero di Cosimo. Geboren 1461 oder 1462 in Florenz, dort gestorben 1521. Schüler des Cosimo Rosselli, dessen Vornamen er annahm. Beeinflußt von Filippo Lippi, Signorelli, Leonardo da Vinci, Fra Bartolomeo, Raffael und Andrea del Sarto. Tätig in Florenz, 1481/82 als Gehilfe Rossellis in Rom. Er hat alle Anregungen mit ungewöhnlicher Vorstellungskraft zu einem eigenen Stil verarbeitet, der lyrische und dramatische Ausdruckswerte verbindet und nicht selten auch phantastisch und antiklassisch ist.

20 Piero di Cosimo

20 *Die Heilige Familie mit zwei Engeln.* Um 1490–1500. Pappelholz, rund, Durchmesser 165 cm. 1860 aus dem Nachlaß Woodburne in London.

Der Johannesknabe mit dem Kreuzstab liebkost den gleichaltrigen Jesus. Die Form des Tondo, des Rundbildes, entsprach dem Streben der Renaissance nach klassischer Harmonie, doch verläßt Piero diese wieder, indem er zum Beispiel die Gestalt Josephs mit dem Rahmen überschneidet. Das Motiv der beiden Engel findet sich bei dem Florentiner Bildhauer Benedetto da Maiano vorgebildet. Die frühere Zuschreibung an Signorelli rechtfertigt sich aus dessen Einfluß, der hier etwa in der stark plastischen Gestaltungsweise spürbar ist und auf eine Entstehungszeit in den neunziger Jahren hinweist.

Literatur: M. Bacci: Piero di Cosimo. Milano 1966, Nr. 11.

Pignoni, Simone Geboren 1611 in Florenz, dort gestorben 1698. Schüler des Fabrizio Boschi, des Domenico Passignano und vor allem des Francesco Furini. Tätig in Florenz als einer der besten Vertreter der Florentiner Malerei dieser Zeit. Er malte vor allem weibliche Gestalten, oft Brustbilder, von religiösem oder allegorischem Charakter, wobei er in der sinnlichen Auffassung seinem Lehrer Furini folgte, mit dem er oft verwechselt wird. Bilder von ihm befinden sich besonders in den Kirchen von Florenz, nur wenige in Museen.

507 Pignoni

507 *Die Gerechtigkeit.* Bezeichnet rechts unten an der Waagschale: S. P. Leinwand, 91,5 × 75 cm. Inventar 1722–1728, A 183; schon 1692 in die Kunstkammer.

Die Gerechtigkeit, die Haupttugend, erscheint als eine üppige junge Frau mit einem Lorbeerkranz auf dem Haupte. In den Händen hält sie Waage und Schwert mit Löwenknauf als Zeichen ihres urteilenden und strafenden Waltens. Dazu kommen die Stäbe, wie sie über Verurteilten gebrochen wurden. Die füllige Gestalt und die reiche Drapierung des Gewandes sind für Pignoni bezeichnend. Eine zweite Fassung des Gemäldes befindet sich im Palazzo Vecchio in Florenz, zusammen mit dem Gegenstück der «Mäßigung».

Literatur: H. Voss, in: Mitteilungen aus den Sächsischen Kunstsammlungen III. 1912, S. 69. – N. Ivanoff, in: Saggi e Memorie di Storia dell'Arte 2. 1959, S. 213.

Pinturicchio, eigentlich Bernardino di Betto Biagio, genannt Pinturicchio. Geboren um 1454 in Perugia, gestorben 1513 in Siena. Vermutlich Schüler des Fiorenzo di Lorenzo, stark beeinflußt von Perugino, unter dem er zwischen 1481–1483 an der Ausmalung der Sixtinischen Kapelle des Vatikans beteiligt war. Außer in Perugia und Rom tätig in Orvieto, Spoleto, Spello und seit 1502 in Siena. Er war vor allem Freskomaler und pflegte einen anmutigen, farbenprächtigen und oft genrehaft erzählenden Stil von dekorativer Wirkung.

41 Pinturicchio

41 *Bildnis eines Knaben.* Wohl um 1480–1485. Tempera, Pappelholz, 50×35,5 cm. Inventar 1722–1728, A 73. *Farbtafel 1*

Nach dem Galerieinventar von 1722 galt der Dargestellte als der junge Raffael, gemalt von einem unbekannten Meister. Tatsächlich kann hier eine gewisse Ähnlichkeit mit Raffaels Selbstbildnissen bemerkt werden. Als Maler wurden später Raffaels Vater Giovanni Santi oder der junge Raffael selbst in Erwägung gezogen. Auch Perugino, der Lehrer Pinturicchios, wurde in Vorschlag gebracht. In jüngerer Zeit sind F. Zeri und F.R. Shapley – auch im Hinblick auf ein ähnliches Jünglingsbildnis in der National Gallery of Art Washington und ein weiteres in Berlin-Dahlem – für den von der umbrischen Schule beeinflußten florentinischen «Meister von Santo Spirito» eingetreten, C. L. Ragghianti dagegen für Lorenzo di Credi. – Bedeutsam ist es, daß hier schon frühzeitig mit psychologischem Einfühlungsvermögen das Wesen eines Knaben an der Grenze vom Kind zum Jüngling erfaßt wurde. Dem Erwachen der Persönlichkeit entspricht das morgendliche Erwachen der Natur.

Literatur: E. Carli: Il Pintoricchio. Milano 1960, S. 18. – F. Zeri, in: Bollettino d'Arte XLVII. 1962, S. 217/18. – F. R. Shapley: Paintings from the Samuel H. Kress Collection. Italian Schools XV–XVI Century. London 1968, S. 116. – C. L. Ragghianti: Lorenzo di Credi, non Pinturicchio. In: Critica d'Arte XLII. 1977, S. 91–97. – F. R. Shapley: Catalogue of the Italian Paintings. Washington 1979. I, S. 325/26.

Platzer, Johann Georg Geboren 1704 in St. Michael in Eppan (San Michele d'Appiano) bei Bozen in Südtirol, dort gestorben 1761. Sohn des Malers Johann Viktor Platzer (1665–1708). Schüler seines Stiefvaters Joseph Anton Keßler, dann seines Onkels Christoph Platzer in Passau. Seit 1721 hauptsächlich in Wien tätig. Malte biblische und weltliche Historienbilder, Gesellschaftsstücke und Allegorien, alles in kleinem Format auf Kupfer, mit vielen Figuren, bei schimmerndem Reichtum der miniaturhaft-feinen Durchführung im einzelnen und leicht bunter Farbigkeit, wodurch die Erinnerung an manieristische Hofkunst um 1600, vor allem an Rudolfinische Malerei, aufkommen kann.

2097 Platzer

2097 *Solon und Krösus.* Bezeichnet unten links: JGPlazer. Gegenstück zu Gal.-Nr. 2098. Kupfer, 40,5×59 cm. Inventar Guarienti (1747–1750), Nr. 1727.

Platzer malte wie viele Künstler des 18. Jahrhunderts aus dekorativen Erwägungen heraus oft Gegenstücke, «Pendants» oder «Compagnons» genannt, die in Komposition und Thematik aufeinander Bezug nehmen. Krösus war der letzte König der Lyder (561–546 [?] v. Chr.), dessen Reichtum schon bei den Griechen sprichwörtlich war. Er unterlag dem Perserkönig Kyros, und die später erfundene, zuerst von Herodot (I, 30ff.) erzählte Begegnung zwischen Krösus und Solon, dem Gesetzgeber Athens, spielt auf diese tragische Wendung im Schicksal des Krösus an. Auf die Frage, nach dem Glücklichsten der Menschen, die der Lyderkönig stellte, dabei seine Schätze vorweisend, antwortete der Grieche: Niemand ist vor seinem Tode glücklich.

Literatur: E. Köller, in: alte und moderne kunst. 6. Jg., Wien, Oktober 1961, S. 8.

2098 Platzer

2098 *Die Samniten vor Curius Dentatus.* Bezeichnet unten rechts: J. G. Plazer. Gegenstück zu Gal.-Nr. 2097. Kupfer, 40,5×59 cm. Inventar Guarienti (1747–1750), Nr. 1728.

Curius Dentatus ist als geschichtliche Persönlichkeit in Rom von 290–270 v. Chr. nachweisbar. Er galt als Muster an Einfachheit, Uneigennützigkeit und Unbestechlichkeit, was alles am besten in einer schon im Altertum oft wiederholten Erzählung deutlich wird: Die von ihm besiegten Samniten schickten eine Abordnung mit reichen Geschenken, um ihn zu bestechen und günstig zu stimmen. Die Gesandten trafen ihn, mit eigener Hand ein Rübengericht kochend, alle Geschenke zurückweisend. Das Thema war in der Renaissance beliebt (Holbein d. J., Jörg Breu), wo es z. B. in Rathäusern unter «Gerechtigkeitsdarstellungen» vorkam, dann erneut im 18. Jahrhundert (J. H. Tischbein, J. Zick, B. Rode).

Literatur: Köller 1961, S. 8.

Potter, Paulus Geboren 1625 in Enkhuizen, gestorben 1654 in Amsterdam. Schüler seines Vaters Pieter Symonsz. Potter, gebildet unter dem Einfluß von Claes Moeyaert und Gerrit Bleeker. 1646 Eintritt in die Delfter Malergilde, 1642–1652 in Den Haag, seit 1652 in Amsterdam tätig.

1630 Potter

1630 *Ruhende Herde.* 1652. Bezeichnet links unten: Paulus Potter. f. 1652. Gegenstück zu Gal.-Nr. 1629 (Kriegsverlust). Eichenholz, 35,5×46,5 cm. Inventar 1722–1728, A 282; durch Wackerbarth erworben.

Potter hat sich als erster Künstler in Holland auf das Tierbild spezialisiert. Meist sind es Rinder, Schafe und Ziegen auf der Weide, die er fast bewegungslos, höchstens schreitend, malt. Dadurch, daß er auf den Mittelgrund im Bilde verzichtet, heben sich die Tiere silhouettenhaft vom Horizont ab.
Das Dresdener Gemälde gehört zu den Spätwerken des Künstlers, bei dem das Dekorative eine Betonung erfährt. Die Schaffung einer zwischen Landschaft und Tieren ausgeglichenen Komposition beschäftigte Potter nun vorrangig. Ein ähnliches Gemälde aus demselben Jahr befindet sich in der Sammlung Philips in Eindhoven.

Literatur: A. L. Walsh: Paulus Potter. His works and their meaning. Phil. Diss. New York 1985, S. 242f.

717 Poussin

Poussin, Nicolas Geboren 1594 in Les Andelys (Normandie), gestorben 1665 in Rom. Schüler des Quentin Varin. Seit 1612 in Paris, dort beeinflußt von Ferdinand Elle und Georges Lallemand. Lebte von 1624 an in Rom und war nur vorübergehend von 1640–1642 wieder in Paris. Er entwickelte sich unter dem Eindruck der Antike sowie der Werke Raffaels, Tizians, Annibale Carraccis und Domenichinos und setzte den barocken Strömungen in der Kunst des 17. Jahrhunderts seine ausgeglichenen, klassizistischen Kompositionen entgegen.

717 *Die Anbetung der Könige.* 1633. Bezeichnet und datiert rechts unten an der Säulentrommel: Accad: rom. NICOLAVS PVSIN faciebat Romae. 1633. Leinwand, 160×182 cm. 1742 durch de Brais aus Paris.

Die Heiligen Drei Könige (oder Weisen) aus dem Morgenland folgten einem Stern, der ihnen die Geburt des «Königs der Juden» ankündigte, fanden das Kind und Maria, beteten es an und schenkten ihm Gold, Weihrauch und Myrrhe (Evangelium des Matthäus, II, 11). Der Stall ist in die Ruine eines römischen

Tempels eingebaut, dessen tiefer Braunton die kräftigen, leuchtenden, untereinander kompositorisch verknüpften Lokalfarben der Gewänder bindet: So wächst das Christentum aus der Antike, indem es sie überwindet. Die Komposition geht auf Raffael zurück und ist von einem Fresco gleichen Themas in den Loggien des Vatikan abgeleitet. Selten ist bei Poussin eine so ausführliche Signatur, wohl zu verstehen als Ausdruck des Stolzes auf die in Rom errungene Position: 1633 war er zum Senator vecchio der Accademia di San Luca aufgerückt. Zwei Zeichnungen, die in engem Zusammenhang mit dem Dresdener Bild stehen, besitzt das Musée Condé, Chantilly.

Literatur: P. Fréart, Sieur de Chantelou: Tagebuch des Herrn von Chantelou über die Reise des Cavaliere Bernini nach Frankreich 1665. Deutsche Bearbeitung von Hans Rose. München 1919, S. 306. – Actes du Colloque International Nicolas Poussin. Paris 1960, S. 203/204. – A. Blunt: The paintings of Nicolas Poussin. A critical catalogue. London 1966, Nr. 44. – A. Blunt: Nicolas Poussin. New York 1967, S. 125ff. – K. Badt: Die Kunst des Nicolas Poussin. Köln 1969, Werkregister Nr. 86, S. 633. – J. Thuillier: L'opera completa di Nicolas Poussin. Milano 1974, Nr. 75. – D. Wild: Nicolas Poussin. Freiburg 1980, Nr. 51. – Ch. Wright: Poussin Paintings. A catalogue raisonné. London 1984, S. 45, Nr. 63. – K. Oberhuber: Poussin. The early years in Rome. (Buch zur Ausstellung im Kimbell Art Museum. Fort Worth). New York 1988, S. 247f.

718 Poussin

718 *Pan und Syrinx.* 1637. Leinwand, 106×82 cm. 1742 durch de Brais aus der Sammlung Dubreuil in Paris.

Das Bild basiert inhaltlich auf den «Metamorphosen» des Ovid, I, 688–712, oder auf einer davon angeregten Dichtung Giambattista Marinos. Pan begehrte die schöne Nymphe Syrinx, die aber vor ihm zu ihrem Vater, dem Flußgott Ladon floh und in dem Augenblick, da Pan sie erreichte, auf eigenen Wunsch in ein Schilfrohr verwandelt wurde, aus dem Pan dann eine Flöte mit verschieden langen Rohren fertigte, die Panflöte oder Syrinx genannt wird. Der duftige landschaftliche Hintergrund läßt fast schon französische Freilichtmaler des 19. Jahrhunderts vorausahnen, vor allem Camille Corot. In einem Brief von 1637 an Jacques Stella erwähnte Poussin das Bild und bemerkte, daß es für (Nicolas Guillaume) de La Fleur in Paris bestimmt war.

Literatur: A. Félibien: Entretiens sur les vies et les ouvrages des plus excellents peintres anciens et modernes. Paris 1666f., 2. Aufl. 1685 (Neue Ausgabe Genève 1947), II, S. 328. – Ch. Jouanny: Correspondance de Nicolas Poussin. In: Archives de l'Art français, nouvelle période, V, Paris 1911, S. 3f., Anm. 36. – Actes du Colloque International Nicolas Poussin. Paris 1960, S. 7 (J. Bousquet), S. 205 (P. Francastel). – W. Friedländer: Nicolas Poussin. Paris 1965, S. 136f. – Blunt 1966, Nr. 171. – Blunt 1967, S. 150, 151, 157. – E. Knab: Über Bernini, Poussin und Le Brun. In: Albertina Studien. Wien 1967/68, S. 3–32. – Badt 1969, Werkregister Nr. 184, S. 634. – H. Marx, in: Europäische Landschaftsmalerei 1550–1650. Ausstellungskatalog. Dresden 1972, Nr. 28. – Thuillier 1974, Nr. 104. – Wild 1980, Nr. 75. – Wright 1984, Nr. 97, S. 62. – J. Thuillier: Nicolas Poussin. Paris 1988, S. 149f.

719 *Das Reich der Flora.* 1630/31. Leinwand, 131 × 181 cm. Inventar 1722–1728, A 376. *Farbtafel 27*

Dargestellt ist auf dem sehr hellen, farbig zarten Bild die tanzende Blumengöttin Flora, umgeben von Gestalten, die im Tode in Blumen verwandelt wurden. Ganz links eine Herme des Naturgottes Pan. Daneben Ajax, ein Held des trojanischen Krieges, der sich in sein Schwert stürzt, im Vordergrund Narziß, schmerzlich verliebt in sein eigenes Spiegelbild, neben ihm eine Nymphe; etwas links dahinter Klytia, den Sonnenwagen des von ihr geliebten Gottes Apollo mit den Augen verfolgend, im Vordergrund rechts gelagert Krokos und Smilax, ein Liebespaar, dahinter stehen Adonis, der Geliebte der Venus, und links von diesem Hyazinth, der Freund des Apollo. Das Bild verrät Poussins Interesse an der antiken Mythologie und an der Dichtung seiner Zeit. Die «Metamorphosen» Ovids und ein Poem Giambattista Marinos sind die inhaltlichen Grundlagen der Darstellung, die das Leben als bleibend, die Formen des Lebens als in Verwandlung begriffen versteht. Gemalt für Fabrizio Valguarnera und bezahlt mit 100 Scudi; das Bild kommt in den Prozeßakten des aus Palermo stammenden adeligen Betrügers Valguarnera vor und kann deswegen genau datiert werden. Zwei Zeichnungen, eine davon eigenhändig, in Windsor Castle.

Literatur: G. P. Bellori: Le vite de'pittori, scultori ed architetti moderni. Rom 1672, S. 441 f. – Félibien 1666 f., 2. Aufl. 1685, II, S. 327. – Nicolas Poussin. Ausstellungskatalog. Paris 1960, Nr. 20, S. 59 f. – Actes du Colloque International Nicolas Poussin. Paris 1960, Bd. I, S. 170, 174, 175 (A. Blunt). – G. Kauffmann: Poussins Primavera. In: Festschrift Walter Friedländer zum 90. Geburtstag. Berlin 1965, S. 95 ff. – R. E. Spear: The Literary Source of Poussin's Realm of Flora. In: The Burlington Magazine, November 1965, S. 563–569. – Blunt 1966, Nr. 155. – Blunt 1967, Index S. 408. – Badt 1969, Werkregister Nr. 193, S. 635. – Thuillier 1974, Nr. 67. – Th. Worthen: Poussin's Paintings of Flora. In: The Art Bulletin, december 1979, S. 575–585. – Wild 1980, Nr. 32. – Wright 1984, S. 42, Nr. 62. – Thuillier 1988, S. 145.

719 Poussin

720 Poussin

720 *Die Aussetzung des Moses.* Um 1624. Leinwand, 144 × 196 cm. 1742 durch de Brais aus der Sammlung Poincinet in Paris.

Während des erzwungenen Aufenthaltes des Volkes Israel in Ägypten sollten auf Befehl des Pharao alle neugeborenen Knaben der Hebräer getötet werden. Die Mutter des Moses aber versteckte ihren Sohn und setzte ihn dann in einem abgedichteten Korb auf dem Nil aus. Die Tochter des Pharao (im Hintergrund bei den Pyramiden) fand ihn und ließ ihn aufziehen (2. Buch Mose 2, 3–5). Die sehr barocke Komposition aus großen, bewegten Körpern entstand wohl zu Anfang von Poussins Aufenthalt in Rom. Die vom Rücken gesehene Figur des Flußgottes Nil, der sich auf eine Sphinx stützt, ist einer häufig kopierten römischen Plastik nachgebildet.

Literatur: H. Posse: Die Gemäldegalerie zu Dresden. Die Alten Meister. Dresden o. J., S. 32. – Actes du Colloque International Nicolas Poussin. Paris 1960, S. 167 (A. Blunt). – Blunt 1966, Nr. 10. – Blunt 1967, S. 91 f. – Badt 1969, S. 503 f. – Thuillier 1974, Nr. 9. – Wild 1980, Nr. M9 (Zuschreibung als Charles Mellin). – Wright 1984, Nr. 7. – Oberhuber 1988, Nr. 60.

721 *Ruhende Venus mit Amor.* Leinwand, 71×96 cm. Inventar 1722–1728, A 528.

Das Bild entstand in Poussins früher römischer Zeit. Es galt in Dresden bis 1812 als «Eine schlafende Nymphe», später als Venus, und wird erst neuerdings auch wieder als Nymphe oder Bacchantin gedeutet, da eine deutliche Kennzeichnung als Göttin fehlt. Im tiefen Farbklang der Landschaft wird das Vorbild Tizians spürbar. Die Zuschreibung an Poussin – in dessen sicheren Werken so jugendlich-schlanke Frauengestalten sonst nicht vorkommen – wird manchmal in Frage gestellt.

Literatur: Actes du Colloque International Nicolas Poussin. Paris 1960, Bd. 2, S. 256, 257. – Blunt 1966, Nr. 189. – Europäische Landschaftsmalerei 1550–1650. Ausstellungskatalog. Dresden 1972, Nr. 80. – Thuillier 1974, Nr. B 12. – Wild 1980, Nr. R 36. – Wright 1984, Nr. 34. – Oberhuber 1988, Nr. 12.

721 Poussin

Poussin, Nicolas, Umkreis

722 *Narziß.* Leinwand, 72×96,5 cm. Zuerst im Inventar 1722–1728, A 1617; demzufolge 1725 durch Le Plat.

Narziß verliebte sich in sein eigenes Spiegelbild und erwiderte die Liebe der Nymphe Echo nicht, die sterbend in einen Felsen verwandelt wurde (Ovid, Metamorphosen, III, 339–510). Die beiden Nymphen links, ohne Zusammenhang mit der eigentlichen Handlung, scheinen von Werken der «Schule von Fontainebleau» inspiriert und wären für ein Werk Poussins merkwürdig, dessen Autorschaft jetzt bestritten wird: Doris Wild dachte an Jacques Stella, Sir Anthony Blunt brachte den «Hovingham Master» in Vorschlag, doch konnte keine Zuschreibung überzeugen, und Christopher Wright beschränkte sich darum auf den allgemeinen Hinweis auf einen begabten Maler aus dem Umkreis Poussins, der das Bild «nicht früher» als Mitte der 1630er Jahre geschaffen haben könnte.

Literatur: Blunt 1966, Nr. R 77. – Badt 1969, S. 293f. – Thuillier 1974, Nr. R 66. – Wild 1980, Nr. R 48. – Wright 1984, Nr. A 7. – Oberhuber 1988, S. 25.

722 Poussin, Umkreis

Procaccini, Giulio Cesare Geboren um 1570 in Bologna, gestorben 1625 in Mailand. Schüler seines Vaters Ercole Procaccini des Älteren, beeinflußt von Parmigianino, Correggio, Bedolo und Cerano. Er pflegte in Anlehnung an seine Vorbilder einen eleganten manieristischen Stil mit Einbeziehung von Helldunkelwirkungen. Neben Cerano war er der bedeutendste lombardische Meister seiner Zeit.

643 *Die Heilige Familie.* Eichenholz, 162×107,5 cm. Inventar 1722–1728, A 1151; 1728 durch Perodi erworben als Caravaggio.

Ähnlich wie bei Parmigianino und Bedolo (Gal.-Nr. 161 und 166) ist die Darstellung stark auf weltliche Eleganz gestimmt. Der Jesusknabe erscheint als ein schon verhältnismäßig großer, schlanker Knabe von anmutigen Bewegungen, den die damenhafte Maria liebkosend an sich zieht, während er mit der Rechten in den vom vorderen der beiden Engel dargebotenen Fruchtkorb faßt.

Literatur: Posse 1929, S. 312.

643 Procaccini

Pynas, Jacob Symonsz. Geboren 1590 in Amsterdam, gestorben nach 1650 in Delft. Jüngerer Bruder des Jan Pynas. Beide waren um 1605 in Rom, wo sie mit Pieter Lastman und Adam Elsheimer zusammentrafen. Schüler von Carlo Saraceni. 1608 in Amsterdam, 1622 in Den Haag, 1632–1639 in Delft und 1641–1643 in Amsterdam tätig. Holländischer Historienmaler.

1547 A Pynas

1547 A *Joseph wird von seinen Brüdern in den Brunnen geworfen.* 1631. Bezeichnet auf dem Stein in der Mitte: JCP (ligiert) f A 1631. Kupfer, 22,4×27,4 cm. Inventar 1722–1728, A 702.

Im Inventar von 1722 geführt als «Elsheimer. or(iginal) Landschaft, wie sie Joseph in den Brunnen laßen». Bis 1903 war das Bild Elsheimer zugeschrieben. Zweifel an der Urheberschaft Elsheimers äußerte zuerst Weizsäcker 1903. 1908–1927 war das Bild Claes Moeyaert zugeschrieben. C. Müller Hofstede (1931) und K. Bauch (1936) haben das Bild aufgrund des Monogramms Jacob Pynas zugewiesen, während Baldass (1938) die Zuschreibung an Pynas ablehnte. Die Datierung, die Bauch als 1609 gelesen hatte, heißt nach erneuter Überprüfung 1631. Diese Zuschreibung ist in neuerer Zeit anerkannt worden, da Landschafts- und Figurenstil dem des Bildes in der Sammlung P. u. N. de Boer, Amsterdam, nahe verwandt sind und dieses für Pynas inschriftlich gesichert ist.

Literatur: C. Müller Hofstede: Jakob Pynas. In: Jb. der Preuß. Kunstsammlungen, 52, 1931, S. 199f. – K. Bauch: Beiträge zum Werk des Vorläufers Rembrandts, III. Die Gemälde des Jacob Pynas. In: Oud Holland, 53, 1936, S. 82f. – L. von Baldass: Studien über Jacob Pynas. In: Belvedere, 13, 1938–1943, H. 5–8, S. 154f.

Querfurt, August Geboren 1696 in Wolfenbüttel, gestorben 1761 in Wien. Schüler seines Vaters, des Braunschweiger Hofmalers Tobias Querfurt. Anschließend weitere Ausbildung bei dem Schlachtenmaler Georg Philipp Rugendas in Augsburg. Seit 1743 arbeitete er in Wien und wurde dort 1752 Ehrenmitglied der Akademie. Seine Gemälde, meist Schlachten- oder Jagdszenen, sind an Philips Wouwerman, an Bourguignon und Rugendas angelehnt. Malte auch Bildnisse.

2090 Querfurt

2090 *Der Reiter vor dem Marketenderzelt.* Bezeichnet links unten am Faß: A. Q. Gegenstück zu Gal.-Nr. 2091. Tannenholz, 22,5×23 cm. 1741 durch von Kaiserling erworben. Inventar 1741, Nr. 2698.

Bei diesem Bild (genauso wie bei seinem Gegenstück) wird die enge Anlehnung an Werke von Wouwerman deutlich, der im 18. Jahrhundert eine solche Berühmtheit erreicht hatte, das er als Vorbild aller Pferdemaler galt. Links befindet sich das Zelt einer Marketenderin, die einen Reiter auf einem Schimmel bedienen will, jedoch von einem Soldaten zurückgehalten wird.

2091 Querfurt

2091 *Ein Reiter auf weißem Pferde mit einem Jagdfalken.* Bezeichnet unten in der Mitte am Baumstamm: A. Quer... Gegenstück zu Gal.-Nr. 2090. Tannenholz, 22,5×33 cm. 1741 durch von Kaiserling erworben. Inventar 1741, Nr. 2699.

Eine Falkenjagd ist Gegenstand dieses Bildes. Alle Aufmerksamkeit konzentriert sich auf den Reiter in der Mitte, der den Falken auf der linken Hand hält. Motivisch und stilistisch verwandt sind zwei kleine Bilder in Braunschweig, von denen eines 1758 datiert ist.

Raeburn, Sir Henry Geboren 1756 in Stockbridge bei Edinburgh, gestorben 1823 in Edinburgh. Begann als Fünfzehnjähriger eine Ausbildung als Goldschmied und Juwelier, malte Miniaturen, die Interesse hervorriefen, und wurde so mit dem Maler David Martin bekannt, einem Schüler von Allan Ramsay, der ihm einige Unterweisung im Malen gab, doch bildete er sich auf diesem Gebiet im wesentlichen als Autodidakt. Nach ersten Erfolgen in Edinburgh ging er nach London, auf Rat von Reynolds 1785 bis 1787 nach Italien. Von 1787 an wieder in Edinburgh, wo er schnell zum gefeiertsten Bildnismaler Schottlands wurde. 1815 Mitglied der Royal Academy in London. 1812 Präsident der schottischen Society of Artists, 1822 von König Georg IV. geadelt und wenig später zum «Maler des Königs in Schottland» ernannt.

798 D Raeburn

798 D *Bildnis des Bischofs Lucius O'Beirne von Meath.* Leinwand, 97,5×71 cm. 1897 aus dem Pariser Kunsthandel.

Warmtoniges Bild von großer Ausstrahlung, in einer für den Maler seltenen Helldunkelmodellierung.

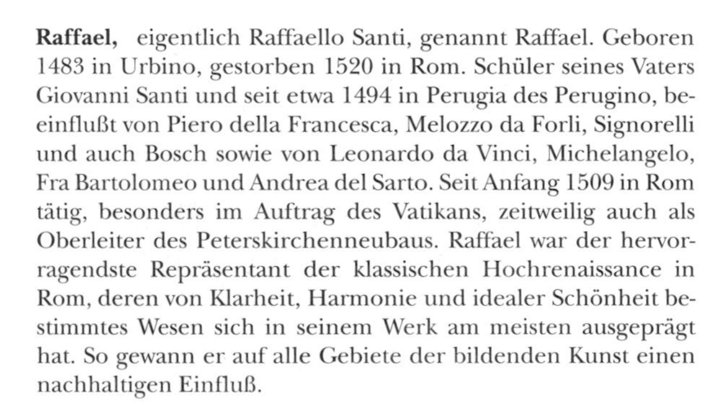

Raffael, eigentlich Raffaello Santi, genannt Raffael. Geboren 1483 in Urbino, gestorben 1520 in Rom. Schüler seines Vaters Giovanni Santi und seit etwa 1494 in Perugia des Perugino, beeinflußt von Piero della Francesca, Melozzo da Forli, Signorelli und auch Bosch sowie von Leonardo da Vinci, Michelangelo, Fra Bartolomeo und Andrea del Sarto. Seit Anfang 1509 in Rom tätig, besonders im Auftrag des Vatikans, zeitweilig auch als Oberleiter des Peterskirchenneubaus. Raffael war der hervorragendste Repräsentant der klassischen Hochrenaissance in Rom, deren von Klarheit, Harmonie und idealer Schönheit bestimmtes Wesen sich in seinem Werk am meisten ausgeprägt hat. So gewann er auf alle Gebiete der bildenden Kunst einen nachhaltigen Einfluß.

93 Raffael

93 *Die Sixtinische Madonna.* 1512/13. Leinwand, 269,5×201 cm. 1753/54 aus der Klosterkirche San Sisto in Piacenza.

Farbtafel 9

Dieses zweifellos berühmteste Bild der Dresdener Sammlung entstand im Auftrage Papst Julius II., der damit vermutlich die Stadt Piacenza für ihren Anschluß an den Kirchenstaat 1512 auszeichnen wollte. Der heilige Papst Sixtus (ital. San Sisto), Titelheiliger der Kirche, für die das Bild geschaffen wurde, im Bild links als der Vermittler zwischen der Madonna und den Menschen dargestellt, trägt daher auch die Züge Julius' II., außerdem sind auf seinem goldenen Pluviale das Motiv des Eichenlaubes und auf der abgestellten Tiara, der dreifachen Krone der Päpste, die Eichel zu erkennen, die als Wappenzeichen auf das Fürstengeschlecht della Rovere hinweisen, dem Julius entstammte. Gegenüber Sixtus, der 258 als Märtyrer starb, kniet die in dieser Kirche ebenfalls verehrte heilige Barbara mit dem Turm als ihrem Attribut (vgl. Barbari, Gal.-Nr. 59). Die Madonna, die in einer Gloriole von Engelsköpfen sieghaft über den Wolken schwebt, verkörpert göttliche Erhabenheit, Mütterlichkeit und weibliche Schönheit. Sie ist mit den beiden knienden Gestalten in ein gleichschenkliges Dreieck einbezogen, in einer für die Renaissance charakteristischen harmonischen Dreieckskomposition. Der geraffte Vorhang schließt die Gruppe noch einmal zusammen. Die zwei Engelchen an der

Brüstung lenken den Blick des Betrachters nach oben; ihre kindliche Unbefangenheit unterscheidet sie vom Jesusknaben, der prophetischen Ernst offenbart. Das Gemälde verkörpert die denkbar vollkommene Lösung des monumentalen Madonnenbildes. Zahlreiche Menschen haben sich um seine letzte Deutung bemüht und seinen Ruhm damit vermehrt.

Literatur: M. Putscher: Raphaels Sixtinische Madonna. Das Werk und seine Wirkung. Tübingen 1955. – A. Walther: Die Sixtinische Madonna. Ein Meisterwerk der Renaissance als Inbegriff der Dresdener Gemäldegalerie. In: Katalog der Ausstellung «Raffael zu Ehren.» Dresden 1983, S. 7–21.

Régnier, Nicolas (Renieri, Niccolò). Geboren um 1590 in Maubeuge (Nord), gestorben 1667 in Venedig. Schüler des Abraham Janssens in Antwerpen, von dem er schon die caravaggieske Plastizität der Gestalten und die flüssige Malweise übernommen haben könnte. Seit etwa 1615 in Rom, wo er sich den dort lebenden flämischen Malern anschloß, aber anscheinend auch Schüler Bartolomeo Manfredis war. In Rom auch beeinflußt von Simon Vouet und Johann Liss. Von 1626 an in Venedig, wo er angesehen, reich und berühmt und bis zu seinem Tode unablässig tätig war.

409 Régnier

409 *Der heilige Sebastian.* Leinwand, 127×99 cm. 1746 aus der herzoglichen Galerie in Modena.

Der heilige Sebastian, der nach der Legende unter den Kaisern Diokletian und Maximilian das Martyrium erlitt, ist – gefesselt und von zwei Pfeilen getroffen – vor dunklem Hintergrund dargestellt, der sich erst auf den zweiten Blick, vor allem an den Baumkronen links oben, als Waldinneres erkennen läßt. Das Bild galt als Caravaggio, ehe Hermann Voss in Régnier den Autor erkannte. Nach Voss ein Beispiel für den caravaggiesken Frühstil des Künstlers.

Literatur: H. Voss, in: Die Malerei des Barock in Rom. Berlin 1924, S. 480.

Reiner, Wenzel Lorenz Geboren 1689 in Prag, dort gestorben 1743. Sohn des Bildhauers Josef Reiner. Lernte bei Anton Ferdinand Schweiger aus Untersteiermark. Weitergebildet unter dem Einfluß von Michael Wenzel Halbax, Peter Brandl und Johann Christoph Lischka. Eine Italienreise wird angenommen, ist aber nicht verbürgt, obwohl italo-flämische Stilmerkmale in manchen seiner Landschaften unverkennbar sind. Hauptsächlich als Freskomaler in Böhmen und besonders in Prag tätig.

2076 Reiner

2076 *Römischer Viehmarkt mit einem gemüsetragenden Schimmel.* Gegenstück zu Gal.-Nr. 2075. Leinwand, 72,5×98 cm. 1739 durch Riedel aus Prag; Inventar 1741, Nr. 2460.

Dargestellt ist das halbverschüttete Forum Romanum, das den Römern in nachantiker Zeit als «campo vaccino», als Viehmarkt diente. Das beherrschende Bogenmotiv im Hintergrund zeigt einen Teil der Maxentius-Basilika, rechts am Bildrand ahnt man den Portikus der Kirche Santa Francesca Romana. «In den von allen anderen Bildern des Meisters vollkommen abweichenden Gemälden Campi vaccini in der Dresdener Galerie» ist der Einfluß des Pieter Van Bloemen spürbar, stellte Pavel Preiss fest. Eine (sehr viel schlechtere) Variante des Bildes befindet sich im Musée d'Art et d'Histoire in Lille und wird Pieter Van Bloemen zugeschrieben (A. Busiri Vici: Jan Frans Van Bloemen, Orizzonte. Roma 1974, Nr. R 8).

Literatur: C. L. von Hagedorn: Lettre à un Amateur de la Peinture ... Dresde 1755, S. 297. – P. Preiss: Wenzel Lorenz Reiner (1689–1743). Katalog zur Ausstellung der Nationalgalerie Prag im Salzburger Barockmuseum. Salzburg 1984, S. 10.

Rembrandt, eigentlich Rembrandt Harmensz. van Rijn, genannt Rembrandt. Geboren 1606 in Leiden, gestorben 1669 in Amsterdam. Nach siebenjährigem Besuch der Lateinschule erfolgte 1620 Immatrikulation an der Universität in Leiden. Danach Malerlehre bei Jacob Isaak van Swanenburgh in Leiden und bei Pieter Lastman in Amsterdam. In Leiden Zusammenarbeit mit Jan Lievens. 1628–1631 war Gerard Dou in Leiden sein Schüler. 1631 Übersiedlung nach Amsterdam. 1632 erstes Gruppenbildnis mit der «Anatomischen Vorlesung des Dr. Tulp». 1642, im Todesjahr von Saskia, vollendete er die «Nachtwache». 1656 verlor er Haus und Vermögen. Hendrickje Stoffels, die er zu sich genommen hatte, betrieb zusammen mit seinem Sohn Titus eine Kunsthandlung. 1661 malte Rembrandt für das Amsterdamer Rathaus die «Verschwörung der Bataver unter Julius Civiles», 1662 die «Staalmeesters». 1663 Tod von Hendrickje Stoffels, 1668 starb sein Sohn Titus. Rembrandts Malerei gehört nicht nur zu den Höhepunkten der holländischen Kunst des 17. Jahrhunderts, sondern der europäischen Malerei überhaupt.

1556 Rembrandt

1556 *Saskia van Uylenburgh als Mädchen.* 1633. Bezeichnet links in der Mitte: Rembrandt. fe 1633. Eichenholz, 52,5×44,5 cm. Zuerst im Katalog 1817. *Farbtafel 35*

Saskia van Uylenburgh (1612–1642) war die Tochter des Bürgermeisters Rombertus van Uylenburgh in Leeuwarden, mit der sich Rembrandt 1634 vermählt hatte. Nach neueren Forschungen wird vermutet, daß dieses Gemälde weniger die Funktion eines Porträts, das eine lächelnde junge Frau zeigt, sondern eine weitere Bedeutung hat. In Rembrandts Radierung (B. 109) von 1639 «Der Tod erscheint einem jungen Paar» sind die Figuren auch in altertümlichen Kostümen dargestellt – der Hut der Frau ist mit dem Saskias vergleichbar – und der junge Mann lächelt. Es ist zu vermuten, daß das Lächeln in Verbindung mit der altertümlichen Kostümierung auf Vanitas hindeutet, wofür auch Hinweise aus der zeitgenössischen Literatur sprechen. Das Lächeln stünde hier also für vergehende Fröhlichkeit oder die Vergänglichkeit des Lebens allgemein.

Literatur: K. Bauch: Rembrandt Gemälde. Berlin 1966, Nr. 474. – H. Gerson: Rembrandt Paintings. Amsterdam 1968, Nr. 134. – A. Bredius/H. Gerson: Rembrandt. London 1969, 3. Aufl., Nr. 97. – A Corpus of Rembrandt Paintings. J. Bruyn u. a. Bd. 2 1631–1634. Dordrecht/Boston/Lancaster 1986, S. 361 ff., A 76.

1557 *Bildnis des Willem Burchgraeff.* 1633. Bezeichnet rechts in der Mitte: Rembrandt: fec 1633:. Eichenholz, oval, 67,5×52 cm. Inventar 1722–1728, A 72; durch Wackerbarth.

Nach neuen Forschungen wird die Identifizierung des Dargestellten als der Bäcker und Weinhändler Willem Burchgraeff angezweifelt, ohne daß ein anderer Vorschlag eingebracht werden kann. Zweifel bestehen ferner über die Authentizität der Signatur. Es wird angenommen, daß es sich bei diesem Gemälde um eine Werkstattarbeit handelt. Stilistische Übereinstimmungen bestehen zu dem Bildnis Rembrandts in Berlin (Corpus II, Nr. C 56). Beide Gemälde sollen dem letzten Rembrandtschüler Govaert Flinck zuzuschreiben sein. Flinck kam erst 1633, im Entstehungsjahr des Bildes, in Rembrandts Werkstatt.

Literatur: Bauch 1966, Nr. 368. – Gerson 1968, Nr. 147. – Bredius/Gerson 1969, Nr. 175. – Rembrandt-Corpus II, 1986, S. 800ff., Nr. C 77.

1557 Rembrandt

1558 *Ganymed in den Fängen des Adlers.* 1635. Bezeichnet und datiert am Hemdzipfel: Rembrandt. fe 1635. Leinwand, 177×130 cm. 1751 durch Heinecken aus Hamburg (1716 in Amsterdam versteigert).

Ganymed, der Sohn des Trojerkönigs Tros und dessen Gattin Kallirrhoe, wuchs der griechischen Sage nach (vgl. Homer, Ilias XX, 231–235; Vergil, Aeneis V, 252ff.; Ovid, Metamorphosen X, 155ff.) zu einem schönen Knaben heran, so daß die Götter wünschten, er möge Mundschenk Jupiters werden. Jupiter selbst verliebte sich in Ganymed und ließ ihn aus der trojanischen Ebene durch einen Adler rauben (oder raubte ihn selbst in Gestalt eines Adlers). Später verlieh er ihm Unsterblichkeit, indem er ihn als das Sternbild Aquarius ans Firmament setzte. Auf der Entwurfszeichnung zum Ganymed im Dresdener Kupferstich-Kabinett sind am unteren Bildrand noch zwei Figuren abgebildet, wohl die Eltern Ganymeds, die im Gemälde fehlen. Trotz umfangreicher Forschungen ist die Bedeutung von Rembrandts Ganymed noch nicht eindeutig geklärt, und mehrere Deutungen liegen vor. Aus der homo-erotischen Interpretation entwickelte sich bereits in der Antike die Deutung, daß Jupiter weniger von der physischen Schönheit Ganymeds angezogen wurde, sondern sich vielmehr an der Reinheit seiner Seele erfreute. Hieraus entwickelte sich der Gedanke, Ganymed als Verkörperung der reinen, sich in Gott erfreuenden menschlichen Seele zu verstehen. Außerdem sieht man in dem pullernden Knaben zugleich Aquarius (Wassermann), der der Welt das lebensspendende Wasser bringt und die Wachstumskraft der Erde vermehrt.

Literatur: Bauch 1966, Nr. 102. – Gerson 1968, Nr. 73. – Bredius/Gerson 1969, Nr. 471. – A Corpus of Rembrandt Paintings. J. A. Bruyn u. a., Bd. III. 1635–1642. Dordrecht/Boston/London 1989, S. 161ff, Nr. A 113. – P. v. Thiel, in: Rembrandt. Der Meister und seine Werkstatt. Gemälde. Katalog der Ausstellung in: Berlin/Amsterdam/London 1991/92, S. 192ff., Nr. 24.

1558 Rembrandt

1559 Rembrandt

1560 Rembrandt

1559 *Rembrandt und Saskia im Gleichnis vom verlorenen Sohn.* Um 1635. Reste der Bezeichnung links in der Mitte: Rembrandt f. Leinwand, 161 × 131 cm. 1751 durch Le Leu aus Paris.

Die Dresdener Galerie besitzt eine der reichsten Sammlungen Rembrandtscher Gemälde. Zu ihr gehört auch das Selbstbildnis mit Saskia, in dem sich der Künstler im Gleichnis vom verlorenen Sohn (Lukas 15, 11–32) darstellt. Eine um 1634/35 entstandene Vorzeichnung im Städelschen Kunstinstitut Frankfurt/M. gibt den ursprünglichen Zustand und zugleich auch die Grundidee des Bildes wieder. Alle wichtigen Attribute, die das Bild als eine Darstellung vom verlorenen Sohn ausweisen, sind hier vorhanden: die Anschreibetafel charakterisiert nicht nur die Örtlichkeit in einem Wirtshaus, sondern weist hin auf die Verschwendung des väterlichen Erbteils, das erhobene Trinkglas ist Symbol der Unmäßigkeit, der Schlemmerei, und der Pfauhahn mit den Federn bedeutet Hochmut und Stolz. Die Lautenspielerin (auf dem Bild heute nur in der Röntgenaufnahme sichtbar, sie stand zwischen Rembrandt und Saskia) bedeutete Warnung und Mahnung vor einem sündhaften Leben. Das Bild zeigte ursprünglich eindeutig die Geschichte vom verlorenen Sohn bei den Dirnen. In der späteren, heute vor uns liegenden Version hat Rembrandt die Lautenspielerin übermalt. Der Inhalt jeder dieser beiden Kompositionen, vor allem die Entwicklung von der ersten zur zweiten Version, wirft grundsätzliche Fragen auf, und zwar solche, die uns wohl an eines der schwierigsten Probleme, das Selbstverständnis dieses Künstlers, heranführen.

Literatur: A. Mayer-Meintschel: Rembrandt und Saskia im Gleichnis vom verlorenen Sohn. In: Jahrbuch der Staatlichen Kunstsammlungen Dresden. 1970/71, S. 39–57. – Bauch 1966, Nr. 535. – Gerson 1968, Nr. 79. – Bredius/Gerson 1969, Nr. 30. – Rembrandt-Corpus III, 1989, S. 134ff, Nr. A 111.

1560 *Simson, an der Hochzeitstafel das Rätsel aufgebend.* 1638. Bezeichnet und datiert unten in der Mitte: Rembrandt. f. 1638. Leinwand, 126,5 × 175,5 cm. Inventar 1722–1728, A 1144.

Farbtafel 37

Das schon zu Lebzeiten Rembrandts hochgepriesene Bild stellt einen Höhepunkt in dessen künstlerischer Entwicklung dar, der der berühmten «Nachtwache» (1642) im Rijksmuseum in Amsterdam vorangeht. Philips Angels würdigte es in seiner Rede «Lof der Schilder-Konst», die er am Nikolaustag 1641 hielt, als eine besonders durchdachte Historie (Buch der Richter, 14, 5–18). In dem Flötenspieler rechts glaubt man ein Selbstbildnis Rembrandts zu erkennen. In der Komposition sind Anklänge an Leonardo da Vincis «Abendmahl» zu beobachten sowie an verschiedene traditionelle Darstellungen von Hochzeitsfesten. Daneben sind Entlehnungen aus Otto van Veens «Bankett im Wald» (Rijksmuseum, Amsterdam, A 430) festzustellen, das zu einem Zyklus von zwölf Bildern über den Kampf der Bataver gegen die Römer gehört.

Literatur: J. Gantner: Rembrandt und die Verwandlung klassischer Formen. Bern/München 1964, S. 111–116. – Bauch 1966, Nr. 20. – Gerson 1968, Nr. 85. – Bredius/Gerson 1969, Nr. 507. – Rembrandt-Corpus III, 1989, S. 248ff., Nr. A 123.

1561 *Der Rohrdommeljäger.* 1639. Bezeichnet und datiert links oben: Rembrandt fe 1639. Eichenholz, 121×89 cm. Inventar Guarienti (1747–1750), Nr. 159.

Das Bild ist schon im Inventar Rembrandts vom Jahre 1654 als «een pittor» (Rohrdommel) erwähnt. Der Jäger, der stolz seine Beute vorweist, ist niemand anderes als der Künstler selbst, der es liebte, seine Modelle und auch seine eigene Person in den verschiedensten Verkleidungen zu malen. Wenn er sich als Weidmann vorstellt, so braucht dies durchaus nicht zu besagen, daß Rembrandt das Jagdgeschäft ausgeübt hat. Was ihn interessiert haben mag, ist die überraschende Vereinigung eines geliebten Motivs der Stillebenmaler, des toten, an einem Haken hängenden Vogels, mit einem Selbstbildnis.

Literatur: Bauch 1966, Nr. 312. – Gerson 1968, Nr. 191. – Bredius/Gerson 1969, Nr. 31. – Rembrandt-Corpus III, 1989, S. 328ff., Nr. A 133.

1561 Rembrandt

1562 *Saskia mit der roten Blume.* 1641. Bezeichnet links unten: Rembrandt. f 1641. Eichenholz, 98,5×82,5 cm. 1742 aus der Sammlung Araignon in Paris.

Saskia schaut dem Betrachter, der niemand anderes als Rembrandt selbst ist, direkt ins Gesicht. Auch ihre Gesten sind auf ihn gerichtet. Mit der Rechten reicht sie ihm eine rote Blume, die Linke liegt auf der Brust. Die Gebärde Saskias ist symbolisch gedeutet worden. In dem Darreichen der Blume glaubte man einen allegorischen oder mythologischen Sinn zu erkennen. Deshalb hat die neuere Forschung (H. Gerson/J. Held) das Bild auch als eine Flora-Darstellung angesprochen. Diese Vermutung hat ihre Berechtigung, denn zu Rembrandts Lebzeiten befand sich Tizians «Flora» in Amsterdam, und die fast über hundert Jahre zurückliegenden Verbindungen zwischen Venedig und Amsterdam kommen hier auf neue Weise zum Klingen.

Literatur: Bauch 1966, Nr. 264. – Gerson 1968, Nr. 226. – Bredius/Gerson 1969, Nr. 108. – Rembrandt-Corpus III, 1989, S. 395ff., Nr. A 142.

1562 Rembrandt

1563 *Das Opfer des Manoah.* 1641. Bezeichnet rechts oben in der Mitte: Rembrandt f 1641. Leinwand, 242×283 cm. Inventar Guarienti (1747–1750), Nr. 177, als «opera delle sue più insigni».

Als die Philister über die Juden herrschten, erschien der Frau des Manoah, die unfruchtbar war, ein Engel und verkündete ihr die Geburt eines Sohnes. Als Manoah dies erfuhr, betete er zu Gott und bat um einen weiteren Besuch des Engels, der ihm daraufhin erneut erschien, die Weissagung der Geburt des Sohnes wiederholte und ihn bat, einen Ziegenbock zu opfern. Der Sohn, den die Frau des Manoah gebar, war Simson (Buch der Richter 13, 1–20). – Nach neuen Forschungen wird die Echtheit der Signatur bezweifelt. Aufgrund des klassischen Aufbaus der Komposition und der Farbgebung wird das Gemälde in die fünfziger Jahre datiert. Da aus dieser Zeit auch drei Zeichnungen mit der gleichen Komposition stammen, die neuerdings Willem Drost zugeschrieben werden, wird angenommen, daß auch das Dresdener Gemälde ein Werk dieses Künstlers sei.

Literatur: F. Saxl: Rembrandt's Sacrifice of Manoah. London 1939 (The Studies of the Warburg Institute. IX). – Bauch 1966, Nr. 23. – Gerson 1968, Nr. 204. – Bredius/Gerson 1969, Nr. 509. – Rembrandt-Corpus III, 1989, S. 523, Nr. C 83.

1563 Rembrandt

1567 *Bildnis eines bärtigen Alten im schwarzen Barett.* 1654. Bezeichnet links oben: Rembrandt f. 1654. Pappelholz, 102×78 cm. Inventar 1722–1728, A 207; aus Polen.

Bereits Bredius/Gerson 1969 bezweifelten die Zuschreibung dieses Gemäldes an Rembrandt. Sie vermuten, daß es sich hierbei um eine Schülerarbeit handelt. Gelungen ist die Lichtführung sowie die fein nuancierte Farbgebung, die auf eine Skala von warmen braunen Tönen reduziert ist. Bei dem Bildträger handelt es sich nicht, wie ursprünglich angenommen, um Linden-, sondern um Pappelholz (Untersuchungen 1977, Institut für Holztechnik an der Technischen Universität Dresden).

Literatur: A. Bredius: Rembrandt-Gemälde. Wien 1935, Nr. 272. – Bauch 1966, Nr. 208. – Bredius/Gerson 1969, Nr. 272.

1567 Rembrandt

1569 *Selbstbildnis mit dem Zeichenbuche.* 1657. Bezeichnet rechts unten: Rembrandt f 1657. Leinwand, 85,5×65 cm. Inventar 1722–1728, A 54.

Das Selbstbildnis existiert zumindest in vier Exemplaren, als deren bestes das nachträglich auf ovales Bildformat gebrachte im M. H. De Young Memorial Museum in San Francisco gilt, das Reste einer Signatur und der Jahreszahl 1653 trägt; das dritte Exemplar, das im 18. Jahrhundert Sir Joshua Reynolds gehörte, ist heute in der Sammlung Cottrell Dormer. Ein viertes, angeblich aus dem Besitz des irischen Malers William Mulready (1786–1863) stammend, ist heute in der Sammlung A. R. Bader, Milwaukee, Wisconsin. Rembrandts Autorschaft wird für das Dresdener Bild von verschiedenen Seiten bezweifelt, doch hielten Bredius und Valentiner an ihr fest. Bauch (1966) und Gerson (1968) dagegen führten es nicht mehr unter den authentischen Werken auf. Ein Schabkunstblatt von J. Gole gibt nach Bauch eine weitere Variante wieder, nach Bredius/Gerson (1969) vielleicht das verlorene Original.

Literatur: W. R. Valentiner: Rembrandt. 1908, 3. Aufl., S. 398. – Bredius 1935, Nr. 46. – Bauch 1966, S. 17, Nr. 323. – Bredius/Gerson 1969, S. 550, Nr. 46.

1569 Rembrandt

1570 *Bildnis eines Mannes mit Perlen am Hut.* Um 1662. Leinwand, 82×71 cm. Inventar 1722–1728, A 252; aus Polen.

Dieses in der heutigen Forschung nicht eindeutig gesicherte Werk wird unterschiedlich datiert: Posse nennt als Entstehungsdatum das Jahr 1667, Scheidig (1959) 1665, Bauch (1966) 1662, er hält es übrigens für das beste von mehreren Exemplaren. Zweifel an Rembrandts Autorschaft sind bereits 1932 geäußert worden und auch Gerson (1968) verzeichnet es nicht mehr unter den eigenhändigen Bildern von Rembrandt. Die Unsicherheit, mit der das Bild beurteilt wurde, resultiert aus seinem Zustand, der auf umfangreiche Restaurierungen schon im 18. und 19. Jahrhundert schließen läßt, was auch die differenzierte Krakeleebildung verdeutlicht.

Literatur: Posse 1930, Nr. 1570. – Bredius 1935, Nr. 324. – W. Scheidig: Rembrandt und seine Werke in der Dresdener Galerie. Dresden 1959, S. 22. – Bauch 1966, Nr. 247. – Gerson 1968. – Bredius/Gerson 1969, Nr. 324.

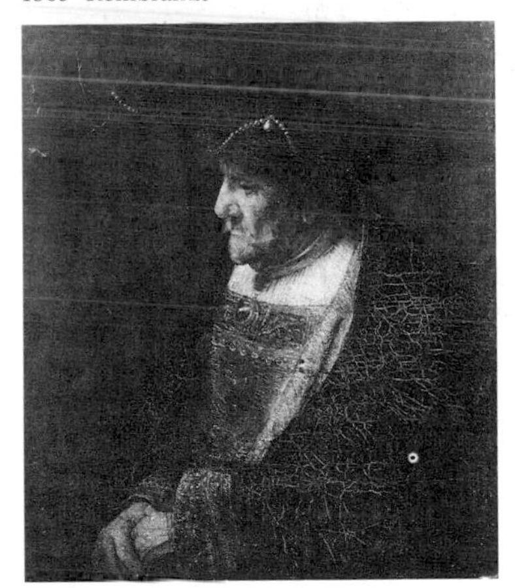

1570 Rembrandt

1571 *Bildnis eines Alten mit Stock und Hut.* Um 1645. Leinwand, 99,5×80,5 cm. Inventar Guarienti (1747–1750), Nr. 1046; angeblich 1742 aus der Sammlung Carignan aus Paris.

Stilistisch nahestehend dem Bildnis eines «Greises mit Barett und Pelzmantel» aus dem Jahre 1645 in Berlin, Staatliche Museen. Die linke Hand und der Handschuh, den der Dargestellte trägt, sind spätere Ergänzungen aus dem 18. Jahrhundert. Ob allerdings Christian Wilhelm Ernst Dietrich, damaliger Galerie-Inspektor, diese ausführte, wie man bisher vermutete, läßt sich bisher nicht archivalisch belegen. Von H. Gerson (1968) nicht mehr unter den authentischen Werken Rembrandts geführt.

Literatur: Bredius 1935, Nr. 240. – Bauch 1966, Nr. 191. – Bredius/Gerson 1969, Nr. 240.

1571 Rembrandt

Reni, Guido Geboren 1575 in Bologna, dort gestorben 1642. Schüler des Flamen Denys Calvaert, seit etwa 1595 der Carracci, in Rom beeinflußt von Caravaggio. Tätig hauptsächlich in Bologna, zwischen 1601 und 1614 mit Unterbrechungen und nochmals 1627 in Rom, 1620 in Ravenna, 1612 und 1622 in Neapel. Reni führte die antimanieristische Reform der Carracci fort und verknüpfte deren neue Klassizität mit dem von dramatisierenden Helldunkelwirkungen bestimmten Naturalismus Caravaggios. Seine lebendig gefühlvolle Auffassung wich in der Spätzeit zunehmend einem kühlen, oft sentimentalen Klassizismus.

324 Reni

324 *Ruhende Venus mit Amor.* Um 1639. Leinwand, 136×174,5 cm. Wahrscheinlich 1731 durch Le Plat erworben.

Amor, der bogenführende Gehilfe der Liebesgöttin Venus, reicht dieser zur Prüfung der Schärfe einen seiner Pfeile, mit denen er die Menschen zur Liebe entflammt. Indem Venus sich aus dem Liegen halb aufrichtet, gewinnt ihr Körper im Fluß der Konturen stark an Bewegtheit. Das schwellende, von schweren Vorhängen umgebene Lager erhöht die erotische Wirkung der Darstellung. Der sentimentale Augenaufschlag der Göttin ist besonders für die späteren Werke Renis typisch. Pepper möchte das Bild einem Maler des frühen 18. Jahrhunderts geben, was nicht überzeugen kann.

Literatur: C. Gnudi/G. C. Cavalli: Guido Reni. Firenze 1955, Nr. 98. – D. St. Pepper: Guido Reni. Oxford 1984, S. 300, C 5.

327 Reni

327 *Trinkender Bacchusknabe.* Um 1623 (?). Leinwand, 72×56 cm. 1746 aus der herzoglichen Galerie in Modena.

Bacchus war der griechische Gott des Weines und der natürlichen Fruchtbarkeit. Sonst zumeist als würdiger Mann oder als Jüngling dargestellt, erscheint er hier als dickliches Kleinkind mit weinlaubbekränztem Kopf, Rotwein trinkend aus einer schon halb geleerten Flasche. Mit geübtem Griff hält er diese schräg an den Mund, während er ungeniert zugleich wieder Flüssigkeit von sich gibt, ähnlich wie das volle Faß, auf das er sich stützt. Das humorvolle Bild ist Ausdruck barocker Genußfreudigkeit. Pepper (1984) datiert es 1637/38.

Literatur: Pepper 1984, Nr. 170.

328 *Thronende Madonna mit drei Heiligen.* 1620/21. Leinwand, 319×216 cm. Herkunft wie Gal.-Nr. 327.

Zu Füßen der schönen jungen Maria sitzt rechts der heilige Hieronymus, einer der vier großen lateinischen Kirchenlehrer (340–384), der fünf Jahre lang als Einsiedler lebte und als solcher wie auch hier oft im Büßergewande dargestellt ist. Das Buch als Attribut verweist auf seine theologischen Studien und die von ihm geschaffene lateinische Bibelübersetzung. Die beiden dunkelhaarigen Heiligen sind Crispinian und, stehend, Crispinus, nach der Legende Brüder aus vornehmer römischer Familie, die vor den Christenverfolgungen Diokletians nach Soissons flüchteten, Schuhmacher lernten und die Armen für das Christentum gewannen, indem sie ihnen Schuhe schenkten. Später wurden beide enthauptet. Als Patrone der Schuster, Sattler und Gerber erscheinen sie auf diesem für die Kapelle der Schuhmacherinnung in S. Prospero in Reggio gemalten Bild. Leisten und Zuschneidemesser verweisen auf ihren Beruf. Die Engelchen bringen für sie die Überwinderkränze. Die starken Helldunkelkontraste zeigen den Einfluß Caravaggios.

Literatur: Pepper 1984, Nr. 79.

328 Reni

329 *Christus mit der Dornenkrone.* 1636/37. Kupfer, 76×60 cm. 1749 aus der kaiserlichen Galerie in Prag.

Reni hat den gegeißelten, als angeblichen König der Juden zum Spott mit Dornenkrone, Purpurmantel und einem Rohr statt des Zepters ausgestatteten Christus mehrfach dargestellt. Aus der vielfigurigen Passionsszene mit der öffentlichen Zurschaustellung des angeklagten Religionsstifters ist durch die Beschränkung auf dessen Einzelgestalt eine Form des Andachtsbildes von mehr privatem Charakter geworden. Der Bildtitel «Ecce homo» (Siehe, welch ein Mensch), nach den Worten, mit denen der von Christus beeindruckte römische Prokurator Pilatus das Volk zu Mitleid und gerechtem Urteil bringen wollte, kann auch hier angewandt werden. Der Mantel hat eine violettgraue Farbe erhalten. Die plastische Durchbildung aller Formen dient einem unpathetischen, ausdrucksvollen Realismus.

Literatur: Pepper 1984, Nr. 162.

329 Reni

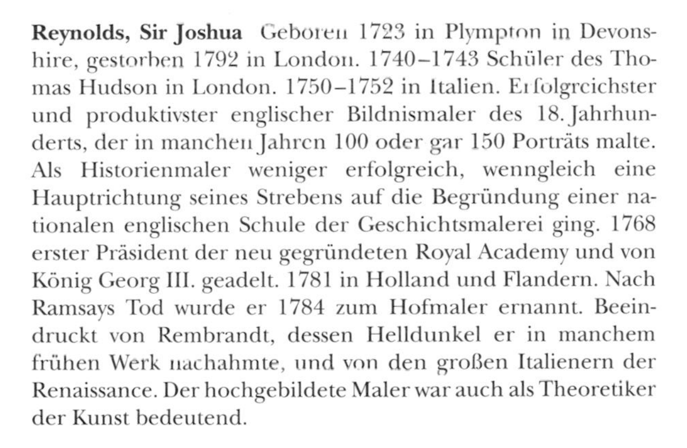

Reynolds, Sir Joshua Geboren 1723 in Plympton in Devonshire, gestorben 1792 in London. 1740–1743 Schüler des Thomas Hudson in London. 1750–1752 in Italien. Erfolgreichster und produktivster englischer Bildnismaler des 18. Jahrhunderts, der in manchen Jahren 100 oder gar 150 Porträts malte. Als Historienmaler weniger erfolgreich, wenngleich eine Hauptrichtung seines Strebens auf die Begründung einer nationalen englischen Schule der Geschichtsmalerei ging. 1768 erster Präsident der neu gegründeten Royal Academy und von König Georg III. geadelt. 1781 in Holland und Flandern. Nach Ramsays Tod wurde er 1784 zum Hofmaler ernannt. Beeindruckt von Rembrandt, dessen Helldunkel er in manchem frühen Werk nachahmte, und von den großen Italienern der Renaissance. Der hochgebildete Maler war auch als Theoretiker der Kunst bedeutend.

798 C *Bildnis des Mr. William James in Jägertracht.* 1758. Leinwand, 111×89 cm. 1891 aus dem Berliner Kunsthandel.

Ein schönes Beispiel für den Stil der späten fünfziger Jahre, hell im Ton, breit im Vortrag, mit einer an van Dyck gemahnenden Noblesse der Haltung des Dargestellten.

798 C Reynolds

Ribera, Jusepe de, genannt auch Lo Spagnoletto. Geboren 1591 in Játiva bei Valencia, gestorben 1652 in Neapel, Schüler Francisco Ribaltas in Valencia. Ging jung nach Italien und ließ sich etwa 1616 in Neapel nieder, das seit 1504 und bis 1735 Hauptstadt des von spanischen Vizekönigen regierten Königreichs beider Sizilien war. Beeinflußt vom Realismus und vom Helldunkel Caravaggios, Lehrer Luca Giordanos.

682 Ribera

682 *Diogenes mit der Laterne.* 1637. Bezeichnet rechts über der Laterne: Jusepe de Ribera español, F. 1637. Leinwand, 76×61 cm. Inventar 1722–1728, A 250.

Der griechische Philosoph Diogenes von Sinope (gestorben 323 v. Chr.), der bekannteste Vertreter des Kynismus, lebte als Wanderlehrer und führte ein einfaches Leben ohne äußere Bedürfnisse. Von verschiedenen Schriftstellern (Diogenes Laërtes, VI, 41; Phaedrus, fab. III, 19) wird folgende Anekdote überliefert: Eines Tages sei er, bei Tageslicht, mit einer Laterne auf den Markt gekommen und habe, deswegen verlacht, geantwortet: «Ich suche einen Menschen». Einen «Menschen» im Getümmel zu finden, schien ihm also schwer. Man vergleiche auch das große Bild von Jacob Jordaens, Gal.-Nr. 1010.

Literatur: A. E. Pérez Sanchez/N. Spinosa: L'opera completa del Ribera. Milano 1978, Nr. 110. – D. M. Pagano, in: Jusepe de Ribera. 1591–1652. Ausstellungskatalog. Napoli 1992, S. 220ff., Nr. 1.65.

683 Ribera

683 *Die heilige Agnes im Gefängnis.* 1641. Bezeichnet unten in der Mitte: Jusepe de Ribera español, F. 1641. Leinwand, 203×152 cm. Möglicherweise 1658 in der Sammlung des Don Jerónimo de la Torre in Neapel. 1745 durch den spanischen Gesandten am Dresdener Hof, Grafen de Bene de Masseran, geliefert. *Farbtafel 23*

Nach der Legende wurde die heilige Agnes bei einer Christenverfolgung wegen ihres standhaften Bekenntnisses zum christlichen Glauben nackt zur Schau gestellt und zur Prostitution gezwungen. Auf unserem thematisch ungewöhnlichen Bild hüllt sie sich, der Legende folgend, in ihr eigenes Haar, das auf wunderbare Weise wächst, während ein Engel ihr ein Tuch bringt, mit dem sie sich bedecken kann. Gewöhnlich wurde sie als schönes junges Mädchen, kostbar gekleidet und mit einem Lamm (lateinisch: agnus) als ihrem Attribut dargestellt (vgl. Cranach, Katharinenaltar, linker Seitenflügel). Carl Justi hat das Thema 1892 als erster richtig erkannt; vorher galt das Bild als «Maria von Ägypten». Ribera wendete sich hier einem mädchenhaften Ideal weiblicher Schönheit zu, das wir sonst vor allem aus den Werken der Schule von Sevilla kennen. Einige weitere Gemälde sind in dieser Hinsicht vergleichbar, besonders die «Büßende Magdalena» von 1641 im Prado, Madrid.

Literatur: C. Justi, in: Zeitschrift für christliche Kunst, V, 1892, Sp. 1–10. – E. du Gué Trapier: Ribera. New York 1952, S. 169f. – Pérez Sanchez/Spinosa 1978, Nr. 167. – C. Felton, in: Jusepe de Ribera lo Spagnoletto. 1591–1652. Ausstellungskatalog. Fort Worth 1982, S. 58. – A. E. Pérez Sánchez, in: Jusepe de Ribera. 1591–1652. Ausstellungskatalog. Napoli 1992, erwähnt bei Nr. 1.83.

684 *Die Befreiung des Petrus aus dem Gefängnis.* 1642. Bezeichnet unten rechts am Block: Jusepe de Ribera español 1642. Zusammengehörig mit Gal.-Nr. 685. Leinwand, 171 × 222,5 cm. 1738 durch Ventura Rossi aus der Sammlung Duodo, Venedig.

Nach der Apostelgeschichte ist Petrus auf wunderbare Weise aus dem Gefängnis befreit worden, in das ihn um das Jahr 42 König Herodes hatte werfen lassen. Das nächtliche Dunkel wird durch die Erscheinung des Engels zerrissen, der dem erstaunt auffahrenden Apostel den Weg in die Freiheit zeigt. Alljährlich am Tag der Befreiung Petri, dem 2. August, wurde in der Kirche von Portiuncula in Italien ein Sündenerlaß für reuige Büßer gewährt, den der heilige Franziskus in einer Vision von Christus zugesichert erhalten hatte und den der Papst bestätigte.

Literatur: A. L. Mayer: Ribera. Leipzig 1908, S. 133ff. – Trapier 1952, S. 170–174. – Pérez Sanchez/Spinosa 1978, Nr. 170.

684 Ribera

685 *Der heilige Franziskus auf den Dornen.* 1642. Bezeichnet unten links: Jusepe de Ribera español. F. Zusammengehörig mit Gal.-Nr. 684. Leinwand, 170 × 224 cm. 1738 durch Ventura Rossi aus der Sammlung Duodo in Venedig.

Der heilige Franziskus wurde 1182 in Assisi geboren. Er starb 1226 und wurde schon 1228 heiliggesprochen. Von seinem 20. Lebensjahr ab führte er ein frommes Leben, zuerst für zwei Jahre als Einsiedler, ab 1209 als Bußprediger. Gründete den Franziskanerorden, den Klarissinnenorden und den sogenannten Dritten Orden. Das wichtigste Ereignis in seinem Leben war die nach der Legende 1224 erfolgte Stigmatisation, als sich ihm im Gebet die Wundmale Christi einprägten. Das Bild zeigt eine seltener dargestellte Szene, die erst im 14. Jahrhundert seiner Lebensgeschichte zugefügt wurde: Der Heilige sei, als er nachts in seiner Zelle bei Portiuncula betete, vom Teufel in Versuchung geführt worden und habe sich, um diese zu ersticken, in Dornen gewälzt. Ein Engel erscheint und fordert ihn auf, in der nahen Kirche zu beten.

Literatur: Pérez Sanchez/Spinosa 1978, Nr. 171.

685 Ribera

687 *Der Einsiedler Paulus.* Bezeichnet unten links: Jusepe de Ribera español. F. Leinwand, 204 × 149 cm. Angeblich 1746 durch von Heinecken aus Spanien; Inventar Guarienti (1747–1750), Nr. 593.

Paulus von Theben, auch als «Vater des Einsiedlerlebens» bezeichnet, wurde nach der Legende im Jahre 228 am Rande der Wüste von Theben geboren. Später floh er aus Furcht vor einer Christenverfolgung ins Gebirge und lebte als Einsiedler in einer Höhle. Erst kurz vor seinem Tode im Jahre 341 (er soll 113 Jahre alt geworden sein) traf ihn dort der heilige Antonius. Ribera schilderte sein Modell mit großem Realismus: Die Hände sind stark gebräunt, die Arme aber hell, was für jemanden, der normale Kleidung trägt, natürlich ist, beim Einsiedler Paulus aber unmotiviert. Das Bild soll (nach August L. Mayer) in den dreißiger Jahren entstanden sein, während Pérez Sanchez/Spinosa es «nach 1640» datieren. Craig Felton nimmt Mitarbeit der Werkstatt an.

Literatur: Mayer 1908, S. 130. – C. Felton: Jusepe de Ribera, a Catalogue raisonné. Phil. Diss. Pittsburgh 1971. – Pérez Sanchez/Spinosa 1978, Nr. 165.

687 Ribera

688 *Der Apostel Andreas.* Leinwand, 130×101 cm. Zuerst erwähnt von C. H. von Heinecken. Erworben vor 1753, aber in den Galeriekatalogen zuerst als «Heiliger Antonius», seit 1872[4] als «Heiliger Andreas».

Carl Heinrich von Heinecken erzählt, daß das Bild schon 1753 im ersten Band des von ihm herausgegebenen Kupferstichwerkes über die Galerie vertreten sein sollte, auch schon von Pietro Campana in Rom gestochen war, dann aber herausgenommen wurde, als König August III. erfuhr, daß in Rom ein anderes Exemplar dieser Darstellung existierte, das für das erste Original gehalten wurde. Heute sind noch weitere Fassungen bekannt. Der Apostel Andreas war vor seiner Berufung Fischer gewesen. Er starb gegen Ende des 1. Jahrhunderts in Patras in Griechenland den Märtyrertod durch Kreuzigen. Seit dem 10. Jahrhundert gibt es Darstellungen, die ihn am schrägen Kreuz zeigen, dem sogenannten Andreaskreuz. Von den mehreren Fassungen des Bildes wird die in den Musées Royaux des Beaux-Arts in Brüssel als das Original angesehen.

Literatur: C. H. von Heinecken: Nachrichten von Künstlern und Kunstsachen. Leipzig 1768, S. 208. – Pérez Sanchez/Spinosa 1978, Nr. 112b.

688 Ribera

Ricci, Marco Geboren 1676 in Belluno, gestorben 1730 in Venedig. Schüler seines Onkels Sebastiano Ricci, beeinflußt von Salvator Rosa, Magnasco und dem holländischen Landschaftsmaler Pieter Mulier dem Jüngeren genannt Tempesta. Tätig vor allem in Venedig, außerdem in Rom, Florenz, Turin und 1708–1710 sowie 1712–1716 in London. Marco Ricci war der Begründer der venezianisch-oberitalienischen Landschaftsmalerei des 18. Jahrhunderts.

556 *Am Flusse vor der Stadt.* Bald nach 1700. Leinwand, 99×153 cm. 1738 durch Ventura Rossi aus Venedig.

Marco Ricci folgt mit der Kombination von flußdurchzogener Ebene mit Büschen und Bäumen, einer Stadt mit Tor und Türmen sowie rahmenden Hügeln, belebt durch Menschen und Vieh als Staffage, noch dem Prinzip der sogenannten idealen Landschaft. Durch kräftige Wolkenbildung und den Wechsel von Licht und Schatten ist die Szenerie dramatisiert und romantisiert.

Literatur: A. Scarpa Sonino: Marco Ricci. Milano 1991, Nr. 26.

556 Ricci, Marco

557 *Winterlandschaft.* Bald nach 1700. Leinwand, 101×146,5 cm. Herkunft wie Gal.-Nr. 556.

Eine schneebedeckte Straße führt in weitem Bogen in die Tiefe zu einer bewehrten Stadt, vorbei an einem alten Wachturm neben einer verfallenen Wassermühle mit zwei unterschlächtigen Mühlrädern und anderen Gebäuden eines Dorfes. Am zugefrorenen Fluß wird Eis geschlagen und abtransportiert. Das Neue an Riccis Landschaftsauffassung zeigt sich im Erfassen der atmosphärischen Situation mit dem hell aufbrechenden verhangenen Winterhimmel. Der Einfluß der niederländischen Landschaftsmaler ist spürbar, die Ricci auf seiner Englandreise kennenlernte, in der Düsternis der Stimmung aber auch die Wirkung Magnascos.

Literatur: Scarpa Sonino 1991, Nr. 25.

557 Ricci, Marco

Ricci, Sebastiano Geboren 1659 in Belluno, gestorben 1734 in Venedig. Schüler des Sebastiano Mazzoni und des Federico Cervelli. Seit vor 1680 im Atelier des Giovanni Giuseppe dal Sole in Bologna, beeinflußt durch die Carracci und Reni, in Parma durch Correggio, in Rom durch Pietro da Cortona, in Neapel durch Luca Giordano, in Mailand durch Magnasco, aber auch durch die Venezianer des 16. Jahrhunderts, besonders Veronese. Tätig zumeist in Venedig, von wo ihn sein Wanderleben nach Wien (1701–1703), London (1709–1716), den Niederlanden und nach Paris führte. Mit seinem bewegten, dekorativ illusionistischen Stil in hellen schönen Farben bereitete er die venezianische Rokokomalerei und das Werk Tiepolos vor.

548 Ricci, Sebastiano

548 *Christi Himmelfahrt.* 1702. Datiert rechts unten im Buch: 1702. Leinwand, 275 × 309 cm. Inventar 1722–1728, A 1283.

Mit bedeutungsvollen, an die tief beeindruckt zurückbleibenden Apostel gerichteten Gesten schwebt Christus zum Himmel empor, während Johannes mit ausgestreckten Armen ihn zu halten versucht. Alle Gestalten sind durch den übergreifenden nervösen Rhythmus zusammengefaßt. Ricci hat hier noch nicht, wie später, auf den dramatisierenden Helldunkelkontrast verzichtet. – Das Bild befand sich vor 1751 in der Katholischen Hofkirche.

Literatur: J. Daniels: Sebastiano Ricci. Hove, Sussex, 1976, Nr. 82.

549 Ricci, Sebastiano

549 *Opfer an Vesta.* Um 1723. Gegenstück zu Gal.-Nr. 550. Leinwand, 56,5 × 73 cm. 1743 durch Algarotti von Antonio Zanetti in Venedig.

Der Bildtitel beruht auf der Überlieferung Algarottis selbst. Vesta (griechisch Hestia) war die antike Göttin des Herdfeuers, deren Kult den Vestalinnen, ihren jungfräulichen Priesterinnen, oblag. Sie mußten im Tempel ständig das Feuer unterhalten. Ricci zeigt eine von ihnen an den Altar gelehnt, auf dem unterhalb einer Sphinx Knaben um das in der Schale brennende Feuer beschäftigt sind, während mehrere Männer und Frauen in demütiger Haltung verschiedene Opfergaben, Speiseopfer, darbringen. Im malerischen Reichtum von Figuren, stillebenhaften Details und rahmender Architektur erscheint das Bild besonders von Veronese und Pietro da Cortona beeinflußt.

Literatur: Walther 1968, Nr. 87. – Daniels 1976, Nr. 83a.

550 Ricci, Sebastiano

550 *Opfer an Silen.* Um 1723. Gegenstück zu Gal.-Nr. 549. Leinwand, 56,5 × 73,5 cm. Herkunft wie Gal.-Nr. 549.

Die Verehrung gilt hier einem Gott, der – nach seiner stumpfnasigen Büste – der zum Gefolge des Fruchtbarkeitsgottes Dionysos gehörige, wegen seiner Kenntnis göttlicher Dinge verehrte Silen sein dürfte. Sein Priester, der ihm sehr ähnlich sieht, zwingt mit gebieterischer Armbewegung die zum Opfer Erschienenen in die Knie. Ein Knabe bläst auf Flöten, ein anderer küßt das Postament der Büste. Die kraftvolle Komposition verbindet sich mit farbiger Schönheit.

Literatur: Daniels 1976, Nr. 83b.

Rigaud, Hyacinthe Geboren 1659 in Perpignan (Pyrénées-Orientales), gestorben 1743 in Paris. Kam mit 14 Jahren nach Montpellier, wo er Schüler des Malers Pezet wurde, gefördert aber auch von Henri Verdier und Antoine Ranc, dem Vater Jean Rancs. Seit 1677 war er in Lyon, seit 1681 in Paris. Schlug auf Anraten Le Bruns ein Rom-Stipendium der Académie Royale aus, um sich ganz der Bildnismalerei zu widmen. 1700 wurde er Mitglied der Académie Royale, 1710 Professor, 1733 Rektor, 1709 geadelt, 1729 Verleihung des Ordens vom Heiligen Michael. Rigaud war der bevorzugte Bildnismaler der königlichen Familie und des französischen Hochadels. Sein Stil ist am Vorbild van Dycks gebildet, bezieht aber die Erfahrungen der Schule Le Bruns mit ein und wurde für die höfische Bildnismalerei des 18. Jahrhunderts vorbildlich.

760 Rigaud

760 *Bildnis des sächsischen Kurprinzen Friedrich August.* 1715. Leinwand, 250 × 173 cm. Durch Rigaud selbst geliefert; Inventar 1722–1728, A 1125.

Das beim Aufenthalt Friedrich Augusts in Paris entstandene Bild ist ein typisches Repräsentationsporträt. Es zeigt den Kurprinzen, den Sohn und Nachfolger Augusts des Starken, in der Landschaft. Die rötlichen Töne der Wolken könnten an eine Schlacht im Hintergrund denken lassen, wie es dem damals üblichen Bildnisschema – Fürst gleich Feldherr – entspräche. Rigaud arbeitete mit kräftigen, leuchtenden Farben und wirksamen Helldunkelkontrasten. Brillant sind die Reize des Stofflichen hervorgehoben. Von dem Bild entstanden eine Reihe Wiederholungen, teils eigenhändig, teils in der Werkstatt. Der dänische Elefantenorden, den der Kurprinz (1696–1763) auf dem Bildnis trägt, ist auf dem Nachstich von J.-J. Balechou (1747) durch den polnischen Weißen Adlerorden ersetzt. Der Kurprinz wurde als Friedrich August II. 1733 Kurfürst von Sachsen und folgte seinem Vater auch in der Würde eines Königs von Polen; als polnischer König August III. Er überließ die Regierungsgeschäfte weitgehend dem Premierminister Heinrich Grafen von Brühl. Seine Bilderkäufe – er war ein wirklicher Kenner auf dem Gebiet der Malerei – sicherten der Dresdener Galerie endgültig ihre Weltbedeutung.

Literatur: C. H. von Heinecken: Nachrichten von Künstlern und Kunstsachen. Leipzig 1768, S. 190. – J. Roman: Le livre de raison du peintre Hyacinthe Rigaud. Paris 1919, S. 175, 179, 184. – L. Réau: Histoire de la peinture française au XVIIIe siècle. Paris/Brüssel 1925/26, Bd. I, S. 61. – H. Posse: Die Gemäldegalerie zu Dresden. Die alten Meister. Dresden o. J. (1937), S. 84. – M. N. Rosenfeld: Largillierre and the Eighteenth-Century Portrait. Montreal 1981, S. 203.

46 Roberti

45 Roberti

Roberti, Ercole de' Geboren um 1450 in Ferrara, dort gestorben 1496. Gebildet unter dem Einfluß des Francesco Cossa sowie des Cosimo Tura, weiter des Mantegna, Piero della Francesca, Antonello da Messina und der Bellini. Tätig meist in Ferrara, seit 1486 als Hofmaler der Este, sowie in Bologna. Mit der dramatischen Ausdruckskraft seiner expressiv strengen Kunst war er neben Cossa und Tura einer der bedeutendsten ferraresischen Maler.

46 *Christi Gefangennahme.* Zwischen 1482–1486. Wie das Gegenstück Gal.-Nr. 45 Teil der Predella des Hochaltars von San Giovanni in Monte in Bologna. Pappelholz, 35 × 118 cm. 1750 aus der Kirche San Giovanni in Monte in Bologna.

45 *Christi Gang nach Golgatha.* Zwischen 1482–1486. Daten wie beim Gegenstück Gal.-Nr. 46.

In friesartigen Kompositionen mit zahlreichen dichtgedrängten Gestalten läuft vor dem Hintergrund einer öden und unbarmherzigen Steinlandschaft ein Teil der Leidensgeschichte Christi ab. Im Bild mit der Gefangennahme kniet Christus links betend im Garten Gethsemane, während seine Jünger, statt mit ihm in dieser schweren Stunde zu wachen, in Schlaf verfallen sind (Matthäus 26, 36–44). In der rechts anschließenden Massenszene ist zu sehen, wie die bewaffneten und mit Laternen ausgerüsteten Häscher in Gethsemane eingedrungen sind, wie Judas ihnen seinen Herrn durch den vereinbarten Begrüßungskuß verrät und wie der Apostel Petrus gegen einen der Häscher sein Schwert zieht, um ihm ein Ohr abzuhauen (Matthäus 26, 46–56). Das andere Gemälde zeigt den Zug zur Hinrichtungsstätte Golgatha (Matthäus 27, 31–33). Christus im weißen Gewand wird von den Kriegsknechten vorwärtsgestoßen und -gezerrt, indessen Simon von Kyrene ihm das Kreuz trägt. Besonders erschütternd ist der Zusammenbruch Marias beim Anblick ihres todgeweihten Sohnes. Die Vielzahl plastisch streng erfaßter Bewegungsmotive und ausdrucksvoller Gebärden verbindet sich mit einer fast monochromen Farbigkeit.

Literatur: S. Ortolani: Cosmè Tura, Francesco Cossa, Ercole de' Roberti. Milano 1941, S. 181–186. – M. Salmi: Ercole de' Roberti. Milano 1960, S. 28–30.

Rombouts, Salomon Geboren um 1650 in Haarlem, dort gestorben 1702. Sohn des Gillis Rombouts. Ähnlich wie Roelof van Vries und Cornelis Decker malte er Bauernhütten an stillen Wasserläufen, die mit Booten und häuslichem Gerät staffiert sind. Landschaftsmaler, tätig vorwiegend in Haarlem.

1510 A Rombouts

1510 A *Hütten unter Bäumen am Wasser.* Eichenholz, 61 × 84,5 cm. 1876 vom Kunsthändler Ernst in Dresden.

Im Aufbau erinnert das Bild an Hobbemas «Wassermühle» (vgl. Gal.-Nr. 1664 A), doch sind auch Beziehungen zur Kunst Ruisdaels festzustellen. Bei kräftigen Farben ist das Blattwerk minutiös gemalt; helle Lichttupfen bezeichnen Blätter im Sonnenschein, die Schattenpartien sind weniger dicht.

Roos, Johann Heinrich Geboren 1631 in Reitpoldskirchen (Pfalz), gestorben 1685 in Frankfurt/Main. Aufgewachsen in Wesel und in Amsterdam. Dort seit 1647 Schüler von Guilliam Dujardin, dann des Cornelis de Bie und des Barend Graat. Beeinflußt durch Karel Dujardin und Nicolaes Pietersz. Berchem. Ein Italienaufenthalt wird für die Jahre 1650–1654 angenommen. 1654 trat er in den Dienst des Landgrafen Ernst von Hessen in Rheinfelden und wurde 1664 Hofmaler Karl Ludwigs von der Pfalz in Heidelberg. Diesen Dienst kündigte er 1667 und zog nach Frankfurt/Main. Er war der Stammvater der Künstlerfamilie Roos. Bekannt sind seine zahlreichen Tier- und Hirtendarstellungen, aber auch Gemälde religiösen Inhalts.

2002 Roos, Johann Heinrich

2002 *Hirten und Herden unter Felsen.* 1681. Bezeichnet rechts unten am Stein: JHRoss. fecit. (JHR ligiert). Leinwand, 59 × 79 cm. Wahrscheinlich bereits 1699 zur Kunstkammer; Inventar 1722–1728, A 367, danach durch Graf Wackerbarth zur Galerie.

Man merkt den Landschaften des Johann Heinrich Roos die niederländische Herkunft deutlich an. Mit seinen Eltern war er vor den Schrecken des Dreißigjährigen Krieges nach Holland geflohen; so jedenfalls berichtet es Joachim von Sandrart. In unserem Gemälde spürt man besonders die Verwandtschaft mit Werken des Aelbert Cuyp, fühlt sich in Komposition und Lichtführung an Werke der holländischen Italianisanten erinnert. «Er trachtete ... der niederländischen Durchsichtigkeit der Farben mit Eifer nach,» lesen wir bei Christian Ludwig von Hagedorn, der damit ein wichtiges Merkmal der Malweise von Roos hervorhob (Betrachtungen über die Malerei. Leipzig 1762, S. 356).

Literatur: H. Jedding: Der Tiermaler Johann Heinrich Roos (Studien zur deutschen Kunstgeschichte 311). Straßburg 1955.

Roos, Joseph Geboren 1726 in Wien, dort gestorben 1805. Sohn und Schüler des Cajetan Roos (1690–1770), Enkel des Philipp Peter Roos, genannt Rosa di Tivoli (1655 oder 1657–1706), und Urenkel des Johann Heinrich Roos (1631–1685). Studierte an der Wiener Akademie, war 1764 bereits kurfürstlich-sächsischer Hofmaler in Dresden und wurde in diesem Jahre auch Mitglied der neugegründeten Kunstakademie, 1765 Akademieprofessor. Unterhielt seit 1769 wieder enge Verbindungen nach Wien, wo er 1772 Direktor der kaiserlichen Gemäldegalerie wurde.

3576 Roos, Joseph

3576 *Südliche Landschaft mit Wasserfall.* 1780. Bezeichnet unten links: Rosa f 1780. Leinwand, 76,5×63,5 cm. 1948 von der Akademie der bildenden Künste Dresden an die Galerie überwiesen.

Bei dem 1780 datierten Bild handelt es sich wahrscheinlich um das Gemälde, das mit kurfürstlichem Rescript vom 10. September 1774 als «instruktionsmäßig abzuliefern gewesen» angemahnt wurde, mit der Androhung, Gehaltsrückstände von 525 Thlr. nicht vor Ablieferung auszuzahlen. Eilig hatte Roos es trotzdem nicht, seiner Verpflichtung nachzukommen.

Der Künstler stand in der Tradition der italianisierenden Landschaftsmalerei der Niederländer des 17. Jahrhunderts, war angeregt vielleicht durch Werke von Jan Both und Nicolaes Pietersz. Berchem – und folgte damit auch der Familientradition. Das Viehstück im Vordergrund bietet sich zum Vergleich mit Johann Christian Klengels «Landschaft mit Ruine des sogenannten Tempels der Minerva Medica» (Gal.-Nr. 3796) an und das Bild insgesamt könnte auf ein Gemälde von Carl Ludwig Kaaz zurückgewirkt haben, auf die «Landschaft mit Wasserfall» (Gal.-Nr. 3814) aus dem Jahre 1800. So wird Roos trotz seiner nur kurzen Tätigkeit in Dresden als Bildungsfaktor für jüngere sächsische Landschaftsmaler noch bis ins frühe 19. Jh. erkennbar.

Literatur: H. Marx, in: Königliches Dresden. Ausstellungskatalog. München 1990, Nr. 33.

Roos, Philipp Peter, genannt Rosa di Tivoli. Geboren 1657 in St. Goar/Rhein, gestorben 1706 in Tivoli bei Rom. Die erste Ausbildung erhielt er von seinem Vater, dem Tiermaler Johann Heinrich Roos. 1677 ging er als Stipendiat des Landgrafen von Hessen nach Rom. Dort weitergebildet bei Giacinto Brandi, dessen Tochter er 1681 heiratete (nach seiner Konversion). Lebte in Rom und zeitweilig in Tivoli. Gehörte der niederländischen Schilderbent unter dem Namen «Merkurius» an. Mehr und mehr dominierten in seinen Bildern die Tiere, trat die Landschaft zurück.

2041 Roos, Philipp Peter

2041 *Ein ruhender Hirt mit seiner Herde.* Bezeichnet rückseitig: Filippo. Pietro. Rosa in Roma. Leinwand, 146×221 cm. 1740 aus dem Dresdener Residenzschloß zur Galerie: Inventar 1741, 2464.

Pastose Malweise und flackerndes Licht lassen «Tiere aus düsteren, von weißen Wolkenballen durchschnittenen Gründen jäh heraustreten und schieben sie aggressiv nach vorn», stellte Götz Adriani fest (Deutsche Malerei im 17. Jahrhundert. Köln 1977, S. 104). Unser großes Bild ist in dieser Hinsicht typisch für Rosa di Tivoli, bei dem das Beispiel der Tierbilder von Paulus Potter nur noch entfernt spürbar ist.

Rosa, Salvator Geboren 1615 in Arenella bei Neapel, gestorben 1673 in Rom. Schüler seines Großonkels Antonio Domenico Greco, seines Schwagers Francesco Fracanzano und des Aniello Falcone, beeinflußt von Jusepe Ribera. Tätig in Neapel, 1640–1649 in Florenz, seit 1635 mit Unterbrechungen und seit 1649 ständig mit Ausnahme zweier Reisen in Rom. Rosa entwickelte einen pittoresken, malerisch temperamentvollen und dynamisch bewegten Stil, den er besonders für Schlachtenbilder und romantisch aufgefaßte Landschaften einsetzte. Er schuf auch ein bedeutendes dichterisches Werk.

470 Rosa

470 *Waldlandschaft mit drei Philosophen.* Bezeichnet unten am Stein mit dem Monogramm SR (verschlungen). Leinwand, 73×97,5 cm. Inventar 1754, I 419.

Die wildromantische einsame Landschaft mit Felstrümmern, sturmtrotzenden Urwaldriesen und fernen Berggipfeln unter bewegtem Wolkenhimmel ist für Rosa charakteristisch. Die drei Männer auf dem Steinplateau am Wasser scheinen mit gebärdenreicher Sprache über die Natur zu philosophieren und verkörpern für den Betrachter gleichsam das Bildbewußtsein. Das Bild gilt als Spätwerk Rosas.

Literatur: L. Salerno: L'opera completa di Salvator Rosa. Milano 1975, Nr. 161.

Rotari, Pietro Graf Geboren 1707 in Verona, gestorben 1762 in St. Petersburg. Schüler des Antonio Balestra in Venedig, des Francesco Trevisani in Rom, der ihn an den Neoklassizismus Batonis heranführte, und des Francesco Solimena in Neapel. Seit etwa 1750 in Wien, dann vorübergehend im Dienste Augusts III. in Dresden und seit 1757 als Hofmaler der Kaiserin Elisabeth von Rußland tätig. Er malte neben Historienbildern vor allem weibliche Halbfiguren und Porträts in einer vom Neoklassizismus beeinflußten, eleganten und kühlen, zuweilen etwas monotonen Auffassung und einem oft aschfarbigen Kolorit.

599 Rotari

599 *Die büßende Magdalena.* Leinwand, 45×35 cm. Catalogue 1765, GI Nr. 317.

Die schöne Büßerin (vgl. Pagani Nr. 648) ist hier im Ausschnitt des Brustbildes ohne alle Attribute gegeben, so daß abgesehen von dem himmelwärts gerichteten Blick der religiöse Charakter zurücktritt. Das gedämpfte Pathos und die virtuose glatte Malweise, mit der hier zarte weibliche Schönheit dargestellt ist, sicherten dem Bild im 18. und frühen 19. Jahrhundert besondere Beliebtheit. Vgl. die nachfolgende Serie Gal.-Nr. 600 B, 3151, 3152.

Literatur: Posse 1929, S. 286.

600 *Prinzessin Elisabeth von Sachsen.* Um 1755. Gegenstück zu Gal.-Nr. 601. Leinwand, 107×86 cm. Catalogue 1765, Nachtrag S. 244.

Elisabeth (1736–1818), hier knapp zwanzigjährig, war die Tochter des sächsischen Kurfürsten Friedrich August II., als König von Polen August III., und seiner Gemahlin Maria Josepha von Österreich, Schwester der Prinzessin Kunigunde (vgl. das Gegenstück, Gal.-Nr. 601) und des Prinzen Friedrich Christian (vgl. Carriera Gal.-Nr. P 2 und Mengs Gal.-Nr. P 174). Sie ist durch Brillantschmuck und durch die schwarze Schleife des Sternkreuzordens auf der linken Brustseite in ihrem hohen gesellschaftlichen Rang ausgewiesen.

Literatur: J. L. Sponsel: Fürsten-Bildnisse aus dem Hause Wettin. Dresden 1906, Nr. 163.

600 Rotari

601 *Prinzessin Kunigunde von Sachsen.* Um 1755. Gegenstück zu Gal.-Nr. 600. Leinwand, 107,5×87 cm. Catalogue 1765, Nachtrag S. 244.

Kunigunde (1740–1826), die jüngere Schwester Elisabeths (vgl. das Gegenstück, Gal.-Nr. 600) und des Thronfolgers Friedrich Christian und hier etwa fünfzehnjährig, ist vor den Requisiten eines Parks dargestellt. Auch sie trägt Brillantschmuck. Am linken Arm hält sie einen Handarbeitsbeutel, aus dem sie einen Faden zieht, in der rechten Hand ein sogenanntes Occhischiffchen, auf dem schon Faden für die damit auszuführende Spitzenarbeit aufgespult ist. Auf eine mit dem Finger gebildete Fadenschlinge werden dichte Knoten aufgereiht und zu kleinen Bogen und Ringen verbunden («occhi» heißt italienisch Augen, daher als Occhi-Arbeit bezeichnet). Dabei wird mit dem spitzen Schiffchen der Faden durch die Schlinge geführt. – Kunigunde war 1776–1795 Äbtissin von Thorn, danach bis 1802 von Essen.

Literatur: Sponsel 1906, Nr. 169.

601 Rotari

600 B, 3151, 3152 sind als Bilder einer Serie anzusehen, zu der von Auffassung und Format her wohl auch 599 (siehe vorn) zu rechnen ist.

600 B *Schlummerndes Mädchen.* Leinwand, 44×35 cm. 1925 aus ehemals königlich-sächsischem Besitz.

In dem Brustbild des anmutigen jungen Mädchens kündigt sich schon eine bürgerliche Schlichtheit der Auffassung an.

Literatur: Posse 1929, S. 286.

600 B Rotari

3151 *Bildnis eines Knaben.* Leinwand, 43,5×34,5 cm. 1948 zur Galerie.

Durch die Haltung und den Gesichtsausdruck sehnsüchtig staunenden Betrachtens gewinnt die Darstellung anekdotischen Charakter, während das Porträthafte zurücktritt.

3152 *Bildnis einer alten Frau mit Pelzmütze.* Leinwand, 43,5×35 cm. Herkunft wie Gal.-Nr. 3151.

Als Charakterstudie steht das Bildnis in der Nähe der Porträts Nazaris (vgl. Gal.-Nr. 588).

3151 Rotari

3152 Rotari

Rottenhammer, Johann Geboren 1564 in München, gestorben 1625 in Augsburg. Lernte bei Hans Donauer in München. Ging 1589 über Venedig nach Rom, wo er mit Paul Bril und Jan Brueghel zusammenarbeitete. 1596–1606 in Venedig, wo Adam Elsheimer in seinem Atelier arbeitete. Kam 1606 nach Augsburg, war 1609–1613 in Bückeburg, dann wieder in Augsburg. Studierte in Venedig besonders die Werke Tintorettos und Veroneses, behielt aber seine Technik des Malens auf kleinen Kupfer- und Holztafeln bei.

1970 *Die Ruhe auf der Flucht nach Ägypten.* Um 1597. Eichenholz, 26,5×20,5 cm. Zuerst im Inventar 1722–1728, A 374.

Dargestellt ist die Ruhe der Heiligen Familie auf der Flucht nach Ägypten. Maria und Joseph waren auf Geheiß eines Engels mit dem Christuskind aus Bethlehem geflohen, um den Nachstellungen des Königs Herodes zu entgehen. Diese im Evangelium des Matthäus 2, 13–18, nur kurz erwähnte Begebenheit ist von den Apokryphen breit ausgeschmückt worden und bildete seit dem Mittelalter ein beliebtes Thema für die Malerei. Eine von mehreren Varianten der Darstellung dieses Themas durch Rottenhammer, von denen die drei bekanntesten, sehen wir von dem Dresdener Bild ab, in Moskau, Schwerin und Kassel aufbewahrt werden. Das 1597 datierte Schweriner Gemälde gibt einen Anhalt für die zeitliche Einordnung der ganzen Gruppe. Die Komposition ist vom venezianischen Manierismus beeinflußt, die Technik kleinmeisterlich, die daseinsbejahende Fülle der Darstellung weist schon auf das Barock.

Literatur: R. A. Peltzer: Hans Rottenhammer. In: Jahrbuch der Kunsthistorischen Sammlungen des Allerhöchsten Kaiserhauses, XXXIII, Wien 1916, S. 317, Anm. 3, S. 348, 354, Nr. 18. – H. Marx, in: Europäische Landschaftsmalerei 1550–1650. Ausstellungskatalog. Dresden 1972, Nr. 83.

1970 Rottenhammer

Rubens, Peter Paul Geboren 1577 in Siegen, gestorben 1640 in Antwerpen. Schüler von Tobias Verhaecht, Adam van Noort und Otto van Veen in Antwerpen. 1598 Freimeister der Antwerpener Lukasgilde. 1600–1608 in Italien, vor allem in Venedig, Mantua, Genua und Rom. Hofmaler des Herzogs Vincenco Gonzaga in Mantua. 1603 Reise nach Spanien. Seit 1608 wieder in Antwerpen tätig. 1621–1627 in Paris, 1628/29 in Madrid und 1629/30 in London. Seit 1629 Hofmaler des Erzherzogs Albrecht. Hauptmeister des flämischen Barocks.

71 Rubens

71 *Leda mit dem Schwan.* 1598–1600. Eichenholz, 122 × 182 cm. 1723 aus der Sammlung Vršovec in Prag.

Leda war die Tochter des ätolischen Königs Thestios, Gemahlin des Tyndareos aus Sparta, die ein Liebesverhältnis zu Zeus hatte, der sich ihr in Gestalt eines Schwans näherte. Aus dieser Vereinigung gingen die Zwillinge Kastor und Pollux hervor sowie Helena, deren Schönheit zum Anlaß des trojanischen Krieges wurde. Ursprünglich hat man angenommen, daß Rubens das Bild nach einem Original von Michelangelo gemalt habe, das sich im frühen 16. Jahrhundert in der Sammlung von König Franz I. in Frankreich befunden hat, das aber zu Rubens' Zeit bereits verschollen war. Müller Hofstede (1977) glaubt darum, daß Rubens nicht das Original als Vorbild für die Komposition diente, sondern ein Stich von C. Bos.

Literatur: W. Schöne: Die Leda von Michelangelo und Rubens. Kunst I. München 1948, S. 30, 35. – M. Jaffé, in: The Burlington Magazine LX. 1968, S. 180ff. – J. Neumann, in: Jahrbuch des Kunsthistorischen Institutes der Universität Graz 1968/69. – E. Knauer, in: Jahrbuch der Museen Berlin West 11. 1969, S. 5, 55. – M. Kahr, in: The Art Bulletin LIV, No. 3, 1973, S. 294. – M. Jaffé: Rubens and Italy. Oxford 1977, S. 64–66. – J. Müller Hofstede, in: P. P. Rubens. Ausstellungskatalog. Köln 1977, S. 46–48.

955 Rubens

955 *Der heilige Hieronymus.* Um 1615–1617. Bezeichnet links unten: P. P. R. Leinwand, 236 × 163 cm. 1746 aus der herzoglichen Galerie in Modena.

Der Kirchenvater Hieronymus gehört zu den in der bildenden Kunst häufig dargestellten Heiligen. Da nach der Legende Hieronymus einem hinkenden Löwen einen Dorn aus der Tatze entfernte und ihn pflegte, blieb der Löwe bei ihm und schützte ihn. Ein «modello» zum Dresdener Gemälde (nach M. Jaffé und J. Müller Hofstede) befindet sich in Londoner Privatbesitz. Deutlich ist die Abhängigkeit der Darstellung von der Komposition Tizians in der Pinacoteca di Brera, die Rubens seitenverkehrt aufgreift.

Literatur: J. Müller Hofstede: Vier Modelli von Rubens. In: Pantheon XXV. 1967, S. 430–444. – H. Vlieghe: Saints. Corpus Rubenianum Ludwig Burchard. Part VIII. Brüssel 1972, I, S. 22f., 1973, II, Nr. 121. – J. Held: The Oil Sketches of Peter Paul Rubens. Princeton/N. J. 1980, Bd. I, S. 61.

956 *Der Tugendheld (Mars), von der Siegesgöttin bekrönt.* Um 1616. Gegenstück zu Gal.-Nr. 957. Leinwand, 203×222 cm. 1743 durch Ventura Rossi aus Mantua.

Mars, der Tugendheld, wird von einer jungen, geflügelten Frau mit einem Lorbeerkranz gekrönt. Der Sieg der Tugend über das Laster ist symbolisch ausgedrückt, indem Mars einen am Boden liegenden Satyr mit dem Fuße tritt. Rechts ist Venus mit dem weinenden Amor dargestellt als Zeichen, daß Mars auch der Wollust entsagt. Die alte Frau im Hintergrund personifiziert den Neid – sie trägt Schlangenbrut auf dem Kopf. Rubens malte das Thema in zwei Versionen, von denen die beiden Leinwandbilder (Gal.-Nr. 956 und 957) etwas später entstanden – um 1615–1620 – als die ursprünglichen auf Eichenholz gemalten Tafeln, die man um 1612–1614 datiert. Letztere befanden sich im Nachlaß des Künstlers, und eine von denen, «Der trunkene Herkules» (Gal.-Nr. 987), wird in Dresden aufbewahrt, die andere in der Alten Pinakothek in München.

Literatur: A. Rosenberg: Rubens, Des Meisters Gemälde. Stuttgart/Leipzig 1905, S. 18. – R. Oldenbourg: Die Nachwirkung Italiens auf Rubens und die Gründung seiner Werkstatt. In: Jahrbuch der kunsthistorischen Sammlungen des Allerhöchsten Kaiserhauses. 34. 1917/18, S. 195f. – R. Oldenbourg: P. P. Rubens. München/Berlin 1922, S. 157. – H. G. Evers: P. P. Rubens. München 1942, Nr. 171. – P. P. Rubens. Ausstellungskatalog. Antwerpen 1977, Nr. 39.

956 Rubens

957 *Der trunkene Herkules, von einer Nymphe und einem Satyrn geführt.* Um 1615–1620. Gegenstück zu Gal.-Nr. 956. Leinwand, 204×225 cm. 1743 durch Ventura Rossi aus Mantua.

Das Gemälde wurde ebenso wie das Gegenstück im Auftrag des Herzogs von Mantua in Antwerpen gemalt. Die Komposition geht auf ein römisches Relief zurück, das sich ehemals im Palazzo Mattei in Rom befand, später verloren ging und in einem Nachstich von F. Morghe von 1779 überliefert ist. Vgl. Rubens, Gal.-Nr. 987.

Literatur: G. Glück: Rubens, Van Dyck und ihr Kreis. Wien 1933, S. 157. – Evers 1942, S. 174–179. – P. P. Rubens. Ausstellungskatalog. Antwerpen 1977, Nr. 39. – Held 1980, I, S. 363.

957 Rubens

958 *Die Alte mit dem Kohlenbecken.* Um 1618–1620. Eichenholz, 115×92 cm. Inventar Guarienti (1747–1750), Nr. 23 als «opera ammirabile» von Rubens.

Das Gemälde war ursprünglich Teil eines größeren Bildes mit dem Thema «Sine Cerere et Baccho friget Venus» (Ohne Ceres und Bacchus friert Venus). Noch Rubens selbst hat diese Tafel geteilt und «Die Alte mit dem Kohlenbecken» aus der Darstellung herausgelöst: an deren Stelle trat der Gott Vulkan in seiner Schmiede. So wurde aus dem Bild eine «Venus in der Schmiede des Vulkans». Dieses Gemälde befindet sich heute im Königlichen Museum in Brüssel. Von der ursprünglichen Komposition (als das Dresdener Bild noch Teil des Brüsseler Bildes war) geben unter anderem einige Kopien Kenntnis (Den Haag, Potsdam-Sanssouci). Aus dem ursprünglichen Zustand des Brüsseler Bildes leitete K. Renger (1977) eine auch für das Dresdener Teilstück aussagekräftige Interpretation ein: Satyr und Ceres bringen der fröstelnden Venus ihre Gaben. Zu gleicher Zeit entfacht die Lust das Feuer kupplerischer Liebe, das Venus erwärmen soll. Personifizierung dieser Liebe ist die Alte mit dem Kohlenbecken, und Ziel der Versuchung ist der Jüngling. So war das Dresdener Bild im ursprünglichen Zusammenhang als Sinnbild der Wollust zu verstehen.

Literatur: F. Baudouin: P. P. Rubens. Königstein im Taunus (1977), S. 139. – K. Renger: Sine Cerere et Baccho friget Venus. In: Gentse Bijdragen tot de Kunstgeschiedenis, XXIV, 1976–1978, S. 190–203. – J. M. Muller: Rubens: The Artists as Collector. Princeton, N. J. 1989, Nr. 125.

958 Rubens

962 *Die Wildschweinjagd.* Um 1615–1620. Eichenholz, 137×168 cm. 1749 aus der kaiserlichen Galerie in Prag. *Farbtafel 30*

«Die Wildschweinjagd» der Dresdener Gemäldegalerie ist eine der bedeutendsten Jagddarstellungen von Rubens. Das zentrale Motiv zeigt Männer, die mit Speeren das Wildschwein angreifen und zurückdrängen, während hinter dem Tier ein herangaloppierender Reiter dieses mit dem Degen zu töten sucht. Zu der Darstellung wurde Rubens vermutlich durch ein römisches Relief aus dem 3. Jahrhundert angeregt (Woburn Abbey, Bedfordshire). Es befand sich zu Rubens' Zeit über dem Eingangstor zum Haus von Guilio Porcaros in Rom. Die Wiedergabe der Hunde im Vordergrund wie das kompositorische Modell zu diesem Gemälde gehen auf eine Darstellung von Jaspar Isaac zurück.

Literatur: W. Adler: Landscapes and Hunting Scenes. Corpus Rubenianum. Part XVIII. Bd. 1, Landscapes. Oxford/New York 1982, S. 72–79, Nr. 18. – H. G. Franz: Niederländische Landschaftsmalerei als Kunst des Manierismus. In: Kunstpresse, Nr. 5, 1989, S. 22–27.

962 Rubens

962 A Rubens

962 A *Dianas Heimkehr von der Jagd.* Um 1616. Leinwand, 136×184 cm. 1709 durch de Wit aus Antwerpen.

Der griechischen Sage nach war Diana die Zwillingsschwester des Apollon. Sie war jedoch nicht nur als Göttin der Jagd angesehen, sondern zeigt sich in der Kunst unter den verschiedensten mythologischen Aspekten. Sie ist geschildert nicht nur als Jägerin, sondern als Schutzherrin der Tiere. Man sah in ihr die Hüterin weiblicher Keuschheit. Sie nimmt am Kampf gegen die Giganten teil, sie gilt als Zauberin, und außerdem regiert sie den Planeten Luna. Der wichtigste Bildgedanke in dem Gemälde dürfte aber die Konfrontation von Eigenschaften sein, die als Tugenden der Geschlechter herausgestellt sind, entsprechend den Vorstellungen jener Zeit, in der das Bild entstanden ist. Auf der einen Seite die unbekümmerte Vitalität der männlichen Figuren, demgegenüber das Ideal der Demut und auch der weiblichen Schönheit. Der Hund, das Wild und die Früchte stammen von der Hand des Frans Snyders.

Literatur: Oldenbourg 1917/18, S. 201 f. – Glück 1933, Nr. 133. – H. G. Evers: Rubens und sein Werk. Neue Forschungen. Brüssel 1944, Nr. 271. – C. Kruyhooft/S. Buys: P. P. Rubens et la peinture animaliere. Antwerpen 1977, Abb. S. 31. – P. P. Rubens. Ausstellungskatalog. Antwerpen 1977, Nr. 40. – Held 1980, I, S. 625. – M. Bleyl: «Dianas Heimkehr von der Jagd» von Rubens. Zur Problematik nachträglicher Formatveränderungen. In: Kunst in Hessen und am Mittelrhein, Heft 21, 1981, S. 58 ff.

962 B *Das Urteil des Paris.* Eichenholz, 49×63 cm. Zuerst im Katalog 1806. Aus der Sammlung des Grafen Brühl; zuvor in der Galerie Richelieu.

Paris, der Sage nach Sohn des Priamos und der Hekabe, im Idagebirge ausgesetzt, wuchs unter Hirten zu einem schönen Jüngling heran. Als er erwachsen war, erschienen vor ihm auf Geheiß von Zeus die drei Göttinnen Hera, Athena und Aphrodite. Paris sollte über den bei der Hochzeit von Peleus und Thetis entstandenen Streit entscheiden, welcher der drei der Preis der Schönheit gebühre. Hera versprach Paris Reichtum und Herrschaft, Athena Weisheit und Kriegsruhm, Aphrodite aber das schönste Weib, die Helena, zur Ehe. Paris entschied zugunsten von Aphrodite. – Paris sitzt rechts. Seine Attribute sind Stab und Apfel. Neben ihm Merkur. In den Wolken erscheint Eris, die Göttin der Zwietracht. Vom gleichen Thema sind viele Exemplare bekannt, das Original ist in der National Gallery in London. Das Dresdener Bild wird heute allgemein als Schülerarbeit, die vielleicht von Rubens selbst überarbeitet worden ist, angesehen.

Literatur: Rosenberg 1905, S. 266. – W. Bode, in: Zeitschrift für bildende Kunst. Neue Folge 16, 1904/05, S. 203. – Glück 1933, S. 16. – G. Martin: The Flemish School. Circa 1600–circa 1900. (National Gallery Catalogues). London 1970, Nr. 194.

962 B Rubens

962 C *Merkur und Argus.* Um 1635–1638. Eichenholz, 63×87,5 cm. 1742 durch de Brais aus Paris.

Eine der Geliebten des Zeus war die argivische Königstochter Jo, die von Zeus' Gemahlin Hera aus Eifersucht in eine weiße Kuh verwandelt wurde. Zeus aber sandte den listigen Götterboten Merkur, der mit seinem Flötenspiel den Wächter Argus einschläferte, ihn dann tötete und Jo befreite. Rubens hat den dramatischen Höhepunkt der Geschichte aus Ovids Metamorphosen (I, 568–721) gewählt: Argus ist eingeschlafen, und Merkur zückt sein Schwert, während das Tier wie vernunftbegabt zusieht. Rubens variierte die Komposition in dem für die Torre de la Parada um 1638 entstandenen Gemälde, das sich jetzt im Prado in Madrid (Kat.-Nr. 1673) befindet. Eine Skizze bewahrt das Königliche Museum in Brüssel, eine kleine Wiederholung des Dresdener Bildes die Sammlung Frank T. Sabin in London.

Literatur: Oldenbourg 1922, S. 410. – Evers 1944, Bd. I, Nr. 262, S. 354, 356, Note 19. – E. Larsen: P. P. Rubens. Antwerpen 1952, S. 178, Abb. 140. – P. P. Rubens. Ausstellungskatalog. Antwerpen 1977, S. 101. – Held 1980, I, S. 627.

962 C Rubens

964 A *Bildnis einer Frau mit geflochtenem blondem Haar.* Um 1618–20. Eichenholz, 64×49,5 cm. Um 1747 erworben.

Die Dargestellte konnte bisher nicht identifiziert werden, obwohl man verschiedene Namen in Vorschlag brachte, wie Elisabeth Brant, Helene Fourment, Suzanna Haecx, Gattin des Malers Jan Janssens, und auch Catharina Brueghel, Tochter von Jan Brueghel dem Älteren. Das Bild ist in mehreren Varianten und Kopien bekannt. Ein anonymer Stich im Sinne des Dresdener Bildes befindet sich in der Albertina in Wien als Rubens' Frau Isabella Brant, eine Aquatinta-Radierung nach Rubens von L. A. Claessens im Teyler Museum in Haarlem.

J. Held (briefliche Mitteilung 1979) glaubt in dem Berliner Bild von Rubens «Perseus und Andromeda» (Inv.-Nr. 785) das gleiche Modell zu erkennen.

Literatur: Oldenbourg 1922, S. 142. – Glück 1933, S. 166. – M. Jaffé: The Girl with the Golden Hair. In: Apollo 90, 1969, S. 310–313. – Held 1980, I, S. 613.

964 A Rubens

964 B Rubens

964 B *Quos ego! – Neptun, die Wogen beschwichtigend.* Um 1635. Leinwand, 326×384 cm. 1742 durch den Grafen Brühl erworben, zuvor im Besitz des Kardinal-Infanten Ferdinand.

Bei dem Bild handelt es sich um eine mythologisch-allegorische Darstellung «Die Reise des Prinzen von Barcelona nach Genua» von dem Triumphbogen, der anläßlich des Einzugs des Kardinal-Infanten Ferdinand am 17. April 1635 in Antwerpen errichtet wurde. Inhaltlich ist Bezug genommen auf Vergils Aeneis (I, 135), in der Neptun dem Sturm Einhalt gebietet «Quos ego – sed motos praestat componere fluctus». In der Mitte steht Neptun auf einem von vier Rossen gezogenen Muschelwagen. Sein gebieterisch ausgestreckter Arm gilt den drei Winden Auster, der Südwind mit Donnerkeil, Zephir, der Westwind, und Boreas, der Nordwind. Im Hintergrund sticht die spanische Flotte in See. Eine Skizze befindet sich in Cambridge/Mass., Fogg Art Museum, Harvard University. Zeichnungen dazu im Britischen Museum in London (von Theodor van Thulden), im Rijksmuseum in Amsterdam (von Erasmus Quellinus) und in der Albertina in Wien. Das Gemälde ist von

Theodor van Thulden in dem Werk «Pompa Introitus Ferdinandi ..., Antwerpen 1642» gestochen worden.

Literatur: J. R. Martin: The Decorations for the Pompa Introitus Ferdinandi. Corpus Rubenianum Ludwig Burchard. Part XVI, Brüssel 1972, Kat. 3, S. 49–57. – Held 1980, I, S. 227f.

965 *Bathseba am Springbrunnen, den Brief Davids erhaltend.* Um 1635. Eichenholz, 175 × 126 cm. 1749 durch Le Leu aus Paris.

Farbtafel 32

Dargestellt ist die alttestamentarische Szene (2 Samuel 11, 2–4), in der der König David durch Boten nach Bathseba, der Frau des Uria, schicken ließ. Er hatte Bathseba zuvor vom Dach seines Königshauses sich waschen sehen und war von ihrer Schönheit verzaubert. Hier findet sich noch einmal die von Rubens oft und gern gemalte Frau in der Fülle des Lebens, dargestellt in heidnischer Sinnenbejahung; eines jener Meisterwerke, in denen Rubens das Licht und die Gelöstheit italienischer Malerei der heimatlichen Kunst schenkte.

Literatur: J. R. Martin, in: Corpus Rubenianum. Part XVI. 1972, S. 64. – Th. Hetzer: Rubens und Rembrandt. Mittenwald/Stuttgart 1984, S. 222f. – E. Larsen: Seventeenth century Flemish Painting. Freren 1985, S. 137. – Muller 1989, Nr. 87.

965 Rubens

967 Rubens

967 *Der heilige Franz von Paula.* 1627/28. Holz, 64,5 × 73 cm. 1741 aus der Sammlung Wallenstein in Dux (Inv.-Nr. 2953).

Dargestellt ist der heilige Franz von Paula, in der Luft schwebend, der von den Pestkranken um Hilfe angerufen wurde. Franz von Paula, 1416 in Kalabrien geboren, wandte sich schon in jungen Jahren dem strengen Einsiedlerleben zu. 1454 stiftete er den Orden der Paulaner oder Minimi, dem verschärftere Ordensregeln der Franziskaner zugrunde liegen. Dem Heiligen werden zahlreiche Heilungen und Totenerweckungen zugeschrieben. – Nach bisheriger Erkenntnis ist lediglich die sehr qualitätvolle Mittelpartie dieser Ölskizze von Rubens' Hand. Zu den Seiten hin werden Entwurf wie auch Ausführung der Komposition schwächer. Die Skizze und zwei weitere in der Alten Pinakothek in München und in der Sammlung Dent-Brocklehurst Winchcombe, Sudeley Castle, waren Entwürfe für einen nicht ausgeführten oder zerstörten Altar einer Kirche des Paulanerordens.

Literatur: H. Vlieghe: Saints. Corpus Rubinianum. Part VIII. London/New York 1973, Bd. 2, Nr. 116. – Held 1980, Bd. 1, S. 558, Nr. 405. – N. de Poorter, in: Rubens. Ausstellungskatalog. Retretti 1991, S. 98–100.

987 *Der trunkene Herkules, von einer Nymphe und einem Satyrn geführt.* Um 1612–1614. Eichenholz, 220×200 cm. Bereits 1692 in der Kunstkammer; Specificatio von 1707 (aus dem Nachlaß von Rubens); Inventar 1722–1728, A 50, als Original von Rubens «Herkules umfaßt die Jole».

Gegenstück zum «Tugendhelden» in der Alten Pinakothek in München (vgl. die Bemerkungen zu Gal.-Nr. 956). Herkules, Sohn des Zeus und der Alkmene, galt als einer der bedeutendsten Heroen der griechischen Sage, der schon als Kind zwei Schlangen besiegte, die ihm Hera sandte. Es wurden ihm zwölf Prüfungen auferlegt, die er alle bestand. – Eine Modellskizze in der Kasseler Galerie. Sowohl das Münchener als auch das Dresdener Bild waren im Nachlaß des Künstlers. Vgl. Gal.-Nr. 957.

Literatur: E. Hensler: Der trunkene Herkules von Rubens. In: Festschrift zum sechzigsten Geburtstag von Paul Clemen. Bonn 1926, S. 435 ff. – E. Kieser: Antikes im Werke des Rubens. In: Münchner Jahrbuch der Bildenden Kunst, 1933, S. 110–137. – J. Müller Hofstede, in: Pantheon XXV, 1967, S. 430–440. – U. Krempel: Bemerkungen zur Ikonographie der «Krönung des Tugendhelden». In: Gentse Bijdragen tot de Kunstgeschiedenis XXIV, 1976–1978, S. 83–93. – H. Vlieghe: De schilder Rubens. Antwerpen 1977, S. 83. – E. McGrath: The painted Decoration of Rubens' House. In: Journal of the Warburg and Courtauld Institutes. Bd. XLI, 1978, S. 264, Anm. 80. – Muller 1989, Nr. 157.

987 Rubens

1001 *Christus auf dem Meere.* Um 1608/09. Eichenholz, 99,5×141 cm. 1751 durch Le Leu aus Paris.

Dargestellt ist der im Matthäus-Evangelium (8, 23–27, vgl. auch Markus 4, 36–41, und Lukas 8, 23–25) geschilderte Vorgang, «wo Christus mit seinen Jüngern auf den See Genezareth zu Schiffe gegangen und in demselben entschlummert war, als ein ungeheurer Orkan den ruhigen Wasserspiegel in ein wild tobendes Meer verwandelte und Christus von seinen Jüngern erweckt wird.» – Das Bild entstand in Auseinandersetzung mit Motiven von Michelangelo, vom Künstler später in der Komposition ausgewertet für das im Museum der bildenden Künste in Leipzig vorgefundene Predellenbild zum Kreuzaufrichtungsaltar mit dem «Schiffswunder der heiligen Walburga». Ein gleiches Thema von Jacob Jordaens in der Bildergalerie Potsdam-Sanssouci von 1650.

Literatur: A. Mayer-Meintschel: Zu einem Frühwerk von Peter Paul Rubens in der Dresdener Galerie. Christus auf dem Meere. In: Gentse Beijdragen tot de Kunstgeschiedenis XXVI, 1976–1978, S. 119–131.

1001 Rubens

1002 *Hero und Leander.* Um 1619. Leinwand, 128×217 cm. 1659 aus Italien zur Kunstkammer. 1728 zur Galerie.

Der Dardaner Leander hatte sich in die schöne Hero, eine Priesterin der Venus, verliebt und schwamm allnächtlich durch den Hellespont zu der Geliebten. Eine Fackel am Turm wies ihm den richtigen Weg. Doch eines Nachts hatte der Sturm die Fackel gelöscht, und man fand am nächsten Morgen den Leichnam Leanders. Daraufhin stürzte Hero sich verzweifelt vom Turm ins Meer. Rubens schildert mit großer Dramatik den Moment, in dem Nereiden den Leichnam Leanders an Land tragen und Hero sich in die Fluten stürzt. In der starken Verkürzung des Körpers der Hero und in der düsteren Farbgebung wird der Einfluß Tintorettos deutlich.

Literatur: Oldenbourg 1922, S. 35/36. – Evers 1944, Bd. 1, S. 51, 129, 130, 135.

1002 Rubens

Ruisdael, Jacob Isaacksz. van Geboren 1628 oder 1629 in Haarlem, gestorben 1682 vermutlich in Amsterdam. Sohn des Landschaftsmalers Isaack van Ruisdael, Neffe des Salomon van Ruisdael. Wurde vermutlich von seinem Vater und seinem Onkel unterrichtet. Frühwerk beeinflußt von Cornelis Vroom. 1648 Mitglied der Haarlemer Lukasgilde. 1656 Übersiedlung nach Amsterdam. 1676 wurde Ruisdael in Caen offenbar zum Doktor der Medizin promoviert. Arbeitete häufig mit anderen Künstlern zusammen, die seine Landschaften mit Beiwerk ausstatteten. Lehrer des Meindert Hobbema.

1492 *Die Jagd.* Um 1665–1670. Bezeichnet links unten: JvRuisdael. Leinwand, 107×147 cm. Inventar 1754, II 205.

Gegenüber früher entstandenen Werken zeichnet sich diese Waldlandschaft durch offenere Komposition und größere Tiefenwirkung aus. So erscheint im Vordergrund anstelle einer geschlossenen Baumgruppe ein Teich. Der Mittelgrund dagegen wird hervorgehoben durch lichte Baumgruppen, die einen Ausblick in die Tiefe des Bildes gewähren. Ähnliche Kompositionen finden sich in Berlin, St. Petersburg und London. Wie bei den letztgenannten stattete Adriaen van de Velde auch diese Landschaft mit Figuren aus. Eine Interpretation der Darstellung als Allegorie der Vergänglichkeit ist nicht auszuschließen. Das Motiv des abgestorbenen Eichenbaumes im Vordergrund, als Symbol des Vergehens, wird gegenübergestellt den Bäumen mit üppigem Laubwerk als Sinnbildern des Lebens.

Literatur: J. Rosenberg: Jacob van Ruisdael. Berlin 1928, Nr. 285. – S. Slive: Jacob van Ruisdael. Ausstellungskatalog Den Haag/Cambridge, Mass. New York 1982, S. 110f., Nr. 37. – P. C. Sutton: Masters of 17th-Century Dutch Landscape Painting. Ausstellungskatalog Amsterdam/Boston/Philadelphia. Boston 1987, S. 457f.

1492 Ruisdael, Jacob van

1494 *Das Kloster.* Um 1650–1655. Bezeichnet rechts unten: JvR. Leinwand, 75×96 cm. Inventar 1754, II 189.

Links im Tal vor bewaldetem Hügel liegt die von der Sonne beschienene Ruine eines Klosters. Vorn der Bach, an dessen Ufer der Maler sitzt, rechts eine hohe Baumgruppe. Beschrieben von Goethe in seinem Essay «Ruisdael als Dichter» (1813). Die Staffage ist von Nicolaes Berchem, was H. Posse zuerst feststellte. Eine kleinere Fassung in Berlin, eine weitere in der National Gallery London (Autorschaft Ruisdaels von Maclaren bezweifelt), eine wahrscheinlich aus dem 18. Jahrhundert stammende Kopie in St. Petersburg.

Literatur: J. W. Goethe: Ruisdael als Dichter. 1813 (1816 erschienen). In: Goethes Werke. Hg. E. Trunz. Bd. XII. München 1973. – Posse 1930, S. 182.

1494 Ruisdael, Jacob van

1495 *Der Wasserfall vor dem Schloßberge.* Um 1670. Bezeichnet links unten: JvRuisdael. Leinwand, 99×85 cm. 1740 durch Morell erworben.

Rauhe Landschaften mit felsigen Abhängen und Wasserfällen bilden in Ruisdaels Werk eine umfangreiche Gruppe. Diese nordischen Landschaften basieren weniger auf dem Naturstudium, sondern vielmehr auf der Imagination und den Land-

1495 Ruisdael, Jacob van

schaften von Allaert van Everdingen, der 1644 nach Skandinavien gereist war und seitdem vielfach Landschaften mit Wasserfällen malte. Ruisdael selbst ist nie in den nordischen Ländern gewesen. Ein in Aufbau und Komposition ähnliches Bild befindet sich in Braunschweig.

1502 Ruisdael, Jacob van

1502 *Der Judenfriedhof bei Ouderkerk.* 1653–1655. Bezeichnet links am Stein: JvRuisdael. Leinwand, 84×95 cm. Inventar 1754, II 490. *Farbtafel 36*

Dargestellt ist der Judenfriedhof von Ouderkerk bei Amsterdam. Das im 17. Jahrhundert durchaus übliche Thema übermittelt eine deutliche allegorische Botschaft. Die Kombination von Gräbern, Ruinen, toten Bäumen und abgestorbenen Baumstämmen spielt auf die Flüchtigkeit allen Lebens an und die letztendliche Nutzlosigkeit aller menschlichen Bemühungen. Andererseits weisen der Lichtstrahl, der durch die rabenschwarzen Wolken bricht, der Regenbogen und die mächtigen Eichen, die im Kontrast stehen zu dem abgestorbenen Baum im Vordergrund, auf die Verheißung und die Auferstehung hin. Goethe war tief beeindruckt von dem Gemälde und beschrieb es in seinem Aufsatz «Ruisdael als Dichter». Verschiedene Maler des 19. Jahrhunderts, darunter Ferdinand Georg Waldmüller, haben es kopiert. Eine große Version des Themas befindet sich in Detroit.

Literatur: Goethe 1816, S. 141f. – Rosenberg 1928, Nr. 154. – Slive 1982, S. 76f., Nr. 21. – Sutton 1987, S. 452ff.

Ruoppolo, Giovanni Battista Geboren 1629 in Neapel, dort gestorben 1693. Schüler des Paolo Porpora, beeinflußt durch Caravaggio. Er gilt als eine Schlüsselfigur der neapolitanischen Genremalerei seines Jahrhunderts, ist aber besonders durch seine Stilleben bekannt geworden.

2669 Ruoppolo

2669 *Stilleben mit Früchten.* Wohl nach 1670. Leinwand, 75×63 cm. 1937 als Vermächtnis Johann Friedrich Lahmanns zur Galerie.

Mit Hilfe des caravaggiesken Helldunkels hat Ruoppolo die delikaten, trocken vermalten Farben der wie zufällig angeordneten Früchte und Blätter wahrhaft zum Glühen gebracht. Das Bild ist ein Beispiel für die Schönheit und Bedeutung der italienischen Stillebenmalerei, die lange gegenüber der niederländischen wenig Beachtung fand. Das Bild dürfte der reifen Zeit des Malers angehören.

Literatur: A. Walther, in: Das Stilleben und sein Gegenstand. Ausstellungskatalog. Dresden 1983, Nr. 146.

Ruysdael, Salomon van Geboren zwischen 1600 und 1603 in Naarden, gestorben 1670 in Haarlem. Vater des Jacob Salomonsz. van Ruysdael, Onkel des Jacob Isaacksz. van Ruisdael. Seit 1623 Mitglied der Haarlemer Lukasgilde, deren Dekan er 1648 war. In den Frühwerken beeinflußt von Esaias van de Velde, später von Pieter Molyn. Mit Jan van Goyen gehört er zu den Künstlern, die die klassisch-holländische Landschaftsmalerei prägen halfen.

1383 Ruysdael, Salomon van

1383 *Dorf unter Bäumen.* 1633. Bezeichnet links unten: S. vR (ligiert) 1633. Gegenstück zu Gal.-Nr. 1384. Eichenholz, oval, 60,5×80,5 cm. Zuerst im Katalog 1817.

Im Gegensatz zu dem Gegenstück Gal.-Nr. 1384 wirkt diese Landschaftswiedergabe weniger einheitlich. Auf eine Diagonale verzichtet der Künstler aber auch in diesem Gemälde nicht, indem er den Weg, der durch hellere Farbgebung und Beleuchtung betont ist, in einer leichten Schräge durch das Gemälde verlaufen läßt. Durch das Kontrastieren von braunem Boden und hellgelbem Lichteinfall erscheint die Landschaft wärmer als die Flußlandschaft.

Literatur: Europäische Landschaftsmalerei 1550–1650. Ausstellungskatalog. Dresden 1972, Nr. 86. – W. Stechow: Salomon van Ruysdael. Berlin 1975, S. 20, 80, Nr. 86.

1384 Ruysdael, Salomon van

1384 *Baumreiches Flußufer.* Um 1633. Gegenstück zu Gal.-Nr. 1383. Eichenholz, oval, 60,5×80,5 cm. Zuerst im Katalog 1817.

Zu Beginn der dreißiger Jahre festigte sich der Stil des Künstlers. In der Dresdener Flußlandschaft hält Ruysdael noch an dem in der Frühzeit bevorzugten diagonalen Bildaufbau fest, wenngleich nun in abgeschwächter Form. Der Fluß durchzieht in einem waagerecht verlaufenden Streifen die vordere Bildzone, während die Baumkronen in diagonaler Linie von links nach rechts ansteigen. Ein typisches Motiv für Ruysdael in dieser Zeit sind die Fischer, die ihre Netze im Kahn bergen.

Literatur: Stechow 1975, S. 20, 80f., Nr. 87.

Sabatini, Lorenzo Geboren um 1530 in Bologna, gestorben 1576 in Rom. Beeinflußt von Tizian, der Schule von Parma sowie von Raffael und Vasari, als dessen Gehilfe er seit 1574 in Rom tätig war. Er vertrat einen gemäßigten Manierismus emilianischer Prägung, in dem die Prinzipien der Hochrenaissance noch teilweise wirksam sind.

119 Sabatini

119 *Die Verlobung der heiligen Katharina.* Leinwand, 96,5×74,5 cm. Inventar Guarienti (1747–1750), Nr. 425; ehemals in der Casa Bellucci in Bologna.

Die heilige Katharina, erkenntlich an einem Fragment des zackenbewehrten Marterrades, neigt sich anbetend zum Jesusknaben. Dieser erhält von seiner Mutter den Ring, den er Katharina zum Zeichen des mystischen Verlöbnisses an den Finger stecken wird (vgl. Sarto, Faccini). Die eleganten Frauentypen und die Verweltlichung des Motivs erinnern an den Stil Parmigianinos. In einer manieristisch unklassischen Auffassung ist die Gestalt Josephs in der linken unteren Ecke gerade nur angeschnitten, auf Jesus hinweisend.

Literatur: Posse 1929, S. 58.

Sacchi, Andrea Geboren 1599 in Nettuno bei Rom, gestorben 1661 in Rom. Schüler Francesco Albanis in Rom und Bologna, beeinflußt von Domenichino und Guido Reni sowie von Poussin und den Venezianern. Er gehörte zu den bedeutendsten Vertretern der römischen Malerei in der ersten Hälfte des 17. Jahrhunderts. Seine Kompositionen sind im Stil der Carracci-Schule klassizistisch maßvoll, oft auf wenige Figuren beschränkt, und verraten in der tiefen leuchtenden Farbigkeit den venezianischen Einfluß.

347 Sacchi

347 *Die Ruhe auf der Flucht.* Kupfer, 71×51,5 cm. 1741 durch Ventura Rossi aus Italien.

Der Säulenstumpf auf hohem Postament und die gestürzte Säule symbolisieren die Überwindung der heidnischen Antike durch die Geburt Christi. Fünf kleine Engel in einer Wolke zeigen dem Jesuskinde das Kreuz als Inbegriff seines späteren Schicksals. Das Jesuskind soll diese Kreuzesvision jedoch erst auf der Rückkehr aus Ägypten beim Eintritt in Palästina gehabt haben, da es schon größer war, als es hier dargestellt ist. Das Bild wurde als Werk Sacchis erworben, galt dann aber lange als Schule Albanis. Neuerdings wird es (A. Sutherland Harris) dem Andrea Camassei, einem wenig jüngeren Maler aus dem römischen Umkreis Sacchis, zugeschrieben.

Literatur: A. Sutherland Harris: Andrea Sacchi. Oxford 1977, Nr. R 8.

Saftleven der Jüngere, Herman Geboren 1609 in Rotterdam, gestorben 1685 in Utrecht. Schüler seines Vaters Herman Saftleven in Rotterdam. Bruder des Cornelis Saftleven. Seit 1632 in Utrecht ansässig. 1667 in Elberfeld. Reisen an die Mosel und den Rhein bis Basel. Landschaftsmaler und Radierer.

1289 Saftleven d.J.

1289 *Ansicht von Utrecht.* 1664. Bezeichnet unten in der Mitte am Boot: HSL (ligiert) 1664. Kupfer, 19,5×35,5 cm. Inventar 1722–1728, A 599; durch Wackerbarth.

Saftlevens meist kleine, auf Holz oder Kupfer gemalte Rheinlandschaften und Stadtansichten waren besonders im 18. Jahrhundert sehr beliebt, denn nicht weniger als 14 Bilder von ihm hatte die Dresdener Galerie ursprünglich in ihrem Besitz; davon sind allerdings nur noch sieben erhalten, während die anderen zu den Kriegsverlusten gehören. Eine gleiche Fassung mit der Ansicht von Utrecht befindet sich im Museum in Kopenhagen.

Literatur: W. Schulz: Herman Saftleven. 1609–1685. Berlin/New York 1982 (Beiträge zur Kunstgeschichte, 18), S. 40, 159f., Nr. 130.

Salviati, Giuseppe, eigentlich Giuseppe Porta, genannt Giuseppe Salviati. Geboren zwischen 1520 und 1525 in Castelnuovo di Garfagnana (bei Carrara), gestorben nach 1573 in Venedig. Schon seit 1535 in Rom Schüler des Francesco Salviati, dessen Namen er annahm und mit dem er 1539 nach Venedig ging. Er ließ sich dort nieder und wurde, wie Ridolfi berichtet, als Venezianer angesehen. Der zentralitalienische manieristische Charakter seiner Kunst ist entscheidend durch venezianische Einflüsse modifiziert.

86 Salviati

86 *Beweinung Christi.* Wohl Frühwerk. Leinwand, 108,5×87 cm. 1742 aus der Sammlung Carignan in Paris.

Das Bild war im Inventar Guarienti (1747–1750), Nr. 272, und im Inventar von 1754, I 248, unter Francesco Salviati genannt, wurde aber schon bald danach im alten Dresdener Galeriewerk (Band II, 1757, Text S. XV) als Giuseppe Porta aufgeführt und von Lermolieff-Morelli (1880, S. 228) als solches bestätigt. Die spannungsvolle Komposition mit den starken Verkürzungen ist vom Manierismus bestimmt, der jedoch nicht nur in Florenz und Rom, sondern auch in Venedig Einfluß gewann. In der sanften Malweise und der warmen Farbigkeit ist die Nähe zur venezianischen Schule und besonders zu Veronese augenscheinlich. Veronese hat das Thema der Engelpietà, des von Engeln betrauerten toten Christus, mehrfach gestaltet, und all diese Bilder, besonders das in Boston, aber auch die Fassungen in Berlin, St. Petersburg und Lille, weisen manche Übereinstimmung mit dem Dresdener Gemälde von Salviati auf. Ähnlichkeiten bestehen auch mit der Pietà von Veroneses Schüler Zelotti in der Accademia in Venedig.

Literatur: M. Jaffé: Giuseppe Porta il Salviati and Peter Paul Rubens. In: Art Quarterly XVIII. 1955, S. 330–340. – D. McTavish: Giuseppe Porta called Giuseppe Salviati. New York, London 1981, S. 268/69, Abb. 163. – A. Walther, in: Dresda sull'Arno. Katalog der Ausstellung Florenz 1982/83. Milano 1982, III.2, S. 148.

24 Sano di Pietro

Sano di Pietro Geboren 1406 in Siena, dort gestorben 1481. Schüler Sassettas. Seine Kunst verbindet liebenswürdige Anmut mit dekorativem Reiz und bestätigt, daß die sienesische Malerei wesentlich länger als die florentinische an der mittelalterlichen Überlieferung festhielt und die Formprobleme zugunsten gefühlsmäßiger Ausdruckswerte und ornamentaler Schönheit zurückstellte.

24 *Bruchstück eines Altars.* Tempera auf Goldgrund, Pappelholz, 45×35,5 cm. Zuerst im Katalog 1843; 1836 erworben.

Die spitzgiebelig abgeschlossene, am Giebel außen mit volutenartigen Krabben versehene Holztafel bildete vermutlich den Mittelteil des Altars. Im umrahmenden Streifen die Halbfiguren von zwölf Heiligen und Christus mit der für Maria bestimmten Krone in den Händen in der Giebelspitze, getrennt durch jetzt leere Medaillons mit erhöhtem Rand. Die beiden Heiligen unterhalb von Christus links Petrus mit dem Schlüssel, rechts Paulus mit dem Schwert, darunter links die heilige Katharina, rechts die heilige Barbara. Im waagerechten Streifen unten die vier Evangelisten. Im Giebelfeld Maria in Apotheose zwischen vier Engeln, von denen drei musizieren. Sie ist dem offenen Grab entschwebt, an dessen Rand der Apostel Thomas kniet, die Hände ausstreckend nach dem Gürtel Marias, den diese dem Ungläubigen zum Zeichen ihrer Auferstehung herabfallen läßt. Im Sinne der mittelalterlichen Bedeutungsperspektive ist der Mensch auf der Erde wesentlich kleiner wiedergegeben als die heiligen Gestalten im Himmel. In der unteren Zone neben einem rundbogig abgeschlossenen, hochrechteckigen Feld links die heilige Margarete mit dem Drachen zu Füßen, rechts der heilige Florentiner Bischof Zenobius (vgl. Botticelli, Gal.-Nr. 9) mit einem Spruchband.

Literatur: P. Schubring: Die primitiven Italiener in der Dresdener Galerie. In: Kunstchronik N.F. XIII. 1901, S. 53. – F. Zeri: Reconstruction of a two-sided Reliquary Panel by Pietro Lorenzetti. In: The Burlington Magazine XCV. July 1953, S. 245.

25,26 *Bemaltes Kreuz mit dem gekreuzigten Christus, in die zwei Seiten zertrennt.* Tempera auf Goldgrund, Pappelholz, 54×43 cm. Zuerst im Katalog 1843.

Das Kreuz mit dem auf beiden Seiten aufgemalten Kruzifix ist ein Beispiel dafür, daß dieses Motiv in Italien im Gegensatz zur Kunst nördlich der Alpen nicht nur eine Aufgabe der Plastik, sondern auch der Malerei war. Die Gestalt des Gekreuzigten wird ergänzt durch aufgemalte Nebenfiguren in den kleeblattförmigen, von einem Quadrat durchdrungenen Enden der Kreuzarme. Die zerbrechlichen Gestalten sind fern jeder lauten Dramatik von ergreifender Sanftmut. Nach R. Oertel (brieflich 1959) darf die Zuschreibung an Sano di Pietro als sicher gelten.

25 In den Enden der Kreuzarme in Halbfiguren oben der segnende Christus, links Maria, rechts Johannes der Evangelist, am Fuße, den Kreuzesstamm umfassend und zu Christus emporblickend, Maria Magdalena.

26 In den mit Buch und Schreibfeder ausgestatteten, in Halbfigur wiedergegebenen Heiligen in den Enden der Kreuzarme sind vier Kirchenväter erkannt worden.

25 Sano di Pietro

26 Sano di Pietro

Sano di Pietro (?)

31 *Der tote Christus im Sarkophag.* Um 1455. Tempera, Pappelholz, 21×15 cm, durch Anstückung vergrößert auf 21,5×21 cm. 1874 aus dem Berliner Kunsthandel.

Der Gekreuzigte erhebt sich mit übereinandergelegten Armen in Halbfigur aus dem Sarkophag. Durch beiderseits steil aufragende Felshänge im Hintergrund und blauen Himmel darüber ist die landschaftliche Umgebung bezeichnet. Nach M. Knauf (brieflich 1985) handelt es sich um das Zentralstück einer Predella, zu dem die beweinenden Personen von Maria und Johannes gehörten. Das Bild wurde früher Lippo Memmi zugeschrieben. Lermolieff-Morelli (1880) hielt es eher für Barna da Siena. Es ist jedoch zweifellos später. Oertel (1959) dachte an Matteo di Giovanni, Laclotte (1966) sieht mit Berenson hier ein Werk des Sano di Pietro. M. Knauf bestätigt dies nachdrücklich und datiert nach dem Christustyp um 1455. Das Bild wurde bisher als sienesische Schule um 1450 geführt.

Literatur: Schubring 1901, S. 53.

31 Sano di Pietro (?)

Santacroce, Gerolamo da Geboren um 1480 (?) im Gebiet von Bergamo, gestorben 1556 (?) in Venedig. Einer der zahlreichen in Venedig tätig gewesenen Mitglieder der Familie Santacroce. Beeinflußt von Gentile und Giovanni Bellini sowie von Tizian, frühestens 1516 sicher beglaubigt. Er schuf in der bellinesken Tradition, noch dem Quattrocento verbunden, zahlreiche kleinere, meist detailreiche Altarbilder.

55 *Die Anbetung des Kindes.* Pappelholz, 62×75,5 cm. 1741 durch von Kaiserling erworben.

In dem aus Holzbalken errichteten, mit dem Giebel bildparallel stehenden Stall von Bethlehem knien Maria und Joseph anbetend beiderseits des in ein Körbchen gebetteten, von drei kleinen Engeln umringten Jesuskindes. Von links kommen zum Anbeten die Hirten vom Felde herein, Ochse und Esel im Hintergrund des ruinösen Bauwerkes bezeichnen den Stall. Über dem Kinde in einem Kranz geflügelter Engelsköpfchen die Taube des Heiligen Geistes. Daneben und außen an den Giebelecken Engel mit den auf die Passion Christi vorausweisenden Leidenswerkzeugen, zu denen die Martersäule mit Essigschwamm und Dornenkrone, Geißel, Lanzen, Kreuz und drei Nägel sowie die Leiter gehören. Im Giebel drei Engel mit dem Spruchband «Gloria in excelsis deo» (Ehre sei Gott in der Höhe ...). Alle Einzelheiten sind in einer gewissen Naivität der Auffassung additiv zueinandergefügt. Fiocco vermutete hier die Zusammenarbeit Gerolamos mit seinem Sohn Francesco, dem er ein verwandtes Bild in den Staatlichen Museen Berlin ganz zuschrieb.

Literatur: G. Fiocco: I Pittori da Santacroce. In: L'Arte XIX. 1916, S. 200.

55 Santacroce

56 *Das Martyrium des heiligen Laurentius.* Pappelholz, 63,5 × 79 cm. Zuerst im Katalog 1835 als Gaudenzio Ferrari.

Laurentius war ein römischer Diakon, der 258 unter Kaiser Valerian auf glühendem Rost den Martertod starb, weil er die Kirchenschätze vor dem Zugriff des Kaisers unter die Armen verteilt hatte. Die Hinrichtungsstätte befindet sich vor dem Thron des Kaisers bei einem Renaissancepalast. Zwei Henker fachen das Feuer unter dem Rost an. Die teilweise berittene Wachmannschaft führt Feldzeichen mit der Aufschrift SPQR – Senatus Populusque Romanus, Senat und Volk von Rom – sowie dem Doppeladler mit sich. Links schwebt ein Engel mit Märtyrerkrone und -palme herbei. Aus den Wolken taucht mit geöffneten Armen Gottvater zwischen Engeln auf. In typisch venezianischer Weise ist eine reiche Hintergrundlandschaft mit einem Kastell einbezogen. Das Bild wurde von einigen (Bercken, Fiocco, Heinemann) dem Sohn Gerolamos, Francesco da Santacroce, zugeschrieben, der vielleicht beteiligt war. Eine etwas veränderte Fassung befindet sich unter Gerolamos Namen im Museum Capodimonte, Neapel.

Literatur: Walther 1968, Nr. 88.

56 Santacroce

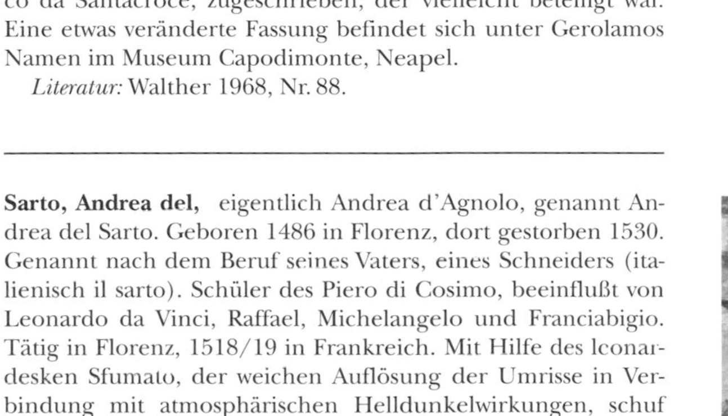

Sarto, Andrea del, eigentlich Andrea d'Agnolo, genannt Andrea del Sarto. Geboren 1486 in Florenz, dort gestorben 1530. Genannt nach dem Beruf seines Vaters, eines Schneiders (italienisch il sarto). Schüler des Piero di Cosimo, beeinflußt von Leonardo da Vinci, Raffael, Michelangelo und Franciabigio. Tätig in Florenz, 1518/19 in Frankreich. Mit Hilfe des leonardesken Sfumato, der weichen Auflösung der Umrisse in Verbindung mit atmosphärischen Helldunkelwirkungen, schuf Sarto monumentale, Figuren und Raum verbindende Kompositionen, die ihn als einen Klassiker der Hochrenaissance ausweisen, in der Spätzeit aber auch schon etwas vom Manierismus michelangelesker Prägung erkennen lassen.

76 *Die Verlobung der heiligen Katharina.* Um 1512/13. Bezeichnet links an der untersten Stufe mit dem Monogramm AA (ligiert). Pappelholz, 167 × 122 cm. 1749 aus der kaiserlichen Galerie in Prag.

Der auf dem Knie seiner Mutter sitzende Jesusknabe steckt Katharina zum Zeichen des mystischen Verlöbnisses einen Ring an den Finger; die Heilige ist an dem zackenbewehrten Marterrad und dem daraufliegenden Buch auf der untersten Stufe zu erkennen (vgl. Barbari, Gal.-Nr. 58). Ihr gegenüber die heilige Margarete, die unter Diokletian in ihrer Heimatstadt Antiochia wegen ihres christlichen Glaubens enthauptet wurde. Nach der Legende erschien ihr der Drache im Gefängnis und wurde von ihr durch das Kreuzeszeichen überwunden, woraus sich die beiden Attribute ergeben haben. Unten in der Mitte mit Lamm, Kreuzstab und dem mit der Aufschrift «ECCE AGNUS DEI» (Siehe, das Lamm Gottes) auf Christus hinweisenden Spruchband der Knabe Johannes der Täufer. Der Baldachin, dessen Stoff von zwei Putten zur Seite gerafft wird, gibt der Figurengruppe innerhalb des Bildes eine Rahmung und betont zugleich ihre Würde.

Literatur: S. J. Freedberg: Andrea del Sarto. Cambridge, Mass., 1963, Nr. 16. – J. Shearman: Andrea del Sarto. Oxford 1965, II, Nr. 25.

76 Sarto

77 *Abrahams Opfer.* Um 1527/28. Bezeichnet rechts unten an einem Stein mit dem Monogramm AA (ligiert). Pappelholz, 213×159 cm. 1746 aus der herzoglichen Galerie in Modena.

Farbtafel 10

Die Szene, da Abraham auf Geheiß Jahves seinen Sohn Isaak opfern will (1. Buch Mose, 22, 1–13), ist mit statuarischer Größe erfaßt. Die gewundenen Bewegungen der beiden Gestalten lassen das Motiv der «figura serpentinata» erkennen, das im Manierismus große Bedeutung erlangte und das wesentlich durch die 1506 in Rom ausgegrabene hellenistische Laokoongruppe mit den drei in der tödlichen Umarmung von Schlangen sich windenden Figuren angeregt wurde. Sarto hat von dieser Plastik vorher Studienzeichnungen angefertigt und Isaak dem rechten der beiden Söhne angenähert. Links im Bilde ist der Widder zu sehen, den Abraham auf Geheiß des von Gott gesandten Engels dann opferte, rechts im Mittelgrund wartet ein Knecht bei dem Esel Abrahams. Das Bild war ursprünglich für König Franz I. von Frankreich bestimmt. Eine Replik befindet sich im Prado, Madrid, eine dritte Fassung, die als Skizze anzusehen ist, im Museum of Art, Cleveland/Ohio.

Literatur: Freedberg 1963, Nr. 66. – Shearman 1965, II, Nr. 94.

77 Sarto

Savery, Jacob I Geboren um 1545 in Courtrai, gestorben 1602 in Amsterdam. Vater des Jacob Savery II und vermutlich Bruder des Roelant Savery. Schüler von Hans Bol. 1591 Bürger von Amsterdam. Lehrer des Frans Pietersz. Grebber.

824 *Die Stadt an der Seebucht.* 1586. Bezeichnet und datiert rechts oben: JSAVERIJ 1586. Pergament auf Eichenholz, 14,8×25,5 cm. Kunstkammerinventar 1640.

Bis 1964 als Arbeit von Hans Bol angesehen. Durch Freilegung der alten Rahmenleiste konnte die Signatur ermittelt werden. Von Jacob Savery sind bisher nur ganz wenige Werke bekannt, so daß dieses Bild für die Forschung und Erschließung des Œuvres des Künstlers besondere Bedeutung gewinnt. Links im Vordergrund ist wahrscheinlich eine alttestamentarische Szene dargestellt, die aber bisher noch nicht identifiziert werden konnte.

Literatur: Mayer-Meintschel 1966, S. 51 f. – H. G. Franz: Niederländische Landschaftsmalerei im Zeitalter des Manierismus. Graz 1969, Bd. 1, S. 296. – A. Mayer-Meintschel, in: Europäische Landschaftsmalerei 1550–1650. Ausstellungskatalog. Dresden. 1972, Nr. 90.

824 Savery, Jacob I

Savery, Roelant Geboren um 1576 in Courtrai, gestorben 1639 in Utrecht. Schüler seines Bruders Jacob Savery (vgl. Gal.-Nr. 824) und angeblich des Hans Bol. Er arbeitete für Kaiser Rudolf II. in Prag und Tirol, etwa 1604–1615 für Kaiser Matthias in Wien. Seit 1616 in Amsterdam, seit 1619 in Utrecht ansässig, wo er Meister der Lukasgilde war. Bedeutender Vertreter der Landschaftsmalerei des Spätmanierismus und des Frühbarocks, auch Tier- und Blumenmaler.

931 *Turmruine am Vogelweiher.* 1618. Bezeichnet unten in der Mitte: ROELAENT · SAVERŸ · FE · 1618. Eichenholz, 30×42 cm. Inventar Guarienti (1747–1750), Nr. 1673.

Die hellbeleuchtete Ruine eines alten Rundturmes – sie kehrt auf zahlreichen Varianten von Savery wieder – ist vermutlich inspiriert durch den antiken Tempel der Minerva Medica in Rom. Ein ebenfalls 1618 entstandenes Bild befindet sich im Jagdschloß Grunewald (Berlin), weitere in den Museen von Antwerpen und Prag (1622) sowie im Kunsthistorischen Museum Wien (1629) und in der Akademiegalerie in Wien.

Literatur: K. Erasmus: Roelant Savery, sein Leben und seine Werke. Phil. Diss. Halle 1908, Nr. 41. – K. J. Müllenmeister: Roelant Savery. Freren 1988, Nr. 144 (mit falscher Angabe der Signatur).

931 Savery, Roelant

Schenau, eigentlich Johann Eleazar Zeissig, genannt Schenau. Geboren 1737 in Großschönau bei Zittau, gestorben 1806 in Dresden. Sein Künstlername ist von dem Ortsnamen Schönau abgeleitet. Seit 1749 in Dresden bei dem Porträtmaler Johann Christian Beßler, einem Silvestre-Schüler, in der Lehre. Ging 1756 nach Paris, wo er mit den führenden französischen Künstlern der Zeit bekannt wurde. In Johann Georg Wille fand er dort einen verständnisvollen Förderer. Besonders beeinflußten ihn die Werke von Jean-Baptiste Greuze. Seit etwa 1765 war Schenau in Paris ein renommierter Genremaler. Kehrte trotzdem 1770 nach Dresden zurück. Wurde 1773 Direktor der Mal- und Zeichenschule an der Meißner Porzellanmanufaktur, 1774 Professor an der Dresdener Kunstakademie, 1776, nach dem Tode von Charles Hutin zusammen mit Giovanni Battista Casanova Direktor der Akademie und übernahm nach Casanovas Tod 1795 das Direktorat allein. Schenaus Bilder haben etwas von der Feinmalerei eines Gerard Dou und Caspar Netscher, übertragen in die Form des späten 18. Jahrhunderts und verbunden mit den von Greuze empfangenen Eindrücken.

2164 B Schenau

2164 B *Die kurfürstlich-sächsische Familie.* 1772. Bezeichnet: Schenau inv. à Dresde 1772. Leinwand, 121×116 cm. Erworben 1910 aus dem Pariser Kunsthandel.

Dieses Familienbild wurde anläßlich der Genesung der Kurfürstin-Witwe Maria Antonia (1724–1780, vermählt 1747), der Gemahlin des 1763 verstorbenen Kurfürsten Friedrich Christian, gemalt. Christian Ludwig von Hagedorn hatte den Auftrag an Schenau gleich nach dessen Ankunft aus Paris vermittelt. Das Bild zeigt die Kurfürstin-Witwe im Kreise ihrer Kinder. Vom Betrachter aus gesehen links hinter und neben der Mutter stehen der junge Kurfürst Friedrich August, später «der Gerechte» genannt, und Maria Amalie, geborene Prinzessin von Pfalz-Zweibrücken (1752–1828), mit der er seit 1769 vermählt war. Links hinter diesen beiden sitzt Prinz Karl (1752–1781); dahinter die Gruppe der Höflinge, aus der sich ganz rechts Camillo Graf Marcolini hervorhebt. Rechts am Bildrand steht Prinz Xaver (1730–1806), Sohn König Augusts III., der von Ende 1763 bis 1768 als Administrator Kursachsen verwaltet hatte. Er legt dem Prinzen Anton (1755–1836) die Hand auf die Schulter. Eng an ihre Mutter schmiegen sich die Prinzessinnen Maria Anna (1761–1820) und Maria Amalie (1757–1831) sowie Prinz Maximilian (1759–1838). Prinzessin Elisabeth (1736–1818), Tochter König Augusts III. und Schwester des

Prinzen Xaver, weist auf das allegorische Gemälde hin, das der Genesung von Maria Antonia gewidmet ist, als Bild im Bilde.

Literatur: W. Schmidt: Johann Eleazar Zeissig. Ein Beitrag zur sächsischen Kunstgeschichte des 18. Jahrhunderts. Phil. Diss. Heidelberg 1926, S. 41–44, 95, Nr. 8. – H. Marx, in: Königliches Dresden. Ausstellungskatalog. München 1990, Nr. 34.

3161 Schenau

3161 *Das Kunstgespräch.* 1777. Bezeichnet rechts am Globus: Schenau pinx. 1777. Leinwand, 80×63,5 cm. 1948 zur Galerie aus dem Schloß Seerhausen bei Riesa.

Das Bild zeigt den sächsischen «Generaldirektor der Künste, Kunstakademien und dahingehöriger Galerien und Cabinets», Christian Ludwig von Hagedorn (1712–1780), in diesem Amt seit 1764, links sitzend, im Gespräch mit dem sächsischen Konferenzminister Thomas Freiherr von Fritsch (1700–1775), einem Kunstfreund, Mäzen und Sammler. Im Hintergrund stehen, von links nach rechts: Adrian Zingg, Schenau selbst und Anton Graff. Das Bild entspricht, schon vom Thema her, dem kontemplativen Geist der sächsischen Kunst in der zweiten Hälfte des 18. Jahrhunderts, im Gegensatz zur rauschenden Festlichkeit der ersten Jahrhunderthälfte.

Literatur: Schmidt 1926, S. 46ff., Nr. 9. – Deutsche Bildnisse 1500–1800. Ausstellungskatalog. Halle/Saale 1961, Nr. 215. – H. Marx, in: Dresdner Hefte 17, 6. Jg., 1988, Heft 7, S. 30f., 38f. – H. Marx, in: Dresdener Kunstblätter, 32. Jg., 1988, Heft 1, S. 10ff.

Schiavone, eigentlich Andrea Meldolla, genannt Schiavone. Geboren wohl um 1510–1515 in Zara (Slawonien), wonach er seinen Namen «der Slawone» erhielt, gestorben 1563 in Venedig, dort seit etwa 1540 tätig gewesen. Beeinflußt von Parmigianino als vermutlich dessen Schüler in Parma sowie von Tizian und Tintoretto. Auf der Grundlage der von Parmigianino empfangenen Einflüsse begründete er entscheidend den Manierismus in Venedig, wobei er eine kurvige, erregte Linienführung mit der venezianischen, von der stark differenzierten Farbe ausgehenden lockeren Malweise verband.

274 Schiavone

274 *Der tote Christus.* Um 1555. Leinwand, 107×87,5 cm. 1749 aus der kaiserlichen Galerie in Prag.

Der Leichnam Christi wird gestützt von einem Engel und von Joseph von Arimathia, einem reichen jüdischen Ratsherrn und heimlichen Anhänger Christi, der nach dessen Kreuzigung Pilatus bat, den Leichnam vom Kreuze abnehmen zu dürfen und die Erlaubnis dazu erhielt (Johannes 19, 38). Die fließende Linienführung erinnert an Parmigianino, aber die Monumentalität und dramatische Ausdruckskraft der Darstellung erscheinen nicht ohne den Einfluß Michelangelos denkbar. Schiavone hat das Thema öfters gestaltet. Eine aquarellierte Zeichnung mit einer Beweinung Christi in der Albertina Wien, die mit dem Bild in Zusammenhang gebracht werden darf, ist 1550 datiert.

Literatur: Walther 1968, Nr. 89. – F. L. Richardson: Andrea Schiavone. Oxford 1980, Nr. 253.

275 *Madonna mit Heiligen.* Gegen 1550 oder früher. Leinwand, 86×68,5 cm. 1743 durch Algarotti aus dem Hause der Procuratessa della Cà Grande in Venedig.

Das Bild wurde bisher in den Katalogen als Darstellung der Heiligen Familie angesehen, entspricht aber in Wirklichkeit inhaltlich und auch weitgehend kompositionell und stilistisch Parmigianinos «Maria mit dem Jesusknaben, dem jungen Johannes dem Täufer, der heiligen Magdalena und dem heiligen Zacharias» in den Uffizien. Die in ihrem prophetischen Ernst sehr bedeutungsvolle männliche Gestalt mit dem Buch rechts unten ist nicht der Nährvater Joseph, sondern der Priester Zacharias, der Vater Johannes des Täufers. Die weibliche Gestalt mit der schlanken Kanne darf als Magdalena angesehen werden, die Gestalt dahinter als Johannes der Evangelist, der einen Kelch mit einer Schlange erhebt: Ein Gifttrank, mit dem der Oberpriester von Ephesos ihn auf die Probe stellen wollte, konnte ihm nicht schaden. Die diagonale Aufreihung der Figuren ist ebenso manieristisch wie der Rhythmus der Linienführung, der sie verbindet.

Literatur: Richardson 1980, Nr. 275.

275 Schiavone

Schönfeld, Johann Heinrich Geboren 1609 in Biberach a. d. Riß (Württemberg), gestorben 1682 oder 1683 in Augsburg. Lernte bei einem Mitglied der Malerfamilie Sichelbein in Memmingen. Von 1627–1629 in Stuttgart; berührte auf seiner anschließenden Wanderschaft unter anderem Basel. Ging wohl 1633 über Frankreich nach Rom; lebte seit etwa 1638 in Neapel. Kam 1651 zurück nach Deutschland, wo er sich 1652 in Augsburg ansässig machte und Bürger wurde. Seine Kunst, die ein stark theatralisches Moment enthält, war Einflüssen sehr offen. Anfangs vom niederländischen Manierismus, auch von Frankreich (Jacques Callot), dann mehr von Italien abhängig, schuf er doch einen unverwechselbar persönlichen Stil. «Nächst Elsheimer und Liss feinsinnigster Malerpoet ..., dessen sich die deutsche Kunst des 17. Jahrhunderts rühmen darf» (Hermann Voss).

1991 *Musikalische Unterhaltung am Spinett.* Um 1670. Bezeichnet Mitte unten: J H Schönfeldt Fecit. (J und H ineinander verschlungen). Monogrammiert am Spinett: JHS: Fecit (JHS ineinander verschlungen). Vgl. das Gegenstück von Jan Onghers, Gal.-Nr. 1992. Leinwand, 124×92,5 cm. Gemalt vielleicht für den Augsburger Bürgermeister Jenisch, von diesem in die Sammlung Vršovec nach Prag, 1723 aus dieser in die Sammlung Wallenstein nach Dux, von dort 1741 für Dresden erworben.

Eine für Schönfeld ungewöhnliche Komposition, am ehesten verwandt frühen Bildern wie der «Akademieklasse» und mehr noch dem Pendant dazu, «Malstunde» (verloren). Der Künstler schuf hier einen manieristischen Raum, einfach im Aufbau, aber spannungsgeladen. Die kleinen musizierenden Figürchen verlieren sich in der steilen Höhe eines Galeriesaales, wie ihn der Künstler in Italien gesehen haben könnte. Die Figurengruppe vielleicht von niederländischen Gesellschaftsstücken beeinflußt. Gemalt vielleicht für den Augsburger Bürgermeister Jenisch, könnte das Bild einige Gemälde aus dessen Sammlung zeigen, doch ist der Realitätsbezug nur locker. So erkennen wir zwar in dem «Gigantenkampf» an der Schmalwand eine Komposition Schönfelds, um 1660 gemalt, hier aber im Format

1991 Schönfeld

gewaltig übersteigert. (Der «Gigantenkampf» kam aus der Sammlung Jenisch in die Sammlung Vršovec, aus dieser 1723 in die Sammlung Wallenstein nach Dux, von dort 1741 nach Dresden, hier 1945 Kriegsverlust.) Auch das große Gemälde an der rechten Seitenwand oben erscheint wie eine von den eigenen Schöpfungen des Künstlers. Rechts unter letzterem Bild bemerken wir eine Darstellung mit Aeneas, der seinen alten Vater Anchises aus dem brennenden Troja rettet. In der Lünette zwei sich bekränzende plastische Genien vor goldenem Grund, zwischen ihnen die Inschrift VIRTVTIS DOCVMENTO, Beispiel der Tapferkeit: Gigantenkampf, Aeneas und Anchises, kleinere Kampfszenen in der unteren Reihe erscheinen alle diesem Leitmotiv verpflichtet. – Jan Onghers malte ein Gegenstück zu dem Bild als deutliche seitenverkehrte Entsprechung (vgl. Onghers, Gal.-Nr. 1992).

Literatur: H. Voss: Johann Heinrich Schönfeld. Biberach an der Riss 1964, S. 24, 32. – Johann Heinrich Schönfeld. Ausstellungskatalog. Ulm 1967, Nr. 79. – H. Pée: Johann Heinrich Schönfeld. Die Gemälde. Berlin 1971, Nr. 117.

Seekatz, Johann Conrad Geboren 1719 in Grünstadt in der Pfalz, gestorben 1768 in Darmstadt. Schüler seines Bruders Johann Ludwig Seekatz und des Philipp Hieronymus Brinkmann in Mannheim. Tätig als Hofmaler in Darmstadt seit 1753, häufig auch in Frankfurt/Main; dort befreundet mit dem Rat Goethe, dem Vater des Dichters, für dessen Sammlung er Bilder malte. In seinen Genrestücken von niederländischen Vorbildern des 17. Jahrhunderts ausgehend.

2158 A Seekatz

2158 A *Die Flucht nach Ägypten.* Leinwand, 35 × 46 cm. 1932 zur Gemäldegalerie.

Die Heilige Familie floh nach Ägypten, um den Nachstellungen des Herodes zu entgehen, der den neugeborenen «König der Juden» töten lassen wollte. Der Vorgang gewinnt in der Darstellung von Seekatz, der mindestens zwei weitere Bilder dieses Themas geschaffen hat (in Dessau und Köln) und der mit Virtuosität eine nächtliche Szene beschreibt, ein dramatisches Element, doch geht von dem Bilde nicht der Eindruck wirklicher Gefahr aus.

Seemann der Jüngere, Enoch Geboren 1694 oder 1695 in Danzig, gestorben 1744 in London. Sohn des Malers Enoch Seemann des Älteren. Kam schon als Kind 1704 mit den Eltern nach London, wo er seine Ausbildung erhielt und ansässig blieb.

798 B Seemann d.J.

798 B *Selbstbildnis.* 1716. Bezeichnet links in halber Höhe: Enoch Seemann 'ipse pinx Anno 1716. Kupfer, 57,5 × 45 cm. Inventar 1722–1728, A 65.

Etwas jugendlich verträumt, durch den Blick über die Schulter auch distanziert, in weich vertriebenem Helldunkel gemalt. Der Vergleich mit bestimmten «glatten» Bildnissen Denners bietet sich an, wenn Denner auch erst 1721 nach London kam.

Seiter, Daniel Geboren um 1649 in Wien, gestorben 1705 in Turin. Anfangs Militäringenieur, seit etwa 1670 Schüler von Johann Carl Loth in Venedig, um die Mitte der achtziger Jahre Mitarbeiter Carlo Marattis in Rom. Von 1688 an Hofmaler Herzog Vittorio Amedeos II. von Savoyen in Turin, wo er auch einige Säle des herzoglichen Schlosses ausmalte.

2034 *Der heilige Hieronymus.* Leinwand, 81×70 cm. Inventar 1722–1728, A 251. Seiter ging von dem schweren Barock seines Lehrers Loth aus, sein Stil wurde aber durch die Berührung mit dem römischen Spätbarock flüssiger und eleganter, die Farben heller und leuchtender, wie unser Bild zeigt.

Literatur: H. Voss: Die Malerei des Barock in Rom. Berlin 1924, S. 591.

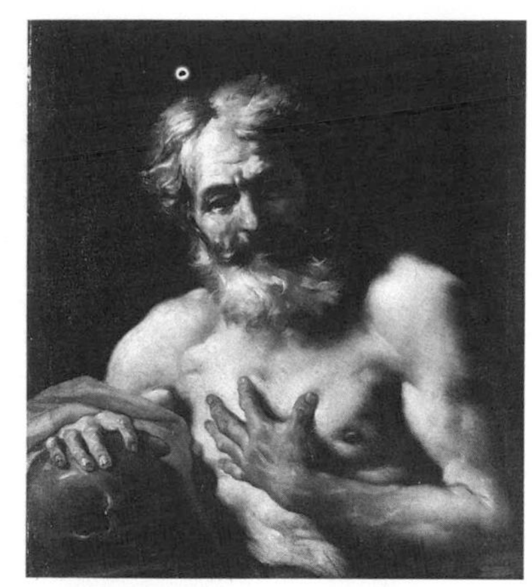

2034 Seiter

Seybold, Christian Geboren 1703 in Mainz, gestorben 1768 in Wien. Autodidakt. Tätig hauptsächlich in Wien, wo er 1749 den Titel eines «Kaiserlichen Kammermalers» erhielt. Er war «Assoziierter» der Wiener Akademie der bildenden Künste. Am 6. Mai 1745 erhielt er ehrenhalber den Titel eines sächsischen Hofmalers (Staatsarchiv Dresden, Loc. 896, S. 55). Folgte in kleinformatigen, auf Kupfer gemalten Bildern Balthasar Denner, während manche auf Leinwand gemalten Selbstbildnisse eher den Einfluß Kupezkýs spüren lassen.

2092 *Knabe mit Flöte.* Gegenstück zu Gal.-Nr. 2093. Kupfer, 47×37 cm. Inventar Guarienti (1747–1750), Nr. 1529.

2092 Seybold

2093 *Mädchen mit Schleier.* Gegenstück zu Gal.-Nr. 2092. Kupfer, 46,5×37,5 cm. Inventar Guarienti (1747–1750), Nr. 1528.

Genauigkeit bis ins kleinste Detail und porzellanene Glätte der Ausführung machen dieses Bild und sein Gegenstück zu typischen Werken des Malers, den Christian Ludwig von Hagedorn 1755 so charakterisiert hatte: «In vielen seiner Köpfe bewundert man die Feinheit, die bis zur Darstellung der Poren reicht; darin zeigt er sich als Schüler von Balthasar Denner.» (C. L. von Hagedorn: Lettre à un Amateur de la Peinture … Dresde 1755, S. 338). Tatsächlich geht Seybold in dieser Malart noch über Denner hinaus und greift einerseits auf holländische Vorbilder zurück, besonders vielleicht auf Abraham Bloemaert (1564–1651) und Paulus Moreelse (1571–1638), worauf Annaliese Mayer-Meintschel zuerst hingewiesen hat (mündlich 1991), während er andererseits mit der Glätte und Idealisierung seiner Figuren in die Nähe von Malern wie Jean Etienne Liotard, Pietro Graf Rotari und selbst Anton Raphael Mengs gerät. Die Mitte des 18. Jahrhunderts war eine Zeit stilistischen Umbruchs: Barock und Rokoko feierten späte Triumphe, während klassizistische Tendenzen sich durchzusetzen begannen. Seybold stand auf eigene Weise in dieser Entwicklung.

2093 Seybold

2095 *Alte Frau mit grünem Kopftuch.* Kupfer, 41,5×32,5 cm. Inventar Guarienti (1747–1750), Nr. 1599.

Christian Seybold lebte in Wien. Die Stadt besitzt neben Florenz die berühmteste Sammlung anatomischer Wachsfiguren; deren erschreckende «Echtheit» haben auch manche Köpfe alter Männer und Frauen von Seybold. Nicht einem «Kunstwerk» und nicht dem «Leben» scheint man gegenüberzustehen, sondern einem Präparat oder anatomischen Modell. In dieser überschärften Betrachtungsweise ging Seybold noch weiter als sein Vorbild Balthasar Denner. Das Bild gehörte zu den Kriegsverlusten der Dresdener Galerie und ist der Sammlung 1991 vom Auktionshaus Sotheby's übergeben worden, nachdem der Einlieferer von jedem Anspruch zurückgetreten war.

Literatur: H. Ebert: Kriegsverluste der Dresdener Gemäldegalerie. Dresden 1963, S. 143. – Sotheby's. Versteigerungskatalog. Old Master Paintings: London, 3. Juli 1991, Nr. 5 (als Denner).

2095 Seybold

2096 *Selbstbildnis.* Um 1735. Leinwand, 74×61 cm. Inventar 1754, II 49.

Gehört zur Gruppe der im Format größeren, auf Leinwand gemalten Selbstbildnisse, von denen kaum eines wie das andere ist (Beispiele u.a. in Wien, Warschau, Budapest), und fällt durch eine innere Spannung auf, die aus dem Kontrast zwischen würdevoll posierender Haltung (Rigauds Selbstbildnis in Perpignan war das Vorbild; Stich von Pierre Drevet) und packend lebendiger, vielleicht bewußt mit eigener «Häßlichkeit» kokettierender Behandlung des Gesichts entsteht. Eine spätere, größere Fassung, aber ohne den drapierten Mantel, befindet sich im Schloß Kuskowo bei Moskau.

Literatur: H. Marx: Realismus und «choix des attitudes». Zu einem Selbstbildnis von Christian Seybold. In: Ars Auro Prior. Festschrift für Jan Bialostocki. Warschau 1981, S. 583–587. – K. Garas: Christian Seybold und das Malerbildnis in Österreich im 18. Jahrhundert. In: Bulletin du Musée Hongrois des Beaux-Arts, Nr. 56–57. Budapest 1981, S. 113–137 (125).

2096 Seybold

Sienesisch um 1350

28 *Maria mit dem Kinde.* Auf der Rückseite ein aufgemalter Schild mit einem Wappenzeichen. Tempera auf Goldgrund mit eingeprägten Ornamenten. Pappelholz mit rahmenartig profiliertem Rand, 33×16 cm. 1846 aus dem Nachlaß Rumohr.

Vermutlich Teil eines Triptychons. Die Madonna in Halbfigur trägt auf dem linken Arm das Kind, dessen Kleid mit goldenen Lilien, Symbol der jungfräulichen Mutterschaft und der Gnade Gottes, gemustert ist. Das Bild wurde zuerst der Schule Duccios zugeordnet, von Crowe und Cavalcaselle (1869) der des Lippo Memmi, eines Schülers des von Duccio beeinflußten Simone Martini, von Berenson und neuerlich E. Fahy dem Naddo Ceccharelli, einem anderen Nachfolger von Simone Martini, von J. Pope-Hennessy dem von Lorenzetti beeinflußten Andrea Vanni. Oertel (brieflich 1959) lokalisierte wie nun auch V. Tatrai das Bild in den Umkreis des Barna da Siena, der neben Lippo Memmi der bedeutendste Schüler des Simone Martini war, und datiert um 1350.

Literatur: J. Polzer, in: Pantheon XXIX. Sept.-Okt. 1971, S. 386/87, 389, Anm. 44.

28 Sienesisch um 1350

Silvestre der Jüngere, Louis de Geboren 1675 in Paris, dort gestorben 1760. Sohn des Radierers Israël Silvestre. Schüler des Charles Le Brun und des Bon Boullogne. 1693–1700 in Italien, besonders in Rom. Wurde 1702 Mitglied der Académie Royale, 1704 adjoint à professeur, 1706 professeur, 1720 vice-recteur. Lebte von 1716–1748 in Dresden, wo er den Titel eines Ober-Hofmalers führte und 1727 auch Direktor der Malerakademie wurde. 1741 geadelt. Deckengemälde und Bildnisse beschäftigten ihn vor allem, daneben auch religiöse, allegorische und mythologische Kompositionen sowie Ereignisbilder. Er war von großem Einfluß auf die Malerei der Zeit in Sachsen und Polen, gleichermaßen durch die Qualität seiner Werke wie durch die Produktivität seiner Werkstatt. 1748 kehrte er nach Paris zurück und wurde dort 1752 Direktor der Académie Royale. Sein virtuoser, Anregungen und Einflüssen offener Stil schließt bei vielfigurigen Kompositionen an Le Brun, an Boullogne und Antoine Coypel an, während bei Bildnissen der Auseinandersetzung mit Rigaud und Largillière Vorrang eingeräumt war. Die Dresdener Galerie besitzt die umfangreichste Sammlung seiner Werke.

765 A Silvestre d.J.

765 A *Bildnis des Jean de Bodt.* 1729. Bezeichnet auf der Rückseite: peint par Louis Silvestre à Dresde 1729. Leinwand, 130 × 101 cm.

Jean de Bodt (Paris 1670 – Dresden 1745) kam 1728 aus Berlin nach Dresden. In der Residenz des preußischen Königs hatte die Vollendung des Zeughauses an der Straße Unter den Linden in seiner Verantwortung gelegen. August der Starke machte ihn zum Generalintendanten der Militär- und Zivilgebäude. Er folgte in dieser Funktion auf Christoph August Reichsgraf von Wackerbarth, dessen Rücktritt als Leiter des Oberbauamtes der König 1728 akzeptiert hatte. De Bodt bekleidete in Dresden stets auch militärische Ränge, war Generalleutnant, als das Bild entstand, 1741 General der Infanterie. Als Architekt vertrat er einen zurückhaltenden Klassizismus, wie er für die französische Baukunst dieser Zeit bezeichnend ist. In Dresden war er u. a. am Bau des Japanischen Palais beteiligt. Das Bildnis, das Silvestre bald nach Jean de Bodts Ankunft in Dresden gemalt hat, gehört zu einer Serie von gleichgroßen Offiziersbildnissen, von denen einige von Silvestres Tochter Marie gemalt sind; deren Art einer feinnervigen und tonigen Behandlung könnte von solchen Porträts ausgegangen sein. Deutliche Pentimenti zeugen von Veränderungen, die das Bild noch während des Entstehens erfahren hat. So hielt die linke Hand des Dargestellten, die ursprünglich viel höher genommen war, anfangs einen Kommandostab. Auch war der Degen, von dem jetzt nur noch ein Teil des Griffes sichtbar ist, vor dem Körper geführt. Die Betonung des Militärischen war ursprünglich also stärker; auch jetzt ist der Architekt und Künstler nur in der geistigen Bewegtheit des Gesichts zu ahnen.

Literatur: G. O. Müller: Vergessene und halbvergessene Dresdener Künstler des vorigen Jahrhunderts. Dresden 1895, S. 145. – R. A. Weigert: Documents inédits sur Louis de Silvestre, suivis du catalogue de son œuvre. In: Archives de l'Art français, XVII, Paris 1932, Nr. 160. – H. Marx: Louis de Silvestre. Die Gemälde in der Dresdener Gemäldegalerie. Dresden 1975, Nr. 41. – H. Marx, in: Königliches Dresden. Ausstellungskatalog. München 1990, Nr. 11.

768 *König August II. von Polen zu Pferde.* Um 1718. Leinwand, 267×208 cm. Inventar 1722–1728, A 1797. 1727 aus dem Schloß Pretzsch in das Flemmingsche Palais nach Dresden. Im Galeriegebäude von Semper seit 1855 im Entrée-Saal.

Das als Darstellungstypus seit der Antike bekannte und vielfach variierte Reiterbildnis kam auf besondere Weise den Vorstellungen vom Porträt eines barocken Fürsten entgegen, der seinen Anspruch, erhoben zu sein über andere und kraftvoll zu herrschen, hier anschaulich dargestellt finden konnte. Silvestre arbeitete virtuos in dieser uralten, trotzdem gerade im Barock modernen Bildtradition, konnte sich auf unmittelbare französische Vorbilder stützen und fand auch in Dresden frühere sächsische Beispiele vor. Das Gemälde zeigt verschiedene Pentimenti, die es trotz gewisser formaler Härten als Original erweisen. Die Bildnisaufnahme des Kopfes entspricht weitgehend dem Porträt von Silvestre aus dem Thronsaal Augusts des Starken im Dresdener Residenzschloß (Weigert 1932, Nr. 112. – Marx 1975, Nr. 13), das 1718 datiert ist.

768 Silvestre d.J.

Durch den Tod seines älteren Bruders, des Kurfürsten Johann Georg IV., kam Friedrich August I. (1670–1733), genannt der Starke, im Jahr 1694 unerwartet in Kursachsen zur Regierung. In den Jahren 1687–1689 hatte er ausgedehnte Reisen durch Deutschland, Frankreich, Spanien, Portugal und Italien unternommen und dabei wesentliche Anregungen empfangen, die später sowohl für seine politischen Vorstellungen als auch für seine künstlerischen Projekte wichtig wurden. 1697 trat er zum Katholizismus über und wurde im gleichen Jahr zum König von Polen gewählt (als August II.). 1706 mußte er im Ergebnis militärischer Niederlagen während des Nordischen Krieges auf die polnische Krone verzichten, die ihm der polnische Reichstag schon 1704 aberkannt hatte. Erst der «Warschauer Vergleich» brachte ihm 1716 erneut die rechtliche Absicherung der polnischen Königswürde. Unter der Regierung Augusts des Starken verwandelte sich die Stadt Dresden in eine glänzende barocke Residenz. Der König trat als Mäzen und Sammler auf und machte aus Dresden eine Kunststadt von europäischem Rang.

769 Silvestre d.J.

Literatur: J.-L. Sponsel: Fürsten-Bildnisse aus dem Hause Wettin. Dresden 1906, Nr. 134. – Weigert 1932, Nr. 108. – Marx 1975, Nr. 14.

769 *König August III. von Polen als Prinz zu Pferde.* Um 1718. Leinwand, 267×208 cm. Inventar 1722–1728, A 1798. 1727 aus dem Schloß Pretzsch in das Flemmingsche Palais nach Dresden. In den gedruckten Galeriekatalogen seit 1835. Im Galeriegebäude von Semper seit 1855 im Entrée-Saal.

Das früheste von Silvestre gemalte Bildnis des sächsischen Kurprinzen, des späteren Königs August III. von Polen, den vorher schon in Paris Nicolas de Largillière und Hyacinthe Rigaud porträtiert hatten, entstand wohl doch erst in Dresden und nicht, wie Sponsel angibt, noch 1715 in Paris. Die gelöste Komposition, die reiche und kräftige, dabei differenzierte Farbigkeit, entsprechen schon ganz dem Stil seiner früheren Dresdener Zeit. Der Prinz, im Galakostüm mit Allongeperücke, trägt den polnischen Weißen-Adler-Orden am blauen Band und den gestickten Stern dieses Ordens linksseitig am Justeaucorps. Pentimenti erweisen, daß sich die Bildvorstellung des Künstlers während der Ausführung präzisierte. Deutliche Veränderungen zeigen der Steigbügel und die weisende Hand. Die Bildnisauffassung des Kopfes ist deutlich beeinflußt von Rigauds Porträt des Kurprinzen (Gal.-Nr. 760). Das Gemälde vertritt einen Typus von Reiterbildnissen, der in Variationen durch das ganze 17. und 18. Jahrhundert zu verfolgen ist und für dessen Ausprägung Anton van Dyck Wichtiges geleistet hat. Dem unkriegerischen Charakter des Kurprinzen entsprechend ist die sonst bei Reiterbildnissen von Fürsten übliche Schlachtenszene im Hintergrund durch eine parkartige Waldlandschaft ersetzt.

Der sächsische Kurprinz Friedrich August (1696–1763) folgte seinem Vater, August dem Starken, nach dessen Tod 1733 als Kurfürst von Sachsen unter dem Namen Friedrich August II. und als König von Polen unter dem Namen August III. In den Jahren 1711–1719 war er von Dresden abwesend und reiste in Deutschland, der Schweiz, Italien und Frankreich. 1712 erfolgte in Bologna sein heimlicher, erst 1719 bekanntgemachter Übertritt zum Katholizismus. Er heiratete 1719 die österreichische Erzherzogin Maria Josepha, eine Tochter Kaiser Josephs I. In seiner Regierungszeit erlebte die Oper in Dresden eine Epoche der Blüte, und auch auf dem Gebiet der bildenden Kunst war er ein hochbegabter Kenner. Seine Bilderkäufe sicherten der Dresdener Gemäldegalerie endgültig Weltgeltung. Mit dem 1745 beschlossenen Umbau des Stallgebäudes für die Galerienutzung fügte er den Museumsschöpfungen seines Vaters eine eigene, bedeutende Leistung hinzu.

Literatur: Sponsel 1906, erwähnt bei Nr. 134. – Weigert 1932, Nr. 119. – Marx 1975, Nr. 23. – H. Marx, in: Barock und Klassik. Ausstellungskatalog. Schallaburg 1984, I.5.

771 Silvestre d.J.

3937 Silvestre d.J.

771 *Königin Maria Josepha, Gemahlin König Augusts III. von Polen, als sächsische Kurprinzessin.* 1719. Leinwand, 247 × 166 cm. Inventar 1722–1728, A 1126. Anfangs in den «Königlichen Zimmern» im Dresdener Residenzschloß; in den gedruckten Galeriekatalogen zuerst 1835 verzeichnet.

Maria Josepha (1699–1757), geborene Erzherzogin von Österreich, war die Tochter Kaiser Josephs I. (1678–1711; Kaiser 1705) und seiner Gemahlin Wilhelmine Amalie von Braunschweig-Lüneburg (1673–1742). Sie wurde 1719 mit dem sächsischen Kurprinzen, dem Sohn König Augusts des Starken, vermählt. Aus dieser Ehe gingen 15 Kinder hervor, von denen einige früh starben. Das lebensgroße Bildnis in ganzer Figur, die Prinzessin sitzend im Innenraum, ist das erste repräsentative Porträt, das nach der Vermählung in Dresden entstand. Maria Josepha trägt ein kostbares Brokatgewand, darüber einen Hermelinmantel mit rotem Samt, im Haar einen kostbaren Brillantschmuck (der größte Brillant von einem Adler gehalten), der sich heute im Grünen Gewölbe Dresden befindet (Brillant-Perlen-Garnitur, Inv.-Nr. VIII 37). Auf einem Tisch mit grüner Samtdecke, links am Bildrand, liegt der Kurhut auf grünem Samtkissen. Jean Daullé hat das Bildnis gestochen.

Literatur: Weigert 1932, Nr. 131. – Marx 1975, Nr. 30. – Marx 1990, Nr. 9.

3937 *Christus bei Maria und Martha.* 1734. Rückseitig bezeichnet: peint par Louis Silvestre a Dresde 1734. Leinwand, 138 × 103 cm. Gemalt für die «Königl. kleine Kapelle». Nach 1945 zur Galerie.

Die Darstellung basiert inhaltlich auf dem Evangelium des Lukas, 10, 38 ff. Christus war von Martha gastlich aufgenommen worden. «Und sie hatte eine Schwester, die hieß Maria; die setzte sich zu Jesu Füßen und hörte seiner Rede zu. Martha aber machte sich viel zu schaffen, ihm zu dienen. Und sie trat hinzu und sprach: ‹Herr, fragst du nicht darnach, daß mich meine Schwester läßt allein dienen? Sage ihr doch, daß sie es auch angreife!› Jesus aber antwortete und sprach zu ihr: ‹Martha, Martha, du hast viel Sorge und Mühe; eins aber ist not. Maria hat das gute Teil erwählt; das soll nicht von ihr genommen werden›.» Unser Gemälde ist von einem Werk Antoine Coypels angeregt, das seinerseits auf ein Bild von Rubens in der National Gallery of Ireland in Dublin zurückgeht, wohl aber auch noch andere Vorbilder verwendet. So kommt die geöffnete Tür im Hintergrund auf einem Gemälde von Erasmus Quellinus im Musée des Beaux-Arts in Valenciennes vor, wo sich allerdings links noch ein Küchenstilleben anschließt. Martha ist zwischen Christus und Maria gestellt; der weisende Gestus Christi hält sie gleichsam zurück, wirkt abwehrend und verhindert, daß sich irgendjemand zwischen ihn und seine kniende Schülerin drängt. Damit wird die schon bei Coypel vorgeprägte Haltung der Gestalten in ihrer Bedeutsamkeit gesteigert: mit der Beschränkung der Figurenzahl, der Zusammendrängung der Gruppe und der Änderung des Formates gibt Silvestre Eigenes, überhöht er, scheinbar kopierend, die Aussage, verwandelt er die von Coypel breiter angelegte Szene, indem er auf genrehaft-erzählerische Elemente noch mehr verzichtet, als schon sein Vorbild es getan hatte.

Literatur: Weigert 1932, Nr. 32. – A. Schnapper: Louis de Silvestre, tableaux de jeunesse. In: La Revue du Louvre et des Musées de France, 1973, Heft 1, S. 26. – Marx 1975, Nr. 3. – H. Marx, in: Ecclesia Triumphans Dresdensis. Ausstellungskatalog. Wien 1988, Nr. 32.

3938 Silvestre d.J.

3942 Silvestre d.J.

3938 *Noli me tangere.* 1735. Rückseitig bezeichnet: peint par Louis Silvestre a Dresde 1735. Leinwand, 138,5 × 103,5 cm. Inventar «vor 1741» (Steinhäusers Inventar in 8°), a 2347. Damaliger Standort: Königl. kleine Kapelle. Nach 1945 zur Gemäldegalerie.

Die Darstellung basiert inhaltlich auf dem Evangelium des Johannes, 20, 17. Die erste Person, der Jesus nach der Auferstehung begegnete, war Maria Magdalena, die ihn für den Gärtner hielt. Er wich ihrer Berührung aus und deutete mit den Worten «Noli me tangere» (Rühre mich nicht an) darauf hin, daß sein Verhältnis zu den Menschen hinfort ein geistiges, kein körperliches sein wird. Die Szene ist häufig dargestellt worden. Wichtig für die Bildtradition wurde Correggios Gemälde im Prado, Madrid. Unser Bild wirkt in seiner kühlen Farbigkeit und ausgewogenen Komposition klassizistisch, scheint stilistisch sowohl Gerard de Lairesse als auch Adriaen van der Werff nahezustehen. Trotzdem könnte ein Bild gleichen Themas vor Charles de La Fosse in der Ermitage St. Petersburg, Leinwand, anregend gewirkt haben.

Literatur: Weigert 1932, Nr. 20. – Marx 1975, Nr. 4. – Marx 1988, Nr. 33. – Marx 1990, Nr. 14.

3942 *Allegorie auf den Abschied des Kurprinzen Friedrich August, des späteren Königs August III. von Polen, von seinem Vater, König August II.* 1715. Leinwand, 126 × 160 cm. Inventar 1722–1728, A 746. Damaliger Standort: «Paratenzimmer» im Dresdener Residenzschloß. Nach 1945 zur Gemäldegalerie.

Dargestellt ist der Abschied des Kurprinzen von seinem Vater bei Antritt seiner großen Reise, die ihn von 1711–1719 ununterbrochen von Sachsen entfernte und hauptsächlich durch Frankreich und Italien führte. Eine treffende Beschreibung des

Bildes hat schon Johann George Keyßler gegeben: «Ein anderes Stück von eben dieses Meisters Hand bildet den Abschied des Chur-Prinzen von seinem Herrn Vater ab, da er in die fremden Länder gehen wollte. Der König verweist ihn an Palladem (Pallas Athene) und Merkurium (Merkur) ; hinter dem Prinzen ist sein Ober-Hofmeister zu sehen, dem die Vorsichtigkeit mit ihrem Fern-Glase zur Seite stehet. Vor ihnen halten etliche Genii die Geographischen Carten von den Ländern, durch welche des Chur-Prinzen Reise eingerichtet war.»

Das Bild gehört zu einer geplanten, aber nie vollendeten «Ruhmesgalerie» König Augusts des Starken, von der sich heute noch vier Gemälde nachweisen lassen, zwei in Dresden und zwei in Pawlowsk bei St. Petersburg. Die beiden heute in Dresden befindlichen Bilder dienten als Vorlagen für Bildteppiche, die in Dresden in der Manufaktur von Pierre Mercier gewebt wurden und die sich bis 1945 im Schloß Moritzburg befanden. In seiner schweren Farbigkeit ist das Gemälde deutlich von späteren, nach 1719 in Dresden entstandenen Arbeiten Silvestres unterschieden, die heller und strahlender wurden. Es ist angeregt und beeinflußt von den Schöpfungen des Charles Le Brun, der mit seiner «Histoire du Roi» in der Spiegelgalerie in Versailles das Vorbild für die Ruhmesgalerie König Augusts geliefert hatte. Wie der französische König Ludwig XIV. in den Werken Le Bruns, so tritt der sächsische Kurfürst und polnische König hier in antiker Phantasierüstung und mit dem Gestus des Herrschers auf, der sich als Regisseur einer Szene versteht, die Menschen und Götter gleichermaßen zu ihren Akteuren zählt.

Literatur: J. G. Keyßler: Keyßlers Fortsetzung neuester Reisen ... Hannover 1741, S. 1059. – Weigert 1932, Nr. 101. – Marx 1975, Nr. 10. – H. Marx, in: 50 obras maestros de pintura de los Museos de Dresden y Berlin. Ausstellungskatalog. Ciudad de Mexico 1980, Nr. 42.

Škréta, Karel Geboren 1610 in Prag, dort gestorben 1674. Stammte aus einer protestantischen Prager Patrizierfamilie und erhielt eine gründliche humanistische Ausbildung. Über seine erste künstlerische Lehre ist nichts bekannt. Nach dem Tode des Vaters 1628 siedelte die Mutter mit dem Sohn nach Freiberg in Sachsen über, doch ging Škréta schon 1629 oder 1630 nach Italien, wo er bis 1635 blieb, in Venedig, Bologna, Florenz und Rom. Dort entwickelte sich sein Stil unter dem Einfluß der Werke Caravaggios und der Caravaggisten. 1635 in Freiberg, seit 1638 in Prag ansässig. Sein Übertritt zum Katholizismus veränderte den Kreis seiner Auftraggeber, was gleich in einer großen Bestellung der Prager Augustinermönche von 1641 in dem 32 Bilder umfassenden Zyklus zum Leben des heiligen Wenzel deutlich wurde. Seit 1644 in der Prager Zunft, wo er 1653–1661 das Amt des Ältesten innehatte. Škréta war der bedeutendste tschechische Maler des 17. Jahrhunderts.

1983 Škréta

1983 *Der heilige Gregorius.* Lindenholz, 96,5 × 80 cm. Aus der Sakristei des ehemaligen Wenzelsklosters in Prag. Inventar Guarienti (1747–1750), Nr. 477.

Insgesamt fünf Bilder Škrétas sind aus der Sakristei des Wenzelsklosters in Prag nach Dresden gelangt, darunter «Der heilige Hieronymus» und «Der heilige Ambrosius», die mit dem hier verzeichneten Stück zusammengehören. Entstanden in den vierziger Jahren des 17. Jahrhunderts. Der heilige Gregorius, meist Gregor der Große genannt, lebte von 540–604, war einer der bedeutendsten Kirchenlehrer und von 590 an Papst. Dargestellt ist er in einem Buch lesend, auf der Schulter die Taube, die den Heiligen Geist verkörpert.

Literatur: J. Neumann: Karel Škréta. Austellungskatalog. Prag 1974, S. 155, Nr. 67.

Snyders, Frans Geboren 1579 in Antwerpen, dort gestorben 1657. Schüler Pieter Brueghels d. J. und auch des Hendrik van Balen. 1602 Meister der Antwerpener Lukasgilde. 1608 Aufenthalt in Italien. Seit 1609 wieder in Antwerpen. Häufige Zusammenarbeit mit Rubens und anderen Antwerpener Künstlern, deren Werke er mit Tieren, Früchten und anderen Stillebenelementen ausstaffierte. Mit seinen großartig arrangierten, überquellenden Jagd- und Küchenstilleben führte er zwei neue Bildtypen des niederländischen Stillebens ein, die die barocken Kompositionsprinzipien veranschaulichen. Gegenstände sind nicht mehr aufzählend nebeneinandergestellt, sondern dekorativ gruppiert. Snyders ging dabei von der Tradition des 16. Jahrhunderts aus, den Marktständen und Kücheninterieurs des Pieter Aertsen und Joachim de Beuckelaar, verzichtete aber auf deren biblische Motivierung der Bilder.

1191 Snyders

1192 Snyders

1191 *Eine Dame bei totem Wild, Obst und Gemüse.* Leinwand, 154 × 237 cm. Im Oktober 1743 aus Paris.

Im Vergleich zu den anderen Arbeiten Snyders in der Dresdener Gemäldegalerie wirkt dieses Gemälde verfeinerter und eleganter. Diesen Eindruck vermitteln vor allem die am rechten Bildrand erscheinende Dame sowie die Körbe und kostbaren Teller, angefüllt mit verschiedensten erlesenen Früchten. Die Eleganz der Komposition sowie das Vermeiden der Überfülle, die für frühere Darstellungen von Obstkammern charakteristisch war, sprechen für eine späte Entstehungszeit des Gemäldes. Die Figur der Frau wurde vermutlich von Theodor van Thulden gemalt.

Literatur: H. Marx, in: Das Stilleben und sein Gegenstand. Ausstellungskatalog Dresden 1983, Nr. 161. – H. Robels: Frans Snyders. Stilleben- und Tiermaler. München 1989, S. 46, 67, 74, 145, 162, 164, 219, Nr. 57.

1192 *Stilleben mit der Hündin und ihren Jungen.* Leinwand, 171 × 246 cm. Erworben 1742 aus Prag durch Riedel.

In der dichten geometrischen Komposition und der Betonung der Horizontalen weist dieses Gemälde Parallelen auf zu dem 1614 datierten Werk Snyders im Wallraf-Richartz-Museum in Köln. In beiden Gemälden erstreckt sich die mit Früchten und toten Tieren angefüllte Tischplatte über die gesamte Bildbreite. Unterhalb der Tischplatte – gewissermaßen in einer zweiten Ebene – liegen Wild und Geflügel am Boden. Gemeinsam ist beiden Bildern ferner der Schwan, der farblich hervortritt. Er taucht in Gemälden dieser Zeit häufig bei Snyders auf.

Problematisch ist die Datierung dieses Gemäldes von Snyders. Das Motiv des Ebers, des Fasans und des Schwans erinnert an Rubens' Ölskizze im Louvre «Die Wiedererkennung des Philopoemen», etwa 1610 entstanden, und kehrt bei Snyders immer wieder. Nach H. Robels entstand das Gemälde in den zwanziger Jahren des 17. Jahrhunderts. Das Motiv des Hundes wird in dem Gemälde Gal.-Nr. 1195 wieder aufgegriffen.

Literatur: Carl Gregor Herzog zu Mecklenburg: Flämische Jagdstilleben von Fransz Snyders und Jan Fyt. Hamburg/Berlin 1970, S. 20. – Robels 1989, S. 22f., Nr. 62.

1193 Snyders

1193 *Stilleben mit dem Affen auf dem Stuhle.* Leinwand, 171×245 cm. 1742 durch Riedel aus Prag erworben.

Ähnlich wie in Gal.-Nr. 1192 tauchen auch hier wieder für Snyders typische Elemente auf, wie Schwan und Rehbock. Nach Auffassung von H. Robels handelt es sich jedoch um eine Werkstattwiederholung nach einem Original im Musée des Beaux-Arts in Marseille (Nr. 931). Der Blick auf eine im Hintergrund erscheinende Landschaft am linken Bildrand erinnert an die Tradition der Küchenstücke des 16. Jahrhunderts, in denen in einem Raum im Hintergrund eine religiöse Szene dargestellt wurde.

Literatur: Robels 1989, S. 232, Nr. 76a.

1194 Snyders

1194 *Stilleben mit einem Bauernpaar.* Um 1620–1625. Leinwand, 182×284 cm. Inventar 1754, III 211.

In gleicher Haltung wie in dem Gemälde Gal.-Nr. 1192 liegt ein toter Schwan mit ausgebreitetem Flügel auf dem Tisch. Doch Snyders verzichtete in diesem Gemälde auf eine über- bzw. hintereinanderliegende Anordnung der Objekte. Auch wurde der Bildraum weniger stark ausgefüllt. Die Figuren links, zu denen es eine Zeichnung in der Ecole des Beaux-Arts in Paris gibt, erinnern an Rubens. Das Vorzeigen des Pfaus ist als Sinnbild ehelicher Tugend zu deuten.

Literatur: Robels 1989, S. 189, Nr. 25.

1195 Snyders

1195 *Stilleben mit der Hündin und ihren Jungen, dem Koch und der Köchin.* Um 1625. Leinwand, 197×325 cm. 1743 durch «P. Querin et Rossy» erworben. *Farbtafel 31*

Wie Snyders häufig als Mitarbeiter von Rubens dessen Gemälde mit Hunden, Wild oder Früchten staffierte (vgl. Dianas Heimkehr von der Jagd, Gal.-Nr. 962A), so malte Rubens oft in die großen Stilleben von Snyders die Figuren hinein, wie wohl in diesem Falle. Nach Robels gehen die Figuren nur im Entwurf auf Rubens zurück und wurden von einem Schüler ausgeführt. Das Mädchen wägt offenbar ab, wie es dem Liebeswerben des jungen Mannes begegnen soll. Mit der linken Hand berührt sie den Flügel eines Birkhuhnes, mit der rechten einen Pfau, einen Vogel, der eheliche Tugend verkörpert. Offenbar entscheidet sie sich für den ehrenhaften Lebenswandel, indem sie auf Pfau und Birkhuhnflügel deutet. Letzteres ist vermutlich auch ein Hinweis auf Unschuld gemäß einem holländischen Sprichwort: Die Unschuld unter die Flügel zu nehmen.

Literatur: H. Marx, in: Das Stilleben und sein Gegenstand. Ausstellungskatalog. Dresden 1983, S. 161f., Nr. 162. – Robels 1989, S. 28f., 63f., 66, 69, 200f., Nr. 36.

1196 *Die Eberjagd.* Um 1618–1620. Leinwand, 191×301 cm. Inventar 1754, II 155.

Im Rubens-Kreis hatte das Jagdbild, für das Rubens selbst überragende Beispiele geliefert hat, einen festen Platz. Die «Eberjagd» von Snyders (andere Fassungen in München und Florenz), für die der Gesamtentwurf von Rubens stammt, gilt darüberhinaus als eine Gemeinschaftsarbeit von Anton van Dyck, der die Figuren malte, und Snyders. Verschiedene deutliche Parallelen zu Rubens und Übereinstimmungen einzelner Motive werden bei einem Vergleich mit Rubens' Ölskizze «Die Jagd von Meleager und Atalanta» (Privatsammlung Schweiz, vgl. Held 1980) erkennbar, die in den späten dreißiger Jahren entstand.

Literatur: J. S. Held: The Oil Sketches of Peter Paul Rubens. 2 Bde. Princeton, N.J. 1980, Nr. 251. – E. Larsen: The Paintings of Anthony van Dyck. 2 Bde. Freren 1988, Bd. 1, S. 182, Bd. 2, S. 128, Nr. 312. – Robels 1989, S. 397f., Nr. 308 I.

1196 Snyders

Solimena, Francesco Geboren 1657 in Canale di Serino bei Avellino (Kampanien), gestorben 1747 in Barra bei Neapel. Schüler seines Vaters Angelo Solimena und in Neapel des Francesco di Maria, beeinflußt durch Luca Giordano, Pietro da Cortona, Giovanni Lanfranco und Mattia Preti. Bis auf zwei Reisen nach Rom in Neapel tätig. Als ein Hauptmeister der neapolitanischen Spätbarockmalerei verband er eine kontrastreiche kräftige Farbigkeit und einen pathetisch gesteigerten Figurenstil zu weiträumig dekorativen Kompositionen und wirkte damit während des 18. Jahrhunderts in Neapel wie auch in Venedig, Österreich und Süddeutschland fort.

497 Solimena

497 *Maria mit dem Kind und der heilige Franziskus de Paula.* Wohl um 1703–1705. Gegenstück zu Gal.-Nr. 498. Leinwand, 97,5×98,5 cm. 1745 durch Ventura Rossi aus der Casa Widman in Venedig.

Der aus Paolo in Kalabrien stammende Franz von Paula (Paola) stiftete 1454 den der verschärften Franziskanerregel folgenden Paulanerorden. Hier empfiehlt der Heilige der auf Wolken thronenden Madonna einen von seinem Schutzengel geleiteten, anbetend sich nähernden Knaben. In der Kraft der Gebärden sind die stark plastisch-räumlich empfundenen Gestalten rhythmisch verbunden. Eine fast übereinstimmende, rechts und links etwas erweiterte, wenig spätere Fassung befindet sich im Fitzwilliam Museum Cambridge, eine seitenverkehrte dritte in einer Privatsammlung in Neapel.

Literatur: F. Bologna: Francesco Solimena. Napoli 1958, S. 251.

498 Solimena

498 *Die Vision des heiligen Franziskus.* Wohl um 1703–1705. Gegenstück zu Gal.-Nr. 497. Leinwand, 100×100,5 cm. Herkunft wie Gal.-Nr. 497.

Der heilige Franziskus, bekannt als Gründer des Franziskanerordens, ist vor seinem Lager niedergesunken und lauscht dem Geigenspiel des Engels, der ihm als Vision erscheint. Andere Engel umgeben die Gruppe. Rechts oben sind stillebenhafte Züge einbezogen. Noch mehr als beim Gegenstück dient hier das kräftige Helldunkel zur Modellierung der Gestalten und Dramatisierung der Szene.

Literatur: Bologna 1958, S. 251.

499 *Maria als Schmerzensmutter.* Um 1723. Pappelholz, 53×42 cm. 1753 erworben.

Die Darstellung der von Schmerz über das Leiden ihres Sohnes Jesus Christus erfüllten Maria, lateinisch mater dolorosa, war eine selbständige Form des Andachtsbildes. Solimena zeigt Maria mit barockem Pathos in Halbfigur, sehr jugendlich mit betend gefalteten Händen, den Blick zum Himmel gerichtet. – D. Posner (1976) wollte die Nähe zu Solimenas Hauptschüler Francesco de Mura sehen.

Literatur: Bologna 1958, S. 251.

499 Solimena

Sorgh, Hendrick Martensz. Geboren zwischen 1609 und 1611 in Rotterdam, dort gestorben 1670. Vermutlich Schüler des Willem Buytewech und des Antwerpener Malers David Teniers. Beeinflußt von Herman und Cornelis Saftleven sowie Adriaen Brouwer. Spezialisierte sich auf bäuerliche Innenräume und nach 1653 auf Marktszenen, malte daneben auch einige Porträts und eine Anzahl von Marine- und Historienbildern.

1806 *Die Rotterdamer Fischfrau.* 1664. Bezeichnet rechts über der Tür: 1664 HM (ligiert) Sorgh. Eichenholz, 49×37 cm. Inventar 1722–1728, A 354.

Das Bild ist Sorghs letztes sicher datiertes Gemälde, das das Thema des Fischverkaufes behandelt, es gehört zu den qualitätvollsten Werken des Künstlers. Parallelen zu Metsus Werken ähnlichen Typs lassen sich erkennen.

Literatur: L. T. Schneeman: Hendrick Martensz. Sorgh: A Painter of Rotterdam. Phil. Diss., The Pennsylvania State University Philadelphia 1982, S. 146, Kat.-Nr. 55.

1806 Sorgh

Spada, Leonello Geboren 1576 in Bologna, gestorben 1622 in Parma. In Bologna Schüler der Carracci, beeinflußt von Cesare Baglioni, dann in Rom von Caravaggio. Später wieder in Bologna und in Parma tätig. Spada gehört zu den bedeutendsten Nachfolgern Caravaggios, dessen Auffassung er nicht zuletzt durch Stilelemente der Carracci modifizierte.

333 *Christus an der Säule.* Um 1612–1614. Leinwand, 68,5×54 cm. 1746 aus der herzoglichen Galerie in Modena.

Die Darstellung des zur Geißelung an die Martersäule gebundenen Christus entspricht dem Thema «Ecce homo» (Siehe, welch ein Mensch), entsprechend den Worten, mit denen Pilatus – vergeblich – das Volk zum Mitleid mit dem zur Schau gestellten geschundenen Christus bewegen wollte. In der unnatürlichen, verkrümmten Haltung Christi und dessen von still ertragenem Schmerz bestimmtem Gesichtsausdruck hat der Maler mit ganz zurückhaltenden, unpathetischen Mitteln, darunter ein ganz behutsam eingesetztes Helldunkel, das Geschehen überzeugend veranschaulicht. Das Bild gilt als eines der besten Werke Spadas. Die Datierung wurde von F. Frisoni gegeben (briefl. 1974), die die Entstehung nach der Romreise für sicher hält.

Literatur: A. Venturi, in: La R. Galleria Estense in Modena. Modena 1882, S. 354. – Posse 1929, S. 156/57.

333 Spada

334 *David mit dem Haupte Goliaths.* 1612–1614. Leinwand, 73,5×99,5 cm. 1746 aus der herzoglichen Galerie in Modena, dorthin 1625 aus dem Nachlaß des in Rom verstorbenen Kardinals Alessandro d'Este.

Das sehr häufige Motiv «David mit dem Haupte Goliaths» ist in seltener Weise erweitert durch die Einbeziehung eines behelmten und geharnischten Kriegers, der den abgeschlagenen Kopf des Riesen mit beiden Händen vor sich hält. Pigler (Barockthemen I, S. 139) hat in diesem Saul, den König von Israel, gesehen, dem David als Waffenträger diente. Mit größerer Wahrscheinlichkeit ist jedoch Abner, Sauls Feldhauptmann, gemeint, der den Hirtenknaben David nach dessen Sieg über den Philister mit der Trophäe vor den König führte (1. Buch Samuelis, 17, 57). Spada hat eine spannungsvolle Dreieckskomposition geschaffen. Nach Moir und Hirst (mündlich 1970) gehörte das Bild zu einer Serie über das Alte Testament; eine Replik sei in einer Verkaufsausstellung von Sotheby's im Palazzo Capponi in Florenz genannt worden. Die Datierung erfolgte ebenfalls durch Fiorella Frisoni, Bologna (brieflich 1974).

Literatur: Venturi 1882, S. 159, 358. – Posse 1929, S. 57.

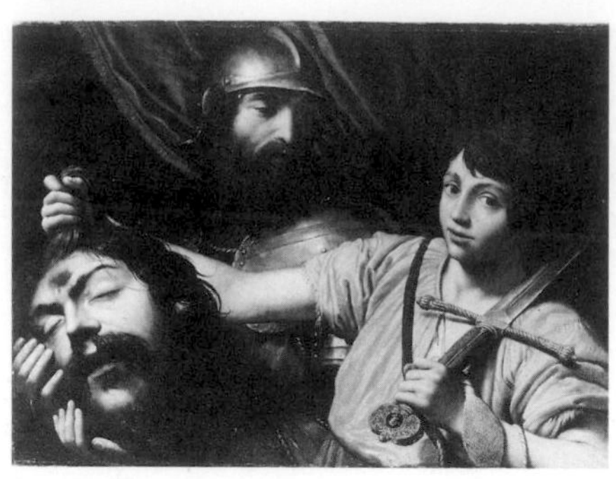

334 Spada

Spanisch 17. Jahrhundert

680 *Der Apostel Matthäus.* Leinwand, 104×83 cm. 1853 aus der Sammlung Louis Philippe in London.

Matthäus, aus Galiläa stammend, war Apostel und Evangelist. Von seinem Leben ist wenig überliefert, meist wird nur auf die Berufung eingegangen: Als Zolleinnehmer am See Genezareth traf ihn Christus, dem er von da an als Apostel folgte. In Darstellungen als Evangelist hat er einen Engel neben sich, als Apostel wird er mit Buch und Hellebarde oder Schwert dargestellt. Das Gemälde galt bei seinem Eintritt in die Galerie als Werk Francisco Herreras des Älteren und wurde von A. L. Mayer als Luis Tristan nahestehend bezeichnet.

Literatur: J. Baticle/C. Marinas: La Galerie espagnole de Louis-Philippe au Louvre. 1838–1848. Paris 1981, S. 265 f.

680 Spanisch 17. Jahrhundert

Sperling, Johann Christian Geboren 1689 in Halle, gestorben 1746 in Ansbach. Sohn und Schüler des Malers Johann Heinrich Sperling, der sich mit seiner Familie um 1710 in Ansbach niedergelassen hat. Seit 1712 war Johann Christian Sperling Hofmaler der Markgrafen von Brandenburg-Ansbach. Von prägender Bedeutung wurde für ihn ein etwa dreieinhalbjähriger Aufenthalt bei Adriaen van der Werff in Rotterdam, etwa zwischen 1715/16 und 1719. Das Dresdener Bild «Vertumnus und Pomona» zeigt als erstes nachweisbares Werk den Einfluß des Niederländers. Etwa von Mitte der zwanziger Jahre an löste sich der Maler wieder von dieser durch van der Werff bestimmten Richtung, wurde durch seine Aufgaben als Hofmaler praktisch gefordert im Hinblick auf Bildnisse und Bildnis-Repliken, so nach Jan Kupezký und durch Dekorationsmalerei. Sperling oblagen auch die Inspektion der Kunstkammer und die Kontrolle der Gemälde in markgräflichem Besitz.

2084 Sperling

2084 *Vertumnus und Pomona.* 1719. Bezeichnet unten rechts am Felsen: J. C. Sperling 1719. Kupfer, 42×31,5 cm. Inventar «vor 1741» (Steinhäusers Inventar in 8°), Nr. 2726 (S. 317b). Demnach durch von Kaiserling 1714 zusammen mit 178 anderen Gemälden geliefert.

Die Darstellung basiert inhaltlich auf den «Metamorphosen» des römischen Dichters Ovid, XIV, 623–771. Vertumnus, der Gott der Jahreszeiten und der Verwandlungen, verliebte sich, ohne anfangs Gegenliebe zu finden, in Pomona, die Göttin der Gärten und der Früchte. Abgewiesen mit seiner Werbung, nahm er die Gestalt einer alten Frau an, kam erneut in den Garten und pries nun die Vorzüge des Vertumnus (also seine eigenen!) auf derart überzeugende Weise, daß Pomona schließlich die kühle Zurückweisung bereute. Auf unserem Bild scheint dieser Augenblick des Umschwunges der Gefühle erfaßt und die Rückverwandlung des Vertumnus nach gelungener Überredung unmittelbar bevorzustehen.

Das 1741 für Dresden erworbene Bild war von Anfang an in der Galerie. Es findet sich auch im Inventar 1754, S. 94, Nr. 507, und im ersten gedruckten Galeriekatalog von 1765, GE 724. Bei der sonstigen Zurückhaltung, Gemälden deutscher Meister des 17. und 18. Jahrhunderts einen Platz in der Galerie zu gewähren (sie wurden zumeist in den Schloßräumen als Dekoration belassen), spricht das von außerordentlicher Wertschätzung des Bildes. Sie erklärt sich aus der verblüffenden Ähnlichkeit mit Werken des damals hochberühmten Adriaen van der Werff, der Sperling als seinen besten Schüler bezeichnet haben soll. Da van der Werff selbst das Thema «Vertumnus und Pomona» nicht behandelt hat, mag die Fähigkeit von Sperling, «im gusto» seines Lehrers zu arbeiten und dessen Figurentypen sowie dessen Art der Modellierung der Körper in eigenen Kompositionen frei zu handhaben, ausschlaggebend dafür gewesen sein.

Literatur: M. Krieger: Die Ansbacher Hofmaler des 17. und 18. Jahrhunderts. Ansbach 1966 (Jahrbuch des historischen Vereins für Mittelfranken. 83. Band), S. 110, Nr. 3, S. 127f.

Steen, Jan Geboren 1625 oder 1626 in Leiden, dort gestorben 1679. Ging zuerst in die Lehre zu dem Utrechter Nikolaus Knüpfer, dann zu Adriaen van Ostade nach Haarlem und schließlich zu dem Landschafter Jan van Goyen nach Den Haag, dessen Tochter er 1649 heiratete. 1648 Gründungsmitglied der Leidener Lukasgilde. Tätig in Leiden 1644–1648 und 1670–1679, in Den Haag 1649–1654, in Delft 1654–1656, in Warmond 1656–1660 und in Haarlem 1661–1670 als Genre-, Historien- und Bildnismaler.

1726 Steen

1726 *Mutter und Kind.* Frühwerk. Leinwand auf Eichenholz, 29×24,5 cm. Inventar 1722–1728, A 669; durch Wackerbarth.

Die Zeitgenossen hatten in Steen den Spaßmacher, den lustigen, malenden Schenkwirt, der vor allem dann malte, wenn das Geld knapp wurde, gesehen. Aber in diesem Jugendwerk deutet kaum etwas darauf hin, daß «das Licht und das Lachen» zur Erfüllung seines Lebenswerkes werden sollten. In einem abgeschlossenen Innenraum sitzt eine bäuerliche Mutter und hält auf dem Schoß ihr Kind. Aus einem tönernen Topf löffelt sie bedächtig den Brei, um ihn dem Pausback einzuflößen. Links ist der Blick zum Nachbarhaus freigegeben, aus dem eine alte Frau hervortritt. Die Farben sind von großer Delikatesse. Das Eigentümliche aber ist nicht die Farbe, sondern die Zeichnung des Bildes.

Literatur: Jan Steen. Ausstellungskatalog. Den Haag 1958, Nr. 3.

1727 Steen

1727 *Die Verstoßung der Hagar.* Um 1660. Leinwand, 136 mal 109 cm. Bezeichnet rechts unten: J Steen (J u. S ligiert). 1876 erworben vom Kunsthändler Ernst in Dresden.

Zur biblischen Erzählung vgl. van der Werffs Darstellung, Gal.-Nr. 1823. Die Komposition zeigt Verbindungen zu Rembrandt und seiner Schule. Verschiedene Übereinstimmungen mit Rembrandts Radierung von 1637 (Museum of Fine Arts, Boston) sind zu erkennen. Ferner weist der Kopf der Hagar Ähnlichkeiten auf zu einer Rembrandt zugeschriebenen Ölskizze einer weinenden Frau (The Detroit Institute of Arts).

Literatur: L. de Vries: Jan Steen, «de kluchtschilder». Phil. Diss. Groningen 1977, S. 39. – B. Kirschenbaum: The Religious and Historical Paintings of Jan Steen. Oxford 1977, S. 107f., Nr. 2. – K. Braun: Alle tot nu toe bekende schilderijen van Jan Steen. Rotterdam 1980, Nr. 117.

Steenwyck der Jüngere, Hendrick van Geboren um 1580 in Amsterdam oder Frankfurt/Main, gestorben 1649 in London. Schüler seines Vaters Hendrick van Steenwycks des Älteren. Tätig in Antwerpen und zeitweise in Amsterdam. Vor 1617 in London, wo er im Dienste Karls I. stand. Architekturmaler.

1184 Steenwyck d.J.

1184 *Inneres einer gotischen Kirche.* 1609. Bezeichnet rechts unten: H. V. STEENWYCK. 1609. Kupfer, 34,5×53,5 cm. Inventar 1722–1728, A 426.

Ausgehend vom Stil des Hans Vredeman de Vries (1527 bis 1606), der der Lehrer seines Vaters gewesen war, malte Steenwyck der Jüngere Architekturbilder von feiner Linienführung und zeichnerischer Linienbetonung, weite helle Innenräume von manieristischer Kompliziertheit der Raumvision bei Bevorzugung gotischer Grundformen.

Stom, Matthias Geboren um 1600, vermutlich in Flandern, gestorben nach 1649. Wird in der Literatur immer noch fälschlich Stomer genannt. 1630–1632 in Rom nachweisbar und anschließend in Neapel. Seit etwa 1641 war Stom dann auf Sizilien, wo er vermutlich auch starb. Er wohnte in Palermo und erhielt von dem bedeutenden Sammler Antonio Ruffo, Herzog von Messina, mehrere Aufträge für Gemälde. Er malte vorwiegend biblische Historien, die unter dem Einfluß der Utrechter Caravaggisten stehen.

1253 Stom

1253 *Die Alte mit der Kerze.* Leinwand, 71×57,5 cm. Inventar 1722–1728, A 16; durch Wackerbarth.

Im Kreis der Utrechter Caravaggisten kommt das Motiv der mit der Hand abgeschirmten Kerze häufig vor. Ein Dresdener Beispiel ist Honthorsts «Zahnarzt» (Gal.-Nr. 1251), doch hat es selbst Jordaens verwendet (Gal.-Nr. 1013). Erst 1930 wurde die Autorschaft Stoms erkannt, u.a. im Vergleich mit einer «Anbetung der Hirten» in Vaduz, Sammlung Liechtenstein. Im 19. Jahrhundert galt das Bild als Arbeit von Honthorst, während das Inventar 1722 es sogar als «Manier von Rembrandt» eingestuft hatte.

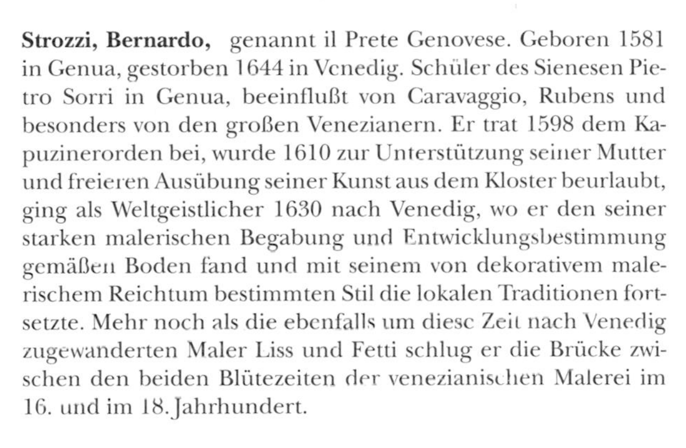

Strozzi, Bernardo, genannt il Prete Genovese. Geboren 1581 in Genua, gestorben 1644 in Venedig. Schüler des Sienesen Pietro Sorri in Genua, beeinflußt von Caravaggio, Rubens und besonders von den großen Venezianern. Er trat 1598 dem Kapuzinerorden bei, wurde 1610 zur Unterstützung seiner Mutter und freieren Ausübung seiner Kunst aus dem Kloster beurlaubt, ging als Weltgeistlicher 1630 nach Venedig, wo er den seiner starken malerischen Begabung und Entwicklungsbestimmung gemäßen Boden fand und mit seinem von dekorativem malerischem Reichtum bestimmten Stil die lokalen Traditionen fortsetzte. Mehr noch als die ebenfalls um diese Zeit nach Venedig zugewanderten Maler Liss und Fetti schlug er die Brücke zwischen den beiden Blütezeiten der venezianischen Malerei im 16. und im 18. Jahrhundert.

655 Strozzi

655 *Bathseba vor David.* Nach 1630. Leinwand, 182×141,5 cm. Inventar 1754, I 90.

Aus der Verbindung König Davids mit Bathseba (vgl. auch Franciabigio Gal.-Nr. 75) war Salomon hervorgegangen. Als David alterte und sein ältester Sohn Adonia sich mit Hilfe der Armee des Thrones zu bemächtigen suchte, erschien Bathseba vor David und erinnerte ihn an sein Versprechen, Salomon zu seinem Nachfolger zu machen (1. Könige, 1, 15–21). In Strozzis Bild setzt sich David, an dem Turban mit dem Krönchen links unten als König zu erkennen, gestikulierend mit Bathseba auseinander. Die junge Frau in der Mitte mit dem goldenen Pokal ist Abisag von Sunem, ein schönes Mädchen, das dem alten König als Pflegerin zugesellt war. Die Darstellung wurde früher als Esther vor Ahasver gedeutet.

Literatur: L. Mortari: Bernardo Strozzi. Roma 1966, S. 103.

656 *Rebekka mit Abrahams Knecht am Brunnen.* Nach 1630. Leinwand, 184×145 cm. 1725 durch Le Plat erworben.

Der altgewordene Abraham schickte seinen treuesten Knecht mit zehn Kamelen und Gütern aus Kanaan nach Mesopotamien, um dort für Abrahams Sohn Isaak eine Frau zu gewinnen. An einem Brunnen begegnete der Knecht der schönen Rebekka, einer Großnichte Abrahams. Auf seine Bitte gab sie ihm zu trinken, tränkte auch die Kamele und bestand damit die Probe auf ihre Gutherzigkeit (1. Buch Mose, 24, 1–27). Strozzi hat das bei aller Knappheit in der gedrängten Komposition überzeugend und mit großer farbiger Schönheit veranschaulicht. In dem Mann am rechten Bildrand wollte Lasareff (1929) ein Selbstbildnis Strozzis erkennen.

Literatur: Mortari 1966, S. 103.

656 Strozzi

657 *David mit dem Haupte Goliaths.* Um 1635. Leinwand, 134×100 cm. 1743 durch Francesco Algarotti aus der Casa Sagredo in Venedig.

Das Motiv des gegen den Feind seines Volkes siegreichen israelitischen Hirtenknaben (1. Buch Samuelis, 17) findet sich in der Galerie auch bei Fetti (Gal.-Nr. 415), Spada (Gal.-Nr. 334) und Piazzetta (Gal.-Nr. 570). Die Häufigkeit – ähnlich wie des Themas der «Judith mit dem Haupte des Holofernes» oder der «Salome mit dem Haupte des Täufers» – entsprach der Vorliebe des Barocks für die Schilderung dramatischer und selbst grausiger Geschehnisse. Strozzi hat mehrere Fassungen davon geschaffen. Hier handelt es sich höchstwahrscheinlich um das von Boschini 1660 in der Casa Bonfadini in Venedig genannte Exemplar. Andere befinden sich im Art Museum von Cincinnati (Ohio), im Metropolitan Museum New York sowie in Sammlungen in Florenz und Venedig. Das Bild ist noch verhältnismäßig dunkel, schwer und fest gemalt, aber doch schon von der venezianischen Kunst beeinflußt, «von stürmischem Temperament» (Lasareff) und höchster Qualität.

Literatur: V. Lasareff: Beiträge zu Bernardo Strozzi. In: Münchner Jahrbuch der bildenden Kunst. Neue Folge VI. 1929, S. 22–26. – Mortari 1966, S. 102/03.

657 Strozzi

658 *Eine Gambenspielerin (Barbara Strozzi).* Um 1640. Leinwand, 126×99 cm. Herkunft wie Gal.-Nr. 657. *Farbtafel 14*

In der feinen plastischen Durchbildung und hohen Farbkultur bietet sich hier eines der schönsten Bilder aus der venezianischen Zeit Strozzis, das über die individuelle Porträthaftigkeit hinaus den Zeitstil umschreibt. Die freimütige Darbietung körperlicher Reize verbindet sich spannungsvoll mit dem fast melancholischen Gesichtsausdruck der jungen Musikantin, in der die 1619 geborene venezianische Sängerin und Komponistin Barbara Strozzi, Tochter des Dichters Giulio Strozzi, erkannt wurde (Rosand 1981). Das große Streichinstrument ist eine Viola da Gamba, eine Knie-Viola mit sechs Saiten, Vorläuferin des Violoncellos und im 17. Jahrhundert auch als Soloinstrument beliebt. – D. und E. Rosand haben darauf aufmerksam gemacht, daß die dem Betrachter zugekehrte Geige als eine Aufforderung zum Mitmusizieren verstanden werden kann und angesichts der entblößten Brust und des Blumenschmucks der schönen jungen Frau auch das Angebot von Sexualität enthält.

Literatur: Mortari 1966, S. 103. – D. and E. Rosand: «Barbara di Santa Sofia» and «Il Prete Genovese». On the Identity of a Portrait by Bernardo Strozzi.» In: The Art Bulletin 1981, S. 249.

658 Strozzi

Subleyras, Pierre Geboren 1699 in Saint-Gilles (Languedoc), gestorben 1749 in Rom. Schüler seines Vaters Mathieu Subleyras in Uzès und des Antoine Rivalz in Toulouse. Tätig in Paris und seit 1728 in Rom, dort bis 1735 als Pensionär der Académie de France. Einer der bedeutendsten französischen Historien- und Bildnismaler seiner Zeit, von klassizistischer Tendenz.

789 *Christus beim Pharisäer Simon.* Um 1737. Leinwand, 50,5 × 122 cm. 1739 als Geschenk des Künstlers an den sächsischen Kurprinzen Friedrich Christian aus Rom.

Die Darstellung basiert inhaltlich auf dem Evangelium des Lukas, 7, 36–50. Christus war zum Gastmahl des Pharisäers Simon geladen. «Und siehe, ein Weib war in der Stadt, die war eine Sünderin. Da die vernahm, daß er zu Tische saß in des Pharisäers Hause, brachte sie ein Glas mit Salbe und trat hinten zu seinen Füßen und weinte und fing an, seine Füße zu netzen mit Tränen und mit den Haaren ihres Hauptes zu trocknen ... und er sprach zu ihr: Dir sind deine Sünden vergeben.» Das Gemälde steht in unmittelbarem Zusammenhang mit einer großen Komposition (heute im Louvre, Paris; 215 × 677 cm), die Subleyras in Rom etwa von 1735–1737 für das Refektorium des Klosters Santa Maria Nuova in Asti in Piemont gemalt hat. Diesem Werk vor allem verdankte er im 18. Jahrhundert seinen Ruhm. Durch eine Vielzahl von Studien hat er das Bild vorbereitet, und noch während der Arbeit entstanden mehrere kleinere Fassungen, zu denen das Dresdener Bild als durchaus selbständiges Werk gehört. Welche Bedeutung der Künstler selbst der Dresdener «Skizze» zugemessen hat, geht daraus hervor, daß er mit diesem Geschenk die Hoffnung auf eine Anstellung in Dresden verband.

Literatur: Pierre Subleyras. Ausstellungskatalog. Paris 1987, Nr. 35.

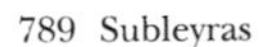
789 Subleyras

3841 *Kurprinz Friedrich Christian von Sachsen.* 1739. Leinwand, 123×94 cm. Ehemals Besitz des sächsischen Königshauses. 1972 zur Galerie.

Entstanden in Rom, während der Italienreise des Kurprinzen. Er trägt den polnischen Weißen-Adler-Orden (am blauen Band) und den sizilianischen Januarius-Orden (am hellroten Band). Aufgefaßt in dem traditionellen barocken Bildnisschema: Fürst als Feldherr. Von leuchtender Klarheit der Farben. Friedrich Christian (1722–1763) regierte nur ein Vierteljahr und wurde durch den Tod gehindert, alle seine Pläne zu verwirklichen, doch bemühte er sich um Reformen, bereitete die Gründung der Dresdener Kunstakademie vor (gegründet 1764) und leitete in der sächsischen Geschichte einen neuen Abschnitt ein, in dem die Gedanken der Aufklärung sich ausbreiteten (vgl. die Pastelle Carriera Gal.-Nr. P 2 und A. R. Mengs Gal.-Nr. P 174).

Literatur: Pierre Subleyras. Ausstellungskatalog. Paris 1987, Nr. 64.

3841 Subleyras

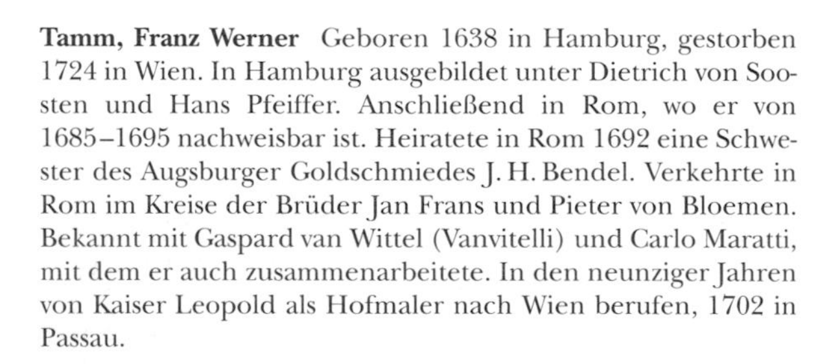

Tamm, Franz Werner Geboren 1638 in Hamburg, gestorben 1724 in Wien. In Hamburg ausgebildet unter Dietrich von Soosten und Hans Pfeiffer. Anschließend in Rom, wo er von 1685–1695 nachweisbar ist. Heiratete in Rom 1692 eine Schwester des Augsburger Goldschmiedes J. H. Bendel. Verkehrte in Rom im Kreise der Brüder Jan Frans und Pieter von Bloemen. Bekannt mit Gaspard van Wittel (Vanvitelli) und Carlo Maratti, mit dem er auch zusammenarbeitete. In den neunziger Jahren von Kaiser Leopold als Hofmaler nach Wien berufen, 1702 in Passau.

3678 *Blumenstück.* 1705. Bezeichnet unten links auf der Steinplatte: Fr. v. ^{w}tam. fe. A°. 1705. Leinwand, 129×92,5 cm. 1967 als Geschenk.

Das Bild zeigt einen großen Strauß von weißen Lilien und Schwertlilien, Malven, Studentenblumen, Tulpen, Rosen, Trichterwinden, orangerotem Habichtskraut, Schneebällen, Fuchsschwänzen, Samtblumen (schwarz-purpurne Skabiose) und weißem Diptam. In der Mitte, dickstielig, eine Kaiserkrone. Die Vase, sie steht auf einem Steintisch, zeigt am Fuß einen geflügelten Putto auf einem Fabeltier mit aufgerissenem Rachen, alles in Ockertönen, darüber einen liegenden (sterbenden?) unbekleideten Mann (Krieger?), dem ein zweiter zu Hilfe eilt. Von niederländischen Blumenstücken unterscheidet sich das Bild durch seine malerische Weichheit, durch ein konturenverwischendes Schimmern, das vibrierendes Leben suggeriert, wo die Niederländer durch minutiöse Detailschilderung bei neutraler Beleuchtung verblüffen. Tamm behandelt die Details mit Großzügigkeit und erreicht damit in unserem Bild eine erstaunliche dekorative Wirkung.

Literatur: H. Marx: Neuerwerbungen deutscher Malerei. Ausstellungskatalog. Dresden 1974, Nr. 32.

3678 Tamm

Teniers der Jüngere, David Geboren 1610 in Antwerpen, gestorben 1690 in Brüssel. Sohn des Malers David Teniers des Älteren. Beeinflußt durch Frans Francken und Adriaen Brouwer. 1632/33 Aufnahme in die Antwerpener Lukasgilde. 1637 heiratete er die Tochter von Jan Brueghel. 1651 Übersiedlung nach Brüssel, wo er Hofmaler und Verwalter der Kunstsammlungen des Statthalters Erzherzog Albrecht von Österreich wurde. 1662 Mitbegründer der Antwerpener Akademie. Maler und Zeichner vornehmlich des bäuerlichen Genres, auch Landschaftsmaler.

1065 Teniers d.J.

1065 *Flußlandschaft mit rastenden Hirten und Herden.* Bezeichnet unten in der Mitte: D. TENIERS. Fe. Gegenstück zu Gal.-Nr. 1064 (im Depot). Eichenholz, 38×55 cm. Inventar 1722 bis 1728, A 302.

Im diagonalen Aufbau erinnert die Komposition noch an Arbeiten von Joos de Momper, ebenso in der Aufteilung der drei Malgründe: Vordergrund braun, Mittelgrund grün, Hintergrund blau. Bei der Hirtenszene vorn darf man annehmen, daß Teniers die «Landschaft mit dem Regenbogen» von Rubens (Paris, Louvre) gekannt hat, wenngleich er den großangelegten Entwurf des Meisters reduziert, variiert und in die Bildecke verlegt.

1067 Teniers d.J.

1067 *Die Bleiche.* Bezeichnet rechts unten: D. TENIERS. F. Eichenholz, 48,5×70,5 cm. Katalog 1817 (angeblich um 1730 bis 1735 durch Gotter).

Die flandrische Leinenindustrie hat bis heute einen guten Ruf. Teniers' Bleiche gibt uns einen Einblick in die handwerklichen Gepflogenheiten des 17. Jahrhunderts. An einem Sonntag wird das Leinen auf den Rasen gelegt und gebleicht. Frauen mit Strohhüten sind dabei, die Bahnen auszubreiten. Links das Waschhaus mit einem Ziehbrunnen, aus dem eine Wäscherin Wasser holt. Im Vordergrund ein Wärter mit einem Hund, der den Betrachter auf den Vorgang des Bleichens aufmerksam zu machen scheint. Kaum ein Detail ist vergessen worden.

Literatur: M. Klinge: David Teniers de Jonge. Ausstellungskatalog. Antwerpen/Gent 1991, S. 98f., Nr. 27.

1075 Teniers d.J.

1075 *Selbstbildnis des Malers im Wirtshause.* 1646. Bezeichnet rechts unten: D. TENIERS. F. und auf der Zeichnung an der Wand mit der Jahreszahl 1646. Eichenholz, 42,5×55 cm. Inventar 1722–1728, A 705; durch Le Plat.

Dieses Selbstbildnis gehört zu den seltenen datierten Werken des Künstlers. Eine leicht veränderte Variante zum Dresdener Bild befand sich auf der Versteigerung M. A. Duchange in Brüssel (1923).

Literatur: G. Eckardt: Selbstbildnisse niederländischer Maler des 17. Jahrhunderts. Berlin 1971, S. 210.

1077 *Die Befreiung Petri aus dem Gefängnis.* Um 1645. Bezeichnet rechts unten: D. Teniers. F. Kupfer, 58×78 cm. Inventar 1722 bis 1728, A 1149.

Im Vordergrund ist eine Wachstube mit Würfel spielenden Soldaten abgebildet, während die Titel gebende Szene links im Hintergrund zu erkennen ist. Mit dieser Komposition greift Teniers auf eine Bildtradition des 16. Jahrhunderts zurück. Biblische Themen behandelte Teniers seltener als Genreszenen oder Landschaften. Aber das Thema der Befreiung Petri aus dem Gefängnis hat Teniers in jenen Jahren häufiger gestaltet. Dem Dresdener Gemälde am nächsten steht die Version in der Wallace Collection, London. Möglicherweise hängt die Wahl des Themas mit der damaligen Situation, dem immer noch andauernden Dreißigjährigen Krieg, zusammen. Die Hoffnung auf Frieden und die Befreiung von militärischer Gewalt beherrschten das Denken dieser Zeit.

Literatur: Klinge 1991, S. 78f., Nr. 21.

1077 Teniers d.J.

1079 Teniers d.J.

1079 *Die Versuchung des heiligen Antonius in der Felsengrotte.* Um 1645. Bezeichnet rechts unten: D. TENIERS. F. Kupfer, 69 mal 86 cm. Inventar 1722–1728, A 1150.

Der heilige Antonius lebte in der zweiten Hälfte des 3. Jahrhunderts n. Chr. als Einsiedler in der Wüste. Er gilt als Begründer des christlichen Mönchtums und widmete sich besonders der Krankenpflege. Teniers steht mit der in der bildenden Kunst beliebten Darstellung der Versuchung in der von Hieronymus Bosch begründeten Tradition. Seit Bosch wählten Künstler das Thema des in Askese lebenden Heiligen, der durch teuflische Versuchungen auf die Probe gestellt wird und von phantastischen Spukgestalten umgeben ist. Antonius wird versucht von einer jungen, schönen Frau – hier mit Vogelkrallen anstatt der Füße –, die ihm Wein anbietet. Der Wein dient in diesem Zusammenhang zum Vorspiel für die Liebe, und die Eule gilt hier als Sinnbild der Verblendung. Rechts im Hintergrund schilderte Teniers weitere Begebenheiten aus dem Leben des Heiligen: den Besuch bei dem heiligen Paulus von Theben und die Speisung durch den Raben. Im Vordergrund von Teniers' Darstellung stehen der Gedanke, der teuflischen Versuchung widerstanden zu haben, und die Vorstellung, daß Gott jenen beisteht, die der Welt entsagen und ein asketisches Leben führen. Da Teniers' Spukgestalten schon menschliche Züge tragen, ist zu vermuten, daß nicht die Versuchung gemeint ist, die in Gestalt des Teufels auftaucht, sondern vielmehr die Versuchung durch menschliche Begierden allgemein.

Literatur: Klinge 1991, S. 134f., Nr. 41.

1080 *Der Zahnarzt.* Bezeichnet links unten: D. TENIERS. F. Eichenholz, 35×30,5 cm. 1741 durch von Kaiserling.

Während Gerard Dou (vgl. Gal.-Nr. 1710) seinen Zahnarzt mit dem Patienten durch ein Fenster auf uns blicken läßt, ist hier auf einen solchen Distanz schaffenden Rahmen verzichtet. Der orientalisch gekleidete Zahnarzt, der sich gibt wie ein Herrscher auf dem Thron, zeigt stolz den Zahn mit dem Krallenhebel, den er wie ein Zepter hält. Äußerliche Ähnlichkeiten führen zum Vergleich dieser Figur mit Werken Rembrandts, doch wird bei dem Flamen Schauwert, was dem Holländer Wesensausdruck bedeutete.

1080 Teniers d.J.

1083 *Große Dorfkirmes mit tanzendem Paar.* Nach 1662 entstanden. Bezeichnet unten in der Mitte: D. TENIERS. Leinwand, 142×187,5 cm. 1746 durch Le Leu aus der Sammlung Araignon in Paris.

Das Thema hat in den Niederlanden eine lange Tradition, wie die Bilder in der Dresdener Galerie von Hans Bol (Gal.-Nr. 823) und David Vinckboons (Gal.-Nr. 937) bezeugen. Reizvoll gestaltete Teniers die Verbindung von Landschaftsbeobachtung und Schilderung der gewittrigen Atmosphäre mit realistischem Eingehen auf das festliche Treiben der Bauern. Vornehm gekleidete Damen und Herren schauen distanziert zu. Rechts im Hintergrund bildete Teniers sein Landgut «Dry Toren» ab, das er 1662/63 von dem zweiten Ehemann von Helene Fourment gekauft hatte.

Literatur: F. P. Dreher: The Artist as Seigneur: Chateaux and Their Proprietors in the Work of David Teniers II. In: The Art Bulletin, LX, 1978, S. 681–703. Klinge 1991, S. 274f., Nr. 95.

1083 Teniers d.J.

Teniers der Jüngere, David
Veerendael, Nicolaes van
Luyckx, Carstian

Veerendael, Nicolaes van, geboren 1640 in Antwerpen, dort gestorben 1691. 1656 Meister in der Antwerpener Lukasgilde. Stillebenmaler, hauptsächlich in Antwerpen tätig.
Luyckx, Carstian, geboren 1623 in Antwerpen, dort bis 1653 nachweisbar. 1639–1642 Schüler von Philips Marlier, dann von Frans Francken II. Zusammenarbeit mit David Teniers dem Jüngeren.

1091 *Vor der Küche.* Bezeichnet rechts unten: D. T.; links oben: N. V. Verendael f; in der Mitte: Carstian Luckx. Leinwand, 83×120 cm. Inventar 1722–1728, A 1456; durch Le Plat; 1723 aus der Sammlung Vršovec in Prag.

Dieses Bild entstand in Zusammenarbeit dreier Maler, die jeder ihren Teil signierten: Teniers das Kücheninterieur, Veerendael die Blumen und Luyckx das Stilleben darunter. Säule und Draperie sind Zubehör repräsentativer Kompositionen aus Religion, Mythologie oder Geschichte, muten aber deshalb fremd an als architektonische Begrenzung einer Küche, in der die Figuren zwergenhaft klein erscheinen. Blumen, Vögel und Fisch aber – nah gesehen – gewinnen vor dieser Kulisse gesteigertes Maß. So lebt das Gemälde aus Kontrasten.

1091 Teniers d.J., Veerendael, Luyckx

Terborch (Ter Borch), Gerard Geboren 1617 in Zwolle, gestorben 1681 in Deventer. Schüler seines Vaters Gerard Terborch d. Ä. in Zwolle und seit 1633 des Pieter de Molijn in Haarlem. Reisen nach London, Italien, Spanien, Frankreich und den südlichen Niederlanden. Seit 1640–1645 in Haarlem und Amsterdam nachweisbar. 1648 weilte er anläßlich der Friedensverhandlungen zwischen Spanien und den Niederlanden in Münster/Westfalen. Das historische Ereignis hielt er in dem Bild «Die Beeidigung des Friedens zwischen den Niederlanden und Spanien» (15. Mai 1648) fest. Danach tätig in Zwolle, Den Haag, seit 1654 in Deventer. Ende der fünfziger Jahre erreichte sein Stil die volle Ausprägung: In meist verschlossenen Innenräumen gibt er einzelne Figuren bei stillen Beschäftigungen wieder, beim Brieflesen oder bei einer galanten Konversation und in anderen häuslichen Situationen.

1830 Terborch

1830 *Eine Dame, die sich die Hände wäscht.* Um 1655. Bezeichnet auf dem Rücken des Buches: G. T. Borch. Eichenholz, 53×43 cm. Inventar 1722–1728, A 348, als Caspar Netscher.

Nach Gudlaugsson um oder kurz nach 1655 gemalt. Zuerst richtig als Terborch erkannt seit dem Katalog von 1812. Das Motiv des Händewaschens war in der holländischen Malerei des 17. Jahrhunderts sehr verbreitet, erhielt aber durch Terborch eine neue Bedeutung: Die Händewaschung gilt als Zeichen der Unschuld, bekannt vor allem aus Darstellungen des Pilatus, ist aber auch sonst in der barocken Allegorie anzutreffen. Die Kanne mit dem Waschbecken gilt als Symbol der Reinheit, hier steht sie in Bezug zu der dargestellten Frau und kann als Sinnbild der Keuschheit interpretiert werden. In der Iconologia des Cesare Ripa (1644) hat die Händewaschung noch eine andere Bedeutung. Die «vita activa», das aktive Leben, wird dem beschaulichen gegenübergestellt.

Literatur: S. J. Gudlaugsson: Geraert Ter Borch. 2 Bde. Den Haag 1959/60, Bd. 1, S. 100, Bd. 2, Nr. 113. – Gerard Ter Borch. Zwolle 1617 – Deventer 1681. Ausstellungskatalog. Münster 1974, Nr. 33. – Zur Deutung vgl.: E. Snoep-Reitsma: De Waterzuchtige Vrouw van Gerard Dou en de betekenis van de lampetkan. In: Album Amicorum J. G. van Gelder. Den Haag 1973, S. 285 ff.

1833 Terborch

1833 *Der brieflesende Offizier.* Um 1657/58. Eichenholz, 37,5×28,5 cm. Inventar 1722–1728, A 525, als Metsu, jedoch schon im Inventar 1754, II 852, richtig als Terboch erkannt.

Mit vortrefflicher Beobachtungsgabe schildert Terborch zumeist nur eine oder wenig vornehm gekleidete Personen bei stillen Beschäftigungen in behaglichen Innenräumen. Das Gegenstück zu diesem Bild befindet sich im Nationalmuseum Warschau.

Literatur: Gudlaugsson 1959/60, Bd. 1, S. 114 f., Bd. 2, Nr. 130.

Terboch (Ter Borch), Gerard (?)

1829 Terborch (?)

1829 *Der briefschreibende Offizier.* Bezeichnet am Tisch unten: GTB. Leinwand, 51,5×38,5 cm. Inventar Guarienti (1747 bis 1750), Nr. 1535, als Kopie.

Obwohl das Bild die Initialen Terborchs trägt, bestehen seit langem Zweifel an der Autorschaft des Künstlers. Das Original «Ein Offizier, der einen Brief diktiert» von 1658/59 befindet sich in der National Gallery in London. Nach Gudlaugsson ist das Dresdener Bild entweder eine freie Kopie nach dem Londoner Gemälde – die Proportionen sind verändert und beim Trompeter ist die Pelzmütze hinzugefügt –, oder es geht auf ein heute nicht mehr nachweisbares Original zurück. Die Ausführung vielleicht von Netscher. Im Nachlaßinventar der Witwe Netschers vom 11. September 1694 wird vermerkt: «In einem Seitenzimmer unten ... No. 69 – ein Offizier, einen Brief schreibend, um einen Trompeter abzufertigen». Dieser Hinweis könnte sich auf das Dresdener Bild beziehen.

Literatur: Gudlaugsson 1959/60, Bd. 2, Nr. 141 b.

1832 Terborch (?)

1832 *Eine Dame in weißem Atlas vor dem Bett mit roten Vorhängen.* Eichenholz, 39×27,5 cm. Catalogue 1765.

Ursprünglich als Vorstudie zu den in Amsterdam (um 1654) und in Berlin-Dahlem (um 1654/55) befindlichen Gemälden Terborchs mit der «Väterlichen Ermahnung» angesehen. H. Gudlaugsson nimmt an, daß das Dresdener Bild von Terborchs Schüler Caspar Netscher stammt. Wie die Röntgenaufnahme ergab, war die Form des Betthimmels ursprünglich genau wie beim Amsterdamer bzw. Berliner Bild konzipiert, ist aber später in eine zeltförmige umgewandelt worden, wie sie beim «Landbriefträger» (um 1654) in der Ermitage, St. Petersburg, vorliegt. Das Bildthema war im 17. Jahrhundert in Holland sehr beliebt, so daß es nicht weniger als 26 Repliken, Wiederholungen und Kopien davon gibt, wobei meist die Hauptfigur wie bei der Dresdener Fassung verwendet worden ist. Der eigentliche Inhalt – eine Bordellszene – ist zwar weitgehend eliminiert, aber dennoch erkennbar: Spiegel, Kamm, Puderquaste und -dose weisen hin auf einen sündhaften Lebenswandel.

Literatur: Gudlaugsson 1959/60, Bd. 2, Nr. 110 h.

Therbusch, Anna Dorothea, geborene Lisiewska. Geboren 1721 in Berlin, dort gestorben 1782. Schülerin ihres Vaters, des Bildnismalers Georg Lisiewski. Schwester der Anna Rosina Lisiewska und des Christian Friedrich Reinhold Lisiewski. 1761 an den Hof des Herzogs Karl Eugen nach Stuttgart berufen. Ging 1763 als Hofmalerin nach Mannheim. Kehrte schon 1764 zurück nach Berlin, von wo sie aber bereits 1765 nach Paris ging. Dort 1767 Mitglied der Académie Royale. 1768 Mitglied der Akademie in Wien. Kam über Brüssel und Holland 1769/70 wieder nach Berlin. Als Bildnismalerin von Bedeutung.

3786 Therbusch

3786 *Carl von Alvensleben.* 1779. Bezeichnet unten links: A. D. Therbusch née de Lisiewska: Peintre du Roi 1779. Rückseitig beschriftet: C. L. v. A. Leinwand, 78,5 × 64,5 cm. 1948 aus Röhrsdorf bei Kamenz.

Carl Ludolf von Alvensleben (1746–1813) studierte 1764 bis 1767 in Halle und Leipzig. Er erhielt 1764 eine Minorpräbende, 1773 eine Majorpräbende an der Stiftskirche Merseburg, wo er 1809 Dompropst wurde. Er vermählte sich 1779 mit Henriette Sophie von Brandenstein. Der Dargestellte steht vor einer in silbrig grauen Tönen gehaltenen winterlich kühlen Landschaft, rechts unten der flache Horizont mit orangefarbenem Morgen- oder Abendrot. Der Reiz des Bildes beruht auf seiner nuancierten tonigen Farbigkeit bei feinnervig-lockerer Pinselführung.

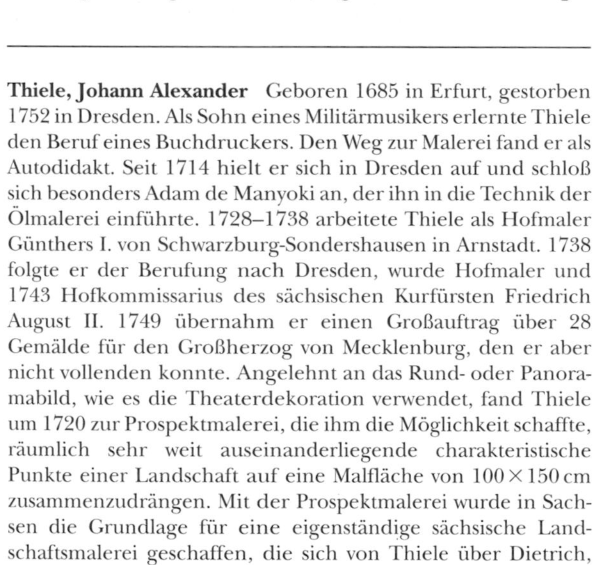

Thiele, Johann Alexander Geboren 1685 in Erfurt, gestorben 1752 in Dresden. Als Sohn eines Militärmusikers erlernte Thiele den Beruf eines Buchdruckers. Den Weg zur Malerei fand er als Autodidakt. Seit 1714 hielt er sich in Dresden auf und schloß sich besonders Adam de Manyoki an, der ihn in die Technik der Ölmalerei einführte. 1728–1738 arbeitete Thiele als Hofmaler Günthers I. von Schwarzburg-Sondershausen in Arnstadt. 1738 folgte er der Berufung nach Dresden, wurde Hofmaler und 1743 Hofkommissarius des sächsischen Kurfürsten Friedrich August II. 1749 übernahm er einen Großauftrag über 28 Gemälde für den Großherzog von Mecklenburg, den er aber nicht vollenden konnte. Angelehnt an das Rund- oder Panoramabild, wie es die Theaterdekoration verwendet, fand Thiele um 1720 zur Prospektmalerei, die ihm die Möglichkeit schaffte, räumlich sehr weit auseinanderliegende charakteristische Punkte einer Landschaft auf eine Malfläche von 100 × 150 cm zusammenzudrängen. Mit der Prospektmalerei wurde in Sachsen die Grundlage für eine eigenständige sächsische Landschaftsmalerei geschaffen, die sich von Thiele über Dietrich, Klengel, C. D. Friedrich bis zur Gegenwart nachvollziehen läßt.

2074 Thiele

2074 *Die Zeche «Kurprinz Friedrich» bei Freiberg.* 1749. Bezeichnet rechts unten (heute nur noch in Teilen lesbar): Le Matin: Ein Prospect in der Ertzgebürge eine Meyle von Freyberg bey der Zeche Chur-Printz-Friedrich genannt, nach dem Leben gemahlet von Alexander Thielen. 1749. Leinwand, 103 × 155 cm. 1749 von Thiele an die Galerie geliefert.

Das Bild zeigt das flache Tal der Freiberger Mulde in Richtung Norden. Rechts das Dorf Rothenfurt. Die Gebäude links von der Brücke gehören zu den Aufbereitungsanlagen: vorn das Pochwerk, dahinter die Erzwäsche. Als helle Böschung erscheint der Haldensturz der Grube über dem von rechts nach links das Kohlenhaus und die Bergschmiede dargestellt sind, dann links, von den Bäumen fast verdeckt, Erz- und Ausschlageschauer, gut erkennbar wieder das Huthaus, dahinter die hölzerne Kaue über dem «Tage- und Förderschacht» sowie ganz links die Kaue mit hölzerner Auslaufbrücke für Karren- oder Hunteförderung über den beiden Kunstschächten. Das schräge Holzgerüst an der Halde ermöglichte eine Wasserzuleitung für die beiden Kunsträder der Grube. 1707 wurde die Grube von August dem Starken gekauft; seitdem war sie im Besitz des Staates bzw. des sächsischen Herrschers und entwickelte sich zu einer Muster- und Vorzeigegrube.

Literatur: M. Stübel: Johann Alexander Thiele. Leipzig/Berlin 1914, S. 56, Nr. 57. – U. Reyher: Johann Alexander Thiele – ein Dresdner Landschaftsmaler des Spätbarock. Diplomarbeit. Leipzig 1961, Nr. 70. – H. J. Göpfert: Johann Alexander Thiele – Leben und Werk. Diplomarbeit. Leipzig 1972, vorhandene Prospekte Nr. 53. – H. Marx, in: Der silberne Boden. Bergbau und Kunst in Sachsen. (Katalog-Buch zur Ausstellung der Staatlichen Kunstsammlungen Dresden 1989). Stuttgart/Leipzig 1990, Nr. 24. – H. Marx, in: Königliches Dresden. Ausstellungskatalog. München 1990, Nr. 15.

3154 Thiele

3155 Thiele

3154 *Die Elbe bei Sörnewitz in Reif und Nebel.* 1741. Bezeichnet rechts unten: Prospect ... peint par A. Thielen. 1741. Leinwand, 104 × 155 cm. Zusammengehörig mit Gal.-Nr. 3181. Vielleicht 1741 von Thiele an die Galerie geliefert und 1914 in Schloß Pillnitz; 1948 wieder zur Galerie; Inventar 1741, Nr. 3093.

Aus niederländischer Tradition kam die Darstellung der Landschaften im Wandel der Jahreszeiten. Das Studium berühmter Vorbilder in der Dresdener Sammlung verband sich bei Thiele mit genauer Naturbeobachtung, und so entstanden Gemälde wie dieses, das landschaftlicher Prospekt und Stimmungsbild zugleich ist: Morgennebel und Rauhreif liegen über der Elbe. Der Blick geht stromaufwärts, zwischen dem Spargebirge links und den Höhenzügen bei Scharfenberg rechts hindurch und verliert sich im Dunst. Weit öffnet sich das Elbtal in Richtung Dresden. Vornehme Reiter auf dem Weg in die Residenzstadt, rastende Landleute, Fischer, Flößer und Schiffer auf ihren Booten beleben das Bild. Im Mittelgrund nahe dem Ufer bemerken wir eine Schiffsmühle. Die unverhältnismäßige Vergrößerung des sich dem Horizont nähernden Bootes mit dem riesigen Segel zeigt, daß Thiele anscheinend mit optischen Hilfsmitteln für seine Kompositionen gearbeitet hat und daß beim nachträglichen Einfügen von Staffage leicht die Verhältnisse aus der perspektivischen Ordnung geraten konnten.

Literatur: Stübel 1914, S. 54, Nr. 35. – Reyher 1961, Nr. 31. – Göpfert 1972, vorhandene Prospekte Nr. 28.

3155 *Der Oybin im Zittauer Gebirge.* 1745. Bezeichnet links unten: Prospect von den sogenannten Oybin, eine Meile hinter Zittau, wie solcher von der Hauptseite sich präsentiert, nach dem leben gemahlt von Alex. Thielen. 1745. Leinwand, 103 × 152 cm. 1745 von Thiele selbst an die Galerie geliefert; 1914 im königlichen Palais zu Leipzig; 1948 wieder in den Besitz der Gemäldegalerie; Inventar 1741, Nr. 3778.

Eindrucksvoll führt Thiele den Blick des Betrachters zwischen rahmenden Bäumen und über eine hellbeleuchtete Steinbruch-Szene im Vordergrund hinweg auf den Ort Oybin im Zittauer Gebirge; die Häuser scheinen sich am Fuß des Berges ins Dunkel der Bäume zu ducken, und nur die 1732–1734 erbaute Kirche hebt sich heraus. Strahlend im Licht, wie von einem Nimbus umgeben, erscheint der kegelförmige, aus dem Talgrund etwa 100 Meter aufragende, am Gipfel etwas abgeflachte Berg Oybin mit den mittelalterlichen Ruinen von Burg und Kloster: mehr Sehnsuchtsziel als erreichbare Wirklichkeit und dem tätigen Leben des Vordergrundes weit entrückt. Die Effekte scheinen auf der Bühne arrangiert. Auch Künstler des späten 18. Jahrhunderts und Dresdener Romantiker sind von dem Berg und seinen Ruinen angezogen worden, so Adrian Zingg, Caspar David Friedrich und Carl Gustav Carus.

Literatur: Stübel 1914, S. 31, 56, S. 56, Nr. 49. – Reyher 1961, Nr. 45. – Göpfert 1972, vorhandene Prospekte Nr. 40.

3181 Thiele

3181 *Blick von den Lößnitzhöhen auf Dresden.* 1751. Bezeichnet links unten: Ein extra schöner Prospect, aufgenommen von der Höhe eines Weinbergs, ohnweit Wackerbarths Ruhe, das Gesicht gegen Dresden und Königstein, gemahlt von Alex. Thielen. 1751. Leinwand, 103 × 156 cm. Zusammengehörig mit Gal.-Nr. 3154. 1862 im Besitz der Galerie; 1914 in Schloß Pillnitz; 1948 wieder zur Galerie; zuerst im Katalog 1863, Nr. 1985.

«Den nicht minder angenehmen Elbstrom zeiget uns Thiele oft mit ganzen Landschaften, so weit das geschärfteste Auge reicht. Ihn hatte die Natur wirklich zum Landschafter erkoren.» So charakterisierte und feierte Christian Ludwig von Hagedorn den Maler, im Anschluß an die Besprechung der Bilder des Rheinstromes, wie wir sie von Herman Saftleven und Jan Griffier kennen (Betrachtungen über die Malerei. Leipzig 1762, S. 385). Von den Weinbergen der Lößnitz, die im Vordergrund dargestellt sind (links neben dem zarten, freistehenden Baum das kurfürstliche Weinberghaus Hoflößnitz), schweift der Blick in die Ferne, wo, nur noch schemenhaft, die Stadt Dresden erscheint (die Hofkirche noch mit unvollendetem Turm). Am Horizont bemerkt man die markanten Formen der Sächsischen Schweiz, besonders hervorgehoben der Königstein. Thiele zeigt sich mit diesem Bild auf der Höhe seines Könnens: rhythmisch schwingt die Landschaft mit dem Fluß und den Hügelketten, und nach dem Hintergrunde zu sind alle Konturen aufgelöst. Distanzgefühl schafft der vordere dunkle bräunliche Streifen. Landschaften des späten 17. Jahrhunderts, von Pieter Gysels vielleicht, mögen anregend gewirkt haben. «Sein Alter war an ihm also, in Ansehung seiner Gemälde, was an andern Künstlern die mittlere Zeit ihres Lebens ist, und allemal für die Kunst ein blühendes Alter», sagte wiederum Hagedorn.

Literatur: Stübel 1914, S. 55, Nr. 37. – M. Prause: Der Elbsandsteingebirge und die Dresdener Landschaft in der deutschen Malerei. Diplomarbeit. Leipzig 1954, Nr. 385. – Reyher 1961, Nr. 81. – Göpfert 1972, vorhandene Prospekte Nr. 64.

3603 *Caroussel Comique Rennen im Zwinger 1722.* Vor 1725. Gegenstück zu Gal.-Nr. 3604. Bezeichnet unten rechts: Eigentliche Abbildung, des von Ihro Königl. Majest. in Pohlen, und Churfürstl. Durchl. zu Sachsen, den 17. February 1722 zum Beschluß des Carnevals, allhier in Dresden gehaltenen Caroussel Comiques, Rennen, wie auf die vier Elemente die Attaque verrichtet wird, gemahlt von Alexander Thielen. Leinwand, 106 × 168 cm. Inventar1722–1728, A 1696; demnach von Thiele selbst 1725 an die Galerie geliefert. 1870 an das Königliche Oberhof Marschallamt abgegeben. 1948 erneut zur Galerie.

Das Bild ist als historisches Dokument von Bedeutung. Es interessiert gleichermaßen wegen der Darstellung des festlichen Lebens, die einen Eindruck von den großartig arrangierten Karnevalsbelustigungen des Hofes bietet, als auch wegen der gemalten Architektur, die schon Gebautes und erst Entworfenes gleichwertig nebeneinander zeigt. Die Zwingeranlage, so wie wir sie kennen und wie sie schon 1719 im wesentlichen fertiggestellt war, schließt sich auf dem Bild nach Norden ein großer, höher liegender Hof an, über eine Treppe zu erreichen und vom eigentlichen Zwingerhof durch eine reich gegliederte, statuengeschmückte Stützmauer getrennt; dieser zweite Hof wird seitlich von zwei langen Gebäuden eingefaßt. Den Abschluß zur Elbe hin bildet ein geschwungener Arkadengang mit einem mittleren zweistöckigen Pavillon. Thiele folgt mit seiner Darstellung einem unausgeführt gebliebenen Projekt Pöppelmanns. Die Dächer des Zwingers waren ursprünglich – und zumindest durch das ganze 18. Jahrhundert hindurch – blau gestrichen, der Sandstein war weiß getüncht. Das zeigen nicht nur Thieles Bilder, davon spricht auch Daniel Chodowiecki in seinem Reisejournal vom Jahre 1789: «Von da aus machten wir eine Promenade auf den Zwinger, an dem vieles repariert und alles neu angestrichen wird. Die Dächer sind alle blau, das übrige und alle Zierrathen (deren sehr viele sind) alle weiß.» (D. Chodowiecki: Journal gehalten auf einer Lustreise von Berlin nach Dresden, Leipzig, Halle, Dessau ... Anno 1789. Berlin 1961, S. 5) Die Bilder Bellottos allerdings zeigen den Sandstein des Zwingers naturfarben, die Dächer dunkel. Der erste Anstrich wird verwittert gewesen sein. Der Landschaftsmaler Thiele hat selten Architektur so beherrschend ins Bild gebracht wie hier. Neben den Gebäuden im Vordergrund sind halbrechts hinter dem Zwinger das Dresdener Residenzschloß, halblinks am jenseitigen Elbufer das Holländische Palais dargestellt. Thiele ließ sich aber auch hier weite Ausblicke über die Elbe und damit die Einbettung der Gebäude in die Landschaft nicht nehmen.

Literatur: Stübel 1914, S. 10. – J. L. Sponsel: Der Zwinger, die Hoffeste und die Schloßpläne zu Dresden. Dresden 1924, Tafel 75. – Reyher 1961, Nr. 3. – Göpfert 1972, vorhandene Prospekte Nr. 1. – H. Marx: Neuerwerbungen deutscher Malerei. Ausstellungskatalog. Dresden 1974, Nr. 34.

3604 *Caroussel Comique Aufzug im Zwinger 1722.* Vor 1725. Gegenstück zu Gal.-Nr. 3603. Bezeichnet unten rechts: Eigentliche Abbildung, des von Ihro Königl. Majest. in Pohlen, und Churfürstl. Durchl. zu Sachsen, den 17. February 1722, zum Beschluß des Carnevals allhier in Dreßden gehaltenen Caroussel Comiques, Aufzug, gemahlt von A. Thielen. Leinwand, 106 × 168 cm. Inventar 1722–1728, A 1695; demnach von Thiele selbst 1725 an die Galerie geliefert. 1870 an das Königliche Oberhof Marschallamt abgegeben. 1948 erneut zur Galerie.

Der Blick geht bei diesem Bild vom heute sogenannten Glockenspielpavillon nach Westen über den Zwingerhof auf den Wallpavillon; im Hintergrund die Elbe und das Elbtal in Richtung Meißen, mit dem Ostravorwerk, der Friedrichstadt und dem Dorf Briesnitz, mehr rechts im Hintergrund die Weinberge der Lößnitz. Ganz rechts, zum größten Teil vom Zwinger verdeckt, das Holländische Palais.

Literatur: Stübel 1914, S. 10. – Sponsel 1924, S. 208. – Reyher 1961, Nr. 3. – Göpfert 1972, vorhandene Prospekte Nr. 2. – H. Marx, in: Matthäus Daniel Pöppelmann. Ausstellungskatalog. Dresden 1987, Nr. 372.

3603 Thiele

3604 Thiele

Tiarini, Alessandro Geboren 1577 in Bologna, dort gestorben 1668. Schüler des Prospero Fontana und des Bartolomeo Cesi in Bologna, danach des Stefano Fiorini und des Domenico Passignano in Florenz. Nach der Rückkehr in die Heimatstadt entwickelte er sich unter dem Einfluß des Lodovico Carracci und in der Auseinandersetzung mit Caravaggio zu einem der bedeutendsten bolognesischen Barockmaler. Tätig auch in Reggio, Cremona, Parma und Modena. Seine großzügigen Kompositionen sind oft von dramatischer Bewegtheit.

336 Tiarini

336 *Medoro und Angelica.* Leinwand, 105 × 139 cm. 1746 aus der herzoglichen Galerie in Modena.

Das Bild zeigt das Liebespaar aus dem romantischen Epos «Der rasende Roland» (L' Orlando furioso) des in Ferrara tätig gewesenen Dichters Lodovico Ariosto (seit 1516 erschienen). Der von Ariosto recht ungewöhnlich als blondgelockt und braunäugig beschriebene Araber gräbt den Namen seiner Geliebten Angelica in den Rand des Brunnenbeckens ein, während diese ihn zärtlich umfängt und auf die Felswand deutet, wo sie seinen Namen schon eingeritzt hat. So bekunden sie ihr großes Liebesglück (19. Gesang, 35, 36). Das hochgeborene Mädchen hatte den bei den Glaubenskämpfen zwischen den Heeren der Sarazenen und Karls des Großen schwer verwundeten Jüngling gesundgepflegt. Charakteristisch ist die vor allem durch das seitlich einfallende Licht bewirkte kraftvolle Modellierung.

Literatur: A. Walther, in: Dresda sull' Arno. Katalog der Ausstellung Florenz 1982/83. Milano 1982, III. 5, S. 148/49.

Tiepolo, Giovanni Battista Geboren 1696 in Venedig, gestorben 1770 in Madrid. Schüler des Gregorio Lazzarini, beeinflußt von Piazzetta, Sebastiano Ricci und den Werken Veroneses. Tätig in Venedig, Udine, Mailand, Bergamo, Würzburg (1750 bis 1753), Vicenza, Verona, Strà und seit 1762 in Madrid. Tiepolo war der bedeutendste italienische Maler des 18. Jahrhunderts, der mit unerschöpflicher Erfindungskraft und höchster Produktivität religiöse und mythologisch-allegorische ebenso wie literarische und historische Stoffe oder Porträts zu ebenso festlich dekorativer wie geistvoll-gedankenreicher Bildwirkung brachte. Er knüpfte an die großen venezianischen Traditionen des 16. Jahrhunderts an und entwickelte zum Vorbild für zahlreiche andere Künstler in heiterer, lichter Farbigkeit stilbildend den Bewegungsreichtum des Rokoko.

580 A Tiepolo, Giovanni Battista

580 A *Die Vision der heiligen Anna.* 1759. Bezeichnet links unten am Brückenpfeiler: GIO.BATTA.TIEPOLO.O.1759. Leinwand, oben rund abgeschlossen, 244 × 120 cm. 1926 erworben.

In einer Vision sehen Anna und ihr Mann Joachim verzückt, wie ihre Tochter Maria von Engeln zu Gottvater emporgetragen wird, der, auf die Weltkugel gestützt, auf den Wolken thront und empfangend wie auch segnend die Arme ausbreitet. Mit der Apotheose des Mädchens ist dessen spätere Bestimmung als Mutter Jesu symbolisiert. Die überaus dynamische, pathosreiche Komposition mit der starken Aufwärtsbewegung läßt das wunderbare Geschehen glaubhaft erscheinen, wozu auch die sachlich treue Darstellung des Klosters S. Chiara in Cividale (Friaul) unten links beiträgt, für das Tiepolo das Bild malte. Tie-

580 B Tiepolo, Giovanni Battista

polos flüssige Malweise erreicht in diesem späten Werk einen Höhepunkt. Der Entwurf dazu befindet sich im Rijksmuseum Amsterdam.

Literatur: A. Morassi: A complete Catalogue of the Paintings of G. B. Tiepolo. London 1962, S. 11. – M. Levey: Giambattista Tiepolo – His Life and Work. New Haven/London 1986, S. 221.

580 B *Der Triumph der Amphitrite.* Um 1740. Leinwand, 213 × 442 cm. 1927 aus dem Berliner Kunsthandel.

Das Bild gehörte als Verkörperung des «Wassers» zu einem Zyklus von drei (oder vier) Darstellungen der Elemente, der sich ursprünglich wohl in einem venezianischen Palast befand. Die beiden (schmaleren) Bilder für «Die Luft» und «Die Erde», gekleidet in die Thematik von «Juno und Luna» und «Bacchus und Ariadne», befinden sich in der Sarah Campbell Blaffer Foundation, Houston/Texas, und der National Gallery Washington. Amphitrite ist in der griechischen Mythologie als Tochter des Nereus und Gemahlin des Poseidon die Königin des Meeres. Tiepolo zeigt sie in einem von Seepferden über das Meer gezogenen Muschelwagen, begleitet von fischschwänzigen Tritonen, Nereïden – Meernymphen – und Amoretten, von denen die eine vorn rechts auf einem Delphin reitet. Mit der Fülle von Bewegungsmotiven, der reichen Skala leuchtender Farben in einer Szene von faszinierender theatralischer Pracht bietet sich hier ein Hauptwerk Tiepolos.

Literatur: Posse 1929, S. 277/78. – Morassi 1962, S. 11.

Tiepolo, Giovanni Domenico Geboren 1727 in Venedig, dort gestorben 1804. Schüler und Gehilfe seines Vaters Giovanni Battista Tiepolo. Tätig meist in Venedig, 1750–1753 mit seinem Vater in Würzburg und mit diesem 1762–1772 in Madrid. Er wurde entscheidend von ihm geprägt, näherte sich aber nach dessen Tod zunehmend dem Klassizismus an. Die Scheidung seines Werkes von dem des Vaters bleibt ein schwieriges Forschungsproblem.

639 Tiepolo, Giovanni Domenico

639 *Die Darstellung im Tempel.* Leinwand, 40×48,5 cm. 1875 aus der Sammlung Minutoli in Liegnitz als Giovanni Battista Tiepolo.

Nach jüdischem Brauch wurden alle Kinder mit 40 Tagen im Tempel Gott Jahwe dargebracht, wie dies hier durch Maria und Joseph mit dem Jesusknaben geschieht (Lukas 2, 22–24). In der Mitte steht der weißgekleidete Oberpriester, während ein rotgekleideter Priester links am Altar in einem Buch liest. Wegen der silbrigen Tönung wurde das Bild auch Giovanni Battista Tiepolo zugeschrieben, ähnlich wie die weitgehend übereinstimmende Fassung in der Ambrosiana in Mailand.

Literatur: Walther 1968, Nr. 97.

Tintoretto, eigentlich Jacopo Robusti, genannt Tintoretto. Geboren 1518 in Venedig, dort gestorben 1594. Als Sohn eines Färbers (italienisch tintore) genannt «der junge Färber» (tintoretto). Kurze Zeit Schüler Tizians, der seine malerische Auffassung so entscheidend formte wie Michelangelo den Figurenstil und die Kompositionsweise. Beeinflußt weiterhin durch Paris Bordone, Bonifazio Veronese und manieristisch durch Parmigianino und Schiavone. Neben Tizian und Veronese führender Vertreter der venezianischen Malerei des 16. Jahrhunderts, gelangte er in einer Synthese von Tizian und Michelangelo zum Manierismus und damit zu neuen dynamisch-expressiven Gestaltungsmitteln, worin sich die gesellschaftlichen Spannungen der Zeit ebenso wie eine neue, nach immer weitergehender geistiger Durchdringung strebende Haltung offenbaren.

265 Tintoretto

265 *Musizierende Frauen.* Nach 1555. Leinwand, 142×214 cm. Inventar Guarienti (1747–1750), Nr. 301, wahrscheinlich aus der kaiserlichen Galerie in Prag.

Die Darstellung kann als eine Allegorie der Musik gedeutet werden und wurde früher als «Konzert der Musen» bezeichnet. Unter den Instrumenten sind Knieviola, Flöte, Positiv, Zither und Lira da braccio (Armlira, mit sechs Griffsaiten und zwei Bordunen) zu erkennen. In den gelängten, kleinköpfigen weiblichen Gestalten mit ihrer ornamental aufgefaßten rhythmischen Bewegtheit wird das manieristische Figurenideal sichtbar. Das Bild ist vermutlich mit einem im Inventar der Sammlung Kaiser Rudolfs II. in Prag identisch und bezeugt das Interesse höfischer Auftraggeber der Zeit an erotischen Themen. Die Datierung ist schwankend.

Literatur: R. Pallucchini/P. Rossi: Tintoretto. Milano 1982, I, Nr. 204. – E. Weddigen: Jacopo Tintoretto und die Musik. In: artibus et historiae Nr. 10. Venezia/Wien 1984, S. 89–96.

265 A *Bildnis einer Dame in Trauer.* Um 1550–1555. Leinwand, 104×87 cm. 1746 aus der herzoglichen Galerie in Modena; Inventar 1754, I 126.

Das Gemälde galt nach dem Inventar von 1754 fälschlich als Bildnis der Caterina Cornaro, Königin von Zypern (gestorben 1510), und bis 1899 als ein Werk Tizians. Handschrift und Typus der Dargestellten weisen jedoch überzeugend auf Tintoretto, der hier in der lebendigen Beseeltheit und malerischen Differenzierung den älteren Meister durchaus erreicht.

Literatur: C. Bornari/P. De Vecchi: L'opera completa del Tintoretto. Milano 1970, Nr. 112. – P. Rossi: Jacopo Tintoretto. I: I Ritratti. Venezia 1974, S. 34.

265 A Tintoretto

266 *Der Kampf des Erzengels Michael mit dem Satan.* Gegen 1590. Leinwand, 318×220 cm. Inventar 1754, I 299. *Farbtafel 13*

Der Erzengel Michael und seine Engel kämpfen gegen den Satan, der die Gestalt eines siebenköpfigen Drachens hat, das auf der Mondsichel stehende, mit einer Sternenkrone umgebene und mit der Madonna identifizierbare «Sonnenweib» bedroht und mit seinem Schweif den dritten Teil der Sterne vom Himmel schlägt (Offenbarung Johannis 12, 1–9). Gottvater schickt mit ausgebreiteten Armen sein Licht gegen die Mächte der Finsternis. In den um ihre Achse gewundenen Körpern, der Diagonalkomposition, dem Tiefensog und den gebrochenen zuckenden Farben zeigt sich der Manierismus. Das Bild spiegelt die religiösen und gesellschaftlichen Auseinandersetzungen zur Zeit der Gegenreformation.

Literatur: Pallucchini/Rossi 1982, I, Nr. 464.

266 Tintoretto

269 *Die Rettung der Arsinoë.* Bald nach 1560. Leinwand, 153×251 cm. 1743 durch Francesco Algarotti aus Mantua; Inventar 1754, I 398.

In seiner «Pharsalia» erzählt der römische Dichter Lucan von der Prinzessin Arsinoë, die von Caesar bei der Einnahme Ägyptens in einem Turm mitten im Meer gefangengesetzt und von dem Eunuchen Ganymedes befreit wurde. Im 13. Jahrhundert wurde die Erzählung zum Ritterroman ausgeschmückt; aus dem Eunuchen wurde dabei der Ritter Ganymed von Alexandrien, der Arsinoë gegen ihr Heiratsversprechen zur Macht in Ägypten gegen die von Caesar gestützte Kleopatra verhelfen wollte. – Tintoretto hat in seinem Bild die Spannung und Abenteuerromantik der Befreiungsszene veranschaulicht. Um durch das enge Turmfensterchen ins Freie gelangen zu können, so heißt es, mußten Arsinoë und ihre Gefährtin ihre Kleider ablegen. Die gestreckten nackten Frauenkörper stehen in verführerischem Kontrast zur stählernen Ritterrüstung und den Eisenketten; die schwankende Diagonalkomposition ist ebenso ein manieristisches Stilmittel wie die kalte, zur Monochromie neigende Farbigkeit. Die Datierung schwankt zwischen dem Beginn der 1550er Jahre und 1575 (Heinemann).

Literatur: Fr. Wickhoff, in: Jahrbuch der Preußischen Kunstsammlungen 23. Bd. 1902, S. 121/22. – Walther 1968, Nr. 103. – Pallucchini/Rossi 1982, I, Nr. 203.

269 Tintoretto

270 *Männliches Doppelbildnis.* Leinwand, 99,5×121 cm. 1749 aus der kaiserlichen Galerie in Prag.

Die beiden dunkelgewandeten Männer, von denen der bärtige, ältere im Lehnstuhl sitzt und mit ernster Nachdenklichkeit die von Gesten begleitenden Ausführungen des von der Seite sich zu ihm etwas herabneigenden jungen blonden Mannes anhört, wurden im Prager Inventar von 1737 instruktiv als «Meister und Schüler» bezeichnet. P. Rossi (1974) schreibt das Bild Jacopos Sohn Domenico Tintoretto zu.

Literatur: Rossi 1974, S. 78, 141.

270 Tintoretto

270 A *Die Ehebrecherin vor Christus.* Um 1545. Leinwand, 189×355 cm. 1749 aus der kaiserlichen Galerie in Prag.

Die Schriftgelehrten und Pharisäer haben die beim Ehebruch ergriffene Frau vor Christus gebracht und weisen ihn darauf hin, daß sie nach den von Moses gegebenen Gesetzen gesteinigt werden müsse. Christus antwortete: «Wer unter euch ohne Sünde ist, werfe den ersten Stein auf sie», beschämt die Ankläger und gewährt der Frau Gnade (Johannes 8, 2–11). Seine Entscheidung hat er mit dem Finger auf den Boden des Tempels geschrieben. Tintoretto hat die Verhandlungsszene durch eine Frau, die ihren gichtbrüchigen Mann vor Christus schleppt, und einige Zuschauer noch bereichert und die menschlichen Beziehungen in psychologischer Tiefe erfaßt. Die herkulischen Gestalten verraten den Einfluß Michelangelos.

Literatur: Pallucchini/Rossi 1982, I, Nr. 125.

270 A Tintoretto

Tischbein, Johann Friedrich August Geboren 1750 in Maastricht, gestorben 1812 in Heidelberg. Erste Ausbildung bei seinem Vater Johann Valentin Tischbein, nach dessen Tode 1768 bei seinem Onkel, dem Kasseler Hofmaler Johann Heinrich Tischbein d. Ä. Stipendien des Fürsten Friedrich von Waldeck ermöglichten seine weitere Ausbildung in Paris (1772–1777) und Italien (1777–1780). Seit 1780 im Dienst des Fürsten von Waldeck in Arolsen. Machte ausgedehnte Reisen, besonders häufig nach Holland. Arbeitete 1785 und noch einmal 1795 für einige Zeit in Weimar. Ab 1795 in Dessau im Dienst des Fürsten Leopold III. Friedrich Franz von Anhalt-Dessau. 1796 in Berlin, im Winter 1799/1800 in Dresden. Seit 1800 Direktor der Leipziger Kunstakademie. 1806–1808 in St. Petersburg.

2184 B Tischbein

2184 B *Bildnis der Frau Mesmer.* 1804. Bezeichnet unten rechts: Tischbein p: 1804. Leinwand, 69,5 × 54 cm. 1891 Vermächtnis der Tochter der Dargestellten, Frau Felicia Land geborene Mesmer.

Christiane Caroline Friederike Mesmer geborene Schmiedel (um 1783–1843) war die Gattin des Dresdener Bankiers Johann Jakob Mesmer. Das in den Farben frische und jugendlich-offene Bildnis erfaßt die sehr markanten Züge der Dargestellten genau.

3148 Tischbein

3148 *Bildnis des Leipziger Kramermeisters Christian Peter Wilhelm Kraft mit Tochter und Enkel.* 1809. Bezeichnet halbrechts am Stuhl: Tischbein p: 1809. Leinwand, 188,5 × 128 cm. 1952 zur Gemäldegalerie.

Dargestellt ist in einer Parklandschaft der Kramermeister Peter Wilhelm Kraft (1753–1813) mit seiner Tochter Juliane Charlotte (geboren 1793, heiratete 1815 Johann Anton Karl Brüning, Bürger und Kaufmann zu Hamburg) und seinem Enkel Peter Robert Kraft (1807–um 1890). Ein Gruppenbildnis aus der «empfindsamen» Sphäre, von englischer Bildnismalerei beeinflußt, das bürgerlichen Familiensinn verkörpert und die inneren Bande spüren läßt, die die Personen verbinden.

Literatur: A. Kurzwelly: Das Bildnis in Leipzig. Leipzig 1912, S. 31.

168 Tizian

Tizian, eigentlich Tiziano Vecellio, genannt Tizian. Geboren wohl um 1488–1490 in Pieve di Cadore (Dolomiten), gestorben 1576 in Venedig. Seit seinem 10. Lebensjahr in Venedig, Schüler des Mosaizisten Sebastiano Zuccato, dann des Gentile und danach des Giovanni Bellini, stark beeinflußt durch Giorgione. 1510/11 in Padua, 1545/46 in Rom, 1548/49 und 1550/51 auf dem Reichstag in Augsburg. Tätig im Auftrage der Markusrepublik, geistlicher und weltlicher Bruderschaften, hoher italienischer Adelsgeschlechter, Kaiser Karls V., König Philipps II. und Papst Pauls III., schuf er als bedeutendster Vertreter der venezianischen Schule entscheidende Grundlagen für die gesamte europäische Malkultur. Seine Entwicklung reicht vom romantisierenden, gefühlsbetonten Giorgionismus über die ideale Klassik der Hochrenaissance bis zu einer vom Manierismus beeinflußten Auffassung, die in ihrer Expressivität schon den von Tizian beeinflußten El Greco ankündigt.

168 *Maria mit dem Kind und vier Heiligen.* Um 1516. Pappelholz, 138×191 cm. 1747 durch Zanetti und Guarienti aus der Casa Grimani de'Servi in Venedig.

Maria und der fellbekleidete Johannes der Täufer halten das Jesuskind, vor dem die junge Magdalena als Sünderin den Kopf senkt. Hinten in der Mitte der Apostel Paulus mit dem Schwert, rechts der heilige Hieronymus mit dem Kruzifix. Der Vorhang und die monumentale Säulenstellung verleihen der Darstellung besonderen Anspruch. Die harmonische Klarheit des Bildes und seine vom Rot-Blau-Akkord bestimmte schöne Farbigkeit weisen die klassische Frühzeit Tizians aus.

Literatur: H. E. Wethey: The Paintings of Titian. I: The Religious Paintings. London 1969, Nr. 67.

169 *Der Zinsgroschen.* Um 1516. Bezeichnet rechts am Kragen des Pharisäers: TICIANVS. F. Pappelholz, 75 × 56 cm. 1746 aus der herzoglichen Galerie in Modena. *Farbtafel 5*

Die Pharisäer hatten Christus, um ihn politisch zu Fall zu bringen, gefragt, ob es recht sei, dem römischen Kaiser Steuern zu zahlen; Palästina war als römische Provinz mit hohen Abgaben belastet. Christus deutete auf das Kaiserbildnis auf der Münze und antwortete: «Gebt dem Kaiser, was des Kaisers ist, und Gott, was Gottes ist» (Matthäus 22, 15–22; Markus 12, 13–17; Lukas 20, 20–26). Tizian hat die Szene in eine denkbar knappe Fassung gebracht, bestimmt durch das psychologisch erfaßte Gegenüber zweier völlig gegensätzlicher Menschentypen. Gelassen weist Christus den verschlagen sich herandrängenden Versucher zurück. Auch hier herrscht der Rot-Blau-Akkord. Tizian malte das Bild für den Herzog Alfonso I. d'Este von Ferrara, einen seiner Hauptauftraggeber.

Literatur: Wethey I, 1969, Nr. 147.

170 *Bildnis einer Dame in Weiß.* Um 1555. Leinwand, 102 × 86 cm. Herkunft wie Gal.-Nr. 169.

Der erste gedruckte Galeriekatalog von 1765 verzeichnete die Dargestellte als «Geliebte Tizians». Später (1877) wurde sie als dessen Tochter Lavinia im Brautgewand mit dem angeblich dazugehörigen Fähnchenfächer angesehen. Das wies D. v. Hadeln (1931) zurück wegen der nach seiner Meinung mangelnden Ähnlichkeit mit dem nur etwa sechs Jahre später entstandenen authentischen Dresdener Laviniabildnis (vgl. Gal.-Nr. 171). Es ist aber zu bedenken, daß Lavinia sich durch fünf rasch aufeinanderfolgende Geburten verändert haben mochte. Das Bild ist ganz aus den nun stark gebrochenen Farben heraus entwickelt und damit für die spätere Zeit des Malers typisch.

Literatur: H. E. Wethey: The Paintings of Titian. II: The Portraits. London 1971, Nr. 59.

171 *Tizians Tochter Lavinia.* Um 1561. Bezeichnet rechts oben: LAVINIA TIT. V.F.AB. EO.P. Leinwand, 103 × 86,5 cm. Herkunft wie Gal.-Nr. 169.

Lavinia, die bald nach 1525 geboren wurde, heiratete 1555 Cornelio Sarcinelli und übersiedelte mit ihm nach Serravalle (Provinz Treviso). Sie starb dort bei der Geburt ihres sechsten Kindes 1561. Das etwas matronenhaft wirkende Bildnis muß nicht lange vor ihrem Tode gemalt sein, vielleicht sogar postum. Über dem dunkelroten Unterkleid trägt Lavinia ein dunkelgrünes Oberkleid mit goldenem Besatz, eine Perlenkette und anderes Geschmeide und um die Taille eine Kette aus goldenen Schellen. In der rechten Hand hält sie einen Fächer aus Straußenfedern. Alles verrät den nicht zuletzt auch von der väterlichen Mitgift herrührenden Wohlstand.

Literatur: Wethey II, 1971, Nr. 61.

169 Tizian

170 Tizian

171 Tizian

172 *Bildnis eines Malers mit einer Palme.* 1561. Bezeichnet links unten: MDLXI / ANNO ... NATVS / AETATIS SVAE XLVI / TITIANVS PICTOR ET / AEQVES CAESARIS. Leinwand, 138 × 116 cm. Inventar Guarienti (1747–1750), Nr. 432, aus der Casa Marcello in Venedig.

Wegen einer – inzwischen wieder entfernten – gefälschten Aufschrift galt der Dargestellte lange als der Dichter Pietro Aretino. Cook hat (1905) nachgewiesen, daß hier der Maler Antonio Palma, Neffe des Palma Vecchio und Vater des Palma Giovane wiedergegeben ist. Dieser wurde 1515 geboren und war 1561, als das Bild entstand, 46 Jahre alt, was der Inschrift entspricht. Der Farbkasten auf der Brüstung weist seinen Beruf aus. Tizian hat den hohen geistigen Anspruch des Mannes überzeugend sichtbar gemacht. Die abendliche Landschaft am Rande läßt zugleich etwas von seiner Meisterschaft auf dem Gebiet der Landschaftsmalerei erkennen.

Literatur: Walther 1968, Nr. 104, – Wethey II, 1971, Nr. 69.

172 Tizian

Trevisani, Francesco Geboren 1656 in Capodistria (Istrien), gestorben 1746 in Rom. Schüler des Antonio Zanchi und des Joseph Heintz in Venedig, seit 1678 in Rom tätig, beeinflußt durch die Werke der Carracci und Correggios. Nach dem allmählichen Erlöschen des Einflusses Marattis nach dessen Tod (1713) wurde Trevisani zum führenden Vertreter der römischen Barockmalerei. Seine anmutig-elegante Auffassung mit den unter Einbeziehung von Helldunkelkontrasten weich modellierten, schöntonigen Farben repräsentiert das Rokoko in Verbindung mit gewissen klassizistischen Zügen.

447 *Die Ruhe auf der Flucht nach Ägypten.* Um 1715. Bezeichnet rechts am Sockel des Monuments: F. T. Leinwand, 247 × 276 cm. Inventar 1754, I 213.

Da der zur Zeit von Christi Geburt herrschende Judenkönig Herodes aus Furcht vor dem prophezeiten Herzog des Volkes Israel alle neugeborenen Knaben töten ließ, befahl ein Engel Joseph im Traum, mit der Mutter Maria und dem Jesuskind nach Ägypten zu fliehen (Matthäus 2, 1–16). Der biblische Stoff ist als eine poesievolle arkadische Szene gestaltet, die durch Gegenlichtwirkung und Baumkulissen eine bühnenmäßige Wirkung erhält. Die zerstörte Plastik auf dem mit einem Tierschädel versehenen Sockel ganz rechts ist Symbol für die vom Christentum überwundene heidnische Antike. Als Hauptwerk Trevisanis aus dieser Zeit wurde das Bild wegweisend für das pastorale Andachtsbild des 18. Jahrhunderts. Es ist vielleicht das Gegenstück zur «Anbetung der Könige» von Giuseppe Chiari (vgl. Gal.-Nr. 444).

Literatur: F. R. DiFederico: Francesco Trevisani. Washington 1977, Nr. 69.

447 Trevisani

448 *Maria mit dem Kinde und dem kleinen Johannes.* 1708. Bezeichnet links unten im Buch: F.T. 1708. Leinwand, 99,5×74 cm. 1734 durch Le Leu und Rigaud aus Paris.

Trevisani hat das Thema ganz ins genrehaft Idyllische geführt: Der Jesusknabe wird zum schlafenden Kleinkind in der Wiege, ohne Anspruch auf besondere Geltung, von der Mutter durch behutsames Hochheben des verhüllenden Tuches nur kurz dem etwas älteren, an seinem Kreuzstab erkenntlichen Johannesknaben zu kindlich frommer Betrachtung dargeboten. In der weichen und eleganten Figuren- und Gewandbildung ist der starke Einfluß Correggios sichtbar.

Literatur: Di Federico 1977, Nr. 35.

448 Trevisani

452 *Die Vision des heiligen Franziskus.* Um 1710–1715. Bezeichnet auf der umgeschlagenen Ecke der Buchseite: F. T. Leinwand, 74×61 cm. 1761 durch Siegmund Striebel aus Rom; Inventar 1754, I 303.

Die Darstellung fordert zum Vergleich mit den Bildern gleichen Motivs von Guercino und Solimena heraus (vgl. dort). Der heilige Franziskus erscheint hier als Einsiedler vor einer Grotte, bezogen auf seinen Aufenthalt (1207–1209) in der Einsiedelei von Portiuncula (bei Assisi), aus deren Mitgliedern sich dann der 1223 endgültig bestätigte Franziskanerorden entwickelte. Mit der rechten Hand einen Totenschädel als Zeichen für die Verachtung alles Irdischen umfassend, hat der Eremit im Schlummer die Vision eines geigenden Engels auf einer herabschwebenden Wolke. Auch hier ist eine Diagonale zur Hauptkompositionslinie gemacht.

Literatur: Di Federico 1977, Nr. 87.

452 Trevisani

Tura, Cosimo (?) Geboren um 1430 in Ferrara, dort gestorben 1495. 1452–1456 in Padua, beeinflußt durch Francesco Squarcione, Donatello und Mantegna sowie durch Andrea del Castagno und Vivarini, später auch durch Ercole de'Roberti. Tätig vor allem in Ferrara als Hofmaler der Herzöge Borso und Ercole I. d'Este. Cosimo (oder Cosmè) Tura war der erste bedeutende ferraresische Maler und das Haupt der ferraresischen Schule im 15. Jahrhundert. Seine Malerei ist mit großer Schärfe der Linienführung und heraldisch-ornamentalen wie auch grotesken Zügen von einer zuweilen fast magischen Feierlichkeit.

42 A *Der heilige Sebastian.* Pappelholz, 171,5×58,5 cm. 1896 von M. Guggenheim in Venedig erworben.

Durch die analytisch-plastische Strenge der Formgebung, die Negation der Farbe und die Einzwängung des eckig starren Körpers in das schmale Format wird das Martyrium des Offiziers der Leibwache des römischen Kaisers Diokletian fast qualvoll spürbar (vgl. auch Antonello da Messina). In dem gepanzerten, bedeutungsgemäß klein wiedergegebenen Wächter ist vielleicht der Stifter zu erkennen. Die hebräische Inschrift links unten wird als «opus Lorenzo Costa» gelesen und besonders darum das Bild auch vielfach Costa zugeschrieben, der es vielleicht vollendet hat. R. Longhi (1934) hat von einer Imitation im Stile Turas durch Costa gesprochen, Ortolani von einer Karikatur auf Tura. Die Entscheidung über die Autorschaft ist schwierig, da die stilistische Nähe zu Tura sehr groß ist.

Literatur: S. Ortolani: Cosmè Tura, Francesco del Cossa, Ercole de'Roberti. Milano 1941, S. 78/79. – P. Bianconi: Tutta la Pittura di Cosmè Tura. Milano 1963, S. 60. – R. Molajoli: L'opera completa di Cosmè Tura e i grandi pittori ferraresi del suo tempo. Milano 1974, Nr. 46.

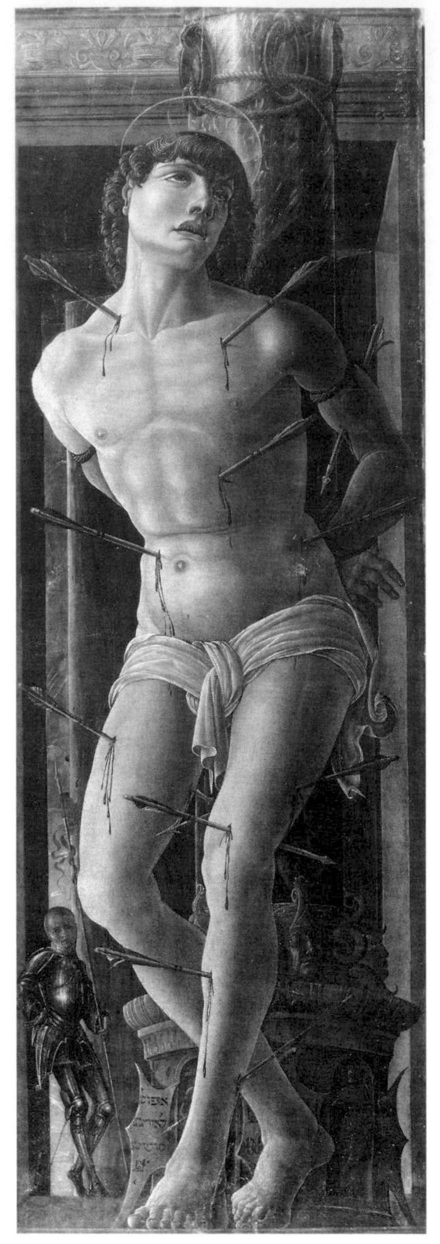

42 A Tura (?)

Turchi, Alessandro, genannt l'Orbetto. Geboren 1578 in Verona, gestorben 1649 in Rom. Schüler des Felice Brusasorci, weitergebildet unter dem Einfluß der Venezianer, des Carlo Saraceni, der Carracci und Caravaggios. Tätig in Verona und seit 1615 in Rom. Als ein Eklektiker ist er besonders durch seine oft auf Kupfer oder Schiefer gemalten Kabinettstücke mythologischen oder auch biblischen Inhalts mit ihrer delikaten weichen Sinnlichkeit, Zeugnissen einer klassizistischen Poetik, berühmt geworden.

515 *Die Anbetung der Hirten.* Bezeichnet links unten am Steinbogen der Treppe: ALEXANDER DE TURCIS F. Schiefer, 45 × 37,5 cm. Am 20. Mai 1659 zur Kunstkammer, 1832 zur Galerie.

Der Schiefer bildet den natürlichen schwarzen Grund, auf dem sich die Malerei im Stil des klassizistischen römischen Realismus kontrastreich entfaltet. Mit bewegten Umrissen und ausgeprägter plastischer Modellierung sind die Figuren davorgesetzt, während atmosphärische Wirkungen ausgeschlossen bleiben. Ebenso wie das Helldunkel des «Kellerlichts» geht etwa auch das Motiv des Knienden, der seine nackten Fußsohlen zeigt, auf die Wirklichkeitsbestrebungen Caravaggios zurück. Eine lavierte Federzeichnung der Komposition befindet sich in der Brera in Mailand.

Literatur: L. Magagnato: Alessandro Turchi, detto l'Orbetto. In: Maestri della Pittura Veronese. Verona 1974, S. 308.

515 Turchi

521 *Venus mit dem toten Adonis.* Schiefer, 27,5 × 34 cm. 1742 aus der Sammlung Dubreuil in Paris; Inventar Guarienti (1747–1750), Nr. 1346.

Wie es Ovid in den «Metamorphosen» (X, 707–738) schildert, hatte Venus ihren Geliebten, den schönen Jüngling Adonis, vergeblich vor den Gefahren der Jagd gewarnt. Ein Eber verletzte ihn tödlich an der Hüfte, und er starb in den Armen der Göttin. Auch Amor trauert um ihn, während die Hunde scheu und wie fragend dabeistehen.

Literatur: Magagnato 1974, S. 308. – R. Pallucchini: La Pittura Veneziana del Seicento. Milano 1981, I, S. 119.

521 Turchi

1972 *Lot mit seinen Töchtern.* Kupfer, 47 × 32 cm. Zuerst im Katalog 1835.

Als einer der Gerechten war Lot zusammen mit seinen zwei Töchtern vom Untergang der Stadt Sodom und ihrer Bewohner verschont worden. Da die Töchter keine Männer mehr hatten, flößten sie ihrem Vater Wein ein und legten sich zu ihm, um das Fortleben des Stammes zu sichern (1. Buch Mose, 19, 31–38). Das hier gezeigte Motiv wurde wegen seines erotischen Charakters in der Malerei der Renaissance und des Barocks sehr häufig dargestellt. Turchis Gestalten sind von höchster Feinheit der malerischen Ausführung. Das Bild war früher Joseph Heintz zugeschrieben.

Literatur: Magagnato 1974, S. 308. – Pallucchini 1981, I, S. 118.

1972 Turchi

Uden, Lukas van Geboren 1595 in Antwerpen, dort gestorben 1672. Ging vermutlich bei seinem Vater Artus in die Lehre. Wurde 1627 Meister der Lukasgilde in Leiden. Malte Landschaften, die unter dem Eindruck des Joos de Momper stehen. Seine freiere Technik und der breitere Pinselstrich weisen auf die Nähe zu Rubens, in dessen Gemälde er gelegentlich die Landschaftshintergründe malte. Er war ein guter Zeichner und Stecher.

1135 Uden

1135 *Landschaft mit dem Brautzug.* Bezeichnet links unten: L v Uden. Leinwand, 158×286 cm. Inventar 1754, II 171.

Udens Landschaft weist eine deutliche Betonung der Diagonalen auf. Der mittlere Bereich ist stark verschattet. Gern gab der Künstler, wie hier, Bäume im Gegenlicht wieder. Die Figuren wurden vermutlich von David Teniers d.J. in das Bild hineingemalt, mit dem der Künstler in seinen späteren Jahren des öfteren zusammenarbeitete.

Literatur: Y. Thiéry: Le Paysage Flamand au XVIIe siècle. Paris/Brüssel 1953, S. 63.

Utrecht, Adriaen van Geboren 1599 in Antwerpen, dort gestorben 1652. Schüler des Harmen de Nijt. Reisen nach Frankreich, Italien und Deutschland. Tätig vor allem in Antwerpen.

1215 A Utrecht

1215 A *Stilleben mit einem Hasen und Vögeln am Ring.* Um 1636. Bezeichnet unten in der Mitte: J. Fÿt. f. Leinwand, 86×117 cm. Inventar 1754, II 66.

Die falsche, wohl später hinzugefügte Signatur hat bewirkt, daß das Bild lange als Werk des Jan Fyt galt, von dem der Künstler Anregungen empfangen hat und dessen Art er sich manchmal tatsächlich nähert. Erst 1930 erkannte G. Glück die Autorschaft Adriaen van Utrechts, die E. Greindl 1956 bestätigte. Ein in der Komposition ähnliches Gemälde von A. van Utrecht, bezeichnet und 1636 datiert, wurde 1958 bei Christie's in London versteigert. Der von der Decke herabhängende eiserne Reifen mit Haken zum Aufhängen von Wild und Geflügel scheint zur Entstehungszeit des Bildes ein übliches Küchenrequisit gewesen zu sein (vgl. Teniers, Gal.-Nr. 1091).

Literatur: E. Greindl: Les Peintres Flamands de Nature Morte au XVIIe siècle. Brüssel 1956, S. 192.

Valckenborch, Maerten I van Geboren 1535 in Löwen, gestorben 1612 in Frankfurt/Main. 1559 Mitglied der Gilde in Mecheln. 1563 wurde er Meister und bekam einen Lehrling, Gijsbrecht Jasper. Um 1564 übersiedelte er nach Antwerpen, wo er bis 1572 blieb. 1573 wurde er Bürger von Aachen, kehrte aber wieder in seine Heimat zurück. 1586 in Frankfurt tätig. In seinen Landschaften ist er stark von seinem Bruder Lukas beeinflußt.

832 Valckenborch

832 *Der Turmbau zu Babel.* 1595. Bezeichnet unten in der Mitte: MARTIN VAN/VALCKENBORCH/FECIT, ET/INVENTOR/ M/VV/1595. Eichenholz, 75,5×105 cm. Erworben 1699 durch Bottschild, 1700 zur Kunstkammer, nach 1741 zur Galerie.

Dargestellt ist das im 1. Buch Mose 11, 1–9 überlieferte Thema vom Turmbau zu Babel. Anlaß zur biblischen Erzählung hatten wohl die jahrtausendealten Tempeltürme am Nil gegeben, aber auch in Beschreibungen, so durch Herodot, sind sie überliefert. Zu den besten Formulierungen in der niederländischen Kunst gehörte Pieter Bruegels Darstellung von 1563 (Wien, Kunsthistorisches Museum), dessen Vorbild sich auf nachfolgende Künstlergenerationen auswirkte. Im Vordergrund ist König Nimrod, der sagenhafte Erbauer des Turmes zu Babel, zu erkennen.

Eine Darstellung gleichen Themas, die einzelne Motive wiederholt, befindet sich im Schloß Gaesbeek. Man vergleiche auch Lukas van Valckenborchs Darstellung (datiert 1585) in der Alten Pinakothek München.

Literatur: Mayer-Meintschel 1966, S. 52. – A. Mayer-Meintschel, in: Europäische Landschaftsmalerei 1550–1650. Ausstellungskatalog. Dresden 1972, Nr. 111. – A. Wied: Lucas und Marten van Valckenborch. Freren 1990, S. 259f., Nr. 24.

Valdés Leal, Juan de Geboren 1622 in Sevilla, dort gestorben 1690. Sohn des aus Portugal stammenden Silberschmiedes Fernando de Nisa und der Antonia Valdés Leal aus Sevilla: Er hieß also eigentlich Juan de Nisa y Valdés, führte aber stets nur den Namen seiner Mutter. Arbeitete in seiner frühen Jugend als Maler, Bildhauer, Kupferstecher und Vergolder. Siedelte um 1644 mit seinen Eltern nach Córdoba über, wo er als Maler schon Ansehen genoß und große Aufträge übernahm, so für das Klarissinnenkloster von Cramona 1653/54. Der Künstler, der 1647 in Córdoba geheiratet hatte, kehrte 1656 nach Sevilla zurück, wo er ansässig blieb. Mit ihm ging die große Sevillaner Malerschule des 17. Jahrhunderts zu Ende.

707 Valdés Leal

707 *Der heilige Vasco von Portugal vor seinem Kloster.* 1657/58. Inschrift in der Kartusche unten: EL V. P. F. (d. h. Venerabile Padre Fray) Basco de Portugal. Leinwand, 249×127,5 cm. 1853 aus der Sammlung Louis Philippe in London.

Bald nach der Übersiedlung nach Sevilla malte Valdés Leal 1657/58 einige Folgen von Bildern für das damals bedeutende, später aufgehobene Kloster San Jerónimo de Buenavista etwas außerhalb von Sevilla. Zu einer dieser Serien, die heute über verschiedene Museen der Welt verstreut sind, bestehend aus elf Bildern, von denen zwei Nonnen und neun Mönche darstellen, gehört das Bild. Es zeigt den heiligen Vasco von Portugal in leidenschaftlichem Gebet um Errettung vor einem Dämon, der das Türmchen über dem Dormitorium des Klosters bestiegen hat und in wilder Wut die Glocke läutet, was oben links dargestellt ist, während der Heilige noch ein zweites Mal im Hintergrund erscheint, dem Dämon zugewendet. Die Darstellung folgt sehr genau der von Fray José de Siguënza verfaßten Ordensgeschichte «Historia de la orden de San Jerónimo», wo auch die Szene aus dem Leben des heiligen Vasco beschrieben ist.

Literatur: E. du Gué Trapier: Valdes Leal. Spanish barocque painter. New York 1960, S. 32f. – J. Baticle/C. Marinas: La Galerie espagnole de Louis-Philippe au Louvre. 1838–1848. Paris 1981, Nr. 279.

408 Valentin de Boulogne

Valentin de Boulogne Geboren 1591 in Coulommiers, gestorben 1632 in Rom. Der Name deutet auf eine Herkunft aus Boulogne-sur-mer, doch lebte die Familie seit mindestens 1489 in Coulommiers-en-Brie. Valentin war seit 1612/13 in Rom, wo er sich bald an Simon Vouet anschloß, vielleicht auch mit Manfredi Kontakt hatte. Wie seine Jugend in Frankreich, so bleiben auch seine frühen römischen Jahre im Dunkel: Es gibt keine Nachrichten vor 1620, und seine ersten dokumentarisch belegten Bilder stammen von 1627; die Chronologie der früheren Werke muß stilkritisch erschlossen werden. Er ist der Hauptmeister der französischen Caravaggisten.

408 *Die Falschspieler.* Um 1615–1618. Leinwand, 94,5 × 137 cm. 1749 aus der kaiserlichen Galerie in Prag (oben rechts Sammlungszeichen: L.).

Bis 1906 Caravaggio zugeschrieben, ist dieses Bild – das allerdings deutlich von dessen «Falschspielern» ausgeht – ein Hauptwerk aus der Frühzeit Valentins, was Wolfgang Kallab zuerst erkannt hat. Das Thema war im Kreis der Caravaggisten sehr beliebt, die mit ihrem Helldunkel und der realistischen Beobachtung einfacher Menschen, aber auch ihrem Interesse an Außenseiter-Existenzen der Malerei neue Themenkreise erschlossen. Die klare, fast pantomimisch-deutliche Komposition enthält ein Moment nervöser Spannung, das zu erfassen Valentin wichtig war.

Literatur: W. Kallab: Caravaggio. In: Jahrbuch der Kunsthistorischen Sammlungen des allerhöchsten Kaiserhauses, XXVI,

1906–1907, S. 272–292. – H. Voss: Die Malerei des Barock in Rom. Berlin 1924, S. 454. – Valentin et les Caravaggesques français. Ausstellungskatalog. Paris 1974, Nr. 37, S. 128ff. – M. Mojana: Valentin de Boulogne. Mailand 1989, Nr. 3, S. 56.

Velázquez, Diego Rodriguez de Silva y Velázquez. Geboren 1599 in Sevilla, gestorben 1660 in Madrid. Zuerst kurz bei Francisco Herrera, dann in der Lehre bei Francisco Pacheco, dessen Tochter er später heiratete. 1621 erstmals in Madrid, seit 1623 Hofmaler König Philipps IV. und ständig in der Hauptstadt. Protegiert von Gaspar de Guzmán, Herzog von Olivares. Bekleidete verschiedene Ehrenämter bei Hof und wurde 1659 Ritter des Santiago-Ordens. 1629–1631 und 1649–1651 in Italien. Lernte Rubens während dessen Aufenthalt in Spanien kennen, Ribera in Neapel. Er war der bedeutendste spanische Maler des 17. Jahrhunderts und einer der größten Bildnismaler aller Zeiten. Künstlerisch von Caravaggio ausgehend, schuf er seit den dreißiger Jahren einen von den Venezianern, besonders von Tizian, beeinflußten, dabei ganz persönlichen, klaren und distanzierten Stil von malerischer Kraft und eindringlichem Realismus.

697 Velázquez

697 *Bildnis eines Herrn, wahrscheinlich des königlichen Oberjägermeisters Don Juan Mateos.* Um 1633. Leinwand, 108,5×90 cm. 1746 aus der herzoglichen Galerie in Modena. *Farbtafel 22*

Das Bild wurde schon in der Sammlung des Prinzen Cesare Ignazio d'Este 1685 als Werk von Velázquez bezeichnet, galt aber, als es aus der Modeneser Sammlung nach Dresden kam, als Rubens «mit den skizzierten Händen», dann als Tizian und wird erst seit dem Katalog von 1856 wieder richtig als Velázquez geführt. Diese Verwechslungen zeigen, wie nahe sich, über Jahrhundertgrenzen und Länder hinweg, große Kunst sein kann. Besonders bei Bildnissen hatte Tizian verbindliche Formen geschaffen, die lange nachwirkten. Carl Justi versuchte 1888, den Dargestellten als den königlichen Oberjägermeister Don Juan Mateos zu identifizieren, und seitdem wird diese Vermutung wiederholt. Trotz des weitgehenden Verzichts auf Farbwirkungen ist das Bild, fast nur aus dem Helldunkel heraus modelliert, von packender Lebendigkeit. «Bei Velázquez gibt es so oft skizzenhafte Partien in Bildnissen, die ansonsten ganz vollendet erscheinen», schreibt José López-Rey, «... daß man tatsächlich erst einmal davor zurückschrecken sollte, anzunehmen, der Künstler selbst könnte diese Werke für unvollendet gehalten haben.»

Literatur: A. Venturi: La R. Galleria Estense in Modena. Modena 1882, S. 357. – C. Justi Diego Velázquez und sein Jahrhundert. Bonn 1903, 2. Aufl. (1. Aufl. 1888), Bd. I, S. 342. – A. L. Mayer: Velázquez. A Catalogue Raisonné of the Pictures and Drawings. London 1936, Nr. 345. – J. López-Rey: Velázquez. A Catalogue Raisonné of his Œuvre. London 1963, Nr. 504. – M. A. Asturias/P. M. Bardi: L'opera completa di Velázquez. Milano 1969, Nr. 54. – H. Marx, in: Barock in Dresden. Ausstellungskatalog. Essen 1986, Nr. 468.

698 *Bildnis eines Ritters des Santiago-Ordens.* Um 1648. Leinwand, 67×56 cm. 1685 im Besitz des Fürsten Cesare Ignazio d'Este von Modena und 1746 aus der herzoglichen Galerie in Modena.

Trotz verschiedener Vorschläge ist eine überzeugende Benennung des Dargestellten bisher nicht gelungen. Er trägt auf dem Mantel, an der linken Brustseite, eine Andeutung des roten Santiago-Ritter-Kreuzes. Wegen gewisser, hier aber wohl bewußt eingesetzter Ungleichmäßigkeit der malerischen Behandlung ist das psychologisch fein erfaßte Bild manchmal für unvollendet gehalten worden. Es entstand nach neuerer Ansicht kurz vor der zweiten Italienreise des Künstlers.

Literatur: W. von Bode, in: Jahrbücher für Kunstwissenschaft, hrsg. von A. von Zahn, VI, 1873, S. 198. – Mayer 1936, Nr. 372. – López-Rey 1963, Nr. 539. – Asturias/Bardi 1969, Nr. 94.

698 Velázquez

699 *Bildnis des Gaspar de Guzmán, Graf von Olivàres, Herzog von San Lucar.* Nach 1638 (?). Leinwand, 92,5×74 cm. Wahrscheinlich erworben von Herzog Francesco d'Este in Madrid und 1746 aus der herzoglichen Galerie in Modena.

Der anfangs freudig begrüßte, bald aber verhaßte tyrannische Erste Minister des jungen Königs Philipp IV. löste in dieser Funktion den Grafen von Lerma ab, der unter Philipp III. bis 1621 regiert hatte. Seine Herrschaft sah im Innern wirtschaftlichen Niedergang, außenpolitisch nach anfänglichen Erfolgen fast nur Niederlagen. Er vermochte in der Konfrontation mit Frankreich den Machtanspruch Spaniens nicht durchzusetzen und unterlag seinem erfolgreicheren französischen Gegenspieler, Kardinal Richelieu. Olivàres war ein Mäzen der Künstler und Dichter, förderte auch Velázquez besonders, der immer wieder Repliken der Bildnisse des Ministers malen mußte – oder sie in der Werkstatt malen ließ. Unser Bild, auf dem er an Rock und Mantel das grüne Alcantarakreuz trägt, ist eine solche sehr qualitätvolle Wiederholung.

Literatur: Venturi 1882, S. 207. – Justi 1903, Bd. II, S. 57. – López-Rey 1963, Nr. 515.

699 Velázquez

Velde, Adriaen van de Geboren 1636 in Amsterdam, dort gestorben 1672. Vermutlich zuerst Schüler seines Vaters, des Marinemalers Willem van de Velde, sowie des Jan Wijnants und des Philips Wouwerman. Nicht nur Gemälde biblischen und mythologischen Inhalts gehören zu seinem Schaffen, vor allem die holländische Landschaft ist von ihm in sensibler Weise erfaßt worden.

1655 *Die Viehweide mit der Melkerin.* 1659. Bezeichnet unten halbrechts: A. v. Velde F. 1659. Leinwand, 59×71,5 cm. Inventar 1722–1728, A 406; durch Wackerbarth.

Rinder, Schafe, Schweine, ein Pferd und eine Ziege mit ihren übermütig springenden Jungen sind hier im Schatten eines hohen Baumes vereint. Die Anordnung der Tiere und das liebevolle Eingehen auf ihr Wesen deuten auf das Vorbild des niederländischen Tiermalers Paulus Potter hin. Die Melkerin und der Melker ordnen sich dem ländlichen Geschehen als Staffagefiguren unter. Rechts im Hintergrund, fast als Begrenzung des Horizontes, sieht man den Kirchturm des Dorfes.

Literatur: K. Zoege von Manteuffel: Die Künstlerfamilie van de Velde. Bielefeld/Leipzig 1927, S. 66.

1655 van de Velde

1659 *Eisbelustigung auf dem Stadtgraben.* 1669. Bezeichnet links unten: A. v. Velde f. 1669. Leinwand auf Eichenholz, 33 × 40,5 cm. 1754 durch Le Leu aus der Sammlung de la Bouexière in Paris.

Zu den Freuden des Winters gehörte im 17. Jahrhundert in Holland, ermöglicht durch die zahlreich vorhandenen Wasserläufe, das Schlittschuhlaufen. Das Gemälde zeigt uns, wie man sich auf dem Graben vor der Stadtmauer mit Schlittschuhen sowie einfachen oder vom Pferd gezogenen Schlitten auf dem Eis vergnügt. An promenierenden Zuschauern fehlt es nicht. Hinter den winterlich kahlen Bäumen läßt sich die Weite des flachen Landes erahnen.

Literatur: Zoege von Manteuffel 1927, S. 73. – W. Martin: De Hollandsche schilderkunst in de zeventiende eeuw. II. Rembrandt en zijn tijd. Amsterdam 1936, S. 338.

1659 van de Velde

Venezianisch Anfang 14. Jahrhundert

23 *Thronende Madonna.* Tempera auf Goldgrund, Pappelholz mit rahmenartig profiliertem Rand, 20,5 × 15 cm. 1860 aus dem Nachlaß Woodburne in London.

Maria erscheint frontal als Thron für das ebenfalls frontal auf ihren Knien sitzende Kind. Dieser repräsentative Madonnentypus folgt byzantinischen Apsidendarstellungen. Das ikonenartige Kultbild war bei der Erwerbung dem Giunta Pisano zugeschrieben, wurde von Woermann und Posse als toskanische Schule des 13. Jahrhunderts geführt und von Garrison (1949) und diesem folgend Oertel (1959) als venezianisch Anfang 14. Jahrhundert eingeordnet. Kermer (1967) hält es für die rechte Hälfte eines Diptychons und datiert im Hinblick auf ein Diptychon im Art Institute Chicago in das Ende des 13. Jahrhunderts

Literatur: E. B. Garrison: Index of Italian Romanesque Panel Painting. Florence 1949, Nr. 250.

23 Venezianisch Anfang 14. Jahrhundert

Verkolje, Jan Geboren 1650 in Amsterdam, gestorben 1693 in Delft. Ging kurze Zeit bei Jan Andries Lievens (1644–1680) in die Lehre, wo er unfertige Bilder des Malers Gerrit Pietersz. van Zijl vollendete. Nach 1672 ließ er sich in Delft nieder. Guter Zeichner und Kolorist. Malte vorzugsweise mythologische Darstellungen und Genreszenen mit eleganten Figuren in reichen Interieurs. Sein Schaffen ist dem Metsus, Netschers und vor allem Terborchs eng verwandt.

1672 *Die Versuchung.* Um 1680. Bezeichnet links unten: J Verkolie. Leinwand, 70 × 66 cm. Inventar 1722–1728, A 414.

Ein im Wirtshaus sitzender junger Trompeter versucht eine junge Frau zu überreden, ihm Gesellschaft zu leisten. Ganz rechts im Bild sitzt eine alte Frau, offenbar eine Kupplerin, mit Weinkrug und Glas in den Händen. Letzteres hält sie der jungen Frau aufmunternd entgegen. Die junge Frau ist bereit, der Aufforderung zu folgen, wie ihre Handhaltung zu erkennen gibt. Gemäß J. Bulwers «Chirologia» von 1644 hält sie die rechte Hand in einladender Geste erhoben. Die Figur des vom Rücken her gesehenen Trompeters wiederholt Verkolje in der «Fröhlichen Gesellschaft» (Kunsthandel Amsterdam, Abb. Robinson 1974, S. 224, Nr. 233). Der Trompeter weist in Uniform und

1672 Verkolje

Aussehen Ähnlichkeiten zu denen bei Terborch auf. Die Alte erinnert an Figurentypen bei Metsu.

Literatur: J. Bulwer: Chirologia: Or the Natural Language of the Hand. London 1644 (Reprint Carbondale 1974). – F. W. Robinson: Gabriel Metsu (1629–1667). New York 1974, S. 94. – B. Haak: Das Goldene Zeitalter der holländischen Malerei. Köln 1984, S. 453, Nr. 993.

Vermeer van Delft, Jan Geboren 1632 in Delft, dort gestorben 1675. Vermutlich Schüler des Hendrick van der Burch. 1647 Aufnahme in die Delfter Lukasgilde, beeinflußt von Carel Fabritius, der seit 1650 in Delft nachweisbar ist. Neben Rembrandt und Frans Hals gehört Vermeer van Delft als Genre- und Historienmaler zu den bedeutendsten holländischen Künstlern des 17. Jahrhunderts.

1335 Vermeer van Delft

1335 *Bei der Kupplerin.* 1656. Bezeichnet rechts unten: J V Meer. 1656. Leinwand, 143 × 130 cm. 1741 aus der Sammlung Wallenstein in Dux.

Seit dem Inventar Guarienti (1747–1750) wurde der Schöpfer dieses Gemäldes in unterschiedlichen Künstlern vermutet. Seit 1826 galt es als ein Werk des Jakob van der Meer van Utrecht. Erst in den sechziger Jahren des 19. Jahrhunderts wurde das Bild als eine Arbeit des Jan Vermeer van Delft erkannt. Blankert (1975) konnte nachweisen, daß sich Dirck van Baburens «Kupplerin» von 1622 (Museum of Fine Arts, Boston) im Besitz der Schwiegermutter Vermeers befand und zweimal auf Vermeers Bildern als Hintergrundmotiv erscheint. Doch nicht Baburens Gemälde diente Vermeer bei seiner Darstellung als Vorlage, sondern eine Fünf-Sinne-Darstellung (Sammlung Taylor, Chicago) des Delfter Malers Christiaen van Couwenburgh (1604–1667), wie Mayer-Meintschel (1986) darlegte. Vermeer van Delft transponierte das Thema auf ihm entsprechende Weise, verlieh ihm durch starkes Kolorit Wärme und schuf durch den Verzicht auf Bewegung Verhaltenheit, die er auf den Gestus des Bezahlens und Nehmens konzentrierte. Der Bezug zum Thema des verlorenen Sohnes im Freudenhaus, von Plietzsch 1939 und von Goldscheider 1958 geäußert, mutet heute nicht mehr abwegig an, wenn man bedenkt, daß Rembrandt sich mit Saskia (vgl. Gal.-Nr. 1559) in ähnlicher Weise präsentierte. In dem Musikanten links vermutet man ein Selbstbildnis.

Literatur: E. Plietzsch: Vermeer van Delft. München 1939, S. 12, 13, 17. – L. Goldscheider: Johannes Vermeer. Köln 1958, S. 22, 23, – A. Blankert: Johannes Vermeer van Delft. 1632–1675. Utrecht/Antwerpen 1975, S. 40–42. – A. Mayer-Meintschel: Vermeers Kupplerin. In: Jahrbuch der Staatlichen Kunstsammlungen Dresden, 18, 1986, S. 7–18. – G. Aillaud/ A. Blankert/J. M. Montias: Vermeer. Paris 1986, S. 71, 87, 90, 172, Nr. 3.

1336 *Brieflesendes Mädchen am offenen Fenster.* Um 1659. Reste der Bezeichnung zwischen der Mädchengestalt und dem Vorhang rechts. Leinwand, 83×64,5 cm. 1742 durch de Brais aus Paris. *Farbtafel 39*

1336 Vermeer van Delft

Der Vorhang ist bei Vermeer ein beliebtes, mehrmals gebrauchtes Kunstmittel, war aber, wie durch Röntgenuntersuchungen festgestellt werden konnte, nicht ursprünglicher Bestandteil der Komposition, sondern hat erst in einer späteren Arbeitsphase die heutige Form erhalten. Ursprünglich befand sich im oberen Bildteil ein stehender Cupido, wie er als Bild im Bilde unter anderem bei der «Stehenden Virginalspielerin» in der Londoner Nationalgalerie vorzufinden ist. Auch die Figur der Briefleserin war ursprünglich weiter rechts konzipiert, was ein anderes Verhältnis zum Raum bewirkte, und rechts unter dem grünen Vorhang unten in der Ecke befanden sich ein Römer und ein venezianisches Flügelglas. Alle diese Attribute, sowohl den Römer und das Flügelglas als auch das Bild mit dem Cupido, hat Vermeer wieder zugemalt. Die Hinzufügung des Vorhangs und die Ruhe der Formen geben dem Bild nun eine Würde, die sich weit über anekdotische Züge erhebt. Immerhin wissen wir aber heute, daß unter den Malschichten jene Bestandteile schlummern, die wohl zu der Vieldeutigkeit und Suggestivität des Bildes beitrugen.

Literatur: Blankert 1975, S. 48/49. – A. Mayer-Meintschel: Die Briefleserin von Jan Vermeer van Delft – zum Inhalt und zur Geschichte des Bildes. In: Jahrbuch der Staatlichen Kunstsammlungen Dresden, 11, 1978/79 (erschienen 1982), S. 91–99. – Aillaud/Blankert/Montias 1986, S. 94, 173/174, Nr. 6.

Vermeer van Haarlem der Ältere, Jan Geboren 1628 in Haarlem, dort gestorben 1691. Er kam 1638 im Alter von zehn Jahren zu Jacob de Wet in die Lehre. 1654 Eintritt in die Haarlemer Gilde. Als Landschaftsmaler weiterentwickelt unter dem Einfluß des Jacob van Ruisdael, später wohl auch des Philips Koninck.

1388 A Vermeer van Haarlem d.Ä.

1388 A *Blick von den Dünen auf die holländische Ebene.* Bezeichnet rechts unten: J. v. Meer. Eichenholz, 33×63 cm. 1883 von O. Pein in Berlin.

Im Vordergrund links und rechts beschattete Dünen, die den Blick in die Ferne, die weite holländische Ebene wiedergeben. Der Horizont liegt ganz tief. Im Mittelgrund ein Kirchdorf mit einem Teich. Vorn auf einem Hügel sitzt ein Mann, den Rücken zum Beschauer gewendet, ein Motiv, das vor allem im 19. Jahrhundert bei den Künstlern der deutschen Romantik erneut aufgegriffen wurde.

Literatur: E. Plietzsch: Holländische und flämische Maler des XVII. Jahrh. Leipzig 1960, S. 102. – B. Haak: Das Goldene Zeitalter der holländischen Malerei. Köln 1984, S. 386.

Veronese, Paolo, eigentlich Paolo Caliari, genannt Paolo Veronese. Geboren 1528 in Verona, gestorben 1588 in Venedig. Schüler des Antonio Badile in Verona, seit 1553 in Venedig ansässig, beeinflußt von Tizian und Raffael, in der Spätzeit auch etwas von Tintoretto und Jacopo Bassano. Zu einem wesentlichen Teil seiner Entwicklung auf sich selbst gestellt, wurde er neben dem alten Tizian und Tintoretto zum führenden venezianischen Meister des 16. Jahrhunderts. Seine Malerei bewahrt in ihrer festlichen Schönheit und dekorativen Heiterkeit in einer Spätrenaissance die klassischen Gestaltungsideale.

223 *Die Darstellung im Tempel.* Um 1555–1560. Leinwand, 186×417 cm. 1747 durch Ventura Rossi aus der Casa Bonfadini in Venedig.

Wie das Lukasevangelium (2, 22–38) berichtet, wurde das Jesuskind von Maria und Joseph (40 Tage nach seiner Geburt) dem Brauch gemäß im Tempel von Jerusalem Gott Jahve geweiht. Der Hohepriester im prachtvollen Ornat empfängt die Heilige Familie, während links dahinter eine alte Frau die zum Opfer bestimmten zwei Tauben herbeibringt. Rechts am Altar steht ein Schriftgelehrter mit einem Folianten. Die fast friesartige Darstellung wurde früher verschiedenen Nachfolgern Veroneses zugeschrieben, von Fiocco (1926) aber als dessen unbestreitbares Jugendwerk erkannt. Die stark plastischen Bewegungsmotive in Verbindung mit der antikisierenden Säulenarchitektur deuten auf römische Einflüsse Raffaels, Giulio Romanos und Michelangelos.

Literatur: T. Pignatti: Veronese. Venezia 1976, I, Nr. 49.

224–227 Bilder einer Serie von Gemälden, gemalt für die Patrizierfamilie Cuccina in Venedig und 1746 aus der herzoglichen Galerie in Modena für Dresden angekauft.

Literatur: R. Gallo: Per la datazione delle opere del Veronese. In: Emporium 1939, S. 145–152.

224 *Die Madonna mit der Familie Cuccina.* 1571. Leinwand, 167×416 cm.

In Form des zur Verehrung geschaffenen Devotionsbildes erscheint die auftraggebende Familie Cuccina hier selbst in Anbetung der Madonna mit Johannes dem Täufer – im Fellgewand – und dem heiligen Hieronymus – gleichzeitig Büßer und Gelehrter –, begleitet von einem Engel. Nächst den Säulen kniet das Ehepaar Cuccina mit der ältesten Tochter, umgeben von den anderen Kindern und zwei Brüdern des Mannes, geleitet von den drei christlichen Tugenden Glaube, Hoffnung und Liebe in weißem, grünem und rotem Gewand. Ganz rechts, vom Bildrand überschnitten, die Amme mit dem jüngsten Kind, nach dessen Geburtsjahr 1570 das Bild datiert werden kann. Im Hintergrund der Palast der Familie am Canal Grande. Das Familienbildnis ist gleichermaßen durch fromme Ergebenheit und stolzes Selbstbewußtsein der Renaissancemenschen bestimmt.

Literatur: Pignatti 1976, I, Nr. 167.

225 *Die Anbetung der Könige.* Bald nach 1571. Leinwand, 206×455 cm. *Farbtafel 7*

In der gleichen friesartig-bildparallelen Komposition wie die drei anderen Gemälde für die Familie Cuccina hat Veronese die Anbetung des neugeborenen Jesuskindes durch die drei Könige aus dem Morgenlande (Matthäus 2, 1–12) zu einer pracht-

223 Veronese

224 Veronese

225 Veronese

vollen Schaustellung gemacht, die den Reichtum und die hohe Kultur Venedigs spiegelt. Veronese hat links auch einen der Hirten einbezogen, die sonst meist getrennt von den Königen in Anbetung dargestellt sind.

Literatur: Pignatti 1976, I, Nr. 168.

226 *Die Hochzeit zu Kana.* Bald nach 1571. Leinwand, 207×457 cm.

Auf der Hochzeit zu Kana verwandelte Jesus, der mit seiner Mutter Maria und den Jüngern zu Gast war, in einer Wundertat Wasser in Wein, als der vorhandene Wein zu Ende gegangen war (Johannes 2, 1–11). Dieses Wunder gilt als Hinweis auf das Abendmahl. Veronese schildert den Augenblick, da der neue, bessere Wein gebracht, ausgeschenkt und geprüft wird. Christus sitzt neben Maria an der Tafel. In der zentralen Gestalt des Speisemeisters im orangefarbenen Gewand wird ein Selbstbildnis des Malers gesehen. Die Braut ganz links am Bildrand ähnelt – sicherlich nicht zufällig – der ältesten Tochter der Familie Cuccina, im Madonnenbild (Gal.-Nr. 224) zwischen ihren Eltern zu sehen. Die Würde der Szene wird gesteigert durch die bei Veronese häufige Einbeziehung monumentaler Architektur.

Literatur: Pignatti 1976, I, Nr. 170.

227 *Die Kreuztragung Christi.* Bald nach 1571. Leinwand, 166×414 cm.

Beim Zug zur Hinrichtungsstätte Golgatha ist Christus unter der Last des Kreuzes in die Knie gesunken. Ein Henkersknecht sucht ihn am Strick weiterzuziehen, während ein anderer, ebenfalls gelb gekleideter Knecht hinter ihm die Geißel gegen ihn schwingt. Simon von Kyrene, der vom Feld gekommen ist, faßt den Kreuzesstamm, um Christus zu entlasten (Matthäus 27, 31–32), und die heilige Veronika, eine Anhängerin Christi, hält ein Tuch bereit, um diesem den Schweiß abzutrocknen; nach der Legende erhielt sie das Schweißtuch mit dem Abdruck der Gesichtszüge zurück. Das Bild ist nach Meinung einiger Forscher (Vertova, Pallucchini) unter Beteiligung der Werkstatt entstanden, nach anderen (Crosato) jedoch eigenhändig. Nach einer alten Überlieferung (Heinecken) ist in dem Antlitz des Johannes am rechten Bildrand, der Maria stützt, ein Selbstbildnis Veroneses zu sehen. Fiocco hält die Kreuztragung für das spätere Bild der Serie.

Literatur: Walther 1968, Nr. 107. – Pignatti 1976, I, Nr. 169.

226 Veronese

227 Veronese

228 *Der Hauptmann von Capernaum vor Christus.* Um 1581/82. Gegenstück zu Gal.-Nr. 229. Leinwand, 178×275 cm. 1747 aus der Casa Grimani de'Servi in Venedig.

Der Hauptmann ist vor dem von seinen Jüngern begleiteten Christus auf die Knie gesunken und bittet ihn, seinen gichtbrüchigen Knecht zu heilen (Matthäus 8, 5–13). Das Bild entstand vermutlich unter Beteiligung von Schülern Veroneses, abgeleitet von einem eigenhändigen ähnlichen im Prado, Madrid, das um 1571 datiert wird; eine Replik davon befindet sich im Museum of Fine Arts, Kansas City (USA). Pignatti hält es nicht für eigenhändig, doch darf die Beziehung als Gegenstück zur Findung Mosis nicht unbeachtet bleiben.

Literatur: R. Marini: L'opera completa del Veronese. Milano 1968, Nr. 154b. – Pignatti 1976, I, Nr. 165.

228 Veronese

229 *Die Findung Mosis.* Um 1581/82. Gegenstück zu Gal.-Nr. 228. Leinwand, 178×277 cm. Herkunft wie Gal.-Nr. 228.

Um die Zahl der möglichen künftigen Feinde zu vermindern, ließ der Pharao die neugeborenen Knaben der Israeliten in Ägypten töten. Der zum späteren Anführer seines Volkes ausersehene Moses wurde gerettet, indem seine Mutter ihn in einem Rohrkästchen im Schilf des Flußufers aussetzte, wo er von der Tochter des Pharaos entdeckt und zum Aufziehen einer Israelitin, unwissentlich der Mutter Mosis, übergeben wurde (2. Buch Mose, 1, 8–16, 2, 2–9). Veronese hat das Geschehen in seine eigene Zeit und Umgebung übertragen und ein kulturgeschichtlich interessantes Sittenbild geschaffen. Die Stadt am Fluß kann an Veroneses Geburtsstadt Verona erinnern. Im Gegensatz zu dem Bild im Prado, Madrid, ist das schöne und gewiß beliebte Motiv hier ins Querformat gebracht. Von beiden Varianten gibt es mehrere Wiederholungen unterschiedlicher Qualität.

Literatur: Pignatti 1976, I. Nr. 242. – W. R. Rearick, in: Paolo Veronese. Disegni e Dipinti. Katalog der Ausstellung Venedig 1988. Vicenza 1988, Nr. 63.

229 Veronese

230 *Der barmherzige Samariter.* Um 1582–1586. Leinwand, 167×253 cm. 1746 aus der herzoglichen Galerie in Modena.

Ein Mann wurde auf dem Weg von Jerusalem nach Jericho von Räubern überfallen. Ein Priester und ein Levit gingen an dem Schwerverletzten ungerührt vorüber, und erst der Samariter leistete ihm Hilfe, wie er es ihm als seinem Nächsten schuldig war (Lukas 10, 30–37). Den Hauptteil des Bildes nimmt die gobelinartig aufgefaßte Landschaft ein, die das starke venezianische Naturempfinden offenbart. Die linke Bildhälfte wiederholt sich in einem Gemälde der Bob Jones University Greenville, das aber wohl nur als Kopie anzusehen ist.

Literatur: Pignatti 1976, I, Nr. 327.

230 Veronese

235 *Die Auferstehung Christi.* Zwischen 1570–1575. Leinwand, 136×104 cm. 1741 durch den Galerieinspektor Riedel aus Wien.

Die Auferstehung Christi von den Toten am dritten Tage nach seiner Kreuzigung ist Kernstück der christlichen Erlösungslehre (Matthäus 27, 57–28,7). Joseph von Arimathia, ein Anhänger Christi, hatte den Leichnam von Pilatus erbeten und ihn in dem für sich selbst vorbereiteten Grab beigesetzt, das von den Hohenpriestern und Pharisäern zur Verhinderung der angekündigten Auferstehung versiegelt und bewacht wurde. In Veroneses Bild erhebt Christus sich in einer Aureole sieghaft

235 Veronese

aus dem Grab über die erschreckten, machtlosen Wächter. Nach dem mittelalterlichen Prinzip der Simultaneität ist im Hintergrund in einer zeitlich späteren Szene gezeigt, wie ein Engel den frommen Frauen, die am Ostersonntagmorgen das Grab leer vorgefunden haben, die Auferstehung Christi mitteilt. Ehe sich der Sinn für die Ausdrucksmittel des Manierismus entwickelte, galt dieses Meisterwerk als Werkstattbild.

Literatur: Pignatti 1976, I, Nr. 184. – R. Cocke, in: The Genius of Venice 1500–1600. Katalog der Ausstellung London 1983/84. London 1983, Nr. 143.

236 Veronese

236 *Bildnis des Alessandro Contarini.* Um 1565. Leinwand, 132 × 102 cm. 1744 aus der Casa Grimani Calergi in Venedig.

Das Bild verkörpert den besonders von Tizian gepflegten Typus des Dreiviertelporträts und ist wiederholt mit Tizians «Maler mit der Palme» (vgl. Gal.-Nr. 172) verglichen worden. Nach alter Überlieferung wurde der Dargestellte früher als Daniele Barbaro angesehen, ist aber nach D. v. Hadeln vielmehr Jacopo Contarini aus der angesehenen venezianischen Familie, die auch zahlreiche Dogen stellte.

Literatur: Pignatti 1976, I, Nr. 141.

Victors, Jan Geboren 1619 in Amsterdam, gestorben nach 1676 in Ostindien. Halbbruder des Stillebenmalers Jacomo Victors. In den dreißiger Jahren Schüler Rembrandts, der seinen frühen Stil beeinflußte. Bis 1676 wohl in Amsterdam tätig, danach reiste er nach Ostindien. Malte biblische Historien und Genreszenen, daneben auch einige Porträts und mythologische Szenen. Charakteristisch für seine Historien ist der lineare Bildaufbau und die an eine Theateraufführung gemahnende Inszenierung der Erzählung.

1615 Victors

1615 *Die Findung Mosis.* 1653. Gegenstück zu Gal.-Nr. 1616. Bezeichnet links unten: Jan Victors fe. 1653. Leinwand, 160 × 199 cm. Zuerst im Katalog von 1835.

Das Bild schildert die im Alten Testament (2. Buch Mose 2, 5–9) erzählte Episode aus der Kindheit des Moses. Er war im Alter von drei Monaten von der Mutter ausgesetzt worden, die damit den Befehl des Pharaos umgehen wollte, nach dem alle in Ägypten geborenen Knaben aus dem Volke Israel zu töten seien. Die Tochter des Pharaos fand den weinenden Knaben, der ihr Mitleid erweckte. Sie beauftragte eine hebräische Mutter – es war die Mutter Mosis – das Kind zu stillen und aufzuziehen. Dieser Moment ist in Victors' Gemälde dargestellt. Als Mittlerin zwischen der Mutter Mosis und der Tochter des Pharaos steht die ältere Schwester des Knaben. Das Gemälde gehört zu der Gruppe von Werken, in der Victors malerische Vollkommenheit erreicht hat bei übersichtlicher, geordneter Komposition mit klassizistischer Tendenz. Gelungen ist zudem die tonige Malerei, bei der sich der Künstler auf verschiedene Brauntöne beschränkt, in Kombination mit Rot und glänzendem Weiß.

Literatur: W. Sumowski: Gemälde der Rembrandt-Schüler. Landau 1983, Bd. IV, S. 2591, 2607, Nr. 1766.

1616 *Die Findung des Bechers in Benjamins Sack.* Um 1653. Gegenstück zu Gal.-Nr.1615. Bezeichnet links unten: Johannes Victors fc. Leinwand, 179 × 196,5 cm. Zuerst im Katalog von 1835.

Beim Anbruch der «mageren» Jahre schickt Jakob seine Söhne nach Ägypten, um Getreide zu kaufen. Sie kommen zu ihrem Bruder Joseph von Ägypten, den sie jedoch nicht erkennen. Joseph erkennt seine Brüder und stellt sie auf eine Probe. Er bewirtet sie und legt ihnen auf die Getreidesäcke Geld. In den Sack des jüngsten Bruders, Benjamin, läßt er einen silbernen Becher legen. Die Brüder finden das Geld und geben es zurück, den Becher entdecken sie nicht. Benjamin wird des scheinbaren Diebstahls überführt und soll gefangengesetzt werden. Schließlich gibt Joseph sich seinen Brüdern zu erkennen und schickt alle zurück, um auch den Vater Jakob nach Ägypten zu holen. Victors schilderte den Moment der Findung des Bechers (1. Buch Mose 44, 1–22). Joseph deutet auf den des Diebstahls verdächtigten Benjamin, der seine Unschuld beteuert. Seine durch den Fund des Bechers überraschten Brüder bitten um Vergebung.

Literatur: Sumowski 1983, Bd. IV, Nr. 1765.

1616 Victors

Vinckboons, David Geboren 1578 in Mecheln, gestorben nach 1632 in Amsterdam. Schüler seines Vaters Philips Vinckboons, mit dem er 1591 nach Amsterdam übersiedelte. Malte Landschaften, die mit biblischen, mythologischen und genreartigen Themen staffiert sind. In der Schilderung des Volkslebens steht er noch in der Tradition Pieter Bruegels des Älteren, in der Landschaftsdarstellung vertritt er einen manieristischen Stil.

937 *Kirmestreiben auf einem Dorfplatz unter Bäumen.* Um 1611. Eichenholz, 52 × 91,5 cm. Zuerst im Katalog 1817.

Zur Kirmes, dem Kirchweihfest, wurden in den Niederlanden Festmahlzeiten, Umzüge, Jahrmärkte abgehalten. Vinckboons erweist sich hier als echter Chronist der Zeit. Bis ins Detail schildert er jede Einzelheit, die kulturgeschichtlich bis heute nichts an Wirkung verloren hat. Alte Volksbräuche und Sitten kann man nacherleben. Im Vordergrund wird ein Rundtanz aufgeführt, zu dem ein Dudelsackpfeifer aufspielt. Im Hintergrund findet das Gänseziehen statt. Führte man das Spiel in Grachten oder Flußläufen auf, so spannte man von Ufer zu Ufer ein Drahtseil, an dem eine Gans festgehalten wurde, die die Spieler vom Boot aus treffen mußten; zu Lande benutzte man ein Pferd, von dem der Reiter die Gans abschneiden mußte. Die noch etwas kulissenartig aufgebaute Landschaft mit dem kleinen Ausblick in die Ferne ist der Tradition der Frankenthaler Malerschule, vor allem Coninxloo, verpflichtet.

Literatur: K. Goosens: David Vinckboons. Antwerpen/'s-Gravenhage 1954, S. 78.

937 Vinckboons

Vogel, Christian Leberecht Geboren 1759 in Dresden, dort gestorben 1816. An der Dresdener Akademie Schüler von Schenau. Seit 1780 Hausmaler der gräflichen Familie von Solms auf Schloß Wildenfels bei Zwickau. 1804 Rückkehr nach Dresden. 1814 Professor an der Dresdener Kunstakademie. Vater des Carl Christian Vogel von Vogelstein.

2189 Vogel

2189 *Die Söhne des Künstlers.* 1792/93. Leinwand, 75,5 × 95,5 cm. 1817 von den Erben des Künstlers.

Die Datierung des Bildes ergibt sich aus den Lebensdaten der dargestellten Söhne: Der ältere Sohn, der spätere Maler Carl Vogel von Vogelstein (geadelt 1831), ist 1788 geboren, der jüngere Sohn Friedrich 1790.

Die gleiche Komposition zeigte schon das früher entstandene Doppelbildnis der Prinzen Otto Victor und Alfred von Schönburg (1848 beim Brand des Schlosses vernichtet). Das gefühlvolle und ansprechende, in bräunlichen Tönen etwas unbestimmt gehaltene Werk gehört zu den beliebtesten Kinderbildnissen der Galerie. Es existierte angeblich in 18 eigenhändigen Wiederholungen. Eine Kohlezeichnung zu dem Bild aus der Nationalgalerie Berlin, Sammlung der Zeichnungen, war 1961 in Halle/Saale ausgestellt. Steffi Röttgen hat im Gespräch auf Einflüsse aus dem Werk von Angelica Kauffmann und mehr noch Sir Joshua Reynolds hingewiesen.

Literatur: O. E. Schmidt: Fürst Otto Karl Friedrich von Schönburg und die Seinen. Familienleben und Kunstpflege eines fürstlichen Hauses im Zeitalter der Empfindsamkeit und der Romantik. Leipzig 1931, S. 56–58. – H. Marx, in: Königliches Dresden. Ausstellungskatalog. München 1990, Nr. 36.

2189 B Vogel

2189 B *Kind mit Puppe.* Leinwand, 48 × 43 cm. 1937 Vermächtnis Johann Friedrich Lahmann.

Das liebenswürdige, in strahlend klaren Farben porzellanglatt gemalte Bild zeigt so deutlich biedermeierliche Züge, unterscheidet sich so sehr von den sicheren Werken des Künstlers, daß man die traditionelle Zuschreibung an Vogel vielleicht wird in Frage stellen müssen.

Volterra, Daniele da, eigentlich Daniele Ricciarelli, genannt Daniele da Volterra. Geboren 1509 in Volterra (Provinz Pisa), gestorben 1566 in Rom. Schüler des Sodoma, dann Gehilfe des Baldassare Peruzzi, mit dem er vielleicht 1535 von Siena nach Rom ging. Dort Gehilfe des Pierino del Vaga, gefördert und stark beeinflußt von dem eng mit ihm befreundeten Michelangelo, zu dessen bedeutendsten Nachfolgern er gehört. Das michelangeleske bildnerische Ideal gesteigerter Körperlichkeit wurde von ihm schöpferisch weiterverfolgt.

84 *Moses am Berge Sinai.* Zwischen 1545–1555. Pappelholz, 139×99,5 cm. Inventar 1754, I 197, als «autore incerto».

Beim Auszug des Volkes Israel aus Ägypten in seine Heimat wurde Moses von Gott in der Wüste auf den Berg Sinai befohlen, um die zehn Gebote und andere Weisungen zu empfangen. Währenddessen errichteten die sich führerlos wähnenden Israeliten auf Geheiß von Mosis Bruder Aaron ein goldenes Kalb als Götzenbild. Aus Zorn darüber zerschmettert der zurückkehrende Moses die eben empfangenen zwei Gesetztafeln und setzt das Volk in Schrecken (2. Buch Mose, 19, 1–3; 31, 18; 32, 1–19). Die wuchtigen Gestalten mit ihren vom Manierismus bestimmten, gewaltsamen Bewegungen und die spannungsvolle Komposition entsprechen dem Pathos des alttestamentlichen Stoffes. Das Bild galt lange als Werk Bronzinos, wurde von G. Frizzoni (vor 1887) dem Florentiner Carlo Portelli (gestorben 1574), Schüler des Ridolfi Ghirlandaio, zugeschrieben, von H. Voss (1913) schließlich als Daniele da Volterra erkannt. Die Datierung ist schwankend.

Literatur: H. Voss, in: Jahrbuch der Preußischen Kunstsammlungen 1913, S. 303. – Ders., in: Die Malerei der Spätrenaissance in Rom und Florenz. I, S. 132. – P. Barolsky: Daniele da Volterra. A Catalogue Raisonné. New York, London 1979, S. 67–69.

84 Volterra

Vouet, Simon Geboren 1590 in Paris, dort gestorben 1649. Erste Ausbildung bei seinem Vater Laurent Vouet. Früh ging er auf Reisen, zuerst nach England, 1611 nach Konstantinopel, 1612 nach Venedig, von dort 1613 nach Rom, von Rom aus 1621 nach Genua; dann war er wieder in Rom ansässig, bis er, nach 15jährigem Italienaufenthalt, 1627 über Venedig nach Frankreich zurückkehrte. Die Helldunkel-Malerei Caravaggios hat ihn in Italien beeinflußt. In Paris wurde er schnell zur einflußreichsten Malerpersönlichkeit der Epoche des Kardinals Richelieu und König Ludwigs XIII. Mit beeindruckender schöpferischer Produktivität schuf er durch zwei Jahrzehnte sowohl monumentale Dekorationen als auch Altarbilder und eine Fülle von Gemälden unterschiedlichster Thematik. Leuchtende Klarheit der Farben und das klassizistisch geläuterte Pathos seiner Figuren (von ansonsten barocker plastischer Kraft) geben den Werken ihre überzeugende Wirkung.

714 Vouet

714 *Die Entrückung des heiligen Theodor.* 1627. Leinwand, 269×148 cm (ursprünglich oben halbrund). Inventar «vor 1741» (Steinhäusers Inventar in 8°), Nr. 2256. Demnach durch Raymond Le Plat 1731 zur Galerie geliefert (als Cagnacci). Inventar 1754, II, 547 (als Vouet).

Der heilige Theodor ist neben dem Evangelisten Markus einer der beiden Schutzpatrone von Venedig. Als Heiliger der Ostkirche war seine frühe Verehrung in der Lagunenstadt Ausdruck der Abhängigkeit von Byzanz, während die Verehrung des heiligen Markus die Bestrebungen der Venezianer nach Eigenständigkeit unterstrich. Theodor hatte nach der Legende im Heer unter dem römischen Kaiser Maximilian gedient, nach der einen Überlieferung als einfacher Soldat, nach der anderen als Heerführer. Er starb als Märtyrer auf dem Scheiterhaufen. Die Darstellung wurde lange Zeit für eine «Apotheose des heiligen Ludwig» gehalten und ist erst von Jacques Thuillier 1963 richtig bestimmt worden. Gemalt 1627 als Auftrag der Scuola di Theodoro in Venedig, wie Vouet selbst in einem Brief an Ferrante Carlo festgestellt hat (von Thuillier zitiert), und bestimmt gewesen für einen Nebenaltar der Kirche San Salvatore. Das Verhältnis zu einem Altarbild von Pietro Mera, das offensichtlich Vouets Vorbild war und das sich noch heute am Ort befindet, bleibt unklar. Die auf deutliche Fernwirkung hin komponierte «Entrückung des heiligen Theodor» ist venezianisch inspiriert (der Kinderengel links trägt einen blauen Schleier mit einer Ansicht der Stadt) und «löst sich von fast allem, was Vouet in Rom gelernt hatte» (Thuillier 1963). Der Einfluß Caravaggios verliert sich, doch hat dieses letzte in Italien entstandene Bild noch nicht die leuchtend helle Farbigkeit der Werke der späteren Pariser Zeit.

Literatur: J. Thuillier: Simon Vouet. In: A. Châtelet/J. Thuillier: La peinture française. I. De Fouquet à Poussin. Genève 1963, S. 198. – Vouet. Ausstellungskatalog. Paris 1990, Nr. 21.

781 Watteau

Watteau, Antoine Geboren 1684 in Valenciennes (Nord), gestorben 1721 in Nogent-sur-Marne (Seine). Lernte in seiner Vaterstadt bei Jacques-Alert Gérin und ging mit 16 oder 17 Jahren nach Paris, wo er von etwa 1704–1708 bei Claude Gillot arbeitete, in dessen Werk ihm zuerst das Theater, besonders die «commedia dell'arte», als Motiv der Malerei begegnete. Schloß sich dann Claude Audran an, der ihn auf dem Gebiet der Ornamentmalerei beeinflußte. 1709/10 vorübergehend wieder in Valenciennes, 1719/20 in London. Wurde 1712 Kandidat der Académie Royale, Mitglied aber erst 1717 als «Maître des fêtes galantes». Watteaus Entwicklung fällt in die späten Regierungsjahre Ludwigs XIV., der Höhepunkt seines Schaffens schon in die Régence (1715–1723).

781 *Gesellige Unterhaltung im Freien.* Um 1720 (?). Leinwand, 60 × 75 cm. Inventar Guarienti (1747–1750), Nr. 1748.

Farbtafel 28

Watteau kam in Paris in einen Kreis von Künstlern, Kunsthändlern und Sammlern (Sirois, Gersaint, Crozat, Jean de Julienne; Gillot, Audran, N. Vleughels), die sich vom «grand goût» der Kunst am Hof des Sonnenkönigs abgewandt hatten: Szenen aus dem Alltag, galante Abenteuer, Dekorationen, Chinoiserien und das Theater interessierten jetzt. Watteaus Kunst, die vorbildlich für einen ganzen Zweig der französischen, ja der europäischen Malerei wurde, war die sehr persönliche Antwort auf künstlerische Fragen, die in der Zeit lagen. So gilt Watteau heute als Verkörperung des Geistes und der aristokratischen Kultur des vorrevolutionären 18. Jahrhunderts in Frankreich schlechthin, obwohl der Künstler bereits starb, als dieses 18. Jahrhundert gerade erst begonnen hatte.

Literatur: H. Adhémar: Watteau – sa vie – son œuvre. Paris 1950, Nr. 18. – Y. Boerlin-Brodbeck: Antoine Watteau und das Theater. Phil. Diss. Basel 1973, S. 221f. – F. Moureau, M. Morgan Grasselli: Antoine Watteau – le peintre, son temps et sa légende. Paris 1987, Nr. 57.

782 Watteau

782 *Das Liebesfest.* Um 1717 (?). Leinwand, 61×75 cm. Inventar Guarienti (1747–1750), Nr. 1747.

Die beiden Dresdener Gemälde «Das Liebesfest» und die «Gesellige Unterhaltung im Freien» gelten oft als Gegenstücke, doch sind sie – beides Meisterwerke – dafür zu unterschiedlich in Komposition und Durchführung: die «Gesellige Unterhaltung» klar und fest, in bildparallelen Streifen gebaut, präzise und dicht im «Baumschlag», das «Liebesfest» diagonal in die Tiefe führend, zart verschwebend, schleierhaft in den geradezu entmaterialisierten Baumkronen. Thematische Anregungen für Watteaus «fêtes galantes» könnte die berühmte Darstellung des «Liebesgartens» von Rubens gegeben haben. Auch andere flämische Meister, wie David Teniers d. J., haben ihn beeinflußt. Er hat deren Landschaften mit vielen kleinen Figürchen aber nicht übernommen, sondern zu ganz eigenem umgeformt, indem er die kultivierte Geselligkeit von Pariser Aristokraten an die Stelle derber flämischer Dorffeste setzte. Dabei bediente sich Watteau zarter Farbigkeit und feinnerviger Pinselführung, wie sich auch an diesem Werk zeigt.

Literatur: Adhémar 1950, Nr. 194. – Antoine Watteau. Ausstellungskatalog. Paris/Berlin/Washington 1984, S. 176, 387, 407.

3984 Weitsch

Weitsch, Georg Friedrich Geboren 1758 in Braunschweig, gestorben 1828 in Berlin. Sohn des Landschaftsmalers Johann Friedrich Weitsch, genannt Pascha. Schüler seines Vaters und des Johann Heinrich Tischbein in Kassel. 1783/84 in Düsseldorf, 1784–1787 in Amsterdam und Italien. 1787 Hofmaler in Braunschweig. 1794 Mitglied und 1798 Rektor der Akademie in Berlin, wo er 1798 auch Hofmaler wurde. Beeinflußt von den Werken Anton Graffs und Johann Friedrich Tischbeins, fand Weitsch früh eine persönliche Ausdrucksweise. Bekannt ist sein Bildnis Alexander von Humboldts in der Nationalgalerie Berlin.

3984 *Fürst Heinrich XLIV. Reuß.* 1806. Bezeichnet rechts neben der Schulter: FGW. f. 1806. Leinwand, 73×58 cm. Nach 1945 zur Galerie.

Dargestellt ist Fürst Heinrich XLIV. Reuß, jüngere Linie, zu Köstritz (1753–1832; nicht regierend). War bis 1817 Graf, dann Fürst. Die leuchtende, ein wenig glasige Farbigkeit und die plastische Deutlichkeit des klar und flüssig gemalten Bildnisses sind bezeichnend für Weitsch und für die Bildnismalerei des beginnenden 19. Jahrhunderts überhaupt.

1812 van der Werff

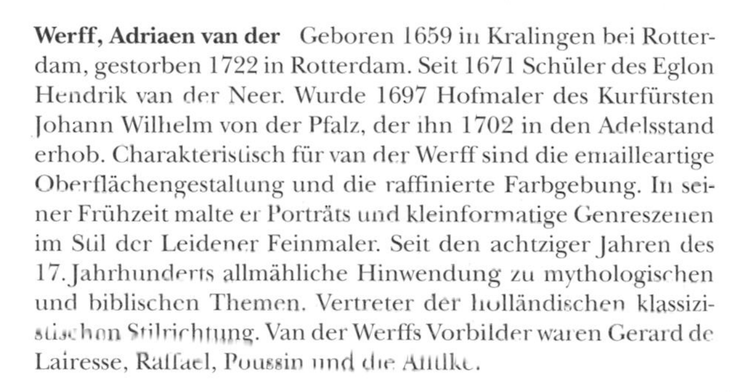

Werff, Adriaen van der Geboren 1659 in Kralingen bei Rotterdam, gestorben 1722 in Rotterdam. Seit 1671 Schüler des Eglon Hendrik van der Neer. Wurde 1697 Hofmaler des Kurfürsten Johann Wilhelm von der Pfalz, der ihn 1702 in den Adelsstand erhob. Charakteristisch für van der Werff sind die emailleartige Oberflächengestaltung und die raffinierte Farbgebung. In seiner Frühzeit malte er Porträts und kleinformatige Genreszenen im Stil der Leidener Feinmaler. Seit den achtziger Jahren des 17. Jahrhunderts allmähliche Hinwendung zu mythologischen und biblischen Themen. Vertreter der holländischen klassizistischen Stilrichtung. Van der Werffs Vorbilder waren Gerard de Lairesse, Raffael, Poussin und die Antike.

1812 *Schäferszene.* 1689. Bezeichnet unten rechts: adr[n] van der werff fec. an 1689. Eichenholz, 58,5×47,5 cm. 1710 als Geschenk des Kurfürsten von der Pfalz erworben. Inventar 1721, A 568.

Erstmals in den achtziger Jahren des 17. Jahrhunderts wandte sich van der Werff dem Thema der Hirtenszenen zu und zeigte sich damit in der Wahl des Sujets als unabhängig. Die stärkere Rückbesinnung auf die Kunst der Antike und der italienischen Renaissance wurde gefördert durch Jan de Bisschops Sammelbände der «Signorum Veterum Icones» von 1671, Musterbücher, in denen Nachstiche mythologischer und arkadischer Szenen italienischer Künstler und antiker Darstellungen abgebildet sind. Als Vorlage für den im Hintergrund von van der Werffs Gemälde abgebildeten tanzenden Satyr diente eine seitenverkehrte Wiedergabe in de Bisschops «Icones». Motivisch verwandt ist C. Netschers Schäferszene in München, Bayerische Staatsgemäldesammlungen.

Literatur: B. Gaehtgens: Adriaen van der Werff. 1659–1722. München 1987, S. 113f., 224, Nr. 20.

1819 *Maria mit dem Jesusknaben und Johannes.* 1715. Bezeichnet links am Stein: Chev[r]v[r] Werff fec an[o] 1715. Holz, 46×34 cm. Inventar Guarienti (vor 1753), Nr. 1580.

In diesem späten Werk des Künstlers erinnern die sich umarmenden Knaben Jesus und Johannes an niederländische manieristische Venus- und Adonisdarstellungen. Das Haltungsmotiv des Johannes findet sich in Poussins «Heilige Familie mit sechs Putten» (Devonshire Coll., Chatsworth) bei dem Christusknaben wieder.

Literatur: Gaehtgens 1987, S. 158, 336, Nr. 84.

1819 van der Werff

1820 *Die Verkündigung.* 1718. Bezeichnet rechts unten: Chev[r] vand[r] Werff fec. an[o] 1718. 1895 von Eichenholz auf Leinwand übertragen, 71×52 cm. Inventar Guarienti (1747–1750), Nr. 71.

Van der Werff verlieh der Maria die Züge seiner Tochter Maria, die im Entstehungsjahr des Gemäldes ihr erstes Kind erwartete. Noch im selben Jahr wurde das Bild zusammen mit anderen, darunter auch das Gemälde «Maria mit dem Jesusknaben und Johannes», an den Grafen Czernin in Prag verkauft. Auch Adriaen van der Werffs Bruder Pieter hat daran gearbeitet.

Literatur: Gaehtgens 1987, S. 342, Nr. 89.

1820 van der Werff

1823 *Verstoßung der Hagar.* Um 1696/97 entstanden. Bezeichnet rechts unten: A.v.d.Werff. Leinwand, 87,5×69,5 cm. 1742 in Paris erworben.

Die kinderlose Sarah führte ihrem Mann Abraham ihre Magd Hagar als Nebenfrau zu. Diese gebar dem Abraham den Sohn Ismael. Doch nachdem Sarah den von Abraham gezeugten Sohn Isaak geboren hatte, wollte sie Hagar nicht mehr im Haus dulden. So mußte Abraham Hagar und Ismael verstoßen (1. Buch Mose 21, 10–14). Das Thema der Verstoßung der Hagar war vor allem im Umkreis von Rembrandt sehr beliebt. Die bei Rembrandt gestaltete Verknüpfung der Motive von Verstoßung und zugleich von Segnung und Abschied ist auch bei van der Werffs Darstellung wiederzufinden. Gegenstück zu der «Verstoßung» ist das Gemälde «Sarah führt Hagar zu Abraham» in der Ermitage, St. Petersburg. 1701 griff van der Werff das Motiv der Verstoßung nochmals auf (Rheinisches Landesmuseum Bonn). Es existieren zahlreiche Kopien nach dem Dresdener Gemälde.

Literatur: Gaehtgens 1987, S. 138ff., 272f., Nr. 46.

1823 van der Werff

800 van der Weyden, Werkstatt

Weyden, Rogier van der, Werkstatt Geboren um 1399/1400 in Tournai, gestorben 1464 in Brüssel. Seit 1427 Schüler des Robert von Campin in Tournai. Tätig in Brüssel, wo er 1436 als «Maler der Stadt» erwähnt ist. Um 1450 Reise nach Italien (Florenz und Ferrara).

800 *Christus am Kreuz mit Maria, Johannes und Magdalena.* Eichenholz, 33×20,5 cm. 1855 von Georg Schulz aus Celle (angeblich 1806 aus dem herzoglichen Schloß zu Braunschweig nach Paris verkauft).

Das Thema ist vom Künstler mehrfach behandelt worden. Die Figuren von Maria und Johannes gehen auf die des Wiener Triptychons von Rogier van der Weyden zurück (Wien, Kunsthistorisches Museum, Nr. 1886, um 1440), während Maria Magdalena dem Bild aus dem Prado, Madrid, entnommen ist. Dieselbe Komposition wie das Dresdener Bild – Vorder- und Hintergrund allerdings verändert – zeigte eine 1919 im Londoner Kunsthandel befindliche Fassung, benannt als «nach Rogier van der Weyden».

Literatur: Mayer-Meintschel 1966, S. 53 – M. J. Friedländer: Early Netherlandish Paintings. Leiden 1967, Bd. II, Nr. 90. – M. Davies: Rogier van der Weyden. München 1972.

1133 Wildens

Wildens, Jan Geboren 1586 in Antwerpen, dort gestorben 1653. Schüler des Pieter (I) van der Hulst seit 1596. 1604 Meister der Lukasgilde. Von 1613–1618 Italienreise, danach in Antwerpen tätig in der Werkstatt von Rubens.

1133 *Winterlandschaft mit einem Jäger.* 1624. Bezeichnet links unten: IAN. WILDENS FECIT 1624. Leinwand, 194×292 cm. Inventar 1722–1728, B 1233, als Kopie nach Wildens, in Moritzburg befindlich, angegeben; 1754 richtig als Original erkannt.

Das Jägerbild von Jan Wildens ist in gewissem Sinne keine Landschaftsdarstellung. Der Mensch erscheint nicht als Staffage, als Beiwerk der Natur, sondern als der ihr ebenbürtige Teil des Bildes. Der Jäger, offenbar ein Edelmann, schreitet mit seinem Spürhund und zwei Windspielen heimwärts. Besondere Reize des Bildes liegen in der hellen, kühlen Farbigkeit und vor allem im Kontrast der Szene rechts mit dem Jäger und Hunden – leichtem, bewegtem Leben – und der großen Gruppe winterlich bedrohter Natur links. Eine 1625 entstandene Version befindet sich in der Ermitage in St. Petersburg. Diese ist auch in der «Constkamer» des Antwerpener Kaufmanns Cornelis van der Geest, die Willem van Haecht 1628 malte, wiedergegeben und nicht, wie man früher annahm, die Dresdener Fassung.

Literatur: W. Adler: Jan Wildens. Der Landschaftsmitarbeiter des Rubens. Fridingen 1980, Nr. G 42.

Wouwerman, Philips Geboren 1619 in Haarlem, dort gestorben 1668. Bruder von Jan und Pieter Wouwerman. Schüler von Frans Hals, beeinflußt von Pieter Verbeeck und Pieter van Laer. 1638 in Hamburg. 1640 in Haarlem tätig, wo er Mitglied der Malergilde wurde. Pferde-, Landschafts- und Genremaler, tätig vornehmlich in Haarlem. Das Frühwerk weist häufig als Grundtönung ein warmes Braun auf, später wird ein silbergrauer Ton dominanter.

1408 *Landschaft mit rot bedecktem Wagen.* Bezeichnet in der Mitte unten: PH (ligiert) W. Holz, 43×51,5 cm. Zuerst im Katalog von 1817.

Dieses Gemälde belegt beispielhaft, daß Wouwerman ein sensibler Kolorist war und ein Gespür für Atmosphäre besaß. Die Weite der flachen Landschaft mit dem ruhig dahinfließenden Flüßchen, an dessen Uferböschung ein Mann sitzt, und dem einsamen Reiter erweckt eine melancholische Stimmung.

1408 Wouwerman

1422 *Das Haus des Scharfrichters.* Bezeichnet links unten mit dem Monogramm: PHILS. W. Leinwand, 56×68,5 cm. Inventar 1722–1728, A 448.

Das Bild, 1722 im Inventar noch mit dem Titel «Landschaft» geführt, erhielt im 19. Jahrhundert die Bezeichnung «Das Haus des Scharfrichters», vermutlich wegen des im Garten befindlichen Rades so genannt, in einer nach literarischen Inhalten in Bildern suchenden Zeit. Die einsame, wie verödet wirkende Landschaft, offen unter hohem Himmel, mag den melancholisch stimmenden Titel mit bedingt haben.

1422 Wouwerman

1425 *Reiter und Landmädchen.* Bezeichnet rechts unten: PHILS (ligiert) W (bei Restaurierung 1985 Signatur nicht gefunden). Leinwand, 41×51 cm. Inventar Guarienti (1747–1750), Nr. 1738.

In einer weiten hügeligen Landschaft erscheint rechts im Vordergrund ein vom Pferd abgestiegener Reiter, der eine junge Frau bedrängt. Wouwerman war ein begabter Pferdemaler. In zahlreichen seiner Werke erscheint ein Schimmel an zentraler Stelle.

Literatur: B. Schumacher: Studien zu Werk und Wirkung Philips Wouwermans. Phil. Diss. München 1989, Nr. 31.

1425 Wouwerman

1434 *Fischer am Strande.* Bezeichnet links unten: W. Holz, 55×60 cm. Inventar 1754, II 402.

Dieses Werk zeichnet sich durch eine geradezu illusionistische Raumauffassung aus. Wouwermans Vorliebe, die Landschaften mit vielen kleinen Figuren auszustatten, deren Tun genau beobachtet ist, kommt hier zum Ausdruck.

Literatur: K. J. Müllenmeister: Meer und Land im Licht des 17. Jahrhunderts. Bremen 1981, Bd. 3, S. 106, S. 548. – Schumacher 1989, Nr. 35.

1434 Wouwerman

1449 *Die Hirschjagd am Flusse.* Bezeichnet unten in der Mitte mit dem Monogramm: PHILS. W. Leinwand, 71,5×129 cm. Vermutlich 1742 oder 1743 durch de Brais aus der Sammlung Carignan in Paris, vorher bei der Comtesse de la Verrue.

Wouwermans Bilder erfreuten sich im 18. Jahrhundert besonderer Beliebtheit, wovon die große Zahl seiner Arbeiten in Dresden zeugt. Reiterszenen, Bauernrasten, Scharmützel und Jagden gehörten zu den Themen, die der Künstler bevorzugte. Hier eine Hirschjagd am Flusse, die sich in einer weit in die Ferne gedehnten, von silbrig-grauen Tönen beherrschten Landschaft vor einem Schlosse rechts entwickelt. Hätte der Künstler auf das Fabulieren, auf die eingehende Schilderung der lebensvollbewegten Szenen des Vordergrundes verzichtet, man könnte glauben, sich in Italien, in der Atmosphäre von Claude Lorrain, zu befinden.

Literatur: Müllenmeister 1981, Bd. 3, S. 109, Nr. 569. – P. C. Sutton: Masters of 17th Century Dutch Landscape Painting. Ausstellungskatalog Amsterdam/Boston/Philadelphia. Boston 1987, S. 534. – Schumacher 1989, Nr. 40.

1449 Wouwerman

1463 *Das Reitergefecht vor der brennenden Windmühle.* Bezeichnet links unten mit dem Monogramm: Phils W. Leinwand, 54,5×66, 5 cm. 1749 durch Le Leu aus der Sammlung Crozat in Paris (vorher Sammlung Tugny).

In der Frühzeit ist Wouwerman der Haarlemer Landschaftsmalerei verpflichtet, danach entwickelt er einen bestimmten Typ des Tierbildes, stellt Jagdszenen und Reitergefechte dar. Seine Malerei ist tonig und lebendig in der Wiedergabe und hatte eine große Ausstrahlung auf das 18. Jahrhundert. Das Bild gehört der mittleren Schaffensperiode des Künstlers an.

1463 Wouwerman

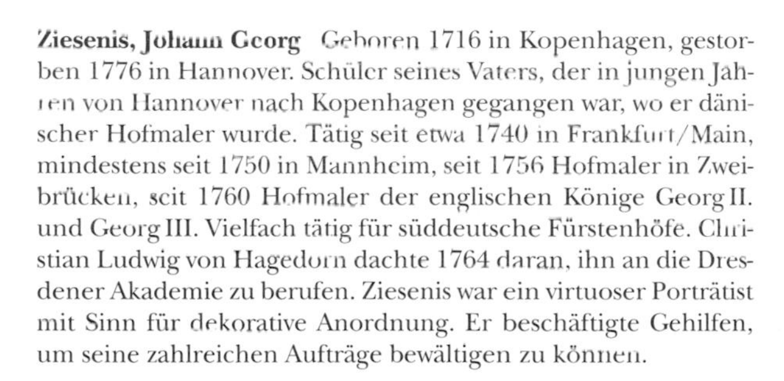

Ziesenis, Johann Georg Geboren 1716 in Kopenhagen, gestorben 1776 in Hannover. Schüler seines Vaters, der in jungen Jahren von Hannover nach Kopenhagen gegangen war, wo er dänischer Hofmaler wurde. Tätig seit etwa 1740 in Frankfurt/Main, mindestens seit 1750 in Mannheim, seit 1756 Hofmaler in Zweibrücken, seit 1760 Hofmaler der englischen Könige Georg II. und Georg III. Vielfach tätig für süddeutsche Fürstenhöfe. Christian Ludwig von Hagedorn dachte 1764 daran, ihn an die Dresdener Akademie zu berufen. Ziesenis war ein virtuoser Porträtist mit Sinn für dekorative Anordnung. Er beschäftigte Gehilfen, um seine zahlreichen Aufträge bewältigen zu können.

3985 *Prinzessin Maria Amalie Auguste von Pfalz-Zweibrücken.* 1757. Ehemals rückseitig bezeichnet: J. G. Ziesenis pinxit à Mannheim 1757. Leinwand, 138×106 cm. 1952 zur Galerie. Früher im Schloß Nöthnitz bei Dresden.

Prinzessin Maria Amalie Auguste von Pfalz-Zweibrücken (1752–1827), spätere Gemahlin des sächsischen Kurfürsten Friedrich August III., ist auf dem Bild fünf Jahre alt. Die Wirkung des Gemäldes beruht auf der malerischen Qualität des Bildnisses im engeren Sinne sowie der asymmetrischen Komposition, mit der Formen- und Farbenkonzentration links und der relativen Leere und Farbenblässe rechts: Die flächig gemalte Landschaft und der Himmel kontrastieren zu der malerischen Dichte der Figur.

Literatur: H. Marx, in: Neuerwerbungen deutscher Malerei. Ausstellungskatalog. Dresden 1974, Nr. 43.

3985 Ziesenis

Zurbarán, Francisco de Geboren 1598 in Fuente de Cantos (in der Provinz Badajoz in Estremadura), gestorben 1664 in Madrid. Lernte seit 1614 bei Pedro Diaz de Villanueva in Sevilla und wurde beeinflußt von dem dortigen «caravaggiesken» Stil, dem auch die Frühwerke von Velázquez angehören. Beeinflußt von Ribalta, Ribera und Herrera. Tätig hauptsächlich in Sevilla, wo er 1629 Stadtmaler wurde. Bezeichnete sich schon 1638 als «Hofmaler» König Philipps IV. Lebte seit 1658 in Madrid. Seine fast ausschließlichen Auftraggeber waren Klöster und Kirchen, sein bevorzugtes Thema Szenen aus dem Klosterleben, in einer herben und betont plastischen Malweise. Erst sein Spätstil zeigt Anklänge an Murillo.

696 Zurbarán

696 *Der heilige Bonaventura im Gebet.* 1629. Leinwand, 239 × 222 cm. 1853 aus der Sammlung Louis Philippe in London.

Farbtafel 25

Das Gemälde gehört zu einer Folge von fünf Szenen aus dem Leben des heiligen Bonaventura, die der Künstler 1629 für die Kirche dieses Heiligen in Sevilla gemalt hat. Es zeigt den Franziskanermönch Bonaventura, seit 1257 General seines Ordens, auch Kardinal und Kirchenlehrer, 1482 heilig gesprochen, dem beim Gebet ein Engel erschien und den Namen des Tebald Visconti nannte: Denn als sich die Kardinäle beim Konklave 1271 nicht über die Wahl eines neuen Papstes hatten einigen können, war die Entscheidung dem Franziskaner Bonaventura überlassen worden. Tebald Visconti wurde als Gregor X. zum Papst gewählt. Bei einer an Caravaggio gemahnenden plastischen Kraft und starken Farbigkeit gibt es in dem eigenartigen Beieinander von Realem und Visionärem Parallelen zu Murillos «Tod der heiligen Klara».

Literatur: C. Justi, in: Jahrbuch der Königlich Preussischen Kunstsammlungen, IV, 1883, S. 152–162. – A. L. Mayer: Die Sevillaner Malerschule. Leipzig 1911, S. 153. – H. Kehrer: Francisco de Zurbarán. München 1918, S. 48f. – M. S. Soria: The Paintings of Zurbarán. London 1955, S. 10, 138f., Nr. 24. – L. Aragon/J. Cocteau: Entretiens sur le Musée de Dresde. Paris 1957, S. 86f. – J. A. Gaya Nuño: La pintura española fuera de Espana. Madrid 1958, Nr. 2986. – P. Guinard: Zubarán et les peintres espagnols de la vie monastique. Paris 1960, Nr. 379. – M. Gregori/T. Frati: L'opera completa di Zurbarán. Milano 1973, Nr. 26. – J. Gallego/J. Gudiol: Zurbaran. Barcelona 1976, Nr. 17. – J. Baticle/C. Marinas: La Galerie espagnole de Louis-Philippe au Louvre, 1838–1848. Paris 1981, Nr. 358.

PASTELLE

Pastelle entstehen in einer Trockenmalerei mit Pastellstiften, die auf einem rauhen Untergrund, wie Papier, Pappe oder Pergament, kreideartig vermalt werden und als locker haftender Farbstaub zarte und hochdifferenzierte Tönungen ermöglichen. Die Farben lassen sich leicht wieder vom Malgrund abreiben und auch mit anderen überdecken, also ohne Schwierigkeiten korrigieren, doch sind andererseits Pastelle gegen äußere Einwirkungen sehr empfindlich. Die Pastelltechnik wurde seit dem 15. Jahrhundert zur Kolorierung von Zeichnungen und danach über lange Zeit meist nur in linear-zeichnerischer Form benutzt. Ihre malerisch-flächenhafte Anwendung erfolgte wesentlich erst seit Beginn des 18. Jahrhunderts. Mit ihren hellen Farben und weichen Übergängen und den Möglichkeiten zur Wiedergabe duftiger Stofflichkeit wurde das Pastell zu einem bevorzugten Gestaltungsmittel des Rokokos. Einen entscheidenden Anteil an dieser Entwicklung hatte die venezianische Malerin Rosalba Carriera. Auch später wandten sich verschiedene Künstler, darunter Vertreter des Impressionismus und des Expressionismus, der Pastelltechnik wieder zu.

Caffé, Daniel Geboren 1756 in Küstrin, gestorben 1815 in Leipzig. Seit etwa 1782 Schüler des Johann Heinrich Schmidt und des Johann Alvise Casanova in Dresden. Nach 1795 ständig in Dresden ansässig, porträtierte er das Bürgertum der Stadt. Seine Bildnissse, stark von Graff und Anton Raphael Mengs beeinflußt, markieren den Übergang vom 18. zum 19. Jahrhundert. Sie sind sachlich-realistisch, teils bürgerlich-schlicht, teils von der zurückhaltenden Eleganz französischer Empireporträts.

P 181 Caffé

P 181 *Julius Athanasius Dietz.* Um 1810. Pergament, 48×38 cm. 1855 als Geschenk des J. Ch. Richter; zuerst im Katalog 1887.

Als Sohn eines Dekorationsmalers wurde Julius Athanasius Dietz um 1770 in Leipzig geboren. Er lernte an der Leipziger Akademie bei Adam Friedrich Oeser, dann bei Christoph Nathe in Görlitz. Später lebte er als Landschaftszeichner und Aquarellmaler in Leipzig; Carl Gustav Carus schilderte ihn als seinen Zeichenlehrer und Freund: «... und wenn auch von ihm nicht zu sagen ist, daß er als Künstler selbst irgend etwas wahrhaft Bedeutendes hindurchgeführt und vollendet habe, so lebte dagegen ein eigentümlicher scharfer und regsamer Geist in ihm, welcher ihn ... antrieb, zugleich neben dem Zeichnen mit schöner Literatur und ernster Wissenschaft sich zu beschäftigen ...» (C. G. Carus: Lebenserinnerungen und Denkwürdigkeiten. Weimar 1966, Bd. 1, S. 42). Auch eine Fußreise von Leipzig nach Dresden unternahmen Dietz und Carus im Sommer 1805 gemeinsam, vor allem um die Gemälde der Dresdener Galerie zu studieren. Dietz starb in Leipzig 1843; die Datierung des Pastells geht vom vermutlichen Alter des Dargestellten aus.

Literatur: 500 Jahre Kunst in Leipzig. Ausstellungskatalog. Leipzig 1965, Nr. 71.

P 182 Caffé

P 182 *Caroline Riquet.* Nach 1800. Rückseitige Inschrift: Frau Caroline Lötze des im Jahre 1824 verstorbenen Herrn Riquet hinterlassene Witwe, geboren zu Charlottenburg bei Berlin am 26. März 1778, gestorben zu Dresden am 26. September 1846 (Maler Caffe am Brühl zu Leipzig). Papier, 93×70 cm. 1887 als Vermächtnis der Frau D. M. Beier.

Caroline Riquet, deren Lebensdaten wir der rückseitigen Beschriftung des Pastells entnehmen, war mit dem Leipziger Kaufmann Riquet verheiratet. Wohl in keinem anderen Werk hat Caffé auf solche Weise versucht, die Eleganz der französischen Damenbildnisse des Empire zu erreichen; man denkt an das Bildnis der Madame Récamier von François Gérard – und doch, welcher Unterschied: Die Haube, nach deren Band Madame Riquet mit «empfindsamer» Geste greift (man vergleiche eine ähnliche Handhaltung bei Angelica Kauffmann, Gal.-Nr. 2182), erscheint wie ein Zeichen von Bürgerlichkeit.

S 212 *Georg Leberecht Crusius.* Gegenstück zu Inv.-Nr. S 210. Pergament, 92,5 × 76 cm. Nach 1945 aus Kohren-Sahlis bei Borna.

Georg Leberecht Crusius (1716–1805), Kaufherr und Kammerrat in Chemnitz, war seit 1750 Herr auf Sahlis, Kohren und Langenleuba. 1756 ließ er das Herrenhaus in Sahlis erbauen, das er reich ausstattete. Mehrere seiner Bildnisse zeigen im Hintergrund Anspielungen auf Herrenhaus und Park. Besondere Vorliebe hatte er jedoch für den weißen Spitz, der mindestens noch auf zwei weiteren Porträts, die Caffé von Georg Leberecht Crusius gemalt hat, mit dargestellt wurde. Die Taschenuhr muß bei einem Mann seines Alters wie ein Vanitassymbol erscheinen.

Literatur: H. Marx, in: Neuerwerbungen deutscher Malerei. Ausstellungskatalog. Dresden 1974, Nr. 2.

S 212 Caffé

Carriera, Rosalba Geboren 1675 in Venedig, dort gestorben 1757. Als Miniaturmalerin Schülerin des Giovanni Steve sowie des Felice Ramelli, in der Pastellmalerei beeinflußt von Christian Cole, Giovanni Antonio Vucovich-Lazzarini, Giuseppe Diamantini und Antonio Balestra, vor allem aber durch ihren Schwager Giovanni Antonio Pellegrini. Tätig in Venedig, 1720/21 in Paris, 1723 in Modena, 1730 in Wien. In der Pastelltechnik, der Rosalba Carriera eine vorher nie dagewesene Bedeutung verlieh, schuf sie neben allegorischen und religiösen Halbfigurendarstellungen zahlreiche vor allem höfische Bildnisse, die nach dem wiedergegebenen Ausschnitt und mit den weich vertriebenen hellen Farben in höchstem Maße typisch für das Rokoko sind, aber neben allen Zugeständnissen an die Mode der Zeit auch eine bedeutende Kraft der Charakterisierung verraten. Zu Rosalbas Bewunderern gehörte vor anderen europäischen Fürsten August III. von Sachsen und Polen, der in Dresden die bei weitem größte Sammlung von Werken ihrer Hand zusammentrug, unterstützt von seinem Sohn, Kurprinz Friedrich Christian. Die nachstehend aufgeführten Pastelle erscheinen, wie alle anderen Pastelle Rosalba Carrieras in Dresden, erstmals im ersten gedruckten Galeriekatalog von 1765.

P 2 Carriera

P 2 *Kurprinz Friedrich Christian von Sachsen.* 1739. Papier, 63,5 × 51,5 cm. 1739 in Venedig erworben.

Das Bildnis entstand 1739 in Venedig, als der Kurprinz im Gefolge seines Vaters, Augusts III. von Sachsen und Polen, die Künstlerin mit besuchte, wobei insgesamt 40 ihrer Pastelle für Dresden erworben wurden. Der 1722 geborene Friedrich Christian war lahm und wurde deshalb zumeist angelehnt an eine Säule oder einen Sockel dargestellt. Über dem Harnisch trägt er einen Damastrock, rotes Ordensband und einen Hermelinmantel. Das Gesicht verrät Sensibilität. Friedrich Christian war ein scharfer Gegner des Brühlschen Systems, und sein früher Tod 1763, ein Vierteljahr nach seinem Regierungsantritt, war für Sachsen ein großer Verlust (vgl. Subleyras Gal.-Nr. 3841 und Pastell A. R. Mengs Gal.-Nr. P 174).

Literatur: A. Walther: Zu den Werken der Rosalba Carriera in der Dresdener Gemäldegalerie. In: Beiträge und Berichte der Staatlichen Kunstsammlungen Dresden 1972–1975, S. 81, 89. – B. Sani: Rosalba Carriera (Archivi di Arte Antica). Torino 1988, Nr. 326.

P 3 *Prinzessin Benedetta Ernestina Maria von Modena.* 1723. Papier, 55,5 × 42,5 cm.

Die Dargestellte ist die älteste (1697–1777) der drei Töchter des Herzogs Rinaldo d'Este von Modena, der (nach Malamani) ihre Bildnisse von Rosalba malen ließ, um damit in Paris Freier für die Mädchen zu interessieren. Nach Börsch-Supan (1967) ist nicht Benedetta, sondern die jüngste der drei Schwestern, Enrichetta Anna Sofia, dargestellt. Das entsprechende Bildnis in der Serie der drei Schwesternbildnisse, die sich in den Uffizien, Florenz, befindet, trägt aber ebenfalls den Namen der Benedetta Ernestina Maria. Wenn deren Porträt den meisten Beifall der Zeitgenossen gefunden haben soll (nach Rangone), so dürfte auch das für die Identität mit P 3 sprechen. Es ist typisch für Rosalbas Darstellungen großäugiger, gepuderter, in Seide und Spitzen gekleideter und mit Blumen, Perlen und Edelsteinen geschmückter Damen (vgl. Carriera Gal.-Nr. P 17 und P 18). Eine Replik befindet sich in den Uffizien in Florenz.

Literatur: Walther 1972–1975, S. 67, 87. – Sani 1988, Nr. 151.

P 3 Carriera

P 4 *Ein venezianischer Prokurator.* Um 1710–1720. Papier, 72 × 59,5 cm.

Prokuratoren hießen die neun höchsten Staatsbeamten der Republik Venedig, aus denen der Doge gewählt wurde. Zu ihrer Amtstracht gehörte die zur Zeit der Entstehung des Bildes sonst nicht mehr übliche Allongeperücke. Die Lebhaftigkeit und Frische der Gesichtszüge des Mannes offenbaren Rosalbas Charakterisierungsvermögen, das auch auf La Tour vorbildhaft wirkte.

Literatur: Walther 1972–1975, S. 78, 89. – Sani 1988, Nr. 70.

P 4 Carriera

P 5 *Maria Josepha von Österreich.* Um 1720 (?). Papier, 53,5 mal 42,5 cm.

Maria Josepha (1699–1757), Tochter des deutschen Kaisers Joseph I. und seiner Gemahlin Wilhelmine Amalie (vgl. Carriera Gal.-Nr. P 20), vermählte sich 1719 mit dem sächsischen Kurprinzen Friedrich August, nachmaligem August III. von Sachsen und Polen. Nach dem anscheinenden Alter der Dargestellten dürfte das Bildnis kaum später als 1720 entstanden sein, wahrscheinlich auf der Hochzeitsreise des Paares. Es zeigt einen hohen Grad von Realismus fern einer gefälligen Idealisierung.

Literatur: Walther 1972–1975, S. 78, 88. – Sani 1988, Nr. 266.

P 5 Carriera

P 6 *Der Abbé Sartorius (Sartori).* Nach 1732. Papier, 30,5 mal 27 cm.

Dieser Weltgeistliche war der Bruder der venezianischen Malerin Felicità Sartori, die von 1728 bis zu ihrem Wegzug nach Dresden Gehilfin der Rosalba Carriera war. Bei ihrer Hochzeit mit dem viel älteren sächsischen Hofrat Hoffmann erregte der Abbé wegen seiner Protesthaltung das Mißfallen der Dresdener. Sein Gesicht verrät einen kritischen Geist.

Literatur: Walther 1972–1975, S. 83, 89. – Sani 1988, Nr. 286.

P 8 *Der Dichter Abbé Pietro Antonio Metastasio.* 1730. Papier, 32 × 25,5 cm.

Metastasio wurde 1698 in Rom geboren und starb 1782 in Wien. 1729 wurde er von Kaiser Karl VI. als Hofdichter nach Wien berufen, wo Rosalba ihn 1730 porträtierte. Die feinen, etwas weichen Züge lassen ein höheres Alter vermuten als 32 Jahre. Der Dichter ist durch zahlreiche Texte zu Opern, Oratorien und Kantaten berühmt geworden.

Literatur: Walther 1972–1975, S. 79, 89. – Sani 1988, Nr. 258.

P 9 *Ludwig XV. von Frankreich als Dauphin.* 1720/21. Papier, 50,5 × 38,5 cm.

Der 1710 geborene französische Thronfolger war zu dieser Zeit zehn, elf Jahre alt, doch hat Rosalba mit psychologischem Spürsinn in seinen Zügen schon etwas von dem leichtlebigen, «vielgeliebten» König erkannt, bei weitgehendem Verzicht auf repräsentative Schaustellung. Ludwig trägt den Orden vom Heiligen Geist, den ehemals vornehmsten französischen Orden, nach dem blauen Band auch Cordon bleu genannt. Ein ähnliches Bild befindet sich im Museum of Fine Arts Boston/Mass.

Literatur: Walther 1972–1975, S. 71, 72, 88. – Sani 1988, Nr. 122.

P 6 Carriera

P 8 Carriera

P 9 Carriera

P 16 *Eine Venezianerin aus dem Hause Barbarigo.* Um 1735–1740. Papier, 42×33 cm.

Die Dargestellte wurde im Catalogue 1765 als Mad[me] Barbarigo, née Venier, Dame Venitienne bezeichnet. Nach Malamani (1910) handelt es sich jedoch um Caterina Barbarigo geborene Sagredo, eine der berühmtesten Schönheiten Venedigs und bekannt durch ihre unkonventionelle Lebensweise. Die Familien Sagredo und Barbarigo (wie auch Venier) gehörten zu den vornehmsten der Stadt. Äußere Standesmerkmale treten aber, abgesehen von dem kostbaren Perlenschmuck, im Bild gegenüber dem lebensnah-momentan erfaßten Wesen zurück.

Literatur: Walther 1972–1975, S. 84, 89. – Sani 1988, Nr. 343.

P 16 Carriera

P 17 *Prinzessin Enrichetta Anna Sofia von Modena.* 1723. Papier, 53×41 cm. Nach der Überlieferung wegen der übereinstimmenden Maße als Gegenstück zu Gal.-Nr. P 18 bezeichnet, aber zugleich mit diesem und Gal.-Nr. P 3 zur Serie der drei Schwesternbildnisse gehörig.

Hier handelt es sich um die jüngste der drei Töchter des Herzogs Rinaldo d'Este von Modena, Enrichetta (1702–1777), die als einzige verheiratet war, zuerst mit dem Herzog Antonio Farnese von Parma, danach mit Leopold von Hessen-Darmstadt. Nach Börsch-Supan ist die Dargestellte nicht Enrichetta, sondern Anna Amalia Giuseppa, die mittlere der drei Schwestern. In einer anderen Bildnisserie nach den drei Prinzessinnen in den Uffizien sind diese jedoch ebenso identifiziert wie in den Dresdener Bildern.

Literatur: Sani 1988, Nr. 153.

P 17 Carriera

P 18 *Prinzessin Anna Amalia Giuseppa von Modena.* 1723. Papier, 53×41 cm. Vgl. die Bemerkungen zu Gal.-Nr. P 17.

Anna Amalia Giuseppa (1699–1778) war die mittlere der drei modenesischen Prinzessinnen. Ausgehend von einem ähnlichen Bildnis Rosalba Carrieras in der Staatlichen Kunsthalle Karlsruhe, das durch einen Brief vielleicht als Bildnis der Prinzessin Benedetta Ernestina Maria (1697–1777), der ältesten der drei Schwestern, ausgewiesen ist, möchte Börsch-Supan (1967) diese hier dargestellt sehen. Dem steht entgegen, daß das entsprechende Bildnis in der Uffizienserie dort ebenfalls den Namen der Amalia Giuseppa trägt. Eine ähnliche Fassung befindet sich in der Staatlichen Kunsthalle Karlsruhe.

Literatur: Sani 1988, Nr. 156.

P 18 Carriera

P 20 *Kaiserin Wilhelmine Amalie.* 1730. Papier, 65,5×51,5 cm.

Die Dargestellte ist die Witwe des deutschen Kaisers Joseph I., der 1711 gestorben war, und die Mutter der Prinzessin Maria Josepha, Gemahlin Augusts III. Das Bildnis entstand wahrscheinlich 1730 während Rosalba Carrieras Aufenthalt in Wien, was auch dem Alter der 1673 geborenen Amalie entsprechen kann. Das Gesicht von etwas bajuwarischem Typus mit gebogener Nase und Doppelkinn, das ebenso resolutes Selbstbewußtsein wie Gutmütigkeit verrät, bezeugt schon den unpathetischen Realismus der bürgerlichen Porträtauffassung. Die Witwentracht ist durch das Standessymbol des Hermelinpelzes bereichert. Zwei weitgehend übereinstimmende Fassungen befinden sich in der Residenz München.

Literatur: Walther 1972–1975, S. 84, 89. – Sani 1988, Nr. 259.

P 20 Carriera

P 21 *Kurfürst Clemens August von Köln.* 1727. Papier, 57×45 cm. 1739 in Venedig erworben.

Als Erzbischof von Köln gehörte Clemens August (1723 bis 1761) zu den Kurfürsten des alten Deutschen Reiches und hat sich ebenso wie etwa die sächsischen Kurfürsten seiner Zeit als Kunstfreund und -sammler hervorgetan, wobei es ihm vor allem um die Dekoration seiner Schlösser ging und Gemälde mit Jagdthemen bevorzugt wurden. Gemäß dem Inventarverzeichnis von 1762 besaß Clemens August auch 13 Arbeiten von Rosalba Carriera, darunter Darstellungen der vier Jahreszeiten und ein Selbstbildnis. Es entsprach seinem Repräsentationsbedürfnis und seiner Eitelkeit, sich immer wieder porträtieren zu lassen, so auch 1727 von Rosalba Carriera. Der karminrote Hermelinmantel und das Kreuz von Perlen und Edelsteinen auf der Brust weisen seinen fürstlichen Rang aus.

Literatur: Sani 1988, Nr. 202. – H. G. Golinski, in: Himmel, Ruhm und Herrlichkeit – Italienische Künstler an rheinischen Höfen des Barock. Katalog der Ausstellung in Bonn. Köln 1989, S. 176, 300.

P 21 Carriera

P 22 *Graf von Villiers (?).* Wohl 1727. Papier, 56,5×45 cm.

Nach B. Sani ist nicht der Graf von Villiers, sondern der ungarische Diplomat Ladislaus Kökenyesdi dargestellt, der im Dienste Clemens Augusts von Bayern stand; auch das Gewand habe als ungarisch zu gelten. Im Sinne einer bedeutungsvollen Pose ist der Degen als Statussymbol ungewöhnlicherweise in das Brustbild einbezogen, während das Gesicht des schon gealterten Mannes kaum auf einen Menschen schließen läßt, dem der Umgang mit solchen Waffen vertraut ist.

Literatur: Sani 1988, Nr. 205.

P 22 Carriera

P 23 *Die Fürstin Lucrezia Mocenigo geborene Carrara (oder Cornaro).* Leinwand, 52×41 cm.

Das Bildnis dieser Frau als der vielleicht berühmtesten Schönheit Venedigs ihrer Zeit wurde von Rosalba Carriera für wechselnde Auftraggeber immer wieder in die Serien schöner Venezianerinnen einbezogen. Dresden besitzt in Gal.-Nr. P 107 noch ein zweites von Rosalba gemaltes Porträt von ihr. Lucrezia war durch ihre Schönheit bekannt wie durch ihre verhängnisvolle Spielleidenschaft und durch den kostbaren Familienperlenschmuck, von dem hier etwas sichtbar ist und um dessentwillen sie den Beinamen «delle perle» erhielt (vgl. auch die Miniatur Carriera Gal.-Nr. M 11).

Literatur: Walther 1972–1975, S. 88. – Sani 1988, Nr. 21.

P 23 Carriera

P 24 *Die Tänzerin Barbara Campanini genannt Barbarina.* Kurz vor 1739. Papier, 56,5×46,5 cm. 1739 in Venedig erworben.

Die Tänzerin Barbara Campanini wurde 1721 in Parma geboren und kam 1739 nach Paris und später nach London, wo sie sehr gefeiert wurde. Friedrich II. von Preußen ließ sie 1744 aus Venedig nach Berlin kommen, wo sie an der Oper als Tänzerin ebenfalls großen Erfolg hatte. Nachdem sie bei Friedrich in Ungnade gefallen war, heiratete sie 1749 den Sohn des preußischen Großkanzlers Cocceji. 1788 von diesem wieder geschieden, wurde sie 1789 von Friedrich Wilhelm II. zur Gräfin Campanini erhoben. Sie starb 1799 in Barschau (Schlesien). Ihr Leben ist im Roman dargestellt worden. Durch die wiegende Bewegung und das im Tanz geraffte Gewand ist geschickt ihr Metier angedeutet.

Literatur: Walther 1972–1975, S. 72, 74, 88. – Sani 1988, Nr. 347.

P 24 Carriera

P 25 *Die Gräfin Anna Katharina Orzelska.* Gegen 1739. Papier, 64×51 cm. *Farbtafel 19*

Die Dargestellte wurde als außereheliche Tochter Augusts des Starken und der französischen Weinwirtin Henriette Rénard 1707 in Warschau geboren. 1727 erhielt sie von August den Titel einer Gräfin Orzelska und heiratete 1730 den Herzog Ludwig-Karl von Holstein-Beck, wodurch sie den Titel einer Gräfin von Holstein gewann. Sie wurde schon 1733 nach dem Tode Augusts wieder geschieden. Ihre Gesichtszüge, besonders die lange, konkave Nase, verraten Ähnlichkeiten mit ihrem Vater. Nach Paoletti (1912) wurde das Pastell 1739 in Venedig erworben und dürfte nicht sehr viel früher entstanden sein. Zampetti (1969) hat den Einfluß Pellegrinis darin erkannt.

Literatur: Walther 1972–1975, S. 74, 89. – Sani 1988, Nr. 315.

P 25 Carriera

P 26 *Die Gräfin Ursula Katharina Lubomirska.* Wohl gegen 1730. Papier, 57,5 × 46 cm. 1739 in Venedig erworben.

Die Dargestellte wurde 1680 geboren und war die Gemahlin des Fürsten Lubomirski, Großmarschalls der Krone Polens, und Nichte des Kardinals Radziowski, Primas des Königreiches. Als Geliebte Augusts des Starken wurde sie mit Zustimmung des Papstes von ihrem Mann getrennt und auf Augusts Betreiben durch ein Diplom des Kaisers zur Reichsfürstin von Teschen erhoben. Ihr Bildnis, das wohl nicht vor 1730 entstand, zeigt sie gealtert und verrät auch etwas von ihrem berechnenden Charakter und ihrer Habsucht.

Literatur: Walther 1972–1975, S. 84, 90. – Sani 1988, Nr. 306.

P 26 Carriera

P 27 *Die Sängerin Faustina Hasse-Bordoni.* Gegen 1739. Papier, 30 × 26,5 cm. 1739 in Venedig erworben.

Faustina Bordoni war angeblich 1700, in Wirklichkeit aber wohl schon sieben Jahre früher, 1693, in Venedig geboren und hatte als Sängerin schon in ihrer Heimat wie auch in Wien und London großen Ruhm erworben, als sie 1731 dem deutschen Kapellmeister und Komponisten Adolf Hasse nach Dresden folgte. Mit ihrem starken Mezzosopran wurde sie zur Primadonna der Oper. 1751 trat sie alternd von der Bühne ab. Rosalba hat ihre starke persönliche Ausstrahlung erfaßt und sie mit einem Lorbeerkranz bekrönt dargestellt. Die Dresdener Galerie besitzt noch ein früheres Bild der Sängerin von Rosalba Carriera (vgl. Gal.-Nr. P 118 und die Miniaturen der Felicità Hoffmann Gal.-Nr. M 21 und M 22).

Literatur: Walther 1972–1975, S. 89. – Sani 1988, Nr. 350.

P 27 Carriera

P 28 *Eine Tiroler Wirtin.* 1721 (?). Papier, 33 × 27 cm.

Das Bildnis entstand vielleicht (nach Hoerschelmann) auf der Rückkehr Rosalbas von Paris nach Venedig über Lothringen und Tirol. In ihrem Spitzenkleid und dem Spitzenhäubchen mit der Perlenrosette über dem Ohr ist die zierliche junge Frau von echt rokokohafter Anmut. Die Quelle für den Bildtitel ist ungewiß. Ein ähnliches Pastell im Victoria and Albert Museum London ist «Mädchen aus Syrakus» betitelt, ein drittes, in Tatton Park, Cheshire, «Tiroler Mädchen».

Literatur: Sani 1988, Nr. 241.

P 28 Carriera

P 29 *Selbstbildnis als «Der Winter».* 1731. Papier, 46,5×34 cm.
Nach Malamani soll das Bild der Künstlerin 1730 in Wien in Auftrag gegeben, von ihr nach ihrer Rückkehr nach Venedig 1731 gemalt und an den Wiener Hof geschickt worden sein, brieflich erwähnt als allegorisiertes Selbstbildnis in Gestalt des Winters, also als Jahreszeitendarstellung. Verkleidungen waren, zumal in Verbindung mit dem langwährenden Karneval, im Venedig des 18. Jahrhunderts üblich und gewohnt. Indem aber Rosalba die Gestalt des Winters als der letzten, kalten und oft mit der Endphase des menschlichen Lebens gleichgesetzten Jahreszeit annimmt, äußert sich ihre bekannt depressive, pessimistische Haltung. Rosalba war damals 55 Jahre alt. Das von der Pelzmütze umrahmte Gesicht zeigt herbe, fast männliche Züge, die ohne Idealisierung wiedergegeben sind und die Kostümierung unwesentlich erscheinen lassen.
Literatur: Walther 1972–1975, S. 74, 88. – Sani 1988, Nr. 276.

P 30 Carriera

P 30 *Eine alte Frau in schwarzem Mieder.* Papier, 32,5×26,5 cm.
Die Darstellung erscheint in ihrer Schlichtheit als eine zufällige physiognomische Studie.
Literatur: Sani 1988, Nr. 278.

P 32 Carriera

P 32 *Afrika.* Papier, 34×28 cm.
Die Darstellung gehörte zum Zyklus der vier Weltteile, wovon die drei anderen Bilder, «Europa», «Asien» und «Amerika», zu den Kriegsverlusten gehören. Die Erscheinung des Negermädchens im Turban mit dem Bündel züngelnder Schlangen in der Hand gibt in der kräftigen Plastizität und andringenden Lebendigkeit mehr als nur eine pittoreske Maskerade und macht das barocke Interesse für das Exotische sichtbar.
Literatur: Walther 1972–1975, S. 68, 87. – Sani 1988, Nr. 171.

P 41 Carriera

P 41 *Die Vergänglichkeit an der Hand der Ewigkeit.* Papier, 63,5×51 cm.
Die anmutige, jedoch in blasseren Farben gegebene Gestalt der Vergänglichkeit bemüht sich um die von einem Sternennimbus umgebene Ewigkeit, die voll Pathos den Blick zum Himmel richtet und der anderen wenig Aufmerksamkeit schenkt. Wickhoff (1902) hat die Gestalten nach dem 85. Psalm, 11, als «Mitleid und Wahrheit» gedeutet. B. Sani sieht in ihnen «Poesie und Philosophie». Wegen der sehr allgemeinen Charakterisierung ist eine sichere Deutung schwierig.
Literatur: Walther 1972–1975, S. 87. – Sani 1988, Nr. 239.

P 29 Carriera

P 50, P 51, P 52, P 53 Die Folge *«Die vier Elemente»* entstand 1744–1746 in Venedig im Auftrage Augusts III. von Sachsen und Polen und gehört zu den letzten Arbeiten der zunehmend von Blindheit bedrohten Künstlerin. Die Halbfiguren lassen in der locker skizzierenden Handschrift deutlich noch den Einfluß des 1742 verstorbenen Schnellmalers Pellegrini erkennen.

P 50 *Die Luft.* 1746. Papier, 56 × 46 cm.
Allein durch das fliegende Vögelchen erhält die weibliche Gestalt ihre allegorische Bestimmung.
Literatur: Sani 1988, Nr. 356 b.

P 51 *Das Wasser.* 1746. Papier, 56 × 46 cm.
Die Fische in der Hand der weiblichen Gestalt und im Korb sowie der Frosch neben diesem werden in ihrem Bedeutungsgehalt ergänzt durch die Andeutung einer Seelandschaft mit Schilf und Binsen im Hintergrund.
Literatur: Sani 1988, Nr. 356 a.

P 52 *Die Erde.* 1744. Papier, 56 × 46 cm.
Einige Blumen und Früchte deuten die Geschenke der Erde an.
Literatur: Sani 1988, Nr. 355 a.

P 50 Carriera

P 51 Carriera

P 52 Carriera

P 53 *Das Feuer.* 1744. Papier, 56 × 46 cm.

Die im Gegensatz zu den dunkelhaarigen drei anderen allegorischen Gestalten hellblonde Frau als Verkörperung des Feuers hält mit den Händen ein Henkelgefäß, aus dem Feuer lodert.

Literatur: Walther 1972–1975, S. 68, 87. – Sani 1988, Nr. 355 b.

P 53 Carriera

P 61 *Maria Magdalena mit dem Buch.* Papier, 57 × 46,5 cm. 1743 durch Francesco Algarotti vom Kunsthändler Capretti in Venedig.

Die Heilige ist durch das Gebetbuch sowie als Büßerin durch Kreuz und Totenschädel links hinten gekennzeichnet. Das vorgegebene Vertieftsein ist nicht ganz überzeugend, trägt aber wesentlich zum Pathos der Darstellung bei. Die Neigung des Kopfes, die gesenkten Lider und die halb entblößte, von den weichfallenden Haarflechten umrahmte und modellierte Brust verleihen der weiblichen Gestalt einen zugleich sentimentalen und sinnlichen Charakter, der sich mit der Vorstellung von einer jungen und schönen reuigen Sünderin zusammenfügt.

Literatur: Sani 1988, Nr. 215.

P 61 Carriera

P 73 *Ein Herr in dunkelgrauem Rock.* Papier, 73 × 60,5 cm.

Bei den Herrenbildnissen der Carriera tritt allgemein die Individualität der Dargestellten gegenüber dem nivellierenden modischen Schönheitsideal noch stärker hervor als bei den weiblichen Porträts. Die Erscheinung ist von großer Eleganz.

Literatur: Sani 1988, Nr. 274.

P 73 Carriera

P 84 *Ein Herr in violettbraunem Mantel über goldgemustertem Rock.* Papier, 54,5 × 43 cm.

Das rosige Gesicht mit den blaßblauen Augen und den rötlichblonden Brauen verrät einen eher weichlichen Männertypus, der in seiner Erscheinung nur durch die wuchtige, gleichsam der Mähne des Löwen nachgebildete Lockenperücke das Pathos gesteigerter Männlichkeit gewinnt.

Literatur: Sani 1988, Nr. 191.

P 87 *Eine Dame in grauem Kleid.* Nach 1730. Papier, 67,5 × 50,5 cm.

In der ruhigen Klarheit der Formgebung und dem Ausdruck von Intellektualität, durch den die weibliche Schönheit hier bereichert ist, hat das Bildnis etwas Klassizistisches an sich. Nach E. Brand (1974) ist die Dargestellte die Marchesa Maria Capitano.

Literatur: Walther 1972–1975, S. 89. – Sani 1988, Nr. 126.

P 95 *Weibliches Bildnis.* Papier, 28,5 × 22,5 cm.

Die zeitweilig eingeführte Bezeichnung als «Bildnis einer Dame» wurde der mädchenhaften Erscheinung im roten Mantel mit gelbem Umschlag und mit dunkelblauem Band im schwarzen Haar nicht ganz gerecht.

Literatur: Sani 1988, Nr. 357.

P 84 Carriera

P 87 Carriera

P 95 Carriera

P 97 *Eine Dame mit rosa Bändern im Haar.* Papier, 46 × 35 cm.

Über einem hellblauen Kleid trägt die Frau einen rosa Mantel. Das Bildnis läßt eine gewisse Verbürgerlichung erkennen, die mit einer nicht nur in der Gemütsart des Modells begründeten schlichteren Auffassung im Zusammenhang steht.

Literatur: Walther 1972–1975, S. 84, 90. – Sani 1988, Nr. 126.

P 97 Carriera

P 105 *Eine schwarzhaarige Dame mit dünner goldener Halskette.* Papier, 29,5 × 26 cm.

Die Pastelle dieses kleinsten Durchschnittsformates nahmen früher unter den Werken der Rosalba Carriera in der Dresdener Galerie zahlenmäßig den ersten Platz ein, wurden aber durch Kriegsverluste dezimiert. Der intime, private Charakter der Porträtdarstellung tritt hier besonders hervor. Durch die Gegenbewegung von Kopf und Schultern wird der Eindruck von lebendiger Wechselbeziehung zum Betrachter verstärkt.

Literatur: Sani 1988, Nr. 311.

P 105 Carriera

P 107 *Die Fürstin Lucrezia Mocenigo, geborene Carrara (oder Cornaro).* Papier, 52 × 41 cm.

Ohne Zweifel ist hier dieselbe Person wiedergegeben wie in Gal.-Nr. P 23, was lange unbeachtet blieb. Selbst die Papiermaße stimmen genau überein. Der kostbare Perlenschmuck, durch den die Fürstin den Beinamen «delle perle» erhielt, erscheint hier noch in anderer Form. Das prachtvolle goldgelbe, rot und weiß geblumte Kleid mit dem Hermelin darüber kennzeichnet den hohen gesellschaftlichen Stand.

Literatur: Sani 1988, Nr. 22.

P 107 Carriera

P 110 *Eine Dame in schwarzem Spitzenkleid mit rosa Schleife.* Papier, 48,5 × 40 cm.

Die Dargestellte ist mit Recht als eines der bezauberndsten von Rosalba gemalten weiblichen Wesen bezeichnet worden. Die Künstlerin hat der Pastelltechnik immer neue aparte koloristische Wirkungen abgewonnen, verbunden mit feinfühliger Menschenschilderung.

Literatur: Sani 1988, Nr. 348.

P 111 *Ein Herr in rötlichem gemustertem Rock.* Papier, 58 × 46,5 cm.

Auch an diesem etwas feisten Männergesicht, das die Fähigkeit zu kühl-berechnendem Denken zu verraten scheint, stellt Rosalba Carriera wieder ihr großes Charakterisierungsvermögen unter Beweis. Die künstliche Haartracht, die den Dargestellten älter erscheinen läßt, zeigt nicht mehr die hohe, in der Mitte gescheitelte Kopffrisur der klassischen Allongeperücke, sondern ist in Annäherung an die spätere Stutzperücke flacher geworden, fällt aber noch weit über die Schultern.

Literatur: Sani 1988, Nr. 287.

P 112 *Eine Dame mit Blumen im weißgepuderten Haar.* Papier, 41 × 34 cm.

Der blaue Mantel über dem weißen Spitzenkleid wird von einer Edelsteinkette gehalten. Das breite Gesicht mit der starken Stirn und den vollen Lippen ist mit besonderer plastischer Entschiedenheit herausgearbeitet. B. Sani hat eine Identifizierung mit dem 1736 entstandenen Bildnis der Elisabetta Algarotti Dandalo in der Sammlung Colloredo Mels in Udine versucht, die aber nicht völlig überzeugen kann.

Literatur: Sani 1988, Nr. 301 (295).

P 110 Carriera

P 111 Carriera

P 112 Carriera

P 114 *Ein junger Herr in bauschigem blauem Mantel.* Papier, 56,5×46,5 cm.

Die Wendung des Kopfes aus der Profilstellung über die Schulter zum Betrachter ist typisch für die barocke Bildniskunst und schafft mit der Bewegung den Eindruck momentaner, andringender Lebendigkeit. Die Bildwirkung beruht wesentlich auf einem Wechsel zwischen feiner zeichnerischer Behandlung des Gesichtes und breiterer malerischer Technik in der Gewandung.

Literatur: Sani 1988, Nr. 238.

P 117 *Eine Dame in mattgelbem Kleid mit hellblauen Schleifen.* Papier, 53,5×42,5 cm.

Das weißgepuderte Haar ist mit Perlen, einem blauen Band und einem schwarzen Federstutz geschmückt. B. Sani sieht sich an eine Miniatur im Bayerischen Nationalmuseum München erinnert, in der sie ein Bildnis der Fürstin Ratzwill vermutet, aber auch an die Gemahlin Max Emanuels von Bayern, Theresa Kunigunde.

Literatur: Sani 1988, Nr. 61.

P 118 *Die Sängerin Faustina Bordoni mit einem Notenblatt.* Um 1724/25. Papier, 44,5×33,5 cm.

Das Pastell wurde in den Galeriekatalogen bisher immer nur als Bildnis einer Sängerin geführt, doch läßt der Vergleich mit dem Bildnis der Venezianerin Faustina Bordoni, seit 1730 verehelichte Hasse, in der Dresdener Galerie (vgl. Carriera Gal.-Nr. P 27) erkennen, daß diese auch hier dargestellt ist, freilich in jüngerem Alter. Tagebuchaufzeichnungen der Malerin, wonach diese 1724/25 die Sängerin porträtierte, könnten sich auf dieses Bildnis beziehen. Faustina war nicht erst, wie im allgemeinen angegeben, um 1700 geboren, sondern wohl schon sieben Jahre früher, 1693, verschleierte aber als Künstlerin ihr Geburtsjahr. Sie wäre dann zur Zeit der Entstehung dieses Porträts etwa 31 Jahre alt gewesen, was dem Anschein durchaus entsprechen könnte. Der Bildnischarakter ist durch verallgemeinernde Züge zurückgedrängt, so daß es zur stufenweisen Annäherung an das Allegorische kommt. Durch den erotischen Effekt der teilweise entblößten Brust wird die Sachlichkeit der Porträtdarstellung zusätzlich gemindert, so daß auch die Identität mit Faustina Bordoni lange unbemerkt blieb.

Literatur: Walther 1972–1975, S. 67, 81, 87. – Sani 1988, Nr. 163.

P 114 Carriera

P 117 Carriera

P 118 Carriera

P 121 *Ein Türke.* Papier, 56,5 × 44 cm.

Bemerkenswert ist die starke Porträthaftigkeit, mit der sich der Dargestellte von den sonst zumeist oberflächlichen Figuren ethnographischen oder allegorischen Charakters unterscheidet. Die Physiognomie entspricht jedoch schwerlich der eines Türken, so daß in der Aufmachung mit Turban und Kaffeekoppchen eine der zu jener Zeit so beliebten Maskeraden gesehen werden muß.

Literatur: Walther 1972–1975, S. 69, 87. – Sani 1988, Nr. 300.

P 121 Carriera

P 122 *Ein Offizier (Mann in Rüstung).* Papier, 79 × 65 cm.

B. Sani sieht in diesem Bildnis den sächsischen Kurfürsten Friedrich August II., als König von Polen August III., wobei sie zum Vergleich sein von Rosalba Carriera gemaltes Ölbildnis im Kunsthistorischen Museum Wien heranzieht. Obwohl die Allongeperücke zunächst den Eindruck der Ähnlichkeit mit manchen anderen Porträts des Fürsten erzeugen mag, entspricht die Physiognomie nur sehr bedingt den überlieferten Vorstellungen. Besonders die stark ausgeprägte, vortretende untere Gesichtspartie mit der Neigung zum Doppelkinn findet sich in diesem Pastell nicht in gewohnter Weise wieder, ebensowenig wie die breiten Backenknochen und der etwas weiche, träumerische Ausdruck. In der Gesichtsform erscheint selbst das Wiener Ölbild, das August III. wohl im Alter von 17 Jahren zeigt, für dessen späteres Aussehen nicht gültig.

Literatur: Sani 1988, Nr. 62 (63).

P 122 Carriera

P 124 *Ein junger Herr in bräunlichrotem Samtrock mit Goldstickerei.* Um 1720–1725. Papier, 56 × 44,5 cm.

Anstelle einer Perücke wird nun das graugepuderte, in gefälliger Lockerheit den Kopf umgebende eigene Haar zur Schau gestellt, womit sich die Möglichkeit zur persönlichen Charakterisierung im Porträt wiederum erweitert hat.

Literatur: Sani 1988, Nr. 148.

P 124 Carriera

P 131 *Mädchenbildnis im weißen Kleid.* 1730(?). Papier, 32 × 26,5 cm.

Diese Studie eines hellblonden Mädchens mit Blumen im Haar bringt B. Sani in Zusammenhang mit Gal.-Nr. P 153 (vgl. dieses), das sie als Bildnis der späteren deutschen Kaiserin Maria Theresia ansieht. Rosalba Carriera könnte das Pastell 1730 in Wien gemalt haben.

Literatur: Sani 1988, Nr. 265 (264).

P 131 Carriera

P 133 *Diana.* Papier, 30 × 26,5 cm.

Nur die knappe Andeutung des Köchers mit Pfeilen hinter ihrem Rücken weist das dunkelhaarige Mädchen im rotvioletten Gewand als die Göttin der Jagd aus. Rosalba Carriera hat diese mehrfach dargestellt, zuweilen auch mit dem Bogen und dem Möndchen auf der Stirn, denn wie ihr Bruder Apollon mit dem Sonnengott Helios wurde sie zuweilen mit der Mondgöttin Luna oder Selene gleichgesetzt.

Literatur: Sani 1988, Nr. 236.

P 133 Carriera

P 151 *Ein junger Herr in goldfarbener Weste und violettem Samtrock.* Papier, 57 × 44,5 cm.

Die hochtoupierte lockere, aber unten gestutzte und in Zipfeln mit Bändern auslaufende Knotenperücke unterstreicht die fast mädchenhaft weichen, feingeistig-empfindsamen Züge des jungen Mannes.

Literatur: Sani 1988, Nr. 183.

P 151 Carriera

P 152 *Ein Herr in weißem Hemd und violettem Mantel über blauschwarzem Rock.* Papier, 57 × 46 cm.

Das blaue Band am Hemdkragen ist aufgeschnürt, das weißgepuderte Haar im Nacken mit einer schwarzen Schleife geziert. Derselbe junge Mann mit den etwas aufgeworfenen Lippen findet sich in einem Pastell der Carriera in einer Pariser Privatsammlung. B. Sani bringt das Dresdener Bild in Zusammenhang mit einem Bildnis des Lewis Graf von Rockingham in der Sammlung Lord Guilford, Waldershare, Kent.

Literatur: Sani 1988, Nr. 289, 290 und 351.

P 152 Carriera

P 153 *Erzherzogin Maria Theresia von Habsburg.* 1730(?). Papier, 45 × 34,5 cm.

Die Identifizierung mit der späteren deutschen Kaiserin Maria Theresia (1717–1780) hat B. Sani aus dem Vergleich mit deren Jugendbildnissen von Gabriele Mattei (Uffizien) und Jacob van Schuppen hergeleitet. Sehr nahe kommt das Pastell auch einem 1726 datierten Bildnis Maria Theresias von Andreas Möller im Kunsthistorischen Museum Wien. Die anspruchsvolle Kostümierung im weißen Damastkleid mit Brillantenschmuck und rotem Hermelinmantel sowie die selbstbewußte Haltung sprechen ebenfalls für die hohe Herkunft der Dargestellten. Wenn Rosalba das Porträt bei ihrem Wiener Aufenthalt gemalt hätte, wäre Maria Theresia 13 Jahre alt gewesen, obgleich sie hier älter erscheint (vgl. auch Gal.-Nr. P 131).

Literatur: Sani 1988, Nr. 264 (falsche Maße angegeben).

P 153 Carriera

P 158 *Ein Herr in kaffeebraunem Rock.* Papier, 53,5 × 42 cm.

Das Pastell zeigt wieder eines der außerordentlich fein durchgeformten Männerbildnisse, deren starke individuelle Kraft wegen der uniformierenden, stilistisch dem Barock zugehörigen großen Lockenperücke vielleicht nicht von jedem Betrachter sofort voll erfaßt wird.

Literatur: Sani 1988, Nr. 198.

P 158 Carriera

Darbes, Joseph Friedrich August Geboren 1747 in Hamburg, gestorben 1810 in Berlin. (Ausführliche Biographie bei den Gemälden).

P 187 *Johanna Margarethe Christine Gräfin von Brühl.* 1789. Bezeichnet links: Darbes pinx. 1789. Pergament, 61 × 46,4 cm. 1948 zur Gemäldegalerie aus dem Schloß Seifersdorf bei Dresden.

Johanna Margarethe Christine Gräfin von Brühl (1756–1816), geborene von Schleierweber und Friedenau, war die Gemahlin des Hans Moritz Grafen von Brühl (1746–1811), des jüngsten Sohnes des sächsischen Premierministers Heinrich Grafen von Brühl. Sie war eine musisch und musikalisch gebildete Frau, Schöpferin der Parklandschaft im Seifersdorfer Tal.

P 187 Darbes

La Tour, Maurice Quentin de Geboren 1704 in Saint-Quentin, dort gestorben 1788. Lernte in Paris bei dem sonst unbekannten Maler Dupouch, dessen Bildnis er 1739 malte, sowie bei Jean Jacques Spoede. 1737 wurde er bei der Académie Royale angenommen, deren Mitglied er aber erst 1746 wurde, da er die Aufnahmearbeiten nicht früher einreichte. Durch das Auftreten der Rosalba Carriera 1719/20 in Paris wurde er auf die Pastelltechnik aufmerksam, in der er dann ausschließlich arbeitete. Verzichtete weitgehend auf Dekoration und Repräsentation und bemühte sich um eindringliche Charakteristik der Dargestellten. Gehörte zu den erfolgreichsten Bildnismalern des 18. Jahrhunderts.

P 163 *Maria Josepha, Dauphine de France.* 1749. Papier, 60,5 × 49,5 cm. 1750 aus Paris nach Dresden (Brief des Grafen von Loß an den Grafen von Brühl). Catalogue 1765.

Maria Josepha (1731–1767) war die Tochter König Augusts III. von Polen (als Kurfürst von Sachsen Friedrich August II.) und der Königin Maria Josepha (geborene Erzherzogin von Österreich). Sie heiratete 1747 Louis, Dauphin de France, den Sohn König Ludwigs XV. von Frankreich. Ludwig XVI. und Ludwig XVIII. sowie Karl X. waren ihre Söhne. Das Bildnis ist eine eigenhändige Wiederholung des für den Dauphin gemalten Exemplars.

P 163 La Tour

P 164 *Moritz Graf von Sachsen, Marschall von Frankreich.* 1748. Papier, 59,5 × 49 cm. Catalogue 1765. *Farbtafel 18*

Zur Person vgl. Liotard, Gal.-Nr. P 160. Der «Maréchal de Saxe», wie er in Frankreich genannt wurde, war nicht nur Soldat, er war auch ein Mann der Salons, Liebhaber des Theaters, gebildet und geistvoll, befreundet mit Voltaire und der Marquise de Pompadour. Diese Seiten seiner Persönlichkeit betont das Bildnis.

P 164 La Tour

Liotard, Jean-Etienne Geboren 1702 in Genf, dort gestorben 1789. Erste Ausbildung bei Daniel Gardelle in Genf. 1723–1736 in Paris, dort Schüler des Historien- und Miniaturmalers Jean-Baptiste Massé. 1736–1738 in Italien. 1738–1742 in Konstantinopel und fortan fast ständig auf Reisen in Österreich, Frankreich, England und der Schweiz, besonders geschätzt vom Wiener und vom französischen Hof sowie der englischen Aristokratie. Seit 1757 in Genf ansässig. Einer der bevorzugten Pastellmaler der Epoche, auch Miniaturmaler, von eigenartiger Klarheit, Präzision und Kühle der Auffassung.

P 159 Liotard

P 160 Liotard

P 159 *Selbstbildnis.* 1744/45. Papier, 60,5×46,5 cm. Zuerst im Catalogue 1765.

Das Selbstbildnis der Dresdener Galerie entstand in Wien. Dort hatte der Künstler gleich bei seiner Ankunft 1743 großes Aufsehen erregt: Seit seinem Aufenthalt in Konstantinopel 1738–1742 kleidete er sich türkisch und trug einen langen Bart. Es mischten sich damals die Mode der «Chinoiserie» und der «Turquerie», und man konnte sich kaum ein geeigneteres Klima für das Auftreten eines Malers denken, der durch sein Aussehen so sehr dem Hang der Zeit zum Orientalischen entsprach. Besonders in der Literatur hatte der Vordere Orient als fiktiver Schauplatz für Erzählungen, Romane, Märchen und selbst Tragödien einen festen Platz: Es sei nur an die 1721 erschienenen «Lettres persanes» von Montesquieu erinnert und an Voltaires «Zaire» von 1732. Man kann die Selbstbildnisse dieser Jahre ein wenig nach der Länge des Bartes datieren, der zu einem wichtigen Gegenstand von des Künstlers eigenem Interesse wurde. Louis Aragon und Jean Cocteau haben sich 1957 in ihren «Entretiens sur le Musée de Dresde» mit dem Porträt beschäftigt, und sie kamen darauf, daß «dieser Bart, in dessen tausenden Löckchen Vögel nisten könnten ...» beinahe aussieht «... als wäre er falsch», trotz – oder vielleicht gerade wegen – der Feinheit der Technik, die Liotard anwendete.

Literatur: F. Fosca: Jean-Etienne Liotard. Lausanne/Paris 1956, S. 135. – L. Aragon/J. Cocteau: Entretiens sur le Musée de Dresde. Paris 1957, S. 198. – R. Loche/M. Roethlisberger: L'opera completa di Liotard. Milano 1978, Nr. 74.

P 160 *Moritz Graf von Sachsen, Marschall von Frankreich.* Um 1746–1749. Pergament, 64×53 cm. Catalogue 1765.

Moritz Graf von Sachsen (1696–1750) war der natürliche Sohn König Augusts II. von Polen und der Aurora Gräfin von Königsmark. Er stand seit 1720 in französischen Diensten, wurde 1744 Marschall und war einer der berühmtesten Feldherren seiner Zeit. Liotard übertrug das Bildnisschema «Feldherr» ins Pastell mit seinem stark reduzierten Maß. Eine zweite Fassung in Amsterdam. Der Vergleich mit La Tours Bildnis (Gal.-Nr. P 164) ist aufschlußreich.

Literatur: F. Fosca: Liotard. Paris 1928, S. 149f., S. 155. – M. Delpierre: Les souvenirs de Georges Sand. In: Bulletin du Musée Carnavalet, Dezember 1954, Nr. 2, S. 34, Anm. 12. – Loche/Roethlisberger 1978, Nr. 96.

P 161 *Das Schokoladenmädchen.* Um 1744/45. Pergament, 82,5×52,5 cm. Durch Francesco Grafen Algarotti 1745 in Venedig vom Künstler selbst erworben. *Farbtafel 20*

Ein erstaunliches, schon im 18. Jahrhundert hochberühmtes Werk, angeblich auch nach dem Urteil der Rosalba Carriera «das schönste Pastell, das man je gesehen hat». Liotard selbst hat das Bild allerdings nie erwähnt, weder in seinen Briefen noch in seinen theoretischen Arbeiten. Die konzentrierte Reglosigkeit, die straff aufgerichtete Haltung und das Fehlen jeder Koketterie mögen im Zeitalter des Rokoko genauso überrascht haben wie die beinahe schattenlose Helligkeit des Bildes und die Feinheit der Ausführung. «Ein Holbein in Pastell», so hatte Francesco Graf Algarotti das Bild charakterisiert. Durch Algarotti ist es am 3. Februar 1745 für Dresden erworben worden. Wenig früher, Ende 1744 oder selbst noch Anfang 1745, war es in Wien entstanden. Dargestellt ist nach alter, aber nicht bis in die Entstehungszeit des Pastells zurückgehender Tradition ein Kammermädchen namens Baldauf.

Literatur: H. Posse: Die Briefe des Grafen Francesco Algarotti an den sächsischen Hof und seine Bilderkäufe für die Dresdner Gemäldegalerie 1743–1747. In: Beiheft zum Jahrbuch der Preußischen Kunstsammlungen. Berlin 1931, S. 29. – Fosca 1956, S. 29f. – Loche/Roethlisberger 1978, Nr. 76. – L. Lippincott: Liotards «China Painting». In: The J. Paul Getty Museum Journal, 13, 1985, S. 121–130 (129).

P 161 Liotard

P 162 *Mademoiselle Lavergne, die Nichte des Künstlers.* 1746. Rückseitig bezeichnet: Liseuse. En habit de Païsanne Lionnaise, peinte par Liotard de Genève. Surnommé Le Peintre Turc. à Lion 1746. Pergament, 37,5×30 cm. Catalogue 1765.

Liotard führte ein Wanderleben in ganz Europa und war auf allen diesen Reisen künstlerisch produktiv. 1745 besuchte er seinen Bruder Michel in Venedig; von dort aus wandte er sich, auf dem Wege über Wien, nach Frankfurt am Main, wo er die Kaiserwahl miterlebte, hielt sich dann noch einige Zeit in Darmstadt auf und kam schließlich 1746 zurück nach Genf. Von dort aus besuchte er noch im selben Jahre Verwandte in Lyon und malte dort das Bildnis seiner Nichte, der Mademoiselle Lavergne. Das liebenswürdige Bild voll persönlicher Wärme greift das in der Malerei oft behandelte Motiv des Brieflesens auf, an der Grenze zwischen Genre und Bildnis gelegen. Es existieren drei Fassungen von der «Schönen Leserin», wie das Pastell auch genannt wird, neben Dresden in Amsterdam und Basel, dazu eine 1752 entstandene Miniatur.

Literatur: Fosca 1956, S. 30. – Loche/Roethlisberger 1978, Nr. 92. – H. Marx: Liotard. Dresden 1980, S. 5.

P 162 Liotard

Maron, Theresa Concordia Geboren 1725 in Aussig, gestorben 1806 in Rom. Tochter und Schülerin des Ismael Mengs, Schwester des Anton Raphael Mengs. Heiratete in Rom 1765 Anton von Maron, der seit 1756 Schüler ihres Bruders gewesen war. Sie malte Pastelle und vor allem Miniaturen.

P 178 *Selbstbildnis.* Um 1744/45 (?). Papier, 41,5 × 33 cm. Catalogue 1765, S. 242.

Das Selbstbildnis zeigt deutliche Abhängigkeit von den Pastellen des Bruders Anton Raphael, der jedoch den Bildausschnitt zumeist etwas anders wählte und in der Form strenger blieb. Das vermutliche Alter der Dargestellten gibt einen Datierungshinweis; ohne die Pastelle des Anton Raphael Mengs, deren früheste 1744 nachweisbar sind, dürfte sie diese Perfektion des Pastellmalens kaum erreicht haben.

Literatur: Deutsche Bildnisse 1500–1800. Ausstellungskatalog. Halle/Saale 1961, Nr. 131.

P 178 Maron

P 179 *Juliane Charlotte Mengs.* Um 1744/45 (?). Papier, 42 × 34 cm. Catalogue 1765, S. 242.

Juliane Charlotte Mengs (um 1730–nach 1789) war die jüngste Tochter des Ismael Mengs, der seit etwa 1720 mit Charlotte Bormann aus Zittau verheiratet war. Unter dem Namen Maria Speranda trat Juliane Charlotte, die gemeinsam mit dem Bruder, der Schwester und dem Vater 1748 zum katholischen Glauben konvertiert war, in das Kloster Belvedere in der Marca d'Ancona ein. Sie hatte vom Vater eine strenge künstlerische Ausbildung erhalten, besonders im Hinblick auf Miniaturmalerei, doch ist von ihren Werken nichts bekannt.

P 179 Maron

Mengs, Anton Raphael Geboren 1728 in Aussig, gestorben 1779 in Rom. (Ausführliche Biographie bei den Gemälden).

P 165 *Des Künstlers Vater, Ismael Mengs.* 1745. Papier, 55,5 × 42,5 cm. Catalogue 1765, S. 242.

Das Bildnis des Vaters malte Anton Raphael Mengs 1745, bald nach der Rückkehr der Familie aus Rom, wohl im Auftrag des Königs. Mit barocker Attitüde dreht sich der Dargestellte am Betrachter vorbei und richtet den Blick zur Seite, wodurch der Eindruck des Erfassens einer momentanen Situation entsteht, nicht der des Posierens für den Maler. Das bewegt modellierte, sprechend lebendige Gesicht des Miniaturmalers läßt uns weder etwas von der Strenge ahnen, mit der er die künstlerische Erziehung seiner Kinder durchgesetzt haben soll, noch erinnert es uns an den zu starken Gefühlsausbrüchen fähigen Musikfreund, den Bianconi beschreibt: «Annibali sang eines Abends in Silvestres Hause, wo auch Ismael war, eine rührende Arie ... Allgewaltig rührte diese Ismaels Herz ... Mengs wurde gerührt; zerfloß in Tränen ...» (Gian Lodovico Bianconi: Elogio storico del Cavaliere Anton Raffaele Mengs. Deutsche Übersetzung von J. E. W. Müller. Zürich 1781, S. 11). Zur Biographie von Ismael Mengs vgl. die Angaben bei seinem Selbstbildnis Gal.-Nr. 2083.

Literatur: D. Honisch: Anton Raphael Mengs und die Bildform des Frühklassizismus. Phil. Diss. Münster 1960, Nr. 38. – S. Röttgen: Anton Raphael Mengs. Sein Leben und seine Werke von den Anfängen bis zum Jahre 1761. Phil. Diss. Bonn 1974.

P 165 Mengs, Anton Raphael

P 167 *Selbstbildnis im roten Mantel.* 1744. Papier, 55×42 cm. Catalogue 1765, S. 242.

«In dem Pastellkabinett der Dresdnischen Churfürstl. Galerie hängt Raphael Mengs Portrait zweimal; sie verdienen wohl beide gestochen zu werden, sonderlich das mit herunterhängenden Haaren. Sein Vater wollte, daß er eben so sich kleiden und tragen mußte als Raphael aus Urbino gemalt ist.» So beschrieb Carl Heinrich von Heinecken 1786 die beiden Selbstbildnisse von Mengs (Gal.-Nr. P 166 ist Kriegsverlust). Der Künstler war 1744, als die Arbeiten entstanden, 16 Jahre alt. Seine Erziehung zum Verehrer der Meister der italienischen Renaissance, Grundlage seiner klassizistischen Kunstauffassung, wird von Heinecken deutlich herausgestellt. Einerseits ist das Selbstbildnis auf Raffael hin stilisiert, und andererseits bleibt auch die Erinnerung an barocke Künstlerbildnisse wach. Es existieren eine Reihe von alten Kopien und Repliken, so in Weimar, New York (Metropolitan Museum), Poughkeepsie (Vassar College), Boston, Mass., und St. Petersburg.

Literatur: C. H. von Heinecken: Neue Nachrichten von Künstlern und Kunstsachen. Erster Teil. Dresden/Leipzig 1786. – Honisch 1960, Nr. 35. – Röttgen 1974.

P 167 Mengs, Anton Raphael

P 168 *Dorothea Sophia Thiele.* 1744. Pergament, 49,5×38,5 cm. Catalogue 1765, S. 242.

Die helle, dabei strahlende Farbigkeit des Gewandes, die plastische Klarheit der Darstellung geben ein eindrucksvolles Bild dieser beherrscht und vornehm wirkenden Frau von edler Gesichtsbildung. Nach dem Tode seiner ersten Frau hatte sich Johann Alexander Thiele 1743 in Arnstadt ein zweites Mal verheiratet, und zwar mit der damals erst 25jährigen Witwe Dorothea Sophia Axt (1718–1777), geborene Schumann. Sie war vermutlich die Tochter eines Dresdener Beamten. Moritz Stübel charakterisierte die Dargestellte und das Porträt folgendermaßen: «Die junge Frau Thiele war schön und lebenslustig ... es ist ein Meisterwerk des damals erst 16jährigen Mengs, und das reizende junge Gesicht mit den dunklen Augen, die niedliche Perücke und die schönen Perlen vergißt man nicht leicht. Von dem späteren trüben Schicksal der Frau Hofcommisser ist in den strahlenden Augen noch nichts zu lesen.»

Literatur: M. Stübel: Der Landschaftsmaler Johann Alexander Thiele und seine sächsischen Prospekte. Leipzig/Berlin 1914, S. 27. – Honisch 1960, Nr. 40. – Deutsche Bildnisse 1500–1800. Ausstellungskatalog. Halle/Saale 1961, Nr. 128. – Röttgen 1974.

P 168 Mengs, Anton Raphael

P 169 *Herr von Hoffmann.* 1745. Papier, 54×43 cm. Catalogue 1765, S. 242.

Der dargestellte Hofrat von Hoffmann hatte in Venedig, im Atelier der Rosalba Carriera, deren Schülerin Felicità Sartori kennengelernt. Er heiratete sie und kam mit ihr nach Dresden. Felicità Sartori war Pastell- und Miniaturmalerin. Nach dem Tode des Hofrates, von dem sonst nichts bekannt ist, heiratete sie seinen Neffen.

Literatur: Honisch 1960, Nr. 37. – Röttgen 1974.

P 169 Mengs, Anton Raphael

P 173 Mengs, Anton Raphael

P 170 *Die Sängerin Caterina Regina Mingotti.* Um 1750. Papier, 55,5×42,5 cm. Catalogue 1765, S. 242. *Farbtafel 21*

Caterina Regina Valentin (1722–1808), als Kind deutscher Eltern in Neapel geboren, erhielt einen Teil ihrer künstlerischen Ausbildung in einem Ursulinerinnenkloster in Schlesien. Mit ihrem Ehemann, dem Impresario Pietro Mingotti, kam die Sopranistin 1746 nach Dresden. Der König hatte dem Venezianer Mingotti die Konzession erteilt, «im Zwinger ein hölzernes Theater zu bauen und während der Monate Juli und August darin zu spielen» (Fürstenau). Damit etablierte sich in Dresden neben der Hofoper eine vom Publikumsinteresse finanziell abhängige Truppe. Gespielt wurde viermal wöchentlich. Caterina Regina Mingotti war der Star dieser Oper und wurde so sehr bewundert, daß sie bereits 1747 bei der «Königlichen Italienischen Oper» angestellt wurde. Ihre besondere Gönnerin scheint die Kurprinzessin Maria Antonia gewesen zu sein, die sich auf das Urteil von Nicola Antonio Porpora stützen konnte, der sie empfohlen hatte. Unübersehbar war ihre von den Zeitgenossen viel besprochene Rivalität mit Faustina Bordoni-Hasse. 1752 verließ sie Dresden. Von 1763 an lebte sie in München. Das Bildnis muß entweder bald nach ihrer Ankunft 1746 entstanden sein, bevor Mengs Dresden verließ, oder nach seiner Rückkehr 1749. Da es sich stilistisch von den frühen Pastellen durch den Bildausschnitt, das kühle Schimmern der Farben und die porzellanene Glätte der Modellierungen unterscheidet, scheint die spätere Datierung eher wahrscheinlich, zumal die Mingotti ihre größten Triumphe erst von 1747 an feierte.

Literatur: M. Fürstenau: Zur Geschichte der Musik und des Theaters am Hofe zu Dresden. Dresden 1861/62. Reprint Leipzig 1971, Bd. 2, S. 253. – H. Schnoor: Dresden. Vierhundert Jahre deutsche Musikkultur. Dresden 1948, S. 121. – Honisch 1960, Nr. 39. – Röttgen 1974.

P 170 Mengs, Anton Raphael

P 171 *Der Sänger Domenico Annibali.* 1744. Papier, 55,5×42,5 cm. Catalogue 1765, S. 242.

Domenico Annibali kam 1730 nach Dresden. 1737 gastierte er in London und 1739 in Rom. «Die Rollen, welche Hasse in großer Anzahl für ihn geschrieben, lassen ihn als wohlgeschulten Sänger mit großem Umfang der Stimme (bis ins dreigestrichene f) und vorzüglicher Coloratur erkennen» (Fürstenau). Er verkehrte im Hause des Hofmalers und Akademiedirektors Louis de Silvestre und lernte dort Ismael Mengs kennen, der sein Freund wurde. Auch mit Johann Joachim Winckelmann verband ihn Freundschaft. «1764 verließ Annibali Dresden mit 1200 Thlr. Pension und einem Decret, welches ihn in lateinischer Sprache zum Kammermusikus ernannte» (Fürstenau). Mengs schuf 1750 noch ein zweites Bildnis von ihm, als Dreiviertelfigur in Öl (vgl. Honisch 1960, Nr. 82).

Literatur: Fürstenau 1861/62. Reprint 1971, Bd. 2, S. 167. – Honisch 1960, Nr. 36. – Deutsche Bildnisse 1500–1800. Ausstellungskatalog. Halle/Saale 1961, Nr. 127. – Röttgen 1974.

P 171 Mengs, Anton Raphael

P 173 *August III. (Friedrich August II.), Kurfürst von Sachsen und König von Polen.* 1744. Papier, 55,5×42 cm. Catalogue 1765.

Die Entstehung dieses Pastells schildert Gian Lodovico Bianconi. Der König, August III., habe von dem Pastellbildnis gehört, das Anton Raphael Mengs von Domenico Annibali geschaffen hatte (Gal.-Nr. P 171), ließ dieses Werk kommen und bewunderte es; er habe sich daraufhin den damals noch sehr jungen und völlig unbekannten Künstler vorstellen lassen und ihn beauftragt, sein, des Königs, Bildnis zu malen: «Der Jüngling, nachdem er sich tief geneigt, setzte sich ohne die geringste Verwirrung und fing an, des Königs Gesicht von vorne zu malen. Jedermann weiß, wie schwer dieser Standpunkt ist ... nach drey aufeinander erfolgten Sitzungen wurde das Porträt zu derjenigen Vollkommenheit gebracht, worin mans noch heut zu Tage sieht; und dies ist vielleicht eines der schönsten Pastellgemälde unseres Künstlers.» Zur Person des Dargestellten vgl. die Ausführungen bei den Porträts von Hyacinthe Rigaud und Louis de Silvestre.

Literatur: G. L. Bianconi: Elogio storico del Cavaliere Anton Raffaele Mengs. Deutsche Übersetzung von J. E. W. Müller. Zürich 1781, S. 16. – Honisch 1960, Nr. 27. – Röttgen 1974.

P 174 Mengs, Anton Raphael

P 174 *Friedrich Christian, Kurprinz von Sachsen.* 1751. Gegenstück zu Gal.-Nr. P 175. Papier, 55,5 × 44,5 cm. Catalogue 1765.

Friedrich Christian Leopold Franz Xaver (1722–1763) war der Sohn Augusts III., Königs von Polen und Kurfürsten von Sachsen, und dessen Gemahlin Maria Josepha, Erzherzogin von Österreich. Er folgte seinem Vater 1763 in der Regierung als Kurfürst von Sachsen, starb aber noch im gleichen Jahr. Als sächsischer Kurprinz ist Friedrich Christian mehrfach von Anton Raphael Mengs porträtiert worden, etwa gleichzeitig mit dem Pastell auch in Dreiviertelfigur und in reduzierter Fassung in Öl. Sein in Venedig von Rosalba Carriera gemaltes Pastellbildnis (Gal.-Nr. P 2) zeigt ihn zwölf Jahr jünger; im gleichen Jahr wie Rosalba Carriera, 1739, hat ihn in Rom auch Pierre Subleyras porträtiert (Gal.-Nr. 3841). Zur Biographie Friedrich Christians vergleiche man auch die Ausführungen zu diesen beiden Bildnissen.

Literatur: Honisch 1960, Nr. 29. – Röttgen 1974.

P 175 Mengs, Anton Raphael

P 175 *Maria Antonia, Kurprinzessin von Sachsen.* 1751. Gegenstück zu Gal.-Nr. P 174. Papier, 55,5 × 44,5 cm. Catalogue 1765.

Etwa gleichzeitig mit dem Pastell malte Anton Raphael Mengs 1751 ein repräsentatives Bildnis der hochbegabten Fürstin in Dreiviertelfigur (Gal.-Nr. 2163). Zur Person der Dargestellten vgl. die Angaben zu diesem Bild.

Literatur: Honisch 1960, Nr. 31. – Röttgen 1974.

P 176 *Friedrich August III. von Sachsen (als König Friedrich August I.), genannt der Gerechte, als Kind.* 1751. Papier, 63,5×75,5 cm. Katalog 1801.

Mit wochenlangen Festen hatte man in Dresden und in Pillnitz 1747 die Hochzeit des sächsischen Kurprinzen Friedrich Christian mit der bayerischen Prinzessin Maria Antonia gefeiert. Am 23. Dezember 1750 wurde, «ein wahres und so lange erflehtes Geschenk des Himmels», wie Gian Lodovico Bianconi schrieb, «diesem hohen Ehepaar ein Prinz geboren»: Friedrich August (1750–1827), später der Gerechte genannt. «Wenige Monate nach dieser glücklichen Begebenheit wünschten sich die hohen Eltern sein Porträt in Lebensgröße ... Um mehrerer Genauigkeit malt' ers mit Pastellfarben, sitzend auf einem großen karmesin samtnen Kissen ... Mengs, ohne der Würde des Orts und des Gegenstandes zu nahe zu treten, gab ihm durch einen launischen Einfall eine solche Stellung, daß auch nicht der geringste anstößige Gedanke stattfinden könnte.» Beim Tode seines Vaters Friedrich Christian, 1763, war Friedrich August erst 13 Jahre alt; für ihn regierte als Administrator in Kursachsen bis zum Erreichen der Volljährigkeit 1768 sein Onkel, Prinz Xaver (1730–1806). 1806 wurde Kurfürst Friedrich August III. von Napoleon zum König von Sachsen erhoben.

Literatur: Bianconi 1781, S. 37f. – Honisch 1960, Nr. 34. – Röttgen 1974.

P 176 Mengs, Anton Raphael

P 177 Mengs, Anton Raphael

P 177 *Amor, den Pfeil schleifend.* Um 1751 (?). Papier, 47,6×39 cm. Catalogue 1765, S. 242.

Dargestellt ist der Sohn der Göttin Venus, der – nach den Vorstellungen der antiken Mythologie – mit seinen Pfeilen Liebe erwecken, aber auch vertreiben konnte. Neben den Selbstbildnissen von Mengs wurde immer wieder der «Amor» bewundert, «das schönste Pastellgemälde, das vielleicht in der Welt ist, und in der kurfürstlichen Galerie zu Dresden aufbewahrt wird ... Das glänzende und schalkhafte Auge, die kindliche Grazie des Mundes, die Wärme des Körpers, und das krause, lockige Haar, fordern einem jeden das Geständnis ab, daß der Amor mit allen seinen Reizen nirgends so vollkommen zu sehen ist, als hier ... Wie man sagt, so hat Mengs das Urbild dieses Amors zu Rom von einem schönen Knaben aus der Natur hergenommen, dem er durch seine malerische Phantasie das Gepräge der Gottheit zu geben wußte.» (Prange) Ein Hinweis auf die Engel der «Sixtinischen Madonna» als Vorbild läßt sich mit der Datierung nicht in Übereinstimmung bringen: Raffaels Gemälde kam erst 1754 nach Dresden. Der Vergleich ist trotzdem interessant: «Mengs scheint in seinem Pastell-Bilde, dem bekannten Amor, der so unnachahmlich hold lächelt, indem er die Schärfe seiner Pfeilspitze am eigenen Finger versucht, diese Engelsköpfe sehr studiert zu haben», bemerkte Konrad Gessner 1785 in einem Brief an seinen Vater. Dieter Honisch stellte die enge stilistische Verwandtschaft mit dem Kinderbildnis des Kurprinzen Friedrich August (Gal.-Nr. P 176) fest, und schon Karl Woermann hatte den «Amor» um 1751 datiert oder sogar die noch spätere Entstehung in Italien angenommen.

Literatur: M. C. F. Prange: Des Ritters Anton Raphael Mengs ... hinterlaßne Werke ... übersetzt und mit ungedruckten Aufsätzen und Anmerkungen vermehrt herausgegeben von M. C. F. Prange. Halle/Saale 1786, Bd. 1, S. 107. – Salomon Gessners Briefwechsel mit seinem Sohne während dem Aufenthalt des Letzteren in Dresden und Rom in den Jahren 1784–1785 und 1787–1788. Bern/Zürich 1801, S. 138. –

K. Woermann: Ismael und Anton Raphael Mengs. In: Zeitschrift für bildende Kunst. Neue Folge, Bd. 5, 1894. – Honisch 1960, Nr. 41. – Röttgen 1974.

S 182 *Maria Josepha, Gemahlin König Augusts III.* 1744. Papier, 56,6 × 44,5 cm. Nach 1945 zur Galerie.

Maria Josepha (1699–1757), geborene Erzherzogin von Österreich, Tochter Kaiser Josephs I., wurde 1719 mit dem sächsischen Kurprinzen Friedrich August, dem späteren König August III. von Polen, vermählt. Die Hochzeit wurde im September 1719 durch glanzvolle Feste in Dresden gefeiert, zu denen u. a. der damals provisorisch fertiggestellte Zwinger einen architektonischen Rahmen abgab. Das Pastell von Mengs zeigt die Königin im Alter von etwa 45 Jahren; 15 Kinder hatte sie geboren. Aufschlußreich ist der Vergleich mit dem Jugendbildnis, das Rosalba Carriera von ihr geschaffen hatte (Gal.-Nr. P 5). Zuerst hat Steffi Röttgen wieder auf dieses lange übersehene Pastell hingewiesen.

S 182 Mengs, Anton Raphael

MINIATUREN

Die ursprünglich nur für die Buchmalerei gebrauchte Bezeichnung «Miniatur» wurde im 15. Jahrhundert verallgemeinert und auf kleinformatige Gemälde übertragen. Es gibt dementsprechend zwei Haupttechniken der Miniaturmalerei: die Feinmalerei in Ölfarben und das Arbeiten mit Wasserfarben. Eine seit dem 17. Jahrhundert gebräuchliche Sonderform war die in den Werkstätten der Goldschmiede entwickelte Emailminiatur. Als Malgrund für die Öl- und Aquarelltechnik diente in den Anfängen Pergament, später kamen andere Materialien hinzu. Besonders geschätzt war Elfenbein, im 19. Jahrhundert auch Porzellan. Zwei unterschiedliche Erklärungen für die Herkunft des Begriffes werden bis heute nebeneinander gegeben. Die eine führt das Wort «Miniatur» auf das lateinische «minus» (weniger) zurück, leitet sich also von der geringen Größe, nicht von der Technik, ab. Die andere geht von dem lateinischen Wort «minium» aus, einem dem Zinnoberrot vergleichbaren Farbstoff, der in der Buchmalerei des Mittelalters erstmals Verwendung fand. Thematisch widmete sich die Miniaturmalerei vorrangig dem Porträt, daneben entstanden auch Genreszenen, Landschaften, mythologische Darstellungen, vereinzelt Stilleben, oft als Kopien nach bedeutenden Gemälden.

Die qualitätvolle Dresdener Miniaturensammlung besteht aus sieben zu verschiedenen Zeiten der Galerie vermachten und geschenkten Sammlungen sowie aus Einzelerwerbungen. Dresden entwickelte sich im 18. Jahrhundert neben Berlin zu einem Zentrum der Miniaturmalerei.

Boit, Charles Geboren 1662 in Stockholm, gestorben 1727 in Paris. Zwischen 1677 und 1682 erhielt er eine Ausbildung bei dem Goldschmied Hans Wessel, wo er mit der Emailmalerei vertraut wurde. Zwischen 1690 und 1713 ist Boit mehrfach in London nachweisbar. Dort schuf er vor allem Miniaturen für den Hof. Nach 1713 lebte Boit in Paris und wurde Mitglied der französischen Kunstakademie. Seine Miniaturen, besonders berühmt ist er für die auf Email, bestechen durch ihre exakte Ausführung und die gelungene, ausgewogene Farbgebung.

M 226 Boit

M 226 *August II. (Friedrich August I.), Kurfürst von Sachsen und König von Polen.* Nach 1718. Aquarell auf Pergament, 12,6×9,7 cm. 1946 aus sächsischem Privatbesitz; zuerst im Katalog 1962.

Friedrich August I. (1670–1733), Kurfürst von Sachsen, als August II. König von Polen, bekannt unter dem Namen August der Starke, war der Sohn von Kurfürst Johann Georg III. und seiner Gemahlin Anna Sophie von Dänemark. 1693 heiratete er Christiane Eberhardine von Brandenburg-Bayreuth. Durch den frühzeitigen Tod seines Bruders Johann Georg IV. wurde Friedrich August 1694 Kurfürst. 1697 trat er zum katholischen Glauben über und wurde zum König von Polen gewählt. Als er im Nordischen Krieg Karl XII. von Schweden unterlag, mußte er 1706 im Frieden von Altranstädt auf die polnische Krone verzichten zugunsten von Stanislaus Lesczinsky. 1709 gewann er die polnische Königswürde zurück, nachdem Karl XII. gegen Rußland unterlag. Die eigentliche Bedeutung Augusts des Starken liegt auf kulturellem Gebiet. Die Förderung der Künste, vor allem der Baukunst und der Musik, machten Dresden und Warschau zu Mittelpunkten der europäischen Barockkultur. Bei dem Bildnis handelt es sich um eine reduzierte Miniaturkopie nach dem Gemälde von Louis de Silvestre in der Dresdener Gemäldegalerie (Gal.-Nr. 3943). Der König trägt einen Halbharnisch mit Hermelinmantel. Er ist mit dem polnischen Weißen Adlerorden und dem Stern dieses Ordens dekoriert. Den rechten Arm stützt er auf das Zepter. Rechts hinten steht ein Tischchen mit den polnischen Königsinsignien und dem sächsischen Kurschwert.

M 11 Carriera

Carriera, Rosalba Geboren 1675 in Venedig, dort gestorben 1757. (Ausführliche Biographie bei den Pastellen)

M 11 *Die Fürstin Lucrezia Mocenigo, geborene Carrara (oder Cornaro).* Aquarell und Deckfarben auf Elfenbein, oval, 7,7×5,7 cm. Aus der kurfürstlichen Miniaturensammlung; «Consignatio» 1763, Nr. 59.

Die Dargestellte hält einen Spiegel in der linken Hand. Sie galt als eine der berühmtesten Schönheiten im Venedig ihrer Zeit. Auch war sie bekannt für ihre Spielleidenschaft und ihren kostbaren Familienschmuck. Ähnlichkeiten bestehen zu dem Porträt der Fürstin in Pastell von Carriera (vgl. Gal.-Nr. P 23).

M 18 Carriera

M 18 *Eine Dame als Diana.* Aquarell und Deckfarben auf Elfenbein, oval, 7,9×6 cm. Aus der kurfürstlichen Miniaturensammlung; «Consignatio» 1763, Nr. 65.

Die Dame, die bisher nicht identifiziert werden konnte, ist als Diana, als Göttin der Jagd, dargestellt, wie die Attribute Köcher und Pfeil zu erkennen geben (vgl. die Miniatur von Felicità Hoffmann, Gal.-Nr. M 31).

Close, Franz Ludwig Geboren 1753 in Berlin, gestorben nach 1822. Nach einer Ausbildung bei seinem Vater Jacques Clauce, der französischer Abkunft war (eingedeutscht Close), kam er 1777 nach Dresden. 1788 ist er wieder in Berlin nachweisbar und wurde 1796 preußischer Hofminiaturenmaler. Bekannt sind seine Miniaturbildnisse Friedrich Wilhelms II. und Friedrich Wilhelms III. von Preußen.

M 187 *Prinzessin Maria Anna (Marianne) von Sachsen.* 1782. Bezeichnet auf der Rückseite: pt. par F. L. Close à Dresde. 1782. Aquarell auf Elfenbein, oval, 4 × 3 cm. 1858 aus der Sammlung Carl Leopold Christoph von Reitzenstein; zuerst im Katalog 1880, Nr. 103.

M 187 Close

Maria Anna Sophia von Sachsen (1728–1797) war die Tochter von Kurfürst Friedrich August II. von Sachsen, dem späteren König von Polen August III., und der Maria Josepha von Österreich, der Tochter Kaiser Josephs I. Seit 1747 war Maria Anna vermählt mit Maximilian III. Josef, Kurfürst von Bayern, der 1777 verstarb.

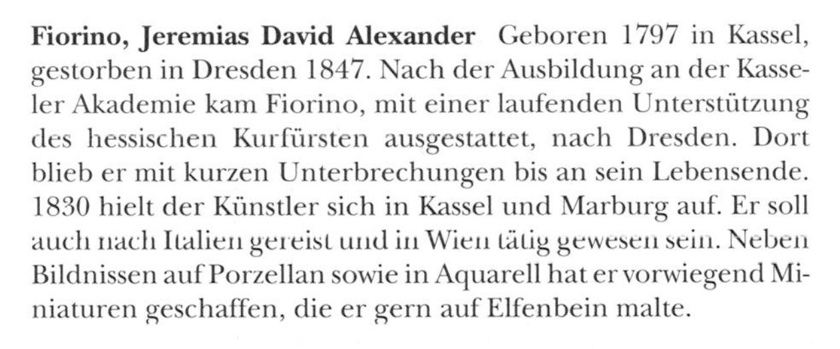

Fiorino, Jeremias David Alexander Geboren 1797 in Kassel, gestorben in Dresden 1847. Nach der Ausbildung an der Kasseler Akademie kam Fiorino, mit einer laufenden Unterstützung des hessischen Kurfürsten ausgestattet, nach Dresden. Dort blieb er mit kurzen Unterbrechungen bis an sein Lebensende. 1830 hielt der Künstler sich in Kassel und Marburg auf. Er soll auch nach Italien gereist und in Wien tätig gewesen sein. Neben Bildnissen auf Porzellan sowie in Aquarell hat er vorwiegend Miniaturen geschaffen, die er gern auf Elfenbein malte.

M 199 *Der Sänger Filippo Sassaroli.* Vor 1830. Aquarell auf Elfenbein, oval, 5,5 × 4,5 cm. 1886 als Vermächtnis der Charlotte Hasse, zuerst im Katalog 1892.

M 199 Fiorino

Filippo Fiorino Sassaroli, dessen genaue Lebensdaten unbekannt sind, wirkte zwischen 1802 und 1828 als Kastratensänger an der Oper in Dresden. Neben seinen Verpflichtungen als Opernsänger war er auch an kirchenmusikalischen Aufführungen der Katholischen Hofkirche beteiligt.

M 199 A *König Anton von Sachsen in roter Uniform.* Um 1827. Bezeichnet links unten am Rande: Fiorino p. Aquarell auf Elfenbein, oval, 4,4 × 3,2 cm. 1890 vom Geheimen Justizrat Dr. Gille, Jena; zuerst im Katalog 1892.

M 199 A Fiorino

Die Miniatur ist eine Teilkopie des Bildnisses von König Anton von Sachsen in Dreiviertelfigur, das Carl Vogel von Vogelstein 1827 geschaffen hat (Gal.-Nr. Neue Meister 3340). Anton Clemens Theodor (1755–1836) war der dritte Sohn des Kurfürsten Friedrich Christian von Sachsen und der Maria Antonia Walpurgis von Bayern. 1827 nach dem Tod seines Bruders Friedrich August III. bestieg Anton den Thron. Er trägt die rote Uniform des Leibgrenadier-Regiments mit gelben Aufschlägen, silbernen Litzen und Epauletten. Über Brust und rechter Schulter liegt das Ordensband der Rautenkrone, auf der linken Brustseite glänzt der Stern dieses Ordens. Um den Hals trägt der König den Orden des Goldenen Vlieses.

M 199 B *König Anton von Sachsen in weißer Uniform.* Um 1795. Bezeichnet rechts unten am Rande mit dem Monogramm J A F und Pt. Aquarell auf Elfenbein, oval, 5,3 × 3,2 cm. 1890 vom Geheimen Justizrat Dr. Gille, Jena; zuerst im Katalog 1892.

Auf diesem Bildnis ist König Anton in der weißen Uniform des Leibkürassier-Regimentes dargestellt. Er trägt wieder den Orden des Goldenen Vlieses, das Ordensband und den Stern des Rautenkronen-Ordens.

M 199 B Fiorino

Grahl, August Geboren 1791 in Proppentin/Mecklenburg, gestorben 1868 in Dresden. Als Sohn eines Juweliers wurde Grahl 1811 Schüler der Berliner Akademie. 1813 diente er als Schwarzer Husar unter Lützow und nahm am Befreiungskrieg gegen Napoleon teil. Nach zwei Italienreisen, 1817/18 und 1823–1830, arbeitete Grahl 1831 am englischen Hofe, 1832 bis 1835 in Berlin und danach bis zu seinem Tode in Dresden. Er gehört zu den produktivsten deutschen Miniaturmalern des 19. Jahrhunderts. Seine Werke bestechen durch klare Gliederung und farbliche Ausgewogenheit.

M 198 E *Bildnis der Mrs. Waddington.* 1831. Bezeichnet rechts: You have created what you wished to find! GMW. October 1831. Aquarell auf Elfenbein, 16,5 × 14 cm. 1891 Geschenk der Witwe des Künstlers, Elisabeth Grahl; zuerst im Katalog 1892.

Die Miniatur ist während des Londonaufenthaltes des Künstlers entstanden. Sie zeigt uns die Schwiegermutter des preußischen Gesandten in Rom, Herrn von Bunsen.

M 198 E Grahl

M 198 F *Der Königsberger Arzt Dr. Motherby.* 1832. Aquarell auf Elfenbein, 15 × 11 cm. 1891 als Geschenk der Witwe des Künstlers, Elisabeth Grahl; zuerst im Katalog 1892.

Grahl heiratete 1832 die Tochter eines Königsberger Bankiers. Während seines Aufenthaltes in Königsberg porträtierte er Dr. Motherby, einen kunstverständigen Arzt. Auf der ursprünglichen Rahmung der Miniatur stand: Uralt ist des Künstlers und Arztes Gemeinschaft; / Lächelt doch beiden Apoll, beiden ein freundlicher Gott. / Drum was solange bestand, muß ewig als solches bestehen. / Und nichts trennt den Bund, der in dem Gotte sich eint. / Königsberg, den 12. Febr. 1832. / W. Motherby.

M 198 F Grahl

Hoffmann, Felicità Geboren in Sacile (Friaul), gestorben 1760 in Dresden. Felicità Hoffmann, geborene Sartori, arbeitete seit 1728 zusammen mit ihrer Schwester Angioletta in der Werkstatt Rosalba Carrieras in Venedig. Dort lernte sie den sächsischen Hofrat Hoffmann kennen und kam als dessen Gattin 1741 mit nach Dresden. Hier malte sie für die kurfürstliche Sammlung zahlreiche Miniaturbildnisse, die oft mit Werken der Rosalba Carriera verwechselt wurden. Nach dem Tode des Hofrates heiratete sie einen Neffen ihres Mannes, ging für einige Jahre nach Bamberg und kam wieder nach Dresden zurück.

M 21 Hoffmann

M 21 *Die Sängerin Faustina Hasse geborene Bordoni.* Um 1745. Gegenstück zu Gal.-Nr. M 22. Aquarell und Deckfarbe auf Pergament, 11,3×8,8 cm. «Consignatio» 1763, Nr. 84.

Faustina Bordoni wurde vermutlich 1693 in Venedig geboren und erhielt frühzeitig Gesangsunterricht bei Benedetto Marcello und Francesco Gasparini. 1716 war sie bereits eine der gefeiertesten Sängerinnen in Italien. 1724 erhielt sie ein Engagement in Wien und 1726 bis 1728 war sie in London unter Händels Leitung an der Oper am Haymarket. Von hier aus ging sie wieder nach Venedig. Dort war sie ein paar Jahre ohne Engagement, bis sie Hasse kennenlernte, mit dem sie dann nach Dresden ging. Sie starb 1781 in Venedig (vgl. auch die Pastelle von Rosalba Carriera Gal.-Nr. P 27 und P 118).

M 22 Hoffmann

M 22 *Der Kapellmeister Johann Adolf Hasse.* Um 1745. Gegenstück zu Gal.-Nr. M 21. Aquarell und Deckfarbe auf Pergament, 11,3×8 cm. «Consignatio» 1763, Nr. 85.

Johann Adolf Hasse wurde 1699 in Bergedorf bei Hamburg geboren. 1718 begann seine künstlerische Laufbahn als Tenor an der Hamburger Oper. Zu Beginn der zwanziger Jahre ging er nach Neapel, wo er Schüler Porporas und Alessandro Scarlattis war. 1726 schrieb er seine erste Oper für das königliche Theater in Neapel. 1727 erhielt er eine Stelle als Kapellmeister in Venedig. Dort lernte er seine zukünftige Frau, die Sängerin Faustina Bordoni, kennen. Bald nach 1730 wurden Hasse als Kapellmeister und seine Frau als Primadonna nach Dresden berufen. Hasse komponierte im Auftrag Friedrich Augusts II. zahlreiche Opern sowie Kompositionen für die Kirche. Über dreißig Jahre hat Hasse großen Einfluß auf das Musikleben Dresdens ausgeübt. Seine Opern haben jedoch aufgrund der Gleichförmigkeit der Erfindung und der Form das 18. Jahrhundert nicht überdauert. Nach dem Tod Friedrich Augusts II. wurden Hasse und seine Frau 1763 entlassen. Zunächst ging das Paar nach Wien, 1773 nach Venedig, wo Hasse 1783 verstarb.

M 26 Hoffmann

M 26 *Eine Dame als Flora.* Bezeichnet auf der Rückseite: Felicità Sartori. Fecit. Aquarell und Deckfarbe auf Pergament, 12,4×9,7 cm. Aus der kurfürstlichen Miniaturensammlung; «Consignatio» 1763, Nr. 88.

Felicità Sartori (später Hoffmann) kopierte häufig Arbeiten ihrer Lehrerin Rosalba Carriera, so auch in diesem Fall. Die Miniatur geht zurück auf das Pastell «Dame mit einem Blumenkorbe» (im Katalog von Woermann Gal.-Nr. P 89). Die Dargestellte ist als Flora, Göttin der Blumen und der Jugend, wiedergegeben.

M 31 *Diana mit dem Windhunde.* Aquarell und Deckfarbe auf Papier, 12,3×9,3 cm. Aus der kurfürstlichen Miniaturensammlung; «Consignatio» 1763, Nr. 87.

Diese Miniatur ist wiederum eine Kopie nach einem Pastell Rosalba Carrieras, das in der Ermitage in St. Petersburg aufbewahrt wird. Dargestellt ist Diana oder Artemis, die Göttin der Jagd und des Tierlebens. Auf der Stirn trägt sie einen Halbmond, das Symbol Dianas als Mondgöttin.

M 31 Hoffmann

Maron, Theresia Concordia Geboren 1725 in Aussig, gestorben 1806 in Rom. (Ausführliche Biographie bei den Pastellen).

M 63 *Der Tag.* Vor 1746. Gegenstück zu Gal.-Nr. M 64. Aquarell auf Papier, auf Kupfer aufgezogen, 24,7×18,3 cm. Aus der kurfürstlichen Miniaturensammlung; «Consignatio» 1763, Nr. 77.

Die Miniatur ist eine Kopie nach Correggios vielleicht bedeutendstem seiner großen Altargemälde, das der Künstler um 1527 für die Kirche San Antonio in Parma geschaffen hat. Heute wird das Gemälde in der Galleria Nazionale in Parma aufbewahrt. Das Werk, das ein Gegenstück zu der «Heiligen Nacht» ist, die Maron ebenfalls kopiert hatte (Gal.-Nr. M 64), zeigt im Zentrum Maria mit dem Jesusknaben. Von links tritt der heilige Hieronymus in Begleitung des Löwen heran. Durch einen Engel läßt er dem Christuskind die von ihm übersetzte Bibel überreichen. Rechts erscheint die heilige Magdalena.

M 63 Maron

M 64 *Die Heilige Nacht.* Vor 1746. Gegenstück zu Gal.-Nr. M 63. Aquarell auf Papier, auf Kupfer aufgezogen, 24,7×18,4 cm. Aus der kurfürstlichen Miniaturensammlung; «Consignatio» 1763, Nr. 140.

Vor 1746 kopierte die Künstlerin in Modena Correggios Gemälde «Anbetung der Könige», auch genannt «Die Heilige Nacht» (nach Lukas 2, 15–16), das seit 1746 im Besitz der Gemäldegalerie Dresden (Gal.-Nr. 152) ist. Correggios Bild, das ein Gegenstück zu «Der Tag» ist und von Maron ebenfalls kopiert wurde (Gal.-Nr. M 63), hatte Francesco III. d'Este zusammen mit 100 weiteren Gemälden aus der herzoglichen Sammlung in Modena an August III., König von Polen und Kurfürst von Sachsen, verkauft.

M 64 Maron

Mengs, Anton Raphael Geboren 1728 in Aussig, gestorben 1779 in Rom. (Ausführliche Biographie bei den Gemälden).

M 225 *Die Heilige Familie.* 1744. Aquarell auf Pergament, 28,8×18,3 cm. 1948 in die Galerie; zuerst im Katalog 1960.

Die Miniatur ist eine Kopie nach einem Gemälde von Giovanni Francesco Penni, einem Schüler Raffaels, in der Galleria Nazionale die Capodimonte, Neapel. Früher wurde das Gemälde Raffael zugeschrieben. Vor einer antik anmutenden Architektur sind Maria mit dem Jesuskind, die heilige Elisabeth sowie der kleine Johannes, den Jesus segnet, dargestellt. Im Hintergrund steht Joseph.

M 225 Mengs, Anton Raphael

Mengs, Ismael Geboren 1688 in Kopenhagen, gestorben 1764 in Dresden. (Ausführliche Biographie bei den Gemälden).

M 40 *Die büßende Maria Magdalena.* Email auf Kupfer, oval, 16,3×13,7 cm. Aus der kurfürstlichen Miniaturensammlung; «Consignatio» 1763, Nr. 62.

Maria Magdalena, die Sünderin, hört von Christus, der im Haus Simons die Aussätzigen speist. Sie wagt nicht, sich unter die Gerechten zu setzen, fällt Christus zu Füßen, die sie mit ihren Tränen wäscht, salbt und mit ihren Haaren trocknet (Lukas 7, 36). In den bildlichen Darstellungen werden der büßenden Magdalena seit etwa 1400 vereinzelt anstelle des Salbgefäßes ein Totenkopf und ein Kruzifix als Attribute beigegeben, woraus sich ab dem 16. Jahrhundert ein Bildtypus für die Büßerin entwickelt. Das Kruzifix dient als Hinweis auf ihre Liebe zu Christus und ist Gegenstand der Versenkung in seine Leiden. Der Totenkopf, ein Symbol für Vanitas, wird bis ins 19. Jahrhundert neben dem Kruzifix zum wichtigsten Attribut der büßenden Magdalena.

M 40 Mengs, Ismael

M 47 *Der Apostel Philippus.* Aquarell, Pergament auf Blech, 11,4×9,2 cm. Aus der kurfürstlichen Miniaturensammlung; «Consignatio» 1763, Nr. 113.

Die Wiedergabe des Apostels Philippus wie auch des Andreas, mit dem er befreundet war (Gal.-Nr. M 52), gehört zu einer Serie von Aposteldarstellungen. Mengs zeigt den Apostel in Dreiviertelfigur, der sich auf einen Kreuzstab stützt, dem charakteristischen Attribut des Heiligen. Philippus nimmt die fünfte Stelle unter den Jüngern Christi ein. Nach der Legende predigte er 20 Jahre in Skythien. Als er vor dem Standbild des Mars opfern sollte, kam ein gewaltiger Drache hervor, der den Sohn des Priesters sowie zwei Tribunen tötete. Sein Gifthauch machte alle Anwesenden krank. Philippus bewirkte, daß der Drache in die Wüste ging, erweckte die Toten, heilte die Kranken und bekehrte alle. Im phrygischen Hierapolis wurde Philippus von Heiden ergriffen und am Kreuz gesteinigt.

M 47 Mengs, Ismael

M 52 *Der Apostel Andreas.* Aquarell und Deckfarbe auf Elfenbein, 11,4×8,9 cm. Aus der kurfürstlichen Miniaturensammlung; «Consignatio» 1763, Nr. 109.

Der Apostel Andreas war der ältere Bruder des Simon Petrus. Wie ihr Vater Jonas waren beide Fischer. Nach Johannes 1,35–42 war Andreas zunächst Jünger Johannes des Täufers und wurde von Christus als erster Jünger berufen. In der Reihe der Apostel erscheint er an zweiter oder vierter Stelle. Er predigte in den Gebieten Pontus, Bythinien, vermutlich in Skythien, auf dem Balkan und in Griechenland. Seine Attribute sind Schriftrolle und Buch, da er verschiedene Schriften verfaßt hat, ferner auch Fisch und Fischernetz. Immer ist ihm das Andreaskreuz, wie auch in der Darstellung von Mengs zu sehen ist, beigegeben. Der Statthalter Aegeas von Patras, den er nicht vom Christentum überzeugen konnte, dessen Frau er aber heilte, bekehrte und zu ehelicher Enthaltsamkeit anhielt, ließ Andreas das Martyrium am X-förmigen Kreuz (Andreaskreuz) erleiden.

M 52 Mengs, Ismael

M 57 *Eine Dame mit ihrem Sohne.* Aquarell und Deckfarbe auf Elfenbein, oval, 12,3×9,1 cm. Aus der kurfürstlichen Miniaturensammlung; «Consignatio» 1763, Nr. 122.

Als Hofminiaturenmaler bekam Mengs zahlreiche Aufträge für Bildnisminiaturen. Bisher konnten keine näheren Angaben über die Porträtierten ermittelt werden. J. Hübner (1880) nahm frageweise an, daß es sich bei den Dargestellten um Anna Constanze Gräfin Cosel (1680–1765) und ihren Sohn Friedrich August Graf von Cosel (1712–1779) handeln könnte.

M 57 Mengs, Ismael

M 73 *Selbstbildnis.* Aquarell auf Pergament, 9,3×7,4 cm. Aus der kurfürstlichen Miniaturensammlung; «Consignatio» 1763, Nr. 207.

Vor einem dunklen Hintergrund sitzt ein junger Mann in einem dunkelbraunen Mantel und einer Pelzmütze mit Feder. Früher wurde die Miniatur als «Junger Pole» bezeichnet. Überzeugend hat jedoch Steffi Röttgen im Gespräch darauf hingewiesen, daß es sich hier um ein Selbstbildnis des jungen Ismael Mengs handelt.

M 73 Mengs, Ismael

Oppermann, C. H. N. Geboren um 1760 in Braunschweig, gestorben nach 1812. Nähere Lebensdaten des Künstlers sind nicht bekannt. Er soll Schüler von F. Curland gewesen sein, zwischen 1790–1800 in Hamburg und seit etwa 1807 in St. Petersburg gearbeitet haben.

M 140 Oppermann

M 140 *Zar Alexander I. von Rußland.* 1809. Bezeichnet rechts unten am Rande: J(?) C. Oppermann 1809. Aquarell auf Elfenbein, oval, 5,6×4,3 cm. 1858 aus der Sammlung Carl Leopold Christoph von Reitzenstein; zuerst im Katalog 1880, Nr. 71.

Alexander Pawlowitsch (1777–1825), seit 1801 Zar von Rußland, war der Sohn Pauls I. und der württembergischen Prinzessin Sophia Dorothea Auguste (russisch Maria Feodorowna). Er war der erklärte Liebling seiner Großmutter Zarin Katharina II., die zeitweilig sogar daran gedacht hatte, ihren Sohn Paul bei der Thronfolge zugunsten ihres Enkels zu übergehen. Alexander gelangte durch einen ohne seine direkte Beteiligung durchgeführten Staatsstreich an die Regierung. Trotz der Aufgeschlossenheit gegenüber liberalen Ideen dachte Alexander nie an eine Beschränkung seiner Selbstherrschaft. Von dem umfassenden Reformprojekt wurden nur Bruchstücke erfüllt. In seinen zahlreichen mit und gegen Napoleon geführten Kriegen (1807–1809) konnte er die Vormachtstellung Rußlands ausbauen. Auf dem Wiener Kongreß 1815 erzwang er als «Retter Europas» die Anerkennung eines mit Rußland verbundenen Königreiches Polen.

Unbekannte Miniaturmaler des 18. und des frühen 19. Jahrhunderts

M 68 Unbekannt

M 68 *Galileo Galilei.* Aquarell auf Elfenbein, 13,3×10,9 cm. Aus der kurfürstlichen Miniaturensammlung; «Consignatio» 1763, Nr. 127.

Galileo Galilei wurde 1564 in Pisa geboren. Nach dem Studium wurde er Professor für Mathematik in Pisa (1589–1592) und in Padua (1592–1610). Seit 1610 war er in Florenz als Hofmathematiker tätig. Durch die Einführung des quantitativen Experiments wurde er der Begründer der modernen Naturwissenschaft. Er leitete die Pendelgesetze ab und erforschte die Gesetze des freien Falls. Mit dem von ihm nach niederländischem Vorbild konstruierten Fernrohr entdeckte er u. a. die Phasen der Venus, die Monde des Jupiter und die Saturnringe. Für seine astronomischen Forschungen und sein Eintreten für die kopernikanische Lehre wurde er berühmt. Aufgrund seiner Äußerungen über das Verhältnis der Bibel zum heliozentrischen System wurde er 1632 vor die Inquisition zitiert. 1633 schwor er «seinen Irrtum» als treuer Katholik ab, ohne den legendären Ausspruch «Und sie bewegt sich doch» getan zu haben. Er wurde auf seine Villa Arcetri bei Florenz verbannt, wo er bis zu seinem Tod 1642 lebte.

M 69 *Der kaiserliche Hofmusikus Ferdinand Josef Lemberger.* Aquarell und Deckfarben auf Elfenbein, 13,2×10 cm. Aus der kurfürstlichen Miniaturensammlung, «Consignatio» 1763, Nr. 125.

Bei der Miniatur handelt es sich um eine Kopie nach dem bekannten Gemälde Jan Kupezkýs im Germanischen Nationalmuseum Nürnberg. Ferdinand Josef Lemberger (1698?–1740?) gehörte zum Freundeskreis Kupezkýs und war am 6. Januar 1710 dessen Trauzeuge in Wien.

M 75 *Galante Szene im Park.* Vor 1763. Gegenstück zu Gal.-Nr. M 76. Aquarell auf Pergament, 4,5×6,5 cm. Aus der kurfürstlichen Miniaturensammlung; «Consignatio» 1763, Nr. 288.

Ursprünglich befanden sich 16 Miniaturen, die dem Thema der «galanten Feste» oder dem «Tanz im Freien» gewidmet waren, in der kurfürstlichen Miniatursammlung. Davon sind nur noch diese und die folgende Miniatur (Gal.-Nr. M 76) erhalten. Derlei Vergnügungen im Park oder Schäferspiele waren typische Modeerscheinungen der höfischen Gesellschaft des Rokoko. Bei den Miniaturen handelt es sich vermutlich um Kopien nach französischen Malern des 18. Jahrhunderts wie Watteau oder Lancret. Die Vorbilder konnten bisher jedoch nicht ermittelt werden.

M 76 *Tanz im Freien.* Vor 1763. Gegenstück zu Gal.-Nr. M 75. Aquarell auf Pergament, 4,2×6,4 cm. Aus der kurfürstlichen Miniaturensammlung; «Consignatio» 1763, Nr. 289.

Vgl. die Bemerkungen zum Gegenstück Gal.-Nr. M 75. Hier vergnügen sich junge Männer und Frauen bei einem Ringeltanz.

M 69 Unbekannt

M 75 Unbekannt

M 76 Unbekannt

M 155 *König Ludwig I. von Bayern.* Aquarell auf Elfenbein, oval, 5,7×3,3 cm. 1858 aus der Sammlung Carl Leopold Christoph von Reitzenstein; zuerst im Katalog 1880, Nr. 58.

Ludwig I. König von Bayern (1786–1868) war der Sohn König Maximilian I. Josephs und der Wilhelmine von Hessen-Darmstadt. Er war der bedeutendste Mäzen seiner Zeit und baute München zur Kunststadt aus. Während seiner Regierungszeit wurden Pinakothek und Glyptothek gebaut. Er ließ zahlreiche Kunstwerke, vor allem Antiken, ankaufen. Die Kunst betrachtete er als Erzieherin des Volkes. Seine glänzendste staatspolitische Leistung war die Sanierung der bayerischen Staatsfinanzen. Seine anfänglich liberale Politik wurde zunehmend reaktionärer. Er trat für den griechischen Freiheitskampf ein. Die Affäre um die Tänzerin Lola Montez zwang Ludwig 1848 zur Abdankung.

M 155 Unbekannt

M 163 *König Friedrich Wilhelm IV. von Preußen.* Aquarell auf Elfenbein, oval, 4×3,2 cm. 1858 aus der Sammlung Carl Leopold Christoph von Reitzenstein; zuerst im Katalog 1880, Nr. 70.

Friedrich Wilhelm IV. (1795–1861), seit 1840 König von Preußen, war der Sohn Friedrich Wilhelms III. und der Prinzessin Luise von Mecklenburg-Strelitz. Seine mystisch-romantische Auffassung vom Herrscherstaat sowie seine geistigen und künstlerischen Interessen brachten ihm den Beinamen «Romantiker auf dem Thron» ein. Als König schien er sich zunächst von der Restaurationspolitik seines Vaters zu entfernen und liberalere Positionen zu vertreten. Er löste jedoch das Verfassungsversprechen seines Vaters nicht ein. 1849 wurde ihm von der Frankfurter Nationalversammlung die Erbkaiserwürde angetragen, die er ablehnte. Nach seiner schweren Erkrankung 1858 übernahm sein Bruder Wilhelm (I.) die Regentschaft.

M 163 Unbekannt

M 176 *Prinzessin Elisabeth von Sachsen.* Um 1800. Aquarell auf Elfenbein, oval, 2,6×2 cm. 1858 aus der Sammlung Carl Leopold Christoph von Reitzenstein; zuerst im Katalog 1880, Nr. 72.

Maria Elisabeth Apollonia Casimira Franziska Xavaria von Sachsen (1736–1818) war die Tochter des Kurfürsten Friedrich August II. von Sachsen und der Maria Josepha von Österreich.

M 176 Unbekannt

M 179 *Kurfürstin Elisabeth von Bayern.* Aquarell auf Elfenbein, oval, 3×2,8 cm. 1858 aus der Sammlung Carl Leopold Christoph von Reitzenstein; zuerst im Katalog 1880, Nr. 88.

Elisabeth Augusta von Pfalz-Sulzbach heiratete 1742 Karl Theodor von der Pfalz. Nach dem Tode Maximilian Josephs von Bayern (vgl. Gal.-Nr. M 182) wurde sie 1777 Kurfürstin von Bayern. Sie berief u. a. Iffland und Schiller an das Mannheimer Nationaltheater.

M 179 Unbekannt

M 181 *Kurfürst Friedrich August III.* Um 1790. Aquarell auf Elfenbein, oval, 3×2,3 cm. 1858 aus der Sammlung Carl Leopold Christoph von Reitzenstein; zuerst im Katalog 1880, Nr. 89.

Friedrich August von Sachsen, als Kurfürst Friedrich August III., als König Friedrich August I., genannt der Gerechte (1750–1827), übernahm nach dem frühen Tod seines Vaters, des Kurfürsten Friedrich Christian, 1763 zunächst unter Vormundschaft seines Onkels Xaver und dann seit 1768 selbst die Regierung. Er widmete sich dem weiteren Wiederaufbau des Landes, das infolge des Siebenjährigen Krieges stark zerstört war. 1785 trat Friedrich August dem deutschen Fürstenbund bei, lehnte aber die polnische Königskrone ab. Für den Beitritt zum Rheinbund 1806 verlieh Napoleon ihm im Frieden von Posen den Königstitel. In den Befreiungskriegen stand er unbeirrt zur Allianz mit Napoleon. Er wurde 1813 bei Leipzig gefangengenommen und erst vom Wiener Kongreß 1815 in einem stark verkleinerten Territorium restituiert.

M 181 Unbekannt

M 182 *Kurfürst Maximilian Joseph von Bayern.* Aquarell auf Pergament, 2,6×3,2 cm. 1858 aus der Sammlung Carl Leopold Christoph von Reitzenstein; zuerst im Katalog 1880, Nr. 91.

Maximilian III. Joseph (1727–1777) wurde 1745 Kurfürst von Bayern. Sein Vater Karl VII. Albrecht von Bayern war 1742 mit Hilfe französischer Einflußnahme zum deutschen Kaiser gewählt worden. Maximilian beendete im Frieden von Füssen (22. April 1745) den zwischen Bayern und Österreich herrschenden Österreichischen Erbfolgekrieg. Maximilian verzichtete darin auf die Kaiserwürde und versprach gegen Rückgabe seiner Erblande dem Großherzog Franz Stephan von Toskana seine Stimme bei der Kaiserwahl. Verschiedene innere Reformen wurden unter Maximilians Regierung durchgeführt. 1759 wurde die Bayerische Akademie der Wissenschaften in München gegründet, 1771 die allgemeine Schulpflicht eingeführt. Der Kurfürst war verheiratet mit Maria Anna von Sachsen (vgl. Close, Gal.-Nr. M 187).

M 182 Unbekannt

M 224 *Damenbildnis.* Um 1800. Aquarell auf Elfenbein, oval, 7,1×5,6 cm. Herkunft unbekannt; zuerst im Katalog 1960.

Näheres über die Dargestellte konnte bisher nicht ermittelt werden. Das hoch über der Taille gegürtete Kleid weist schon auf das Empire hin.

M 224 Unbekannt

BILDTEPPICHE

Bildteppiche sind solche Teppiche, die nicht nur gemustert sind, sondern bildliche Darstellungen aufweisen und zur Bekleidung von Wandflächen dienen. Sie werden auch nach der Pariser Färberfamilie Gobelin benannt, deren Betrieb zu Beginn des 17. Jahrhunderts von König Heinrich IV. als Werkstätte für die von ihm berufenen flandrischen Teppichwirker übernommen wurde. Diese Werkstätte erhielt 1662 den Namen «Königliche Gobelin-Manufaktur», wonach die hier gewirkten Bildteppiche als «Gobelins» bezeichnet wurden, ein Name, der sich schließlich allgemein auf Bildteppiche übertrug. – Die Bildwirkerei ist bis ins alte Ägypten zurückzuverfolgen. Sie erfolgt nach originalgroßen Bildvorlagen, sogenannten Kartons, auf denen das vorgesehene Motiv seitenverkehrt erscheinen muß. Beim Wirken werden die farbigen Schußfäden, meist gefärbte Wolle, mit einer Spule zwischen die parallel laufenden, meist aus Leinen bestehenden Kettfäden eingeschossen. Häufig wurden die Teppiche auch noch mit Seidensowie Gold- und Silberfäden durchwirkt. Nach Paris und Arras war seit Ende des 15. Jahrhunderts Brüssel für zwei Jahrhunderte in der Bildwirkerei führend.

Niederländische Bildteppiche

Die Kreuzigung Christi. Um 1515. 336×329 cm. Wohl schon 1554 in der Dresdener Schloßkapelle.

Ursprünglich zu einer Folge von 15 Wandteppichen gehörend, die Herzog Georg der Bärtige von Sachsen (1471–1539) von einer Reise 1515 mit nach Dresden brachte. Die von E. Kumsch (1913) geäußerte Vermutung, daß die Komposition auf Vorlagen von Jan Gossaert zurückzuführen sei, konnte bisher nicht nachgewiesen werden. In einzelnen Figuren glaubte man porträthafte Züge zu erkennen: unter den sieben Frauen am Kreuz sollen vier die Töchter Ferdinands von Aragon und Isabellas von Kastilien darstellen, die heilige Veronika soll Züge der Germaine Foix tragen, sie war die zweite Gemahlin König Ferdinands, der selbst barhäuptig am rechten Bildrand steht. Königin Isabella hingegen (1504 gestorben) glaubte man in der klagenden Figur am Kreuz zu erkennen. Im Hintergrund die Stadt Jerusalem, oben links und rechts Sonne und Mond.

Niederländisch um 1515

Die Himmelfahrt Christi. Um 1530. 342×333 cm. Wohl schon 1554 in der Dresdener Schloßkapelle.

Die Figuren mit Maria und den elf Jüngern sind um einen Hügel gruppiert, was irrtümlich dazu führte, die Komposition des Bildteppichs mit Dürers Kleiner Passion in Verbindung zu bringen. Der Bildteppich gehört zu einer Gruppe von in Dresden aufbewahrten Werken, von denen tatsächlich zwei auf Vorlagen Dürers zurückgehen, nämlich «Die Kreuztragung Christi» und «Die Anbetung der Hirten».

Niederländisch um 1530

Bildteppiche nach Kartons von Raffael

Raffael, eigentlich Raffaello Santi, geboren 1483 in Urbino, gestorben 1520 in Rom (ausführliche Biographie bei den Gemälden), zeichnete 1514–1516 im Auftrage Papst Leos X. die Entwürfe für die Kartons zu zehn Bildteppichen mit Szenen aus dem Leben der beiden Hauptapostel Petrus und Paulus. Die Originalteppiche waren für die Sixtinische Kapelle im Vatikan bestimmt und wurden in der Teppichwerkstatt des Pieter van Aelst in Brüssel gewirkt; 1519 waren sieben davon bereits fertiggestellt. Die Serie befindet sich vollständig im Vatikanischen Museum, Rom. Wiederholungen von wechselnder Vollständigkeit und Zusammensetzung, ebenfalls in der Manufaktur Aelst in Brüssel hergestellt, gibt es im Palazzo Ducale in Mantua und im Königlichen Schloß Madrid; eine weitere Serie, die sich ehemals in Berlin befand, verbrannte im Zweiten Weltkrieg. Die Dresdener Folge gehört zu den Wiederholungen, die nach 1623 in der 1619 gegründeten englischen Teppichmanufaktur Mortlake bei London entstanden und wofür Francis Cleyn die aus Genua erworbenen und heute im Victoria and Albert Museum London befindlichen Kartons Raffaels kopierte. Die sechs Dresdener Teppiche wurden 1723 durch den Premierminister und Feldmarschall Augusts des Starken, Graf Flemming, aus dem Nachlaß des Kardinals Egon von Fürstenberg in Paris angekauft und von ihm 1728 an August den Starken weiterverkauft. Der Teppich mit der Darstellung der «Bestrafung des Elymas» ist zeitweilig deponiert. Die von monumentalem Pathos bestimmten Bilddarstellungen sind oben und an den Seiten von Bor-

B 1 Nach Raffael

düren umrahmt, die erst nach dem Tode Raffaels datieren und stilistisch schon dem Manierismus zugehören. Sie zeigen in den oberen Ecken jeweils eine Apostelgestalt und auf dem übrigen Raum Kartuschen mit biblischen Szenen oder Blumen und (meist paarweise angeordnete) Putti sowie Fruchtgewinde.

Literatur: K. Woermann: Die Raphaelischen Tapeten. In: Katalog der Königlichen Gemäldegalerie zu Dresden. Dresden 1905, 6. Aufl., S. 880–882. – J. White: The Raphael Cartoons. Victoria and Albert Museum. London 1972.

B 1 *Der wunderbare Fischzug.* 415 × 514 cm.

Der Teppich gehört mit den beiden folgenden zur Petrus-Serie. Jesus veranlaßte den Fischer Simon Petrus, erneut mit seinem Boot auf den See Genezareth hinauszufahren, obgleich Petrus schon die ganze Nacht erfolglos gefischt hatte. Als es diesmal zu einem überreichen Fischzug kam, erkannten Petrus wie auch seine Gesellen Jakobus und Johannes voll Furcht die Übermenschlichkeit Jesu, der sie nun zu seinen Jüngern berief (Lukas 5, 1–11). In dem mit Fischen überladenen vorderen Kahn ist Petrus vor Jesus auf die Knie gesunken, und auch der Fischer hinter ihm huldigt diesem, während die Männer im anderen Boot noch mit der Bergung des Fanges beschäftigt sind. Ihre herkulischen Körper zeigen die stilistische Nähe zu Michelangelo an. Die Komposition ist von den lebhaft rhythmischen Umrissen der menschlichen Figuren beherrscht, die von der Landschaft und den ausgezeichnet beobachteten Kranichen vorn begleitet werden. In den Ecken der Bordüre oben links wohl der Apostel Barnabas, rechts Bartholomäus.

Literatur: L. Dussler: Raffael. Kritisches Verzeichnis der Gemälde, Wandbilder und Bildteppiche (Bruckmanns Beiträge zur Kunstwissenschaft). München 1966, I a, S. 111.

B 2 Nach Raffael

B 2 *«Weide meine Schafe» (Die Beauftragung Petri).* 431 × 623 cm.

Als Jesus nach seiner Auferstehung den Jüngern zum dritten Male erschien, fragte er Petrus dreimal, ob er ihn liebhabe, und erteilte ihm dreifach den Auftrag «Weide meine Schafe» (Johannes 21, 15–17), womit die Übernahme des Oberhirtenamtes über die christliche Gemeinde gemeint ist. Im Bildteppich weist Jesus mit der einen Hand auf den knienden Apostel, mit der anderen auf die Schafe hinter sich. Die Gestalten sind von großer statuarischer Kraft und Würde. In den Ecken der Bordüre oben links der Apostel Thomas, rechts Philippus.

Literatur: Dussler 1966, I b, S. 111/12.

B 3 Nach Raffael

B 3 *Die Heilung des Lahmen.* 431 × 640 cm.

Im Namen Christi vollzogen die Apostel Petrus und Johannes im Tempel zu Jerusalem die Heilung eines Lahmen, der am Eingang um Almosen bat (Apostelgeschichte 3, 1–8). Hier ist die Bildfläche durch die gewaltigen gewundenen und reliefierten Säulen der Tempelhalle gegliedert. Im Mittelfeld umrahmen diese die Gruppe der beiden Apostel mit dem am Boden hockenden Lahmen, während von den Seiten her das Volk neugierig zuschaut und ein zweiter Krüppel, links, auch für sich Heilung erhofft. Die Darstellung ist von dramatischer Wucht. In den Ecken der Bordüre oben links Petrus, rechts Johannes.

Literatur: Dussler 1966, I c, S. 112.

B 4 Nach Raffael

B 4 *Das Opfer zu Lystra.* 431 × 647 cm.

Der Teppich gehört wie der folgende zur Paulus-Serie. Der missionierende Apostel Paulus heilte in Lystra (Kleinasien) einen Lahmen, woraufhin die Stadtbewohner mit dem Priester des Jupitertempels an der Spitze, die ihn und Barnabas für Merkur und Jupiter hielten, ihnen opfern wollten. Die Apostel zerrissen ihre Kleider, bekannten sich als sterbliche Menschen und beschworen das Volk, von den falschen (antiken) Göttern abzulassen (Apostelgeschichte 14, 8–18). Die Apostel stehen rechts auf den Tempelstufen. Von rechts wird ein Schafbock zum Schlachtopfer herangeführt, in der Mitte, vor dem Monument Merkurs im Hintergrund, schwingt bei dem kleinen Altar ein Opferknecht das Beil, um ein Rind zu töten. Der Mann mit den betend erhobenen Händen in der Volksmasse ist der Geheilte, der seine Krücken zu Boden geworfen hat. Die dramatisch gesteigerte Szene ist von antikischer Architektur umrahmt. In den Ecken der Bordüre oben links wohl der Apostel Jakobus der Jüngere, rechts Judas Thaddäus.

Literatur: Dussler 1966, II d, S. 113/14.

B 5 *Die Predigt des Paulus zu Athen.* 431 × 535 cm.

Der Apostel Paulus hielt auf seiner zweiten Missionsreise in Athen Ansprachen in der Synagoge, auf dem Markt und im Gerichtshof (Areopag), wobei er mehrfach auf Ablehnung stieß (Apostelgeschichte 17, 16–34). Hier ist an der unterschiedlichen Haltung der Versammelten etwas von den geteilten Auffassungen zu erkennen. Die umgebende Architektur und Plastik deuten etwas von den schätzungsweise 3000 Tempeln und Götterbildern an, die es in der als sehr fromm geltenden geistigen Metropole der Antike gab. Die Darstellung läßt etwas von der Verknüpfung des frühen Christentums mit der antiken Welt erahnen. In den Ecken der Bordüre oben links der Apostel Andreas, rechts Jakobus der Ältere.

Literatur: Dussler 1966, II f, S. 114–118.

B 5 Nach Raffael

VERZEICHNIS DER MEISTER NACH SCHULEN

Italienische Meister
14.–18. Jahrhundert

Florenz

Maestro del Bambino Vispo
(1. Viertel 15. Jahrhundert)
Fra Angelico (1387–1455), Schule
Pesellino (um 1422–1457), Richtung
Sandro Botticelli (1444 oder 1445–1510)
Lorenzo di Credi (um 1458–1537)
Piero di Cosimo (1461 oder 1462–1521)
Franciabigio (1482 oder 1483–1525)
Andrea del Sarto (1486–1530)
Bacchiacca (1495–1557)
Florentinisch (?) um 1550
Bronzino (1503–1572)
Battista Naldini (1537–1591)
Simone Pignoni (1611?–1698)
Carlo Dolci (1616–1686)

Siena

Sienesisch um 1350
Niccolò di Buonaccorso (?)
(nachweisbar seit 1348–1388)
Sano di Pietro (1406–1481)

Umbrien und die Marken

Pinturicchio (um 1454–1513)
Federico Barocci (?) (1535?–1612)

Ferrara

Cosimo Tura (?) (um 1430–1495)
Francesco del Cossa (1435 oder 1436–1477 oder 1478)
Ercole de' Roberti (um 1450–1496)
Lorenzo Costa (um 1460–1535)
Ludovico Mazzolino
(um 1480–zwischen 1528/1530)
Garofalo (um 1481–1559)
Dosso Dossi (um 1498–wohl 1542)
Battista Dossi (um 1493/1495–1548)
Girolamo da Carpi (1501–1556)

Parma

Correggio (um 1489–1534)
Parmigianino (1503–1540)
Girolamo Bedoli (um 1500–1569)

Bologna

Francesco Francia (um 1450–1517 oder 1518)
Prospero Fontana (1513–1597)
Lorenzo Sabatini (um 1530–1576)
Denys Calvaert (1540–1619)
Annibale Carracci (1560–1609)
Pietro Faccini (1562?–1602)
Guido Reni (1575–1642)
Leonello Spada (1576–1622)
Alessandro Tiarini (1577–1668)
Francesco Albani (1578–1660)
Domenichino (?) (1581–1641)
Guercino (1591–1666)
Carlo Cignani (1628–1719)
Marcantonio Franceschini (1648–1729)
Giuseppe Maria Crespi (1665–1747)
Pietro Paltronieri (1673–1741)
Giuseppe Gambarini (1680–1725)

Rom

Raffael (1483–1520)
Giulio Romano (um 1499–1546)
Daniele da Volterra (1509–1566)
Girolamo Muziano (1528–1592)
Orazio Borgianni (1578–1616)
Bartolomeo Manfredi (um 1587–1620 oder 1621)
Domenico Fetti (1589?–1623)
(s. auch Schule von Venedig)
Andrea Sacchi (1599–1661)
Michelangelo Cerquozzi (1602–1660)
Pier Francesco Mola (1612–1666)
Carlo Maratti (1625–1713)
Giovanni Coli (1636–1681)
Filippo Gherardi (1643–1704)
Giuseppe Bartolomeo Chiari (1654–1727)
Francesco Trevisani (1656–1746)
Sebastiano Conca (1679–1764)
Andrea Locatelli (1695–1741?)
Pompeo Girolamo Batoni (1708–1787)
Giovanni Antonio Buti (tätig um 1750)

Neapel

Salvator Rosa (1615–1673)
Giovanni Battista Ruoppolo (1629–1693)
Luca Giordano (1632–1705)
Francesco Solimena (1657–1747)

Genua

Bernardo Strozzi (1581–1644)
(s. auch Schule von Venedig)
Valerio Castello (1624–1659)
Alessandro Magnasco (1667–1749)

Mailand

Giovanni Ambrogio Bevilacqua (nachweisbar 1481–1502)
Giovanni Battista Moroni (gegen 1525–1578)

Flämische Meister
Ende 16.–17. Jahrhundert

Maerten I van Valckenborch (1535–1612)
Gillis van Coninxloo (1544–1607)
Paul Bril (1554–1626)
Joos de Momper (1564–1635)
Jacob I Savery (um 1545–1602)
Jan Brueghel der Ältere (1568–1625)
Roelant Savery (um 1576–1639)
David Vinckboons (1578–nach 1632)
Peter Paul Rubens (1577–1640)
Frans Snyders (1579–1657)
Louis Finson (vor 1580–1617)
(s. auch holländische Meister, Schule von Amsterdam)
Hendrick van Steenwyck der Jüngere (um 1580–1649)
Jan Wildens (1586–1653)
Jacob Jordaens (1593–1678)
Lucas van Uden (1595–1672)
Anton van Dyck (1599–1641)
Adriaen van Utrecht (1599–1652)
Alexander Keirincx (1600–1652)
Matthias Stom (um 1600–nach 1649)
(s. auch Schule von Utrecht)
Adriaen Brouwer (1605 oder 1606–1638)
David Teniers der Jüngere (1610–1690)
Jan Fyt (1611–1661)
Pieter Gysels (1621–1690 oder 1691)
Carstian Luyckx (1623–1653 nachweisbar)
Cornelis de Heem (1631–1695)
Nicolaes van Veerendael (1640–1691)
Jan Onghers (um 1656–1735)
(s. auch böhmische Meister)

Holländische Meister
Ende 16.–17. Jahrhundert

Haarlem

Monogrammist J S (Ende 16. Jahrhundert)
(s. auch deutsche Meister)
Cornelis Cornelisz. van Haarlem (1562–1638)
Frans Hals der Ältere (zwischen 1581/1585–1666)
Jacob Symonsz. Pynas (1590–nach 1650)
Willem Claesz. Heda (1594–zwischen 1680/1682)
Pieter Claesz (1597 oder 1598–1661)
Joseph de Bray (gestorben 1664)
Salomon van Ruysdael (zwischen 1600/1603–1670)
Pieter de Grebber (um 1600–1652 oder 1653)
Adriaen van Ostade (1610–1685)
Philips Wouwerman (1619–1668)
Nicolaes Pietersz. Berchem (1620–1683)
Isaack van Ostade (1621–1649)
Allaert van Everdingen (1621–1675)
Jan Vermeer van Haarlem der Ältere (1628–1691)
Jacob Isaacksz. van Ruisdael (1628 oder 1629–1682)
Job Adriaensz. Berckheyde (1630–1693)
Gerrit Adriaensz. Berckheyde (1638–1698)
Salomon Rombouts (um 1650–1702)

Utrecht

Gerard van Honthorst (1590–1656)
Balthasar van der Ast (1593 oder 1594–1657)
Matthias Stom (um 1600–nach 1649)
(s. auch flämische Maler)
Nikolaus Knüpfer (wohl 1603–1655)
Jan Davidsz. de Heem (1606–1683 oder 1684)
Herman Saftleven der Jüngere (1609–1685)
Caesar Boëtius van Everdingen (um 1617–1678)
Melchior d'Hondecoeter (1636–1695)
(s. auch Schule von Amsterdam)

Kampen

Hendrick Avercamp (1585–1634)

Amsterdam

Louis Finson (vor 1580–1617)
(s. auch flämische Meister)
Thomas de Keyser (1596 oder 1597–1667)
Pieter Jacobsz. Codde (1599–1678)
Aert van der Neer (1603–1677)
Rembrandt (1606–1669)
Jacob Adriaensz. Backer (1608–1651)
Salomon Koninck (1609–1656)
Bartholomäus van der Helst (wohl 1613–1670)
Jan Asselijn (um oder nach 1610–1652)
Govaert Flinck (1615–1660)
Ferdinand Bol (1616–1680)
Philips Koninck (1619–1688)
Jan Victors (1619–nach 1676)
Gerbrand van den Eeckhout (1621–1674)
Paulus Potter (1625–1654)
Ludolf Backhuysen (1631–1708)
Willem Drost (um 1630/1635–nach 1680 nachweisbar)
Adriaen van de Velde (1636–1672)
Melchior d'Hondecoeter (1636–1695)
(s. auch Schule von Utrecht)
Jan van der Heyden (1637–1712)
Meindert Hobbema (1638–1709)
Jan Griffier (um 1645–1718)
Aert de Gelder (1645–1727)
(s. auch Schule von Dordrecht)
Jan Verkolje (1650–1693)

Den Haag

Jan van Goyen (1596–1656)
(s. auch Schule von Leiden)
Caspar Netscher (1635 oder 1636–1684)
(s. auch Schule von Deventer)

Leiden

Jan van Goyen (1596–1656)
(s. auch Schule des Haags)
Gerard Dou (1613–1675)
Quiringh Gerritsz. van Brekelenkam (nach 1620–um 1667/1669)
Jan Steen (1625 oder 1626–1679)
Gabriel Metsu (1629–1667)
Frans van Mieris der Ältere (1635–1681)

Delft

Maria van Oosterwyck (1630–1693)
Jan Vermeer van Delft (1632–1675)

Deventer

Gerard Terborch (1617–1681)
Caspar Netscher (1635 oder 1636–1684)
(s. auch Schule des Haags)

Rotterdam

Hendrick Maertensz. Sorgh
(zwischen 1609/1611–1670)
Ludolf de Jongh (1616–1679)
Jacob Ochtervelt (1634–1682)
Adriaen van der Werff (1659–1722)

Dordrecht

Aert de Gelder (1645–1727)
(s. auch Schule von Amsterdam)

Englische Meister
18. Jahrhundert

Sir Joshua Reynolds (1723–1792)
Sir Henry Raeburn (1756–1823)

Deutsche und österreichische Meister
15.–18. Jahrhundert

Meister des Hausbuches (um 1445–um 1505)
Sigmund Holbein (um 1470–1540)
Albrecht Dürer (1471–1528)
Lucas Cranach der Ältere (1472–1553)
Jörg Breu der Ältere (um 1475–1537)
Hans Baldung genannt Grien (1484 oder 1485–1545)
Oberdeutsch (?) um 1520
Hans Maler (nachweisbar 1500–1529)
Hans Holbein der Jüngere (1497 oder 1498–1543)
Georg Pencz (um 1500–1550)
Lucas Cranach der Jüngere (1515–1586)
Joseph Heintz der Ältere (1564–1609)
Johann Rottenhammer (1564–1625)
Monogrammist J S (Ende 16. Jahrhundert)
(s. auch holländische Meister, Schule von Haarlem)
Adam Elsheimer (1578–1610)
Bartholomäus Dietterlin (um 1590–1638 nachweisbar)
Johann Liss (um 1597–1629 oder 1630)
(s. auch italienische Meister, Schule von Venedig)
Johann Heinrich Schönfeld (1609–1682 oder 1683)
Christoph Paudiss (um 1625–1666)
Broder Matthisen (seit 1637 nachweisbar–1666)
Wilhelm von Bemmel (1630–1708)
Johann Heinrich Roos (1631–1685)
Franz Werner Tamm (1638–1724)
Abraham Mignon (1640–1679)
Johann Heiss (1640–1704)
Daniel Seiter (um 1649–1705)
Heinrich Christoph Fehling (1654–1725)
Philipp Peter Roos (1657–1706)
Anton Faistenberger (1663–1708)
Christoph Ludwig Agricola (1667–1719)
Johann Georg de Hamilton (1672–1737)
Balthasar Denner (1685–1749)
Johann Alexander Thiele (1685–1752)
Ismael Mengs (1688–1764)
Franz de Paula Ferg (1689–um 1740)
Johann Christian Sperling (1689–1746)
Enoch Seemann der Jüngere (1694 oder 1695–1744)
August Querfurt (1696–1761)
George de Marées (1697–1776)
Johann Georg Dathan (1701–1749)
Christian Seybold (1703–1768)
Johann Georg Platzer (1704–1761)
Joachim Martin Falbe (1709–1782)
Anton Kern (1710–1747)
Christian Wilhelm Ernst Dietrich (1712–1774)
Johann Georg Ziesenis (1716–1776)
Adam Friedrich Oeser (1717–1799)
Johann Conrad Seekatz (1719–1768)
Anna Dorothea Therbusch (1721–1782)
Theresa Concordia Maron (1725–1806)
Joseph Roos (1726–1805)
Anton Raphael Mengs (1728–1779)
Johann Ernst Heinsius (1731–1794)
Anton Graff (1736–1813)
(s. auch Schweizer Meister)
Johann Eleazar Schenau, eigentlich Zeissig
(1737–1806)
Jacob Philipp Hackert (1737–1807)
Angelica Kauffmann (1741–1807)
(s. auch Schweizer Meister)
Jacob Wilhelm Mechau (1745–1808)
Joseph Friedrich August Darbes (1747–1810)
Johann Friedrich August Tischbein (1750–1812)
Johann Christian Klengel (1751–1824)
Franz Ludwig Close (1753–nach 1822)
Daniel Caffé (1756–1815)
Georg Friedrich Weitsch (1758–1828)
Christian Leberecht Vogel (1759–1816)
C. H. N. Oppermann (um 1760–nach 1812)
Deutsch um 1785–1795
August Grahl (1791–1868)
Jeremias David Alexander Fiorino (1797–1847)

Böhmische Meister
17.–18. Jahrhundert

Karel Škréta (1610–1674)
Jan Onghers (um 1656–1735)
(s. auch flämische Meister)
Jan Kupezký (1667–1740)
Wenzel Lorenz Reiner (1689–1743)
Norbert Joseph Carl Grund (1717–1767)

Schweizer Meister
18. Jahrhundert

Jean-Etienne Liotard (1702–1789)
Anton Graff (1736–1813)
(s. auch deutsche Meister)
Angelica Kauffmann (1741–1807)
(s. auch deutsche Meister)
Johann Heinrich Füssli (1741–1825)

VERZEICHNIS WICHTIGER INVENTARE, KATALOGE UND GESAMTDARSTELLUNGEN DER GEMÄLDEGALERIE

Inventar 1722–1728: Lit. A. et B. Inventaria Sr. Königl. Majestät in Pohlen und Churfürstl. Durchl. zu Sachsen große, wie auch kleine Cabinets und andere Schildereyen. Extract Dererjenigen Königlichen Schildereyen, welche Mense Julii 1722 bey gehaltener Comißarischen Inventirung sich in Vorrath befunden. Item, was nach dem darzu erkaufft und geliefert, oder von andern Königl. Schlößern zur Einnahme zu bringen angegeben, und wo dato dieselbe aufgemacht sind, ist zu ersehen, wie folget: Ex Libro Inventarii sub Lit: A. Extrahirt Mense Aug. ao 1728 (gefertigt von Johann Adam Steinhäuser).

Inventar Guarienti (1747–1750): Catalogo delli quadri, che sono nel Gabinetto di Sua Maestà (gefertigt von Pietro Guarienti).

Inventar 1754: Inventarium von der Königlichen Bilder-Galerie zu Dreßden, gefertiget Mens: Julij & August: 1754 (gefertigt von Matthias Oesterreich).

Inventar 1809: Verzeichniß der Königlich Sächsischen Bildergalerie, zu Dresden, neu gefertiget und vollendet im Jahre 1809. Erster Band enthaltend die äussere Galerie No. 1.–847; Zweyter Band enthaltend 1.) die innere Galerie No. 848–1214. und von No. 1387–1868. 2.) das Cabinet der Pastel Gemälde No. 1215–1386 (gefertigt von Johann Anton Riedel).

Riedel, Johann Anton, und Christian Friedrich Wenzel: Catalogue des tableaux de la Galerie Electorale à Dresde. Dresden 1765. Deutsche Ausgabe Leipzig 1771: Verzeichnis der Gemälde in der Churfürstlichen Gallerie in Dresden.

Abrégé de la vie des peintres, dont les tableaux composent la Galerie électorale de Dresde, à Dresde, 1782.

Matthäi, Friedrich: Verzeichnis der Königlich Sächsischen Gemälde-Galerie zu Dresden. Dresden 1835.

Quandt, Johann Gottlob von: Über den Zustand der Königlichen Gemäldegalerie zu Dresden. Für wahre Freunde der Kunst, nebst Belegen und erläuternden Anmerkungen. Leipzig 1842.

Hübner, Julius: Verzeichnis der Königlichen Gemälde-Gallerie zu Dresden. Mit einer historischen Einleitung. Dresden 1856.
Abgekürzt zitiert: Hübner 1856

Schäfer, Wilhelm: Die Königliche Gemälde-Gallerie im Neuen Museum zu Dresden. 3 Bände. Dresden 1860.

Illustrierter Galerieführer. Dresden 1861.

Woermann, Karl: Katalog der Königlichen Gemäldegalerie zu Dresden. 1. Aufl. Dresden 1887, 7. veränd. Aufl. 1908.
Abgekürzt zitiert: Woermann 1908

Posse, Hans: Katalog der Staatlichen Gemäldegalerie zu Dresden. Kleine Ausgabe. 8. Aufl. Dresden 1912, 12. Aufl. 1930.
Abgekürzt zitiert: Posse 1930

Posse, Hans: Die Gemäldegalerie zu Dresden. 1. Teil Alte Meister. Berlin, Dresden 1920.

Posse, Hans: Die Staatliche Gemäldegalerie zu Dresden. Vollständiges beschreibendes Verzeichnis der älteren Gemälde. 1. Abteilung: Die romanischen Länder. Dresden, Berlin 1929.
Abgekürzt zitiert: Posse 1929

Posse, Hans: Die Gemäldegalerie zu Dresden. Die alten Meister. Dresden o. J. (1937).

Die Verluste der öffentlichen Kunstsammlungen in Mittel- und Ostdeutschland 1943–1946. In: Bonner Berichte aus Mittel- und Ostdeutschland (hrsg. vom Bundesministerium für gesamtdeutsche Fragen). Bonn 1954, Abschnitt «Dresden», S. 51–64, Abbildungen zu Dresden S. 88–102.

Balzer, Wolfgang: Dresdner Galerie. 120 Meisterwerke des 15. bis 18. Jahrhunderts. Leipzig 1956.

Rudloff-Hille, Gertrud: Die Dresdner Galerie. Alte Meister. Berlin 1956.

Gemäldegalerie Dresden. Alte Meister. Katalog. 1. Aufl. Dresden 1956, 20. Aufl. 1978.

Nicolson, Benedict: The Dresden Pictures. In: The Burlington Magazine 640. XCIII, Juli 1956, S. 221–225.

Seydewitz, Ruth, und Max Seydewitz: Das Dresdener Galeriebuch. Vierhundert Jahre Dresdener Gemäldegalerie. Dresden 1957.

Mayer-Meintschel, Annaliese: Holländische und vlämische Meister des 17. Jahrhunderts. 50 Neuerwerbungen. Katalog. Dresden 1962.
Abgekürzt zitiert: Mayer-Meintschel 1962.

Menz, Henner: Die Dresdener Gemäldegalerie. München, Zürich 1962.

Ebert, Hans: Kriegsverluste der Dresdener Gemäldegalerie. Vernichtete und vermißte Werke. Katalog. Dresden 1963.

Voss, Hermann: Die Bergung der Dresdner Museumsschätze während des letzten Krieges. In: Weltkunst, 33, 1963, S. 13, 14.

Bernardo Bellotto genannt Canaletto in Dresden und Warschau. Katalog der Gemeinschaftsausstellung der Staatlichen Kunstsammlungen Dresden und des Nationalmuseums Warschau. Dresden 1963.

Brand, Erna: Anton Graff 1736–1813. Ausstellungskatalog. Dresden 1964.

Alpatow, Michael W.: Die Dresdener Galerie. Alte Meister. 1. Auflage Dresden 1966, 23. Auflage 1990.

Mayer-Meintschel, Annaliese: Niederländische Malerei, 15. und 16. Jahrhundert. Gemäldegalerie Alte Meister. Katalog I. Dresden 1966.
Abgekürzt zitiert: Mayer-Meintschel 1966.

Venezianische Malerei 15. bis 18. Jahrhundert. Katalog der Gemeinschaftsausstellung des Nationalmuseums Warschau, der Nationalgalerie Prag, des Museums der bildenden Künste Budapest und der Gemäldegalerie Alte Meister Dresden. Dresden 1968.
Bearbeitung der Dresdener Gemälde: Angelo Walther.
Abgekürzt zitiert: Walther 1968.

Europäische Landschaftsmalerei 1550–1650. Katalog der Gemeinschaftsausstellung des Nationalmuseums Warschau, der Nationalgalerie Prag, des Museums der bildenden Künste Budapest, der Staatlichen Ermitage Leningrad und der Gemäldegalerie Alte Meister Dresden. Dresden 1972.

Marx, Harald: Neuerwerbungen deutscher Malerei. Katalog. Dresden 1974.

Marx, Harald: Die Gemälde des Louis de Silvestre. Katalog. Dresden 1975.

Bachmann, Manfred (Herausg.): Dresdener Gemäldegalerie. Alte und Neue Meister. 1. Aufl. Leipzig 1978, 7. Aufl. 1990.

Das Stilleben und sein Gegenstand. Gemeinschaftsausstellung von Museen aus der UdSSR, der ČSSR und der DDR. Dresden 1983.

Le Vedute di Dresda di Bernardo Bellotto. Dipinti e Incisioni dai Musei di Dresda. Katalog der Ausstellung Venezia 1986. Vicenza 1986. Maßgebliche Bearbeitung: Angelo Walther.

Gemäldegalerie Alte Meister Dresden. Katalog der ausgestellten Werke. 1. Aufl. Dresden 1979, 7. Aufl. 1988.

Marx, Harald: Ein Rundgang durch die Dresdener Gemäldegalerie Alte Meister. 1. Aufl. 1980, 6. Aufl. 1988.

Kellergeschoß

A Kassen
B Information
C Garderobe
D Toiletten
E Buchhandlung
F Zugang zu den Gemäldesälen über den Fahrstuhl und die Nebentreppe
G Gepäckschließfächer
H Galerie-Eingang für Behinderte
I Nebentreppe und Fahrstuhl

Erdgeschoß

A Eingangshalle
B Treppe zum Kellergeschoß mit den Kassen, der Garderobe, der Buchhandlung und den Toiletten
C Information
D Haupttreppe zu den Gemäldesälen
E Zugang zum Galeriecafé
1 Gobelinsaal
2–6 Gemälde von Bernardo Bellotto und Dresdener Gemälde des 18. Jahrhunderts

1. Obergeschoß

101 Entréesaal mit Gemälden von Louis de Silvestre, Jean-Marc Nattier und Bernardo Bellotto, genannt Canaletto
102 Gemälde von Bernardo Bellotto, genannt Canaletto
104–106, 108–111 Flämische und holländische Gemälde des 17. Jahrhunderts
107 Altdeutsche und altniederländische Gemälde
112 Französische Gemälde des 17. Jahrhunderts
113–115 Italienische Gemälde des 16. und 17. Jahrhunderts
116 Italienische Gemälde des 14. und 15. Jahrhunderts
117–119 Italienische Gemälde des 16. Jahrhunderts
120 Rotunde mit italienischen Gemälden des 16. und 17. Jahrhunderts
121 Venezianische Gemälde des 15. und 16. Jahrhunderts

2. Obergeschoß

201 Pastelle von Rosalba Carriera, Maurice Quentin de La Tour und Jean-Etienne Liotard
202 Französische Gemälde des 18. Jahrhunderts
203–207 Italienische Gemälde des 18. Jahrhunderts
208–210 Spanische Gemälde des 16. und 17. Jahrhunderts
211–216 Deutsche Gemälde des 17. und 18. Jahrhunderts, darunter Pastelle und Miniaturen sowie englische, böhmische, österreichische und Schweizer Gemälde

Kellergeschoß

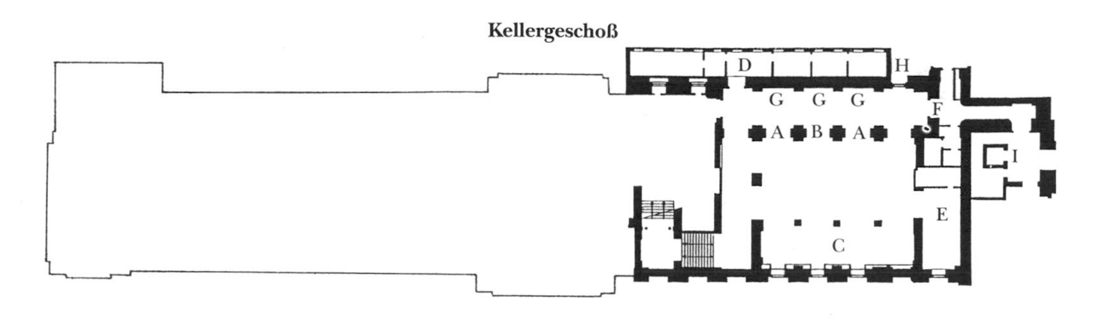

Erdgeschoß

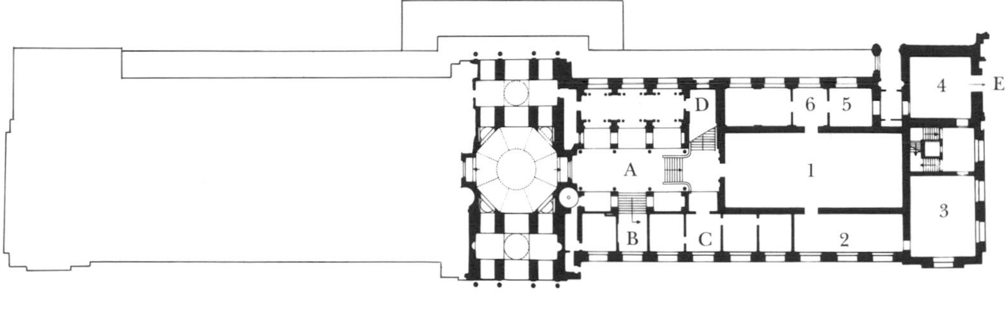

1. Obergeschoß

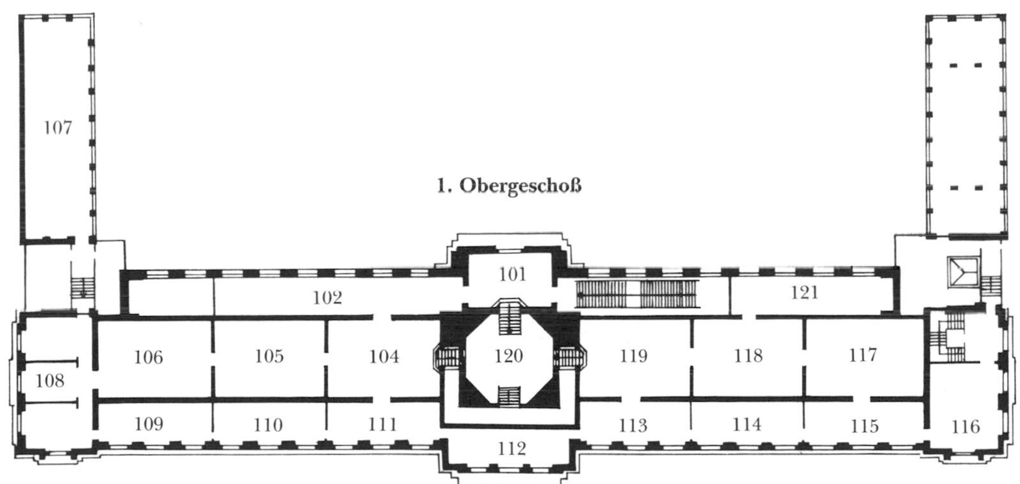

2. Obergeschoß

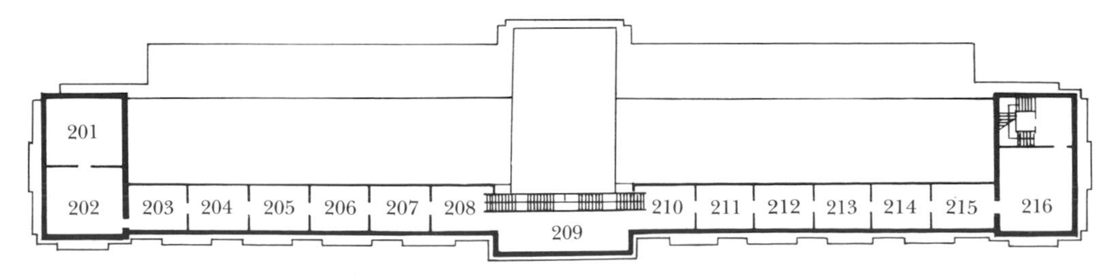